LES CLASSES BOURGEOISES

« L'Évolution de l'Humanité »

FÉLIX PONTEIL

Les
classes bourgeoises
et l'avènement
de la démocratie
1815-1914

ÉDITIONS ALBIN MICHEL

M. Félix PONTEIL, *Recteur honoraire de l'Académie de Besançon, a bien voulu prendre la relève du regretté S. Charléty et nous tenons à lui adresser nos remerciements pour le beau livre qu'il présente aujourd'hui. Le lecteur sera ému par l'avertissement de M. Ponteil et, ensuite, il sera charmé par la manière extrêmement élégante dont il a su maîtriser l'immense érudition qui sous-tend le texte de bout en bout.*

Cet important et difficile sujet, qui couvre tout le XIXᵉ siècle, est traité ici en profondeur; les grands thèmes apparaissent clairement et l'on constate à quel point les problèmes d'aujourd'hui se trouvent éclairés par cette étude attentive de ceux d'hier. L'utilité de l'Histoire bien faite est de moins en moins contestée; mais elle se manifeste particulièrement lors de la publication d'ouvrages tels que celui-ci.

Paul CHALUS,

Secrétaire général
du Centre International de Synthèse.

Note. – Cet ouvrage est le tome XC de la Bibliothèque de Synthèse historique « L'Évolution de l'Humanité », fondée par Henri BERR et dirigée, depuis sa mort, par le Centre International de Synthèse dont il fut également le créateur.

Avant-propos

Au moment de mettre le point final à ce travail, je ne puis m'empêcher de donner les raisons qui m'ont fait l'écrire.

Ce volume devait être rédigé par le Recteur Sébastien Charléty. Les années passant et ses charges se faisant de plus en plus lourdes, il me demanda de collaborer avec lui. Ce n'était pas la première fois. Il avait patronné mes débuts dans l'Université. C'était pour moi la reconnaissance des liens d'ordre scientifique et affectif que la vie avait tissés entre nous. Mais le Recteur Charléty, alors qu'il aurait pu donner une nouvelle fois la mesure de son talent d'historien, fut frappé dans ses affections les plus chères et mourut trop tôt pour pouvoir reprendre la plume et écrire le volume brillant et solide que l'on était en droit d'attendre de lui.

De nouvelles années passent. Mon activité s'était portée sur d'autres sujets de réflexion. Pourtant je n'arrivais pas à oublier un projet qui nous avait été commun. Mais le sujet n'avait-il pas été confié à un autre? La réponse qui me fut donnée m'ouvrait la voie de nouveau.

Voilà comment j'entamais la rédaction de cet ouvrage. Je l'ai entrepris, animé par cette piété filiale que l'on doit à un grand patron qui vous a toujours témoigné la plus affectueuse bienveillance et par la crainte de rester au-dessous de celui dont on prend, seul, la relève.

Je dédis ce volume à la mémoire de Sébastien Charléty. J'ai vécu deux années dans son ombre, quand il était Recteur de l'Académie de Strasbourg. C'était un homme simple, d'une intelligence lumineuse, ayant un sens aigu de l'administration. Mais jamais ses hautes fonctions, que ce soit à Tunis, à Strasbourg, à Paris, n'ont étouffé en lui le goût de l'histoire. De l'historien, il avait les qualités maîtresses, la précision, le sens de l'humain, l'imagination. Celui que certains définissaient, avec une pointe d'envie mêlée d'ironie, le « dernier des romantiques », a fait revivre la monarchie parlementaire et le saint-simonisme dans des ouvrages d'une si haute tenue scientifique et d'une si magnifique ouverture sur la période étudiée, qu'ils restent, malgré les années, classiques. Il avait l'art de prononcer un jugement en des phrases dont les termes étaient en quelque sorte gravés, comme celui de présenter des rapports d'une lucidité et d'une clarté qui emportaient la conviction.

Sébastien Charléty a donné à l'Université de Strasbourg un élan inoubliable, au lendemain de la libération de l'Alsace. Il lui a imprimé ce caractère international qui est sa marque, comme il a dressé le bilan des connaissances historiques sur la monarchie parlementaire dans l'Histoire de France contemporaine, publiée sous la direction d'Ernest Lavisse, en 1921. Qui a oublié, après les avoir entendus, les discours brillants et, par certains côtés, d'allure paradoxale, qu'il prononça à Strasbourg, puis à Paris, lors des séances solennelles de rentrée de l'Université?

Patron particulièrement attachant et combien redoutable pour celui qui a pris la plume à sa place, le sujet ne l'est pas moins par le rapprochement des termes, « classes bourgeoises » et « démocratie », et par les définitions qu'on a pu en donner, sans qu'il soit jamais possible de se reposer pleinement sur l'une d'elles. La contexture proprement historique du sujet paraît fondée sur un terrain moins mouvant. Encore faut-il louvoyer avec prudence parmi les écueils et les brisants que la politique a semés sur cette longue route.

Puisse la mémoire de ce grand historien, dont le charme intellectuel a conquis tant de ses contemporains, m'avoir inspiré un ouvrage auquel l'amitié lui ferait reconnaître peut-être — s'il pouvait le lire — quelques-unes des qualités qu'il jugeait nécessaires.

F. P.

Chapitre préliminaire

Classes bourgeoises. Démocratie. Des définitions

Ce thème présuppose quelques définitions. Classes bourgeoises ? Démocratie ? De quoi s'agit-il ? Peut-on définir chacun de ces termes ? En préciser les contours ?

I. LA NOTION DE CLASSE

D'abord qu'est-ce qu'une classe ? La notion de classe est liée à l'image que l'homme se fait de la cité. Le critère est-il économique, socio-économique, psychologique ? Y a-t-il une échelle de richesses et de pouvoirs commune à tous les groupes qui font partie d'une société donnée ? Les revenus, la place occupée dans la production, la possession ou non des moyens de production sont-ils les éléments objectifs qui permettent de définir une classe, ou bien doit-on tenir compte d'éléments subjectifs, comme la volonté d'appartenir à une classe, le style de vie ?

En fait, la notion de classe est très difficile à saisir. Autant d'auteurs, autant de définitions. Nous trouvons la formule dès le XVIIIe siècle. L'Encyclopédie de d'Alembert ne parle de classe qu'une fois à propos des institutions romaines. Elle en parle à propos d'histoire naturelle, de marine. Les Physiocrates distinguent classe productive, classe stipendiée, classe disponible. Saint-Simon part de cette idée que la révolution, préparée par les philosophes, a été dirigée par les bourgeois. Il reproche au peuple d'avoir confié la cause industrielle aux légistes. Savants et industriels ont laissé

faire. Or le pouvoir doit revenir à la classe industrielle. Pour
Littré, la classe se rapporte à « la division du peuple romain
suivant les conditions sociales et politiques » ; puis au « rang
établi parmi les hommes par la diversité et l'inégalité de leurs
conditions ». Les grands dictionnaires contemporains donnent au mot l'idée d'isolement, de hiérarchie, d'analogie
de fonctions et de mœurs. La classe signifie-t-elle la répartition des individus suivant leur fortune, leur condition
sociale, leur rang dans l'ordre politique, leur mentalité,
leurs habitudes ? En tout cas, les classes existent. Les décrets
d'août 1789 ont aboli les privilèges. Les nobles leur ont
survécu, avec leurs symboles extérieurs (particules, titres),
leurs habitudes collectives, le sentiment d'appartenir à un
groupe déterminé. Les tentatives ont été nombreuses pour
résoudre la question. Goblot n'a pas réussi ; Huard se perd
dans l'exposé historique. Sombart ([1]) * se plaçant sous
l'angle économique, parle du bourgeois, capitaliste, que
ses facultés prédisposent à dominer la vie économique.
Schmoller ([2]) voit dans les classes des groupes plus ou moins
fermés, liés par la profession, la possession, la culture, les
droits politiques, pour la réalisation d'intérêts communs.
Les classes s'étendent au-delà des limites des États. S'agi-
rait-il de soutenir que les nations seraient des divisions à
l'intérieur des classes ? Au contraire, leur développement a
eu lieu en toute indépendance. Comparer les classes des
diverses nations est difficile. Dans les différents pays, l'évolution sociale n'a pas été uniforme. Il reste pourtant que des
ponts existent, au-dessus des États, entre les classes, en
particulier les plus élevées.

Chaque groupe social témoigne d'une similitude d'éducation, de genre de vie, de fortune. La classe implique toujours la hiérarchie, l'idée de fréquentation mutuelle, les
mêmes buts d'existence, les mêmes manières, les mêmes
préjugés, la conscience d'occuper une place analogue dans
une société donnée, le fait de former un groupe social non
organisé, mais inspiré par une même conception du monde
et un même style de vie, du savoir, de l'influence sociale, de

---

* Les notes sont reportées en fin de volume.

la considération due à la fortune, bien que celle-ci soit loin de jouer toujours un rôle dans les mariages.

Les classes ont une base économique et juridique. Elles se distinguent des groupements professionnels. Elles absorbent, non pas l'individu, mais la famille. Le facteur économique joue un rôle de plus en plus grand, la classe guerrière du passé se muant en catégorie des propriétaires fonciers.

On ne peut nier l'idée de classe, même dans les pays où l'égalité politique et civile a été proclamée, faisant disparaître ordres ou états d'ancien régime. A tous les échelons, un esprit de corps n'abandonne jamais l'individu et, en fin de compte, la classe. La différenciation entre les classes est déterminée par les similitudes sociales. Une classe sociale groupe « les individus socialement assimilables les uns aux autres », sans que leurs particularités individuelles puissent l'emporter sur les similitudes.

Le problème des classes est plus complexe encore. Le passé a connu des classes de caractère politique, les patriciens et les plébéiens, les seigneurs et les vassaux ; d'autres, à la différenciation juridique, l'esclave, le serf, l'homme libre. Dans une société fondée sur la liberté et l'égalité, ces deux aspects cèdent le pas à l'aspect économique, avec des maîtres et des compagnons, des bourgeois et des ouvriers, sans qu'il y ait entre eux des limites fixes et de frontières infranchissables. Les classes ne sont pas figées. Des ponts permettent d'aller de l'une à l'autre. Les classes sont hiérarchisées. Elles le sont sur le plan interne, marquant des rangs supérieurs et des rangs inférieurs. Il y a une hiérarchie à l'intérieur de chaque classe. On la retrouve dans les familles, les nations, les groupes religieux.

Les doctrines méritent qu'on s'y arrête. Saint-Simon affirme dans l'*Organisateur* : « La société est en train de passer et elle doit passer de plus en plus du régime du gouvernement des personnes au régime de l'administration des choses. » Marx a distingué les classes, en fonction de la répartition, insistant sur le fait que le travailleur est exploité, en vertu de cette plus-value qui va à l'exploitant et qui forme son profit pour un travail qu'il n'a pas payé. Pour lui, il n'y a que deux classes : le prolétariat, et la bourgeoisie.

De petits commerçants, de petits artisans, peu fortunés, forment la classe moyenne. En cas de crise, ils seront les victimes des gros, plus riches qu'eux, et ils tomberont dans le prolétariat. Les classes moyennes sont en voie de prolétarisation. Or, leur chute ne s'est pas produite. La classe moyenne s'est même accrue. Marx n'a pas vu qu'entre les classes qu'il opposait, se produisent des rapprochements et s'échangent des idées communes. La lutte n'est pas permanente. Sans doute, ne faut-il pas séparer production et répartition.

Pour Schmoller ([3]), la diversité des professions caractérise les rangs sociaux. Il insiste sur le rôle de l'hérédité, des habitudes physiques et morales se transmettant de génération en génération, donnant naissance à des races d'hommes, fournissant, les unes les classes élevées, les autres les classes inférieures. Élargissant sa conception, il en vient à s'arrêter à la notion de catégorie de professions. Mais peut-on ranger dans la catégories des individus sans profession un clochard et un millionnaire ? L'avocat, le professeur, le médecin forment des professions libérales : ont-ils des habitudes et des tendances communes ? Karl Bucher ([4]) voit avant tout la différence des revenus, la richesse. Il suppose qu'il n'a pu y avoir une spécialisation des professions, ni une division du travail, avant qu'il y ait suffisamment de richesses accumulées. Il est vrai que la richesse représente une réalité. Mais où se ferait la coupure qui ferait passer un citoyen dans un groupe social plus ou moins élevé ? D'après quel barème ? D'autre part, selon les époques, les fluctuations de la richesse entraîneraient un constant transfert d'un groupe à un autre, provoquant une inquiétante instabilité sociale ([5]). De plus, la richesse ne vaut que dans la mesure où elle permet de travailler. Mais la richesse acquise ? La richesse qui se fait ? Elle n'est pas isolée. Elle est fonction de l'activité, de la profession. Les besoins qu'elle satisfait varient selon les milieux. Elle détermine le groupe social et elle est déterminée par lui.

Bourgeoisie et paysannerie sont difficiles à définir. Le paysan peut être un ouvrier sur la terre ou encore un propriétaire, grand, moyen, petit, en conséquence riche ou presque pauvre. Pourtant l'unité paysanne découle des mêmes conditions de travail, de la communauté de coutumes, de la nécessité de se fixer, en fin de compte, là où vivent les animaux et croissent les plantes.

II. LES BOURGEOIS DANS LEUR DIVERSITÉ

Le bourgeois ? ([6]) Au Moyen Age, dit Littré, il forme le corps des citoyens de la ville. De nos jours, c'est le citoyen appartenant à la classe moyenne. Pour Karl Marx, il est l'héritier de l'effondrement de la féodalité et il représente la classe dominante dans le mouvement industriel et capitaliste. Il est l'exploiteur de l'ouvrier et le représentant d'un système économique déterminé, l'organisation capitaliste. Sombart adopte ses vues. C'est fausser le problème en le rétrécissant. Il n'y a pas que des fabricants, des entrepreneurs ou des commerçants. La bourgeoisie recouvre aussi les professions libérales. Le bourgeois travaille, même si, aux yeux des observateurs superficiels, son activité semble médiocre. La bourgeoisie, telle qu'elle est au XIXe siècle, est une classe nouvelle, issue du peuple, en particulier de la paysannerie, se renouvelant sans cesse par des apports nouveaux et en acquérant un certain orgueil du fait de la conscience de sa supériorité ([7]). Marx l'a reconnu : la société contemporaine lui doit l'organisation économique moderne dont il poursuit l'amélioration. Un professeur de l'École polytechnique, ancien directeur du port de Strasbourg, Detœuf, a pu affirmer, en 1936, que le bourgeois avait « enrichi le monde, » fait glisser une partie de la classe ouvrière dans la petite bourgeoisie et contribué, sous la pression des syndicats et suivant le progrès de la démocratie, à augmenter largement son pouvoir d'achat ([8]). Le bourgeois a répondu, pour une part, à l'idéal de Saint-Simon et il a créé la classe des producteurs. Sous l'ancien régime, le titre importait seul pour les nobles. Avec la bourgeoisie, c'est la profession ; ce sont les notions intellectuelles et morales. La fonction représente à la fois une activité technique et des qualités d'homme. Ce qui est différencier la bourgeoisie de la noblesse. Le bourgeois s'est peu à peu révélé : patriciat urbain à l'ori-

gine, il a tenté d'introduire dans son groupe certaines valeurs
morales de la noblesse, qu'il jugeait plus particulièrement
exaltantes. La bourgeoisie serait née — la thèse a été soutenue avec succès — dans les pays anglo-saxons, sous l'influence de la doctrine protestante piétiste et individualiste qui
stimulait l'amour-propre, l'énergie et les qualités morales.
C'est transporter la doctrine de la prédestination dans le
domaine de l'activité économique. Dieu aurait favorisé le
bourgeois, lui inspirant la rigueur de sa conduite et un esprit
de sacrifice tendu vers l'acquisition de la richesse dans le
renoncement aux joies terrestres (⁹). Volonté, tempérance,
ordre, modération, équité, équilibre moral, propreté constituaient quelques-unes de ses qualités éminentes. L'époque
contemporaine a modifié le but : le bourgeois du XIXᵉ siècle
ne travaille plus pour l'amour de Dieu. Les richesses dont
il poursuit l'acquisition ont une valeur pour elles-mêmes.
Il les acquiert et les développe, en vue d'améliorer les conditions de la vie sociale extérieure à la profession.

L'aspect psychologique et moral du bourgeois n'a pas
été seul à changer. La conception traditionnelle bourgeoise
tendue vers la conquête du marché local ou régional, a été
bouleversée. La ligne d'horizon a été brisée. Le grand négociant, le fabricant moderne, initiateur des entreprises modernes, dressent leurs plans à l'échelle nationale ou mondiale.
Dès lors, ce qui importe, c'est moins l'énergie personnelle,
l'effort individuel accompli, que le sens des grands intérêts
sociaux et collectifs. Le bourgeois industriel travaille pour
la satisfaction de besoins qui le dépassent, mais lui confèrent
un large prestige social. Par un retour de flamme de son
égoïsme natif, il s'attribue le succès qu'il n'a pas été le seul
à obtenir. Tel est surtout l'exemple du grand bourgeois.

Entre le grand bourgeois et le prolétaire, les classes moyennes. Elles constituent la moyenne et la petite bourgeoisie.
En 1789, elles groupaient les personnels subalternes des
administrations qui formaient le gros de l'opinion et qui ont
établi la liaison entre le régime déchu et le nouveau. Ils
avaient l'esprit traditionnel des légistes. Les classes moyennes
sont formées de groupes dont les membres n'appartiennent
ni à la classe supérieure, ni à l'inférieure, en ont conscience

et ont plus peur de tomber dans la classe inférieure que d'accéder à la supérieure. Jean Lhomme ([10]) inclut les patrons et les chefs d'établissements au-dessus du minimum fiscal, les rentiers, les retraités, les ménagères non mariées et les adultes qui ne travaillent pas, les salariés payant impôt. 45-46 % de la population formeraient les classes moyennes et la bourgeoisie ; 41 % le prolétariat ; 13-14 % seraient difficiles à classer. Mais « l'étagement des revenus et des fortunes correspond moins encore qu'autrefois à la hiérarchie des classes », reconnaît Lhomme. Le genre de vie est beaucoup plus important.

Comment en saisir les limites ? Simiand ([11]) y insère le haut artisanat, les industriels et commerçants moyens et petits, des professions libérales, les fonctionnaires moyens. Ces énumérations marquent la diversité des groupes sociaux. Les uns — les artisans et les commerçants — sont économiquement indépendants. Pour leurs fonctions d'exécution, ils se rapprochent des ouvriers ; pour celles de direction et de gestion, des bourgeois. Ils se distinguent des employés, eux-mêmes très divers, allant de l'employé de magasin, du garçon livreur, à l'ingénieur et au chef de comptoir. Les premiers, les plus bas, n'ont pas de responsabilité ; les seconds en ont une large, par délégation. Les fonctionnaires, petits et moyens, font partie des classes moyennes. Ils ont un trait original : serviteur de l'État, ils ont davantage le sentiment de leur dignité, de leur rang social.

L'activité technique constitue l'unité de ces différentes catégories. L'objet de leur activité est matériel et humain. Employés et fonctionnaires ont affaire à des êtres humains et non, comme l'ouvrier, à une matière inerte. Mais ils ne retiennent de la fonction que l'aspect technique. Pourtant certains fonctionnaires ont pour tâche d'adapter les normes générales à des cas particuliers. Ainsi le juge fait jouer les éléments techniques, juridiques et psychologiques. L'employé n'a pas — tout au moins au même degré que son patron — la connaissance des comportements du monde dans lequel évolue la clientèle. Les relations entre commerçants et acheteurs prennent le plus souvent un caractère personnel et social, faisant jouer au côté privé un rôle important.

Veut-on préciser les limites des diverses bourgeoisies ? Le doute vous assaille. Martin-Saint-Léon classe dans la haute bourgeoisie parisienne les agents de change, les notaires, les banquiers, les grands médecins, les commerçants notables, les grands avocats ; en province, les grands propriétaires fonciers et le haut négoce. Mais où commencent et où finissent les uns et les autres ? C'est tout le problème : comment faire le départ ? Quel compte tenir des marges ? D'autres écartent les commerçants notables et le haut négoce pour y insérer une partie des magistrats et des officiers, les professeurs d'Université.

La moyenne bourgeoisie constituerait le fond essentiel du groupe : c'est la bourgeoisie tout court. Ici encore, les interprétations diffèrent, les uns se plaçant sur le plan économique ; les autres, sur le plan social, plus restrictif. Certains encore mettent quelques hauts fonctionnaires dans la haute bourgeoisie ; les fonctionnaires moyens dans la moyenne, en rejetant pourtant quelques-uns dans la petite, avec les petits fonctionnaires, différentes catégories économiques représentées par le commerçant moyen, l'industriel, l'agriculteur, certaines professions libérales, dentistes, ingénieurs ne sortant pas d'une grande école, pharmaciens ; des familles menant une vie identique à celle de la bourgeoisie moyenne, sans vie mondaine, industriels, commerçants, gros propriétaires exploitants, fonctionnaires moyens, professeurs, professions libérales à relations populaires.

Enfin comment établir une démarcation valable entre le petit bourgeois et le peuple : petits marchands, petits fermiers, tout petits fonctionnaires sont du peuple.

Il est difficile de voir la question objectivement. Pour reprendre une formule d'Auguste Comte, « le sujet se confond avec l'objet ». Marx dira : un bourgeois ne peut penser que bourgeois. Ce qui est peut-être le meilleur critère pour définir un bourgeois, à condition, bien entendu, que l'observateur ait une patente marxiste. Prenons la question à l'envers. Certains insistent pour être reconnus comme des bourgeois, arbitrant les privilèges bourgeois et se targuant de qualités bourgeoises. D'autres, sans s'embarrasser d'être juges et parties dans le débat, prétendent être seuls capables

de distinguer ceux qui ont — ou qui n'ont pas — les qualités
requises. Les savants eux-mêmes sont-ils capables de
s'abstraire des contingences de la classe à laquelle ils appartiennent ? On peut en discuter. Au premier congrès international auquel ils ont participé, en dehors de la couleur
de la cravate qui était rouge, les historiens soviétiques éta-
laient leur dédain anti-bourgeois. C'était la période héroïque
du marxisme-léninisme. La révolution était encore proche
et, tels les Montagnards de 1793, ils témoignaient d'une
intransigeance qui n'est plus concevable, trente-trois ans
plus tard, en dépit d'ouvrages solides, mais parfois à caractère trop unilatéral.

Il est clair que la bourgeoisie a hérité de certains mérites
de la noblesse. Elle les a transposés sur le plan de la production et de la distribution, donnant aux valeurs humaines
la première place. Elle a conservé quelques-unes des repré-
sentations traditionnelles de la noblesse, qui n'ont pas le
caractère d'illusions que leur impute Marx, parce que non
économiques, qui sont pourtant réelles et, socialement et
humainement parlant, décisives.

Ce sont ces qualités, ces caractéristiques, qui déterminent
une hiérarchie entre les groupes, les groupes inférieurs
s'effaçant, quand l'occasion se présente de se dégager du
cadre de la vie technique, pour prendre conscience de leur
unité et donner aux autres groupes, plus élevés, le sentiment
de représenter la tendance sociale fondamentale.

Pourtant le problème reste, marginalement tout au moins,
réduit à des formes vagues et difficiles à identifier. Peut-on
parler ([12]) d'un « continuum » socio-économique ? N'est-ce
pas réduire toute réalité de classes sociales ? A coup sûr,
cette réponse, négative, justifie la complexité du problème.
Elle explique aussi que les scissions de classes sont beaucoup
moins marquées que d'aucuns le soutiennent souvent,
toutes choses étant égales d'ailleurs, bien entendu ([13]).

Quelle que soit la manière d'aborder le sujet, nous en
venons toujours à une constatation : la bourgeoisie n'est pas
une. Mais cette bourgeoisie multiforme, il ne s'agit pas pour
nous de l'étudier d'une façon interne et pour elle-même.
Nous ne l'envisageons ici que dans la mesure où elle a

été un des éléments sociaux de l'avènement de la démocratie. Là encore, nous nous heurtons à un éventail de définitions et de contenus qui traduisent l'évolution des idées dans le temps et déforment le visage traditionnel de cette forme de gouvernement.

III. HISTOIRE ET DÉMOCRATIE

L'histoire met en lumière l'évolution du système. La démocratie athénienne est fondée sur la souveraineté directe du peuple. Le citoyen participe au pouvoir législatif et au pouvoir judiciaire. Tous les citoyens sont égaux et les affaires publiques se règlent au sort qui établit l'égalité des chances. Au XVIe siècle, la démocratie apparaît comme un moyen de lutte contre le pouvoir royal. Les protestants mettent en avant, avec Hubert Languet et son ouvrage *Vindiciae contra tyrannos*, la théorie du contrat, base de la souveraineté nationale. Double contrat : entre le peuple et le roi ; entre Dieu et le roi. De ce pacte se dégage l'idée de résistance armée, au cas où le pacte serait violé, la légitimité du tyrannicide. Contre le roi qui gouverne mal, la résistance revient aux magistrats et aux autres conseillers du peuple. Le pasteur Jurieu, dans ses *Lettres pastorales*, affirme que les rois « tirent immédiatement leur pouvoir des peuples ». Sans pouvoir sur les consciences, ni possibilité de contraindre un individu à « professer une religion plutôt qu'une autre », ceux-ci peuvent transférer aux souverains des droits qu'ils n'ont pas, ni leur déléguer une autorité qui tendrait à détruire les peuples. C'est dire qu'ils ont le droit de désobéir au prince « qui commande contre les lois fondamentales de l'État ». Monarchiste sincère, Jurieu veut limiter l'absolutisme royal par le principe démocratique.

Montesquieu ([14]) considère la démocratie comme le régime où, par nature, la souveraineté appartient au peuple ou corps qui est à la fois, le prince quand il exprime sa volonté par ses suffrages ; le sujet quand il obéit aux magistrats qu'il s'est donnés. L'amour de la démocratie est l'amour de l'égalité. « Les citoyens ne peuvent pas lui rendre tous les services égaux ; mais ils doivent tous également lui en

rendre. » Mais Montesquieu met la liberté avant l'égalité
et trouve en Angleterre la monarchie tempérée qu'il souhaite. Il considère comme idéal « un État éclairé et tolérant, garantissant la liberté civile à tout individu, poursuivant une politique séculière, méfiant à l'égard de
l'Église et réglant son comportement sur les seules lois
naturelles ».

Étudiant la formation de l'État, Rousseau le définit l'union
de ses membres, mais cette union ne trouve sa source, ni
dans le droit du plus fort, ni dans le droit divin, mais dans
le contrat ([15]). L'établissement du corps politique se fait
« comme un vrai contrat entre le peuple et les chefs qu'il se
choisit ». L'association entre les divers membres produit
un corps moral et collectif, qui a son moi commun, sa vie,
sa volonté. Cette personne politique prend le nom de souverain. « La volonté constante de tous les membres de l'État
est la volonté générale ». Cette volonté ou souveraineté se
traduit par des lois, expression solennelle et publique de
la volonté générale sur un objet d'intérêt commun. Cette
volonté générale ne se confond pas avec la volonté de tous ;
celle-ci est un fait politique ; celle-là, un fait moral. Volonté
générale et loi morale se confondent. Rousseau a nié la véritable démocratie. Il n'a pas jugé possible les grandes
démocraties. Pour réaliser un État démocratique, « il faut
un État très petit, où le peuple soit facile à rassembler...,
une grande simplicité de mœurs..., beaucoup d'égalité
dans les rangs et dans les fortunes..., pas ou peu de
luxe ».

Sieyès ([16]) rêvait d'une démocratie, c'est-à-dire d'un État
qui ferait du Tiers État tout, en fait et en droit. Il appartient
à l'État de se donner une constitution, qui définira les droits
et les devoirs de chacun. Une fois la communauté constituée,
une volonté commune agit pour en arriver au gouvernement
par procuration, dans lequel la volonté commune est représentative. Les lois constitutionnelles émanent de la volonté
de la nation. Elles sont intouchables et fondamentales.
Sieyès ne conçoit l'exercice de la souveraineté du peuple
que par la représentation. Il n'admet pas de contrat. Il est
partisan d'une monarchie tempérée et représentative, une

monarchie élective, dans laquelle le Tiers et la nation ne faisaient qu'un, le privilège étant banni.

La Déclaration des droits de 1789 ([17]) fonde la doctrine individualiste de la révolution et la démocratie libérale. Elle est une manifestation de messianisme démocratique. Elle constitue un dogme religieux. Fondée sur le prosélytisme, elle est le témoignage d'une foi. L'État qu'elle décrit est fait pour l'individu : l'égalité, la liberté, la propriété, la liberté du travail, de conscience et du culte en sont les fondements. Mais, au cours de la révolution, cette mystique juridique et rationaliste des droits de l'homme cède le pas à la mystique ardente des droits et des devoirs de la collectivité nationale issue du contrat social. La constitution de 1793 est démocratique, antilibérale, antiparlementaire ; elle proclame que « tout individu qui usurperait la souveraineté devrait être à l'instant mis à mort par les hommes libres ». L'action de l'État s'exerce sans limites, pourvu qu'elle s'exerce suivant la loi, expression de la volonté générale, les libertés individuelles étant subordonnées à la démocratie. La constitution de 93 se propose un gouvernement direct par le peuple qui sanctionne les lois.

Dans la conception française, la démocratie est égalitaire. Mais le contenu de l'égalité varie avec les constitutions : en 1789-1791, tous les citoyens n'ont pas les mêmes prérogatives sociales, mais tous doivent être protégés de la même manière dans leur personne et dans leur propriété, sans distinction de personne et de classe. En 1793, est établi le suffrage universel égalitaire que la révolution de 1848 consacrera. Le principe d'égalité, base de la démocratie, ne vise pas l'égalité des conditions. C'est attenter à la démocratie que d'établir l'inégalité par la loi. Car, sociale, elle est opposée aux privilèges de l'aristocratie. « A égalité de facultés, ils (les citoyens) doivent avoir égalité de mérite, et à égalité de mérite, ils doivent avoir égalité d'avantages. » L'égalité ne vise pas les conditions. Condorcet le dit dans son *Essai sur les assemblées provinciales* :

« Toute inégalité qui est établie par la loi, qui n'est pas une conséquence nécessaire de l'usage du droit de propriété, des divers degrés de talent ou de mérite... est une violation directe de l'égalité primitive et naturellement une véritable atteinte aux droits de l'humanité. » On ne peut s'empêcher de rapprocher le jugement de Villèle sous la Restauration : « Nous sommes tous égaux devant la loi d'élection en ce sens que nul ne pourra être électeur sans remplir telle ou telle condition exigé par elle ; il n'y aurait inégalité que si l'on admettait à voter ceux qu'elle exclura. » Elle est morale, en ce sens qu'elle se propose le respect de la dignité humaine ; qu'elle a foi dans les principes de liberté et d'égalité, et, en 1848, de fraternité. Elle est individualiste : l'individu est la fin de la société. Le citoyen participe à la souveraineté en tant qu'individu.

Les mouvements révolutionnaires du XVIIIe siècle forgent une liberté politique sans démocratie, forment des citoyens sans république. Le droit de participer au pouvoir a le caractère d'un privilège limité : un système censitaire et des représentants des électeurs. « La propriété seule rend les hommes capables de l'exercice des droits politiques. » Les représentants participent à la confection des lois au nom des citoyens. Ce système restreint contribue à développer l'intrigue et à installer entre le citoyen et ses représentants une série d'écrans qui déforment la volonté populaire initiale. En somme, ce sont les élites, la bourgeoisie qui absorbe l'influence, appartenant au prince, dans le passé. L'État n'est pas vraiment démocratique. De 1815 à 1848, le mouvement vers la démocratisation se poursuit, avec lenteur, et finit par ne pas aboutir : en France, il y a 90 000 électeurs en 1817; 166 000 en 1831 ; 241 000 en 1847 ; en Angleterre, la réforme électorale de 1832 fait passer le nombre des électeurs de 435 000 à 650 000. Le décret du 5 mars 1848 accorde le suffrage universel à tous les citoyens et déclenche le mouvement de démocratisation. Le personnel représentatif se démocratise sous la poussée des masses citoyennes ([18]).

IV. TOCQUEVILLE ET LE GOUVERNEMENT PAR LE PEUPLE

La démocratie constitue la grande idée politique du XIXe siècle. Les théoriciens pensaient que l'avenir était à un gou-

vernement par le peuple. Mais le sens du mot évolue au cours
du siècle, en attendant que la dictature du parti communiste
et du prolétariat en Russie soviétique soit représentée comme
une nouvelle forme de la démocratie ([19]).

De 1835 à 1840, Tocqueville publie son grand ouvrage
sur *la Démocratie en Amérique*. C'est le premier travail sur
la démocratie moderne. Il oppose à la démocratie antique de
Montesquieu le sens de la démocratie nouvelle ([20]).

L'égalité est la caractéristique même des sociétés modernes
démocratiques. Sa marche triomphante est fondée sur l'in-
fanterie qui gagne les batailles et qui est composée d'hommes
du peuple ; sur la découverte de l'Amérique ; sur le protestantisme. « Les peuples démocratiques aiment l'égalité
dans tous les temps ; mais il est de certaines époques où ils
poussent jusqu'au délire la passion qu'ils ressentent pour elle. »
Et plus loin : « Je pense que les peuples démocratiques ont
un goût naturel pour la liberté... Mais ils ont pour l'égalité
une passion ardente, insatiable, éternelle, invincible. Ils
veulent l'égalité dans la liberté, et s'ils ne peuvent l'obtenir,
ils la veulent encore dans l'esclavage... » Pourquoi cet amour
immodéré ? De répondre : « Ne demandez point quel charme
singulier trouvent les hommes des âges démocratiques à
vivre égaux, ni les raisons particulières qu'ils peuvent avoir
de s'attacher si obstinément à l'égalité plutôt qu'aux autres
biens que la société leur présente. L'égalité forme le caractère distinctif de l'époque où ils vivent. Cela seul suffit,
qu'ils préfèrent à tout le reste. » Il y a une cause plus profonde
que nous donne Tocqueville : « Si un peuple pouvait jamais
parvenir à détruire ou seulement à diminuer lui-même dans
son sein l'égalité qui y règne, il n'y arriverait que par de
longs efforts. Il faudrait qu'il modifiât son état social, abolît
ses lois, renouvelât ses idées, changeât ses habitudes, altérât
ses mœurs. Mais pour perdre la liberté politique, il suffit
de ne pas la retenir, et elle s'échappe. Les hommes ne tiennent pas seulement à l'égalité parce qu'elle leur est chère ;
ils s'y attachent encore parce qu'ils croient qu'elle doit durer
toujours. »

La démocratie égalitaire développe l'amour de l'indépendance, l'individualisme. Tocqueville donne à ce dernier mot

un sens moral. Il lui attribue le sentiment de la valeur de l'indépendance humaine. La féodalité avait créé une chaîne allant du paysan au roi. La démocratie a brisé la chaîne. Désormais, plus de chaîne, plus de continuité, ni de survie. « C'est que non seulement la démocratie fait oublier à chaque homme ses aïeux, mais elle lui cache ses descendants et le sépare de ses contemporains. Elle le ramène sans cesse vers lui seul et menace de le renfermer enfin tout entier dans la solitude de son propre cœur. » Le danger de l'individualisme c'est de finir par s'absorber dans l'égoïsme. L'individualisme est « un sentiment réfléchi qui dispose chaque individu à s'isoler de la masse de ses semblables et à se retirer à l'écart avec sa famille et ses amis ». Il se crée une petite société à son usage, abandonnant la grande société à elle-même. Il se développe au fur et à mesure que les conditions s'égalisent. Les individus accordent toujours de nouveaux droits au pouvoir central. En effet, dans les États démocratiques, seul, le gouvernement a quelque stabilité. Il a une volonté continue, alors que les idées des individus varient tous les jours. « Un gouvernement démocratique accroît donc ses attributions par le seul fait qu'il dure. Le temps travaille pour lui. Tous les accidents lui profitent. Les passions individuelles l'aident à leur insu même et l'on peut dire qu'il devient d'autant plus centralisé que la société démocratique est plus vieille. » Ainsi l'idée d'un pouvoir central unique est une idée simple, chère à la démocratie. Il en résulte que l'État est de plus en plus grand et que l'individu se détourne de plus en plus des affaires publiques.

Les circonstances favorisent l'étatisme. Les révolutions suppriment les classes qui dirigeaient les affaires locales. Comme l'organisation est confuse, il n'y a plus que l'État qui puisse s'occuper des détails du gouvernement. La centralisation devient un fait nécessaire. Au début, le peuple s'efforce de centraliser l'administration publique ; il s'agit pour lui d'arracher la direction des affaires locales à l'aristocratie. Plus tard, l'aristocratie tente de livrer à l'État la direction de toutes les affaires pour échapper à la même tyrannie du peuple. L'administration publique pénètre de plus en plus dans les affaires privées. L'État centralise les plus grands

capitaux, grâce aux emprunts et aux caisses d'épargne.
Il contrôle les fortunes privées. L'industrie exige l'intervention de l'État. Car la classe industrielle, nombreuse, a besoin
d'être réglementée, surveillée, contenue. Il est impossible
aux particuliers de faire les grands travaux publics. L'État
se substitue à eux et devient le plus grand industriel. Il
contrôle les associations d'industriels. Ainsi la centralisation
grandit encore. En même temps que les peuples indociles
détruisent ou limitent l'autorité de leurs seigneurs ou de
leurs princes, « le pouvoir social accroît sans cesse ses prérogatives. Il devient plus centralisé, plus entreprenant, plus
absolu, plus étendu. Les citoyens... sont entraînés insensiblement et comme à leur insu, à lui sacrifier tous les jours
quelques nouvelles parties de leur indépendance individuelle
et... se plient de plus en plus, sans résistance, aux moindres
volontés d'un commis ».

Il faut se défier du despotisme démocratique, qui « dégrade
les hommes sans les tourmenter »... « Il est absolu, détaillé,
régulier, prévoyant et doux. Il ressemblerait à la puissance
paternelle, si, comme elle, il avait pour objet de préparer
les hommes à l'âge viril ; mais... il aime que les citoyens
se réjouissent, pourvu qu'ils ne songent qu'à se réjouir.
Il travaille volontiers à leur bonheur. Mais il veut en être
l'unique agent et le seul arbitre ; il pourvoit à leur sécurité,
prévoit et assure leurs besoins, facilite leurs plaisirs ; conduit
leurs principales affaires, dirige leur industrie, règle leurs
successions, divise leurs héritages, que ne peut-il leur ôter
entièrement le trouble de penser et la peine de vivre ? »

Pris entre le despotisme démocratique et le despotisme
d'un homme ou d'une assemblée, Tocqueville préfère le
premier, moins dégradant, parce que chaque citoyen « peut
encore se figurer qu'en obéissant, il ne se soumet qu'à lui-
même ».

La démocratie peut faire un effort vigoureux, mais court.
Le gouvernement d'un seul a plus de régularité administrative et d'ordre. Mais la démocratie fait ce que le gouvernement le plus habile ne parvient pas à faire. « Elle répand
dans tout le corps social une inquiète activité, une force
abondante, une énergie qui n'existent jamais sans elle, et

qui, pour peu que les circonstances soient favorables, peuvent enfanter des merveilles. »

La démocratie a le tort d'admettre la tyrannie de la majorité. De fait, l'homme qui souffre d'une injustice ne saurait pas plus s'adresser à l'opinion publique qui forme la majorité, qu'au Corps législatif qui la représente et lui obéit aveuglément ou au pouvoir exécutif qui est nommé par elle et lui sert d'instrument passif, ou à la force publique qui n'est autre chose que la majorité sous les armes. Il y aurait pourtant un remède. Il faudrait un corps législatif « composé de telle manière qu'il représente la majorité sans être nécessairement l'esclave de ses passions : un pouvoir exécutif qui ait une force qui lui soit propre, et une puissance judiciaire indépendante des deux autres pouvoirs ».

La démocratie manque de corps intermédiaires. Le citoyen doit jouir de la liberté politique. D'abord, les libertés locales qui ramènent sans cesse les hommes les uns vers les autres et les forcent à s'entraider. L'esprit communal est un élément d'ordre et de tranquillité et un moyen de formation civique. La commune constitue le fondement des peuples libres. « Les institutions communales sont à la liberté ce que les écoles primaires sont à la science ; elles la mettent à la portée du peuple ; elles lui en font goûter l'usage paisible et l'habitude de s'en servir. Sans institutions communales, une nation peut se donner un gouvernement libre, mais elle n'a pas l'esprit de la liberté. »

La décentralisation doit pénétrer le régime politique et administratif. C'est le deuxième remède. « La centralisation administrative n'est propre qu'à énerver les peuples qui s'y soumettent, parce qu'elle tend sans cesse à diminuer parmi eux l'esprit de cité. » Elle entretient dans le corps social une somnolence que les administrateurs ont coutume d'appeler « bon ordre et tranquillité publique ». Elle « excelle à empêcher, non à faire ». Avec la décentralisation administrative, la patrie se fait sentir partout. « L'habitant s'attache à chacun des intérêts de son pays comme aux siens propres. »

Les institutions judiciaires ont une grande importance pour le salut de la liberté. Le juge américain a le droit de fonder ses arrêts sur la constitution plutôt que sur les lois.

Il a été autorisé à ne point appliquer les lois qui lui paraî-
traient inconstitutionnelles, dressant « une des plus puissantes
barrières qu'on ait jamais élevées contre la tyrannie des
assemblées politiques ».

L'esprit légiste est le moyen le plus sûr de contrebalancer
les écarts de la démocratie et de neutraliser les vices du gouvernement populaire. Il y a, chez les légistes, un certain goût
des formes, une sorte d'amour pour l'enchaînement régulier
des idées, très éloigné de l'esprit révolutionnaire et des
passions irréfléchies de la démocratie. Ils forment une
aristocratie dans la démocratie. Aux instincts démocratiques,
ils opposent secrètement leurs penchants aristocratiques ;
à l'amour de la nouveauté, le respect de ce qui est ancien.
L'influence légiste pénètre partout aux États-Unis. « Le
peuple finit par contracter une partie des habitudes et des
goûts du magistrat. » Frein aux débordements démocratiques, l'esprit légiste est une puissance qu'on aperçoit à
peine, qui se plie aux exigences du temps, enveloppe la
société tout entière et finit par la modeler suivant ses désirs.

Les associations sont inutiles dans les sociétés aristocratiques : les hommes sont retenus fortement ensemble.
Dans les régimes démocratiques, les citoyens sont indépendants et faibles et ne peuvent à peu près rien par eux-
mêmes. Le pouvoir social ne cesse de s'accroître et, avec
lui, la tyrannie. Dans la démocratie, il y a nécessité de
développer l'art de s'associer dans le même rapport que
l'égalité des conditions s'accroît. Car les associations limitent
le pouvoir de l'État, en ralentissent la marche et suppléent
aux corps intermédiaires du passé. Ainsi, par les libertés
locales, substituant l'intérêt général à l'intérêt particulier,
la notion du bien public apparaît. Par l'association, l'action
réciproque des hommes les uns sur les autres se développe.
L'individu se dégage du poids de l'État despotique. L'éducation apprend à subordonner l'effort particulier à l'action
commune.

Tocqueville a poursuivi la solution d'un double problème :
accorder la démocratie, dont le progrès ne saurait être arrêté,
et la liberté politique ; faire naître et entretenir entre les
hommes la solidarité.

V. PRÉVOST-PARADOL : GOUVERNEMENT ET SOCIÉTÉ.

Prévost-Paradol, dans *la France nouvelle*, (1868) distingue
gouvernement et société [21]. La Monarchie de juillet
avait un gouvernement constitutionnel, parlementaire, mais
non démocratique. Par contre, « la société française, par
exemple, sous la monarchie de juillet, était certainement une
société démocratique ; mais il ne serait pas exact de dire que
la France avait dans ce temps-là un gouvernement démocratique, puisque l'immense majorité des citoyens n'avait
point de part à l'élection des députés de la nation, ni à la
direction des affaires publiques ». Il ajoutait : « La défiance
des hommes est en raison de leur malaise et de leur peu de
lumières ; lorsque les intérêts populaires ne sont pas directement représentés dans un système politique, ils s'y croient
par là même méconnus et trahis et lorsque les passions populaires sont privées de toute espérance légale d'aboutir, elles
s'aigrissent et s'exaspèrent. » La réforme électorale aurait
tout arrangé. La soudure entre le cabinet et la royauté et
l'immobilisme qui en résulta, a amené la révolution. Il est
faux et abusif de donner le nom de démocratie aux États
où la société est démocratique. Pour le donner, il faut « que
cette société démocratique soit politiquement constituée
en démocratie. »

Les sociétés primitives commencent par l'état aristocratique ; elles se transforment inévitablement en sociétés
démocratiques. Mais « on verrait plutôt un fleuve remonter
vers sa source qu'on ne verrait une société démocratique
refluer vers l'aristocratie... La douceur de l'égalité est accessible aux plus faibles intelligences et l'on ne peut renoncer
à ce plaisir une fois qu'on l'a goûté ».

Une société qui devient démocratique aspire à fonder un
gouvernement démocratique. Seulement, une fois parvenue
à ce gouvernement, la société court les plus grands dangers.
Si ce gouvernement, dit Prévost-Paradol, n'était pas exposé
à la corruption, à la mort, aux pires dangers et infirmités,
on pourrait y voir le dernier degré de la civilisation et le
plus sûr moyen d'assurer le bonheur d'une société politique.
L'équité, l'égalité, la puissance publique venant à tous, sont

un beau et réconfortant spectacle ; il ne dure pas, mais il aboutit à l'anarchie ou au despotisme. Il « repose sur cette idée que le plus grand nombre des citoyens fait un usage raisonnable de son vote et voit toujours avec discernement ce qui est conforme à la justice et avantageux à l'intérêt commun ». Or, dans un gouvernement démocratique, celui qui parle « le langage de la conscience et de la raison » qui « n'affirme que ce qu'il sait et ne promet que ce qu'il espère » se verra supplanter par celui qui promet tout et « flatte toutes les espérances ».

Le fait se renouvelle-t-il, la démocratie tourne à l'anarchie. Le désordre se prolonge-t-il, l'État devient une proie facile au despotisme. Jugeant difficile de concilier l'ordre et la liberté et désespérant de distinguer l'obéissance nécessaire et l'obéissance déréglée qu'on veut leur imposer, les citoyens les plus éclairés se résignent ; ils assurent ainsi le despotisme démocratique qui séduit la multitude. Ne lui promet-il pas la gloire, à moins qu'il ne s'agisse d'une répartition plus juste de la richesse, ou même d'une rénovation de la société.

Une société démocratique doit tendre à accorder le droit de suffrage à tous les citoyens. Extension dangereuse si elle est rapide. Le corps électoral obéit-il au pouvoir exécutif, celui-ci, disposant du vote populaire, fait ce qu'il veut et masque un gouvernement absolu. Est-il livré à lui-même, il est privé de lumières et risque de commettre de lourdes fautes. Le suffrage universel a tendance à opprimer les minorités et à établir « la suprématie presque absolue de la classe la plus nombreuse et la moins éclairée de la nation sur le corps politique ». Pourtant il acquiert de plus en plus le sentiment de sa force et de sa reponsabilité et contribue, par l'essence même du suffrage universel, à assurer l'ordre et la paix. Le suffrage universel entraîne la liberté de la presse politique, le droit de réunion, avec, pour réprimer les excès, le jury, l'instruction publique accessible à tous. Le suffrage doit être indépendant, préservé des menaces comme des promesses. Le pouvoir exécutif ne doit pas remanier les circonscriptions par respect de l'indépendance du droit de suffrage. La décision ne peut appartenir qu'au législatif. L'exécutif peut choisir ses candidats, s'il est formé d'un cabinet homogène dépendant de la majorité de l'assemblée. Le parti au pouvoir a le droit de se défendre. S'il est constitué en dehors de l'assemblée et ne la considère que comme « une réunion de censeurs », il n'a pas le droit de désigner ceux par qui il accepte d'être contrôlé. Le plébiscite exige des circonstances exceptionnelles, qu'il est difficile de préciser. En somme, l'élection de l'assemblée à intervalles réguliers est le véritable plébiscite.

La chambre basse ne doit compter aucun fonctionnaire, ni aucun membre de la Maison du président de la république ou du prince, qui seraient déplacés au sein du Parlement. La chambre doit avoir une influence prépondérante sur la conduite des affaires publiques. Le dernier mot doit rester à l'assemblée ; c'est ainsi la nation qui prononce par ses représentants. Mais le pouvoir a le droit, en cas de dissentiment, de consulter extraordinairement la nation ; c'est la dissolution. Le cabinet qui l'aura prononcée ne pourrait réitérer sa décision si la nouvelle assemblée offrait une majorité identique. Les nouvelles élections sont sans appel. L'assemblée élit son président, vote le budget sans restrictions, a l'initiative des lois et le droit d'amendement ; il est inadmissible qu'elle reçoive une loi toute faite du conseil d'État.

Le cabinet doit vivre en bons rapports avec la majorité. C'est le plus puissant ressort du gouvernement parlementaire et le plus fort moyen d'action du Parlement sur les affaires publiques. Le Parlement doit connaître, surveiller, changer la conduite politique du gouvernement. « Un ministère présent aux chambres, homogène, responsable, amovible surtout, voilà donc l'instrument le plus indispensable du gouvernement parlementaire et la plus forte garantie de la liberté publique. » Le président du conseil nommé par la chambre en serait le leader. Mais la chambre basse doit être contenue par le droit de dissolution et par la chambre haute.

La chambre haute est une assemblée de réflexion. Ni héréditaire, ni choisie par le souverain, elle serait élue par les conseils généraux. Groupés en conseils régionaux, — de 20 à 25, — ils désigneraient les membres de la chambre haute, composée de 250 membres : ce corps conservateur réunirait les notabilités éminentes, qui seraient renouvelées tous les dix ans et rééligibles. Des notabilités nationales en feraient partie de droit, en portant ainsi le nombre à 300.

Le cabinet doit avoir la responsabilité de la politique générale. Il doit être homogène, responsable. Son président investi de la confiance de la majorité, choisit librement ses collègues.

Le président de la république représente un parti qui l'a élu. Le monarque est au-dessus des partis. Le chef de l'État est avant tout un arbitre. Il doit accepter tous les cabinets que la majorité lui envoie. Le roi serait le gardien de la liberté générale, un ami des arts et des lettres. Le régime victorien avait les préférences de Prévost-Paradol.

Sur le plan local, il souhaitait un self-government, même dans les communes rurales qui choisiraient librement leurs conseils et désigneraient leur premier magistrat, qu'elles l'élisent directement, qu'elles le voient choisi au sein de leurs conseils ou que le conseil présente deux ou trois candidats au choix de l'autorité supérieure. Les secours pour les communes seraient accordés par les conseils d'arrondissement et généraux. Dans l'intervalle des sessions, les conseils généraux seraient représentés par une commission permanente, élue dans son sein pour un temps limité, qui nommerait et paierait les agents administratifs du département. Dans la région, des conseils régionaux, formés de conseillers généraux ou de délégués des conseils généraux, assureraient l'accomplissement de l'œuvre commune et choisiraient les membres de la chambre haute. La commune, le canton, le département, « autant d'écoles pratiques de la vie publique ». Ils donneraient satisfaction à de justes ambitions, intéresseraient les citoyens à l'administration de la chose publique et feraient prendre, même aux plus humbles, « les saines habitudes de libre discussion et de responsabilité personnelle ».

La magistrature doit être indépendante et éclairée. Nommées suivant le système des Facultés, combinant le choix et l'élection, la cour de cassation et les cours d'appel éliraient leurs présidents. Prévost-Paradol envisageait même la présentation de candidats par des assemblées élues et les tribunaux ou les cours. Le jury serait étendu aux causes civiles ; la procédure, modifiée. L'instruction ne serait plus secrète pour mieux protéger les intérêts de la défense. Faisant une moindre place à la poursuite de l'aveu qui ne conduit qu'à « un assaut de ruse et de mensonges entre le magistrat et l'accusé », la première serait donné aux faits et aux témoignages.

Une presse contenue sans être dans la main du pouvoir, ni asservie. Ici la loi a moins d'importance que la juridiction et s'efface devant elle. Confier le jugement des délits de presse à des magistrats, c'est leur attribuer un pouvoir politique. Le jury ordinaire inspire de la défiance. On le juge indolent. Pourquoi pas un jury spécial, composé de conseillers généraux et de conseillers à la cour ?

Au point de vue religieux, « nous marchons vers la séparation complète des cultes et de l'État ;... aucun changement considérable ne peut désormais se produire dans le gouvernement de la France, sans que cette séparation soit aussitôt tentée, sinon accomplie ». Le concordat ne répond plus aux exigences de l'époque. Qu'il s'agisse d'administration de biens religieux, de rapports de l'Église avec le Saint-Siège ou de nominations, les conflits menacent sans cesse. L'État est pris entre la révolution française et l'Église. C'est un antagonisme perpétuel et une nécessité renaissante pour l'État de s'aliéner périodiquement les amis de la révolution ou ceux de l'Église. Le jour où l'État prendrait le grand parti d'ignorer l'Église et de la traiter simplement comme une association libre, le malaise disparaîtrait. L'Église en tirerait une grande puissance. Un comité, composé d'évêques et de laïques, pourrait présenter les évêques à l'institution du pape, paierait leurs traitements, administrerait les biens communs, représenterait l'Église auprès du Saint-Siège. L'Église deviendrait si puissante que l'État devrait lui interdire de faire des acquisitions foncières, en dehors des églises, des couvents, des presbytères et des immeubles d'habitation, poser une limite à son enrichissement. Prévost-Paradol précisait que la séparation se ferait au bruit de la tempête.

VI. TRADITIONALISME ET DÉMOCRATIE

La pensée démocratique a été vivement critiquée après
1870. Les événements désastreux, à l'extérieur comme au-
dedans, ont soulevé une vague de pessimisme politique.
La révolution française et la démocratie sont considérées
comme les éléments déterminants de la débâcle. Des esprits
chagrins ou traditionalistes n'ont voulu voir dans l'individualisme né de 89 qu'un principe de faiblesse et de décom-
position de l'État.

Émile Montégut regrette l'avènement de la république
en 1848 ([22]). Car « la monarchie constitutionnelle de 1830,
n'ayant pouvoir et action que par les parties démocratiques
de la société, n'était donc autre chose que la république avec
un frêle garde-fou pour préserver contre l'abîme ». Certes,
1848 a donné aux Français le suffrage universel. Par là, la
révolution française faite par la bourgeoisie a inventé le
moyen le plus efficace pour se détruire. Action impolitique.
En reconnaissant la loi du nombre, elle détruisait « la domination exclusive qu'elle s'était assurée en juillet 1830 ».
Bien plus. Du suffrage universel sortit l'Empire ! Et de
s'étonner de l'opposition des républicains à Napoléon III.
Car il y a « deux manières d'entendre la démocratie : ou bien
la démocratie est consituée par la direction perpétuelle-
ment changeante des classes moyennes, ou bien elle est
constituée par le pouvoir d'un souverain qui pèse également
sur tous ». Juillet était aussi près que possible de la république
et on n'en avait plus voulu. On ne pouvait donc pas vouloir
davantage de la république en 1848. Il fallait recourir
par conséquent à la deuxième manière. Pour Montégut,
la monarchie était le gouvernement naturel aux démocraties,
comme la république l'était « par excellence » aux aristocraties. Il prophétisait : « Ceux qui vivront dans cinquante
ans pourront dire si elle a démenti la loi établie par l'expérience historique et qui peut se formuler à peu près ainsi :
lorsque la république sera la forme politique d'une société
de substance démocratique, il arrivera invariablement un de
ces deux phénomènes : ou bien la république disciplinera
cette société, et alors elle engendrera l'aristocratie, ou bien

la substance de cette société fera éclater sa forme, et on verra la démocratie aboutir à la monarchie. »

« Démocratie et république, deux termes qui ne sont pas nécessairement corrélatifs. » Le peuple ne connaît pas le sens du mot « démocratie ». Il croit qu'il s'agit d'un gouvernement issu des couches inférieures de la nation, fait par elles et à leur seul profit. Mais souveraineté de la nation ne signifie du tout souveraineté des couches inférieures de la population.

Après les classes moyennes, le peuple veut arriver. Mais encore ? Conquérir les droits politiques ? Sans doute. Mais les biens sociaux, le pouvoir et ce qui en découle ? D'ailleurs, dit Montégut, jamais une classe en bloc n'est arrivée. Ce sont les individus qui arrivent. Les classes moyennes ne sont pas arrivées. Comment les définir ? comment définir le peuple ? « Les classes moyennes désignent non une caste, mais une collection numérique d'unités humaines : c'est une expression en quelque sorte arithmétique. Aucun des caractères qui constituent la caste ne distingue cette collection d'individus venus de tous les points de l'horizon, sortis des conditions les plus différentes, divers d'aptitudes et d'inclination, d'inégale éducation, sans mœurs communes, sans liens étroits. Les classes moyennes ne connaissent pas la stabilité, car aucune loi ne leur confère le privilège d'immobiliser les biens qu'elles ont acquis ; elles ne connaissent pas davantage la solidarité, chacun est responsable de ses propres actes, s'élève par son mérite, tombe par ses fautes. » Parvient-il à la richesse et aux honneurs, c'est un bourgeois. Souvent, il retourne au peuple.

Le peuple français est difficile à saisir. Il a l'esprit monarchique. « Il crache sur l'autorité, mais il adore la force... Il prétend rejeter toute hiérarchie, mais il marche au commandement d'un obscur sectaire... Il refuse sa croyance à l'Église, mais il n'a pas abdiqué pour cela son aptitude à la foi aveugle et il ne refuse rien de sa raison au plus infime prédicateur de clubs... Il veut bien de l'égalité pour le reste de la nation, mais à la condition que le pouvoir soit constitué par lui seul et pour lui seul. »

Mobile, instable, versatile, présomptueuse et désespérée,

la démocratie est-elle viable ? Elle exagère à ce point l'idée
d'égalité qu'elle n'offre qu' « une société nivelée jusqu'au
ras du sol ». « L'État seul a volonté, faculté de commander et
chance d'être obéi. » Mais si son ressort se brise ? Que reste-
t-il ? Il est difficile de regrouper les forces dispersées.
Quiconque le tenterait serait accusé d'usurper une partie de
la souveraineté nationale. Il n'est personne pour servir de
« porte-voix » auprès des masses. Le citoyen n'a aucune importance politique. Avant 1789, l'individu « rentrait dans un
cadre d'activité collective ». Ses intérêts se confondaient avec
ceux d'un groupe. De ce fait, chacune de ses affaires avait
une résonance générale. Il était individu et être collectif.
La démocratie « nous place en face de nous-mêmes et nous
contraint de rapporter à nous-mêmes toute notre activité ».
Le citoyen est plongé dans « un isolement égoïste ». Il ne
pense qu'à lui. Ou il se désintéresse des affaires collectives, ou
il les traite comme ses propres affaires. « Une société démocratique est ainsi toujours à la veille de se trouver à la merci
non de ce qui peut la sauver, mais de ce qui peut la perdre. »

La France souffre d'un mal à la fois politique, intellectuel
et moral qui date de 1789, dit Ernest Renan. Depuis lors,
la « tradition d'une politique nationale se perdait de jour en
jour. Le jour où la France coupa la tête de son roi, elle
commit un suicide... ». « L'édifice dont le roi était la clef
de voûte croulait. » En 1868, la révolution lui apparaît
comme un événement exceptionnel qui a fait de la France
« une nation dont l'avenir est peu assuré, une nation où la
richesse seule a du prix, où la noblesse ne peut que
déchoir... ». Sa réponse à Claretie, lors de sa réception à
l'Académie française, est significative : « La révolution n'est
qu'odieuse et fatale. A la surface, c'est une orgie sans nom...
Quand on envisage l'ensemble, le phénomène général de la
révolution apparaît comme un de ces grands mouvements de
l'histoire qu'une volonté supérieure domine et dirige. »

La monarchie est l'un des éléments de la grandeur française. Il l'avait déjà indiqué, en 1859, dans *Philosophie de
l'histoire contemporaine*. Il le reprend en 1869, dans la *Monarchie constitutionnelle*. On connaît le morceau célèbre sur la
monarchie capétienne : « La France était une grande société

d'actionnaires formée par un spéculateur de premier ordre, la maison capétienne. Les actionnaires ont cru pouvoir se passer de chef et puis continuer seuls les affaires. Cela ira bien tant que les affaires seront bonnes ; mais les affaires devenant mauvaises, il y aura des demandes de liquidation. » Et la conclusion : « Corrigeons-nous de la démocratie ; rétablissons la royauté. » Renan ne songe pas à un roi très chrétien. Il laïcise en quelque sorte la royauté. Pour lui, la royauté est un fait historique. Le roi ne sort pas de la nation. Elle reçoit le roi du dehors ; elle ne le fait pas. Par là, Renan rejoint Joseph de Maistre. Il envisage un roi héréditaire et historique, rationnel et constitutionnel.

La démocratie est la cause des malheurs de la France. Elle est une utopie dangereuse, pour tout dire, le mal suprême. Pour Renan, « un pays démocratique ne peut être bien administré, bien gouverné, bien commandé ». La raison en est simple. Le gouvernement, l'administration, le commandement sont dans une société le résultat d'une sélection qui tire de la masse un certain nombre d'individus qui gouvernent, administrent, commandent ». Comment la faire ? Il y a la naissance, le tirage au sort, l'élection populaire, les examens et les concours. Le tirage au sort n'est praticable que dans la cité antique. Les examens aboutissent à la sénilité incurable. « Le système de l'élection ne peut être pris comme base unique d'un gouvernement... Appliqué au choix des députés, le suffrage universel n'amènera jamais, tant qu'il sera direct, que des choix médiocres. Il est impossible d'en faire sortir une chambre haute, une magistrature, ni même un bon conseil départemental ou municipal. Essentiellement borné, le suffrage universel ne comprend pas la nécessité de la science, la supériorité du noble et du savant. Il ne peut être bon qu'à former un corps de notables. Il serait contre nature qu'une moyenne intellectuelle qui atteint à peine celle d'un homme ignorant et borné se fît représenter par un corps de gouvernement éclairé, brillant et fort. D'un tel procédé de sélection, d'une démocratie aussi mal entendue, ne peut sortir qu'un complet obscurcissement de la conscience d'un pays. Le collège grand électeur, formé par tout le monde, est inférieur au plus médiocre souverain d'autrefois. Un pays n'est pas la simple addition des individus qui le composent, c'est une âme, une conscience, une personne, une résultante vivante. L'homme le plus médiocre est supérieur à la résultante collective qui sort de trente-six millions d'individus comptant chacun pour une unité. L'égoïsme, source du socialisme, la jalousie source de la démocratie, ne feront jamais qu'une société faible, incapable de résister à de puissants voisins. Une société n'est forte qu'à la condition de reconnaître le fait des supériorités naturelles, lesquelles au fond se réduisent à une seule, celle de la naissance, puisque la supériorité morale et intellectuelle n'est elle-même que la supériorité d'un germe de vie éclos dans des conditions particulièrement favorisées (²³). » A vrai dire, se fier à la simple consultation du suffrage universel est « une conception matérialiste ». Il n'est pas vrai qu'une minorité qui ne plie pas devant la majorité est vaincue. Au contraire, son échec appelle la lutte. « L'insurrection triomphante est parfois un meilleur critérium du parti qui a raison que la majorité numérique. On ne se bat pas, pour la mort, ce qui passionne le plus est le plus vivant et le plus vrai (²⁴). »

Nous retrouvons ce mépris de la démocratie dans les *Dialogues philosophiques* (1876). Renan rêve d'une organisation oligarchique et monarchique de l'univers, où la science et la raison domineraient, où une race supérieure serait à la tête du gouvernement. La démocratie est contraire à la nature, qui crée les inégalités et progresse par elles. Elle est « l'erreur théologique par excellence ». Car le monde ne poursuit pas « l'aplanissement des sommités », mais « doit... créer les dieux, des êtres supérieurs que le reste des êtres conscients adorera et servira, heureux de les servir ». Il condamne l'avènement d'une classe qui ne voit que l'intérêt et la richesse. « Et d'abord le régime nouveau fut et ne pouvait manquer d'être le gouvernement d'une classe. Dans une société où tous les privilèges, tous les droits particuliers, tous les corps ont été détruits, il ne reste, pour constituer un collège de notables, qu'un seul signe, la richesse, dont la mesure est la taxe de l'impôt... » Au lieu de représenter des droits, le gouvernement ne pouvait représenter que les intérêts. Le matérialisme en politique produit les mêmes effets qu'en morale ; il ne saurait inspirer le sacrifice, ni, par conséquent, la fidélité, conclut-il dans *Philosophie de l'histoire*. Si, seul, l'esprit de l'ancien régime compte, cet esprit est représenté brillamment par la Prusse. Le peuple prussien est monarchique et n'a aucun besoin d'égalité. Il a des vertus de classes. Chez lui, il n'y a pas un type unique d'hommes. Mais chaque classe a sa formule de devoir.

La démocratie fait de la chose publique la prise de « politiciens médiocres et jaloux, naturellement peu respectueux de la foule ». Maîtresse du terrain, elle a mis à l'ordre du jour une sorte de surenchère en fait de paradoxes. Séduits par les exigences de la foule, les candidats ne sont guère appréciés « qu'en proportion de leur vigueur déclamatoire ». Tout ce qui est bourgeois est « prosaïque et n'a jamais été traversé par « le rayon de l'idéal ». « Ces pâles existences... se sont déroulées... comme les feuillets d'un livre de comptoir. » La noblesse avait le sens du patriotisme et de la grandeur militaire. La bourgeoisie lui préfère « les riches perspectives du commerce et de l'industrie ». Renan dénonce le matérialisme politique : « le programme démocratique » n'a pour but que « la poursuite du bien-être et de la liberté, la destruction de tout ce qui reste de privilèges et d'esprit de classe, l'affaiblissement du principe de l'État [25] ». « Les progrès de la réflexion chez le peuple, favorisés par l'instruction primaire, par l'exercice des droits politiques, par le progrès de l'industrie, par l'augmentation de la richesse, rendront l'individu de moins en moins capable des miracles d'abnégation dont les masses inconscientes du passé nous ont donné l'exemple [26]. » La démocratie porte en elle des germes d'affaiblissement par sa passion de l'égalité, sa recherche du bien-être, sa jalousie de toute supériorité, sa haine de l'intelligence. « Il ne sortira jamais une direction éclairée de ce qui est la négation même de la valeur du travail intellectuel et de la nécessité de tel travail. » L'école démocratique ne voit pas que la grande vertu d'une nation est de supporter « l'inégalité traditionnelle » [27]. Se plaçant sur le plan philosophique et moral : « l'inégalité est écrite dans la nature ; elle est conséquence de la liberté ; or la li-

berté de l'individu est un postulat nécessaire du progrès
humain ». Tous les hommes ne peuvent en naissant avoir
un même droit à la fortune et au rang social. « La bourgeoisie française s'est fait illusion en croyant, par son système
de concours, d'écoles spéciales et d'avancement régulier,
fonder une société juste. Le peuple lui démontrera facilement
que l'enfant pauvre est exclu de ces concours et que la justice ne sera complète que quand tous les Français seront
placés en naissant dans des conditions identiques. Aucune
société n'est possible si l'on pousse à la rigueur les idées
de justice distributive à l'égard des individus. L'humanité
est une échelle mystérieuse, une série de résultantes pro-
cédant les unes des autres. Des générations laborieuses
d'hommes du peuple et de paysans font l'existence du bourgeois honnête et économe, lequel fait à son tour le noble,
l'homme dispensé du travail, voué tout entier aux choses
désintéressées. Chacun à son rang est le gardien d'une tradition qui importe aux progrès de la civilisation. » Car toute
civilisation est d'ordre aristocratique. L'aristocratie a pour
devoir « l'exaltation progressive des masses ». Elle a une supériorité juridique et historique. « Les vrais hommes de progrès sont ceux qui ont pour point de départ un respect
profond du passé. Tout ce que nous faisons, tout ce que nous
sommes est l'aboutissement d'un travail séculaire [28]. »
    Passant outre à la démocratie, Renan voudrait un gouverne-
ment scientifique, où des hommes compétents traiteraient
des questions de gouvernement : une aristocratie de sélection qui tirerait sa force de la supériorité intellectuelle.
Idéaliste, de tempérament aristocratique, son amour du
vrai, son sens du sérieux de la vie, son respect de la raison,
lui avaient inculqué l'idée que la vie était un continuel
devoir. Sans doute aussi, son sens de la hiérarchie sociale
est-il fondé sur un égoïsme foncier qui consiste à réunir
toutes les chances pour vivre selon ses goûts [29] !
    La thèse antidémocratique de Taine est célèbre. Les
dix volumes des *Origines de la France contemporaine* (1873-
1893) font le procès de la révolution et de la démocratie.
Taine oppose la légitimité de la tradition et du préjugé
à la raison qui ne devient efficace qu'en devenant un préjugé,

c'est-à-dire une croyance toute faite, une force aveugle qui n'est pas critique. Il tente une réfutation systématique de la révolution et trace du personnel révolutionnaire un tableau, d'ailleurs plein de relief sinon de justesse et d'objectivité : « D'assemblée en assemblée, on voit baisser le niveau politique…. Les acteurs en titre se sont retirés au moment où ils commençaient à comprendre leurs rôles ; bien plus, ils se sont exclus eux-mêmes du théâtre, et la scène est maintenant livrée aux doublures… Pas un noble ou un prélat d'ancien régime, pas un grand propriétaire, pas un chef de service, pas un homme éminent et spécial en fait de diplomatie, de finances, d'administration ou d'art militaire. » Il ne voit dans les révolutionnaires qu' « un assemblage d'esprits bornés, faussés, précipités, emphatiques et faibles ». Il critique ces hommes abstraits, sortis de la déclaration des droits de l'homme, « pures entités », tous taillés sur le même modèle, « tous indépendants, tous égaux, sans passé, sans parents, sans engagements, sans traditions, sans habitudes, comme autant d'unités arithmétiques, toutes séparables, toutes équivalentes ». Cette conception purement philosophique de l'Homme est en opposition formelle avec la réalité historique. « Appliquez le contrat social, si bon vous semble, mais ne l'appliquez qu'aux hommes pour lesquels on l'a fabriqué. » Or les hommes de la révolution ont été formés « en retranchant expressément toutes les différences qui séparent un homme d'un autre… On a obtenu ainsi un résidu prodigieusement mince, un extrait infiniment écourté de la nature humaine, c'est-à-dire, suivant la définition du temps, un être qui a le désir du bonheur et la faculté de raisonner, rien de plus et rien d'autre. On a taillé sur ce patron plusieurs millions d'êtres absolument semblables entre eux ». Mais si certains acceptent le contrat social, d'autres n'en veulent pas. « La disconvenance sera extrême si on l'impose à un peuple vivant, car elle aura pour mesure l'immensité de la distance qui sépare une abstraction creuse, un fantôme philosophique, un simulacre vide et sans substance, de l'homme réel et complet. »

La démocratie pervertit la justice distributive, dit Taine.

En conséquence, le contribuable, moyen ou gros, est un « exploité ». « Il n'assiste pas aux assemblées délibérantes ; il n'a plus de zèle ; il laisse l'affaire aller sans lui, comme elle peut ; il y demeure ce qu'il y est, un corvéable, un taillable à volonté, bref, un sujet passif et qui se résigne. » Taine condamne la centralisation. « A tout le moins, la centralisation autoritaire offre cela de bon qu'elle nous préserve encore de l'autonomie démocratique. » En démocratie, le système fiscal allège le petit contribuable au détriment du gros ou du moyen. « Dans toute société financière, le statut attribue une plus grande part d'autorité et d'influence à ceux qui ont une plus grande part dans le risque et les frais. » Dans une société politique, à l'inégalité des prix devrait correspondre l'inégalité des droits. Dans le système démocratique, les gros et les moyens sont « fraudés de leur dû et dépouillés de leur droit ».

Le suffrage universel est redoutable pour les gens instruits et les propriétaires notables. Avant 1830, quand le préfet nommait les conseils municipaux des communes rurales, ils l'étaient tous ; après 1830, sous le suffrage restreint, pour la plupart ; « sous le second empire, quel que fût le conseil municipal élu, le maire, que le préfet nommait à discrétion et même en dehors de ce conseil, avait chance d'être l'un des hommes les moins ignorants et les moins inaptes de la commune. Aujourd'hui, c'est par accident et rencontre que, dans quelques provinces et dans certaines communes, un noble ou un bourgeois peut devenir conseiller municipal ou maire ; encore faut-il qu'il soit enfant du pays, établi depuis longtemps, résidant et populaire. Partout ailleurs, la majorité numérique, étant souveraine, tend à prendre ses élus dans sa moyenne ; au village, c'est la moyenne de l'intelligence rurale, et, le plus souvent, au village, un conseil municipal, aussi borné que ses électeurs, nomme un maire aussi borné que lui. »

Les villes n'échappent pas davantage au poison. « Le suffrage universel [y] a eu pour effet la déchéance des vrais notables et déterminé l'abdication ou l'exclusion des hommes qui, par leur éducation, leur part très grande dans les contributions, leur influence encore plus grande sur la production, le travail et les affaires, sont des autorités sociales et devraient être des autorités légales... » « La prépondérance de la majorité numérique aboutit forcément à l'abstention presque générale ou à la défaite presque certaine des candidats qui sont les plus dignes d'être élus. »

Les élus citadins savent lire et croient tout savoir. « Jacobins nouveaux, héritiers et continuateurs des anciens sectaires, de la même provenance et du même acabit, quelquesuns de bonne foi, cerveaux étroits, échauffés et offusqués par la fumée chaude des grandes phrases qu'ils récitent, la plupart simples politiciens, charlatans et intrigants, médecins et avocats de troisième ordre, lettrés de rebut, demilettrés d'estaminet, parleurs de club et de coterie, et autres ambitieux vulgaires qui, distancés dans les carrières privées où l'on est observé de près et jugé en connaissance de cause, se lancent dans la carrière publique, parce que, dans cette lice, le suffrage populaire, arbitre ignorant, inattentif et mal informé, juge prévenu et passionné, moraliste à conscience large, au lieu d'exiger l'honorabilité intacte et la compétence prouvée, ne demande aux concurrents que le bavardage oratoire, l'habitude de se pousser en avant et de s'étaler en public, la flatterie grossière, la parole de zèle et la promesse de mettre le pouvoir que va conférer le peuple au service de ses antipathies et de ses préjugés. »

Au bout de la course, Charles Maurras. L'individu n'est pas une unité sociale. « La famille constitue seule cette unité. » Mais il est hostile à l'idée de masses comme à l'égalité qui est contraire aux besoins vitaux du pays. « L'esprit démocratique tue la discipline, la concorde civile, la paix entre particuliers. En voulant maintenir des droits égaux dans les situations inégales, on ôte aux citoyens le respect qu'ils doivent au régime politique et il en découle anarchie et insurrection. » La société, nous dit-il encore, est antérieure à l'État. Elle commence à la famille, se continue dans la commune, l'association, la variété infinie des groupes. L'État est un organe de la société.

Maurras est hostile au libéralisme qui fait naître l'esprit révolutionnaire, fondé lui-même sur l'individualisme.

Il n'a pas assez de traits contre la révolution. Elle a détruit l'autorité monarchique pour établir une autorité administrative beaucoup plus vexatoire. Elle a défait la collaboration des « ordres » pour établir des « classes » de moins en moins communiquantes, qui sont en guerre déclarée. Le libéralisme nous a fait descendre d'un type social très perfectionné à un type élémentaire. « L'anarchisme va-t-il nous faire descendre plus bas ? » Or l'anarchisme est la forme logique de la démocratie. Elle se fonde sur le système de l'égale valeur politique des individus. De même que dans l'espèce animale, les inégalités sont de plus en plus marquées au fur et à mesure que les êtres approchent de la perfection organique, ainsi, « organiser une démocratie revient à la détruire ».

Il est des régimes qui existent en dehors de l'argent ; il en est d'autres auxquels il donne directement naissance. Un prince peut être corrompu, mais le principe monarchique ne l'est pas. En démocratie, l'élu, si honnête soit-il, est le produit et le producteur de la ploutocratie souveraine. Le droit héréditaire peut aboutir une fois, deux fois, dix fois à des scandales d'argent. Le droit populaire y aboutit nécessairement. Le système électif ne voit que l'intérêt particulier. « L'élection est à l'opinion ce que l'ombre est au corps, ce qu'est le reflet à l'image. Le mal ne vient pas du nombre des votants, mais de l'objet sur lequel ils votent. » Ainsi, en république, on vit « dans l'ordre des causes brutes ». La république fait de « l'anarchie inavouée ». Car « aucune institution n'est chargée de capitaliser les leçons de l'expérience ». Avec elle, c'est « l'irresponsabilité dans le temps ». « Qui dit démocratie dit un double gouvernement ; l'apparent, celui du nombre ; le réel, celui des oligarchies et de l'or. » Maurras dira encore : « C'est un gouvernement de familles. » Elle est la domination des intérêts, des passions, des volontés d'un parti sur le peuple.

La centralisation découle du gouvernement électif. « Le terme naturel d'une république démocratique est, en effet, le socialisme démocratique : le chef-d'œuvre de la centralisation et du fonctionnariat. » La centralisation crée un intermédiaire permanent, le député, et la bureaucratie, minée

par l'envie et la jalousie qui sont les nerfs de la démocratie.
Pour sortir de ce cercle, il faut substituer les autorités *nées*
aux autorités *élues*.

L'État démocratique est le plus absolu de tous les régimes,
parce que chacun se trouve seul contre l'État. La raison
d'État sert « les intérêts successifs et changeants des factions ».
Sous le prétexte de supprimer toute intervention de l'arbitraire, on gagne en retour l'hypocrisie judiciaire : par nécessité
politique, les magistrats en viennent à frauder la loi. Elle
est le gouvernement des partis qui ne sont, en somme,
que des « syndicats d'intérêts particuliers destinés à entretenir un parasitisme d'État ».

Maurras rejette l'économie libérale qui force l'État à se
désintéresser des conditions de vie faites à ses nationaux.
Il subordonne les classes sociales aux corps de métier. La
fonction publique n'est pas de faire prospérer l'individu,
mais la communauté. L'important n'est pas d'arriver, mais
de tenir de père en fils. Avant 1789, l'ouvrier tirait une force
immense des corporations. La discipline corporative avait
mis sur pied une société stable et prospère. L'individu
était encadré. La loi Le Chapelier, en libérant le travail
et en interdisant toute coalition pour ne pas nuire à un État
absolu, a imposé à l'ouvrier un régime d'isolement individuel.
En démocratie, le prolétaire est sans titre et sans état. Il est
abandonné à lui-même.

La France n'est pas plus faite pour la démocratie que
pour l'aristocratie. Le réalisme politique doit opposer à la
liberté révolutionnaire qui détruit l'État et le citoyen, la
conception des libertés traditionnelles. Contre le mal démocratique, il faut rendre vie aux provinces et autonomie aux
universités, reconstituer les puissants patrimoines industriels
et fonciers, « accorder aux particuliers toutes les libertés
favorables au bien public », « fortifier les institutions capables
d'intéresser le plus grand nombre possible d'organismes
vivants au maintien de l'intégrité nationale, puis à l'accroissement de la puissance nationale ». Pour Maurras, en effet,
la nation domine toutes les idées politiques. Devant elle,
tous les intérêts doivent s'incliner. « On se met d'un parti,
dit-il encore ; on naît d'une nation. » « Le nationalisme défend

la nation contre l'étranger de l'intérieur. » Or, le royalisme n'est rien d'autre que le nationalisme intégral. Une monarchie « traditionnelle, héréditaire, antiparlementaire et décentralisée », représentative et corporative, est « une institution telle que toute force nationale y est employée à sa valeur ». Car « la conservation de leur vie, de leur gloire et de leur héritage se confond, dans la psychologie naturelle des rois, avec la conservation de l'État ».

VII. DÉMOCRATIE ET LIBÉRALISME POLITIQUE

Peut-on assimiler gouvernement par le peuple et gouvernement pour le peuple ? Il est évident qu'un gouvernement peut se considérer comme un gouvernement pour le peuple sans être du tout un gouvernement par le peuple. Il est non moins évident que parler de volonté du peuple est une façon de s'exprimer, non une réalité. Certes, il est possible de parler de la volonté d'un être humain. Mais le peuple, masse d'individus ayant des niveaux de vie économiques, sociaux, intellectuels très différents, ne peut avoir une volonté uniforme. La question est autre. Un gouvernement par le peuple est celui dans lequel le peuple, directement ou indirectement, participe, c'est-à-dire un gouvernement exercé par les décisions majoritaires d'une assemblée populaire ou d'un corps d'individus et même d'un seul individu élu par le peuple. Les individus élus par le peuple sont ses représentants. Les élections démocratiques sont basées sur un suffrage universel, égal, libre et secret.

Le caractère universel du suffrage s'est considérablement amplifié depuis le début du xixᵉ siècle. La démocratie est devenue une démocratie de masse. C'est une autre question que de soutenir qu'un gouvernement basé sur une démocratie plus ou moins large répond, plus ou moins, à l'opinion publique et à la volonté du peuple. De toute manière, c'est le gouvernement par le peuple et non pour le peuple. Que la démocratie soit directe ou représentative, la méthode spécifique pour la création et l'application de l'ordre social constituant la communauté est le critère du système politique appelé démocratie.

Une démocratie libérale n'est qu'une forme de la démocratie. Libéralisme et démocratie ne coïncident pas. Mais « le tout de l'art politique, dit Duguit, dans son *Traité de droit constitutionnel* ([30]), est d'adapter les formes et les procédés du gouvernement aux croyances religieuses et morales, aux besoins économiques du pays et de faire en sorte que les sujets soient profondément convaincus que les gouvernants gouvernent dans l'intérêt de tous et non pas dans un intérêt personnel. Les théologiens scolastiques définissaient le tyran le prince qui gouverne dans son intérêt et non dans l'intérêt de ses sujets. La définition est toujours valable. Qu'on n'oublie pas que la tyrannie n'est pas incompatible avec la démocratie ; que les élus du peuple sont aussi des tyrans, s'ils gouvernent dans leur intérêt et dans celui de leurs électeurs, non dans l'intérêt de tous ; qu'on n'oublie pas la force morale sans laquelle la force matérielle ne peut être que précaire ». La démocratie renferme le principe du pouvoir du peuple sans restriction, suivant la déclaration des droits de l'homme : « Le principe de toute souveraineté réside essentiellement dans la nation. » C'est l'idée de la souveraineté du peuple. Le libéralisme signifie restriction du pouvoir gouvernemental quelle que soit sa forme ; restriction du pouvoir démocratique.

Veut-on arrêter le mouvement pour la démocratie, ouvrir la voie à l'autocratie, dissuader le peuple de son désir de participer au gouvernement, alors il faut déprécier la définition de la démocratie comme procédé, en affirmant qu'elle est formelle et faire croire au peuple que ses désirs sont remplis quand il a un gouvernement *pour* le peuple et que ce gouvernement agit dans son intérêt. C'est soutenir que l'essence de la démocratie est un gouvernement dans l'intérêt de la masse du peuple et que la participation du peuple dans le gouvernement est secondaire. Si le gouvernement est pour le peuple, et agit dans l'intérêt du peuple, c'est qu'il réalise la volonté du peuple ; c'est donc un gouvernement par le peuple, même si le gouvernement n'est pas élu par le peuple sur la base d'un suffrage universel, égal, libre et secret, ou encore si le système électoral n'accorde pas à chacun la possibilité d'exprimer librement sa volonté politique.

Cette façon de procéder ne répond pas à la volonté du peuple, dira-t-on. Oublierait-on que le peuple peut se tromper sur son véritable intérêt, réplique-t-on, et que le gouvernement qui réalise le véritable intérêt du peuple peut être considéré comme une démocratie véritable, par opposition à une démocratie simplement formelle, ou à une prétendue démocratie. La doctrine socialiste distingue la vraie démocratie qui signifie une réelle égalité, de la démocratie bourgeoise qui n'offre qu'une égalité formelle.

La liberté et l'égalité sont les éléments essentiels de la démocratie. Le désir de liberté et le sentiment de l'égalité constituent pour l'homme les éléments de base. Ils sont la protestation contre une volonté étrangère, les formes de la résistance à l'ordre. Car l'homme supporte mal le poids de toute volonté extérieure. De ce principe d'égalité entre les hommes découle le fait que personne n'a le droit de dominer autrui. Socialement, la liberté ne peut être l'absence de toute sorte de gouvernement. Elle doit admettre l'existence d'un ordre qui règle la conduite mutuelle des hommes et rend valable la domination d'un homme sur un autre. Être socialement ou politiquement libre signifie être soumis à un ordre normatif, c'est-à-dire que la liberté est placée sous une loi sociale.

Dans le système de Rousseau, il n'y a pas de démocratie représentative. Rousseau ne reconnaît pas la possibilité d'une représentation. « La souveraineté, dit-il, ne peut être représentée. » La vraie démocratie est-elle la démocratie directe ? L'électeur-mandant exerce-t-il un contrôle sûr sur son mandataire ? En fait, dans une démocratie, il n'y a pas d'unanimité. Aussi n'est-elle que le régime où la majorité fait la loi et où la minorité accepte cette loi comme l'expression de sa propre volonté. L'appartenance au groupe l'emporte sur telle satisfaction personnelle. Il faut donc imaginer que les volontés émises par la minorité constituent des « erreurs » ou des « préférences aberrantes » et que la majorité parle vraiment au nom du groupe entier. S'il y a trois candidats, est-on sûr que le candidat majoritaire avec huit voix représente vraiment la majorité, alors que le deuxième candidat en a eu cinq et le troisième quatre (31) ?

L'idée de liberté politique implique le principe d'une

certaine restriction du pouvoir du gouvernement. La démocratie moderne ne peut être séparée du libéralisme politique. Son principe est que le gouvernement ne doit pas intervenir dans certaines sphères d'intérêts de l'individu qui doivent être protégées par la loi comme des droits ou des libertés humaines fondamentales. Grâce au respect de ces droits, les minorités sont sauvegardées contre la règle arbitraire des majorités. Par là, les libertés de religion, d'opinion, de presse, sont de l'essence de la démocratie. De ce fait également, les caractères de la démocratie moderne sont fonction de la tendance à se libérer des spéculations religieuses et métaphysiques. La démocratie lutte au nom de la raison critique contre les idéologies qui font appel aux forces irrationnelles de l'âme humaine. Certes, elle s'adresse à des idéologies justificatrices ; ce sont des idéologies plus rationnelles, plus proches de la réalité, d'ailleurs moins efficaces que celles utilisées par l'autocratie. Si, dans l'autocratie, il n'y a pas de place pour la discussion, la démocratie signifie discussion, compromis.

Le libéralisme inhérent à la démocratie moderne n'exprime pas seulement l'autonomie politique de l'individu, mais l'autonomie intellectuelle de la raison. Au cours du XIXᵉ siècle, le libéralisme a pris un caractère individualiste de plus en plus poussé. L'homme est la mesure de toutes choses. Il est le détenteur du libre arbitre. Il ne semble pas être à l'origine de l'humanité, mais la société. L'hypothèse du contrat social est abandonnée. La société est reconnue comme un produit de la nature. Aussi, dépendant de la société, l'individu, semble-t-il, n'a pas le champ ouvert à l'exercice de la liberté. Il subit la société. Il en arrive à juguler la force sociale, afin de se faire reconnaître des franchises privées, selon le libéralisme, ou, comme l'écrit M. Halbeck, le subjectivisme individualiste [32]. On en arrive à la formule d'Alain, d'après laquelle le contrat social n'est qu'un « contrat antisocial » [33]. Car l'association des individus est tournée contre la société naturelle. En somme, ce ne sont pas les constitutions qui organisent les sociétés, mais elles les organisent pour mieux défendre l'autonomie individuelle. Pourtant au-dessus des individus, une autorité supérieure est néces-

saire, mais dépersonnalisée. Car, pour qu'il y ait une vraie
nation, il ne faut pas qu'un individu tienne le pouvoir.
Il ne faut pas d'appropriation du pouvoir d'État, comme le
dit Esmein ([34]). La nation a l'autorité souveraine. Il est
évident que les hommes commandent aux hommes. Ils
doivent le faire en conformité de la règle de droit, c'est-à-
dire suivant ce que les gouvernés jugent juste.

Le problème du gouvernement varie. S'agit-il d'autocratie ?
Le gouvernant représente une valeur absolue ; le mythe de
son origine ou de sa destination le met hors de toute contin-
gence rationnelle. De démocratie ? Les gouvernants ne
représentent qu'une valeur relative. Les organes de la
communauté sont élus pour un court laps de temps. La
compétence du chef est limitée ; il est sujet à critique. Dans
le premier cas, le chef est considéré comme ne devant de
comptes qu'à la divinité et à lui-même ; dans le second, à
l'ordre social. Créé par une procédure publiquement contrô-
lable, il ne peut avoir de monopole. Ainsi, la démocratie
est caractérisée par un changement plus ou moins rapide
de dirigeant ; par là, elle a une nature dynamique. Le successeur sort de la communauté des gouvernés pour devenir
gouvernant ; tous peuvent coopérer. Dans le régime autoritaire se développe une sorte d'hostilité sournoise. En démocratie, « la solidarité est éprouvée comme une association
réfléchie de tous à l'œuvre commune ». Le chef démocratique prend une part active aux décisions communes ;
il est le guide sans lequel le régime deviendrait anarchique.
Pour « l'autoritaire », le chef est, pour ainsi dire, consubstan-
tiellement, en accord avec le groupe. Le roi ne peut pas
faire le mal ; il ne peut vouloir que le bien de ses sujets ;
son intérêt de roi — sa gloire — se confond avec la prospérité
de ses peuples ; tel est l'enseignement de la tradition absolutiste. Pour le « démocrate », au contraire, le chef, s'il parvient
à se soustraire au contrôle du groupe, risque d'imposer
à celui-ci des décisions qui, artificieusement présentées
comme conformes à l'intérêt commun, n'expriment rien
de plus que les opinions ou les lubies d'un individu » ([35]).

Dans la démocratie, tous les membres sont collectivement
souverains, font ce qu'ils peuvent collectivement, leur

action ayant été voulue par eux-mêmes. Le caractère indi-viduel du citoyen et le caractère collectif de la loi sont liés pour exprimer la souveraineté du groupe. Spinoza a dit : « Une démocratie naît de l'union des hommes jouissant, en tant que groupe organisé, d'un droit souverain sur tout ce qui est en leur pouvoir. » Il a dit encore : « La démocratie est le régime le plus naturel et le plus susceptible de respecter la liberté naturelle des individus [36]. »

Le principe démocratique doit-il apparaître, suivant la formule de J. Barthélemy, comme un idéal rationnel limité par des considérations pratiques ? Certains trouvent que la souveraineté nationale se justifie par la volonté nationale, comme le pouvoir royal par le bon plaisir du prince. On connaît le jugement porté sur la prétendue volonté populaire anglaise : le peuple anglais est souverain quand il vote. Une fois ce geste accompli, il n'est plus rien. Où est la démocratie ? Serait-elle une illusion quand il s'agit du gouvernement du peuple par lui-même ? En somme, ne permettrait-il au citoyen que le droit de juger l'action des gouvernants ? En fait, en dehors des constatations de principe, ce qui importe, c'est que l'État démocratique ait l'obligation de garantir les droits de chacun de la façon la plus étendue. C'est dire que la doctrine politique de la démocratie doit avoir un support moral, être conforme au droit, à la justice, à la raison, à la solidarité sociale. La démocratie repose sur la légalité. Abusant de son pouvoir au détriment des libertés individuelles de la minorité, ne risquerait-elle pas de ruiner les siennes propres ? Est-on sûr que les gouvernants soient impartiaux et que leur volonté corresponde à l'intérêt de tous ? Certains libéraux sont convaincus que l'organisa-tion démocratique du pouvoir est telle quelle ne peut autori-ser le moindre abus de la majorité.

Le libéralisme révolutionnaire, tel qu'il était issu de la révolution de 1789, tendait vers une sorte d'anarchie, au nom de la liberté. La tradition libérale a évolué et l'ordre est devenu, aux yeux de certains libéraux, le premier devoir de la démocratie. Mais elle n'offre pas de terrain favorable au principe de l'autorité en général. S'il est vrai que le père soit le prototype de l'autorité, la démocratie est une société

sans père, une communauté d'égaux. Tous les citoyens sont
des frères ; c'est le matriarcat. L'autocratie comporte subor-
dination ; la démocratie, coordination. La démocratie semble
avoir moins de résistance que l'autocratie. Avec son principe
de légalité, la protection des minorités, la liberté d'opinion,
la tolérance, elle favorise directement ses ennemis. Sur un
plan psychologique, le mécanisme des institutions démocratiques a pour conséquence de soulever les émotions des
masses, spécialement celles des partis d'opposition.

VIII. DÉMOCRATIE ET BOURGEOISIE

Pour les théoriciens marxistes, la démocratie ne peut
vraiment exister comme la meilleure forme de gouvernement
que sous le socialisme. Dans une société capitaliste, la
bourgeoisie — une minorité — est le groupe dirigeant,
économiquement et politiquement. Fait incompatible avec
l'idée de la démocratie, qui est le gouvernement de la majorité
pour la majorité. La démocratie n'est vraiment établie que si
la majorité devient le groupe qui gouverne économiquement,
grâce à la nationalisation des moyens de production, et, par
là, le groupe qui gouverne politiquement. Pour les socialistes
qui, contrairement aux marxistes, croient en une évolution
pacifique du capitalisme au socialisme, la démocratie, dans
le sens traditionnel du mot, n'est pas compatible avec le
capitalisme. Sans doute, au cours du xixe siècle, les États
capitalistes ont eu un caractère démocratique. Les temps
sont révolus. L'évolution économique a rendu la situation
de plus en plus difficile, et, finalement, le maintien de la
démocratie dans un régime capitaliste, impossible.

Pour les pays démocratiques capitalistes, les fonctions
administratives et judiciaires de l'État sont déterminées par
les règles générales de la loi, à telle enseigne qu'il est laissé
très peu de pouvoir discrétionnaire aux organes administratifs et judiciaires. Pourtant deux facteurs peuvent freiner
le principe de la règle posée par la loi. Le contenu de la
norme individuelle ne peut être complètement fixé par une
norme générale. Sinon les décisions individuelles seraient
inutiles. L'organe chargé d'appliquer la règle générale

conserve toujours un certain pouvoir discrétionnaire. Car
la règle individuelle contient toujours une parcelle de nouveauté qui n'est pas enfermée dans la règle générale ; elle
maintient toujours dans l'application de la loi un certain
arbitraire qui est en même temps une création de loi. La
règle individuelle, émise par des organes administratifs ou
judiciaires, est aussi légale que la règle générale émise par
l'organe législatif. Quant à ce dernier, son pouvoir discrétionnaire est pratiquement illimité : le Parlement est souverain et sa souveraineté est celle du peuple. L'arbitraire du
gouvernement se retrouve dans les problèmes techniques :
la loi a été votée légalement ; mais le détail de son application
dépend de techniciens. Son interprétation peut être très
différente, suivant les régions et la coutume. Elle est réalisée
par des organes suprêmes, auxquels il est difficile de poser
des bornes, notamment dans les démocraties où est appliquée
la séparation des pouvoirs.

Certes, capitalisme et libéralisme économique ont besoin
de liberté. N'en déduisons pas que le libéralisme classique
du xixe siècle signifie une complète liberté économique. La
propriété privée et la liberté des contrats sont bien des
institutions légales de la démocratie, protégées conformément à la règle essentielle de la loi civile capitaliste, comme
la loi capitaliste criminelle réprime les crimes économiques,
la fraude, etc., aggravée encore à la fin du xixe siècle, par exemple, avec la législation anti-trust. Certains en déduiront
sans doute que les grandes puissances capitalistes perdent
leur caractère démocratique. La liberté économique forme-
t-elle la base de la démocratie ? N'est-ce pas plutôt la liberté
intellectuelle, la liberté de savoir et de croire, la liberté de
la presse ?

L'élection est l'un des éléments essentiels de la démocratie.
Il faut vérifier la volonté générale, examiner si la volonté du
groupe et celle d'un individu coïncident ou s'éloignent. La procédure électorale peut faire éclater la rupture entre les divers
groupes de pression et, ainsi, faire naître une situation drama-
tique. En tout cas, dans les périodes de crise, elle est l'*ultima
ratio*, pour faire désigner le plus fort, celui qui rallie le plus de
suffrages. Il faut prendre l'avis de tous, pour ne pas laisser

croire que certains individus, ayant seuls le droit de vote, jouissent de prérogatives spéciales. L'effet du vote est de faire connaître l'avis de tous, même si les votants sont incertains dans leur choix ou incapables de discerner la vraie voie. Voter, c'est dégager une opinion collective et une volonté d'ensemble. Mais l'élection a des formes variées : tantôt le groupe fait connaître directement son vœu ; tantôt il délègue à des représentants qui décident pour lui.

Dans une démocratie directe, il n'y a pas d'élections. Le pouvoir est avec le peuple. Si celui-ci ne peut pas et ne veut pas l'exercer directement, il peut le déléguer à des représentants par une élection libre ; au lieu de gouverner lui-même, il crée un gouvernement. La démocratie directe constitue au plus haut degré un gouvernement par le peuple. Elle est moins efficace que le gouvernement dans une démocratie indirecte. De même, un gouvernement dans lequel toutes les volontés populaires sont représentées est plus démocratique que celui dans lequel, seule, la majorité l'est. Aussi le système de la représentation proportionnelle qui se rapproche le plus du système idéal est-il le meilleur.

On peut se demander si le régime parlementaire, fondement de la démocratie en Occident, ne constitue par un frein à la souveraineté du peuple et si les Parlements, avant comme après 1789, ne marquent pas des bornes au souverain quel qu'il soit. La démocratie directe est incompatible avec une délibération vraiment réfléchie. Mais la représentation permet le pouvoir à des hommes sensés et constitue la meilleure garantie contre les abus. Les représentants sont dégagés de toute soumission à l'égard des électeurs. Ils ne sont pas mandatés par les électeurs, mais par la nation. Sans doute, on pourrait opposer un collège des notables à l'arbitraire populaire. Mais ce petit groupe ne risquerait-il pas d'absorber à son profit la souveraineté nationale ? Certains ont soutenu que le principe du suffrage majoritaire n'était pas démocratique, mais libéral et que la volonté populaire pouvait s'exprimer, en dehors de tout vote libre et secret, par les acclamations du peuple. Pour aboutir à l'affirmation que la dictature a besoin d'une base démocratique : la volonté du peuple exprimée par une opinion qui se manifeste sur la place publique ([37]). Le principe de la règle de la majorité est une partie de la théorie de la souveraineté populaire ; un moyen du gouvernement démocratique, peut-être nécessaire. Le gouvernement démocratique représente tout le peuple ; la majorité, non. Est-il sous la pression de la majorité qui l'a élu, il ne tient un mandat que dans les limites du processus démocratique qui est le fondement de son titre au pouvoir. Légitimement, il ne peut pas le détruire. Il ne peut donc priver la minorité de ses droits d'examen et de discussion. Il est avant tout un instrument de l'État au service de la nation sur des matières déterminées. D'ailleurs, on peut distinguer : le pouvoir de la majorité est-il absolu, la théorie démocratique ne joue plus. L'État se confond avec le gouvernement ; la nation, avec la majorité du corps électoral du moment. Est-il limité ? Le gouvernement est tenu à l'égard de ceux qui l'ont élu, non de la nation. Le gouvernement démocratique n'a pas d'obligation envers les minorités qui s'opposent à lui.

Démocratie libérale et démocratie totalitaire se heurtent dans leurs principes mêmes. La première est caractérisée par l'idée de liberté définie comme « spontanéité et absence de coercition ». Pour la seconde, la liberté ne doit être réalisée que dans la poursuite d'un but collectif absolu. La démocratie libérale est fondée sur des bases négatives — Auguste Comte ne constate-t-il pas que les grandes idées révolutionnaires de liberté, d'égalité et de fraternité sont des négations ? La démocratie totalitaire se proposerait de parvenir, au maximum, à la justice, à la sécurité et à la pleine satisfaction du véritable intérêt de l'homme reposant sur un enthousiasme populaire complètement différent de celui que peut inspirer un roi de droit divin ou un tyran. Pour les défenseurs de la démocratie parlementaire, un gouvernement exercé directement ou par des représentants élus au suffrage universel, libre, égal, secret, constitue une véritable démocratie. Suivant Chardon ([38]), la démocratie libérale « se réduit au jugement du nombre sur l'action de l'élite : le suffrage universel ». Le pouvoir doit être contrôlé par tous ceux pour qui il est institué. L'État est souverain ; car il est la nation souveraine elle-même. La souveraineté nationale est un principe universel, un acte de foi. Ses adversaires disent volontiers : une mystification démocratique. Duguit a pu parler du droit divin des peuples se substituant au droit divin des rois. Ce qui est à la fois une forme de l'absolutisme dans les deux cas et une affirmation sans fondement : « le droit divin des peuples n'existe pas plus que le droit divin des rois [39]. » Dans le système démocratique, l'administration constitue une élite en face du nombre qui représente la force. Les deux forces, politique et administrative, sont les principaux éléments de la démocratie. « Le pouvoir politique, basé sur la volonté du plus grand nombre et réalisé par les procédés toujours forcément empiriques de l'élection, dit encore Chardon, assure le contrôle souverain du peuple sur les affaires publiques. Le pouvoir administratif basé sur la compétence, le dévouement, l'honnêteté, et réalisé par les procédés rationnels de la sélection, peut assurer le progrès et la grandeur de la nation. » Sans doute faut-il maintenir le contrôle de la force politique, mais il est bon d'en modérer la part afin de libérer l'action administrative, le Conseil d'État servant de point d'appui à toutes les administrations, le président de la république jouant le même rôle du côté du pouvoir politique. Si nous considérions la théorie de Duguit, nous pourrions dire que le syndicalisme est la meilleure limitation du pouvoir, en même temps que l'organisation de la masse est un facteur d'intégration sociale. En tout cas, une mesure, qu'elle émane du peuple ou du prince, reste injuste si elle l'est. La souveraineté populaire, expression de la démocratie, ne saurait le masquer.

La démocratie témoigne de son impuissance dans la mesure où les institutions qu'elle a établies ont pris une forme qui ne lui permet pas de résoudre les problèmes importants. Alors, la nation souveraine tombe de son piédestal, le Parlement ne représente plus la nation ; par voie de conséquence, la démocratie glisse vers l'anarchie. L'autorité de l'État se perd, puisque le mythe national, créé pour canaliser et empêcher l'anarchie, s'est effondré. Dès lors, il ne peut plus y avoir de cohésion sociale sous l'autorité d'un État qui est l'ordre juridique d'une société et le détenteur de la puissance de contrainte ; mais également une machine politique. Les gouvernants, qui ne sont pas les agents de la fonction publique, détiennent la force publique. Quels sont-ils ? La masse des électeurs, les députés, les sénateurs, les ministres. Leur puissance n'existe pas au nom d'une volonté supérieure et d'un droit subjectif de commandement. Elle s'exerce, parce que son but est conforme au droit objectif de la collectivité et qu'elle se propose de « réaliser le bien commun temporel » de tous les hommes d'un même groupement social.

« Le régime constitutionnel a pour but d'établir dans l'État un équilibre fondamental qui soit en faveur de la liberté, tout en assurant le développement régulier de l'État lui-même ; cet équilibre doit être établi entre ces forces d'action que sont le pouvoir et la liberté et cette force de résistance qu'est l'ordre. » L'ordre est le résultat de la réorganisation de la société. Il ne doit pas entraver les libertés et les pouvoirs. Car il est « un dynamisme » [40]. Quoi qu'il en soit, il faut un État actif et fort. « Concilier démocratie-liberté avec progrès économique et social exige un État non seulement arbitre, mais actif, créateur de bien commun, qui ne peut exister si l'exécutif ne fait pas contrepoids aux poussées des intérêts collectivement organisés et organiquement conservateurs [41]. »

IX. LES DIVERSES DÉMOCRATIES :
ÉVOLUTION DU TERME

Sous des étiquettes diverses, les formes de gouvernement peuvent se ramener à quelques types [42]. G. Burdeau distingue la monocratie autoritaire où le pouvoir s'incarne dans un chef qui n'est pas désigné suivant des procédés démocratiques et la monocratie populaire avec un parti unique élu par des procédés électoraux. Dans le système délibératif, il existe une opposition effective et garantie par la constitution. C'est la démocratie, qui est « la satisfaction donnée à cet instinct qui porte l'homme à s'occuper de la chose publique, quand bien même il le ferait mal ». Sans doute peut-on encore sous-distinguer la démocratie gouvernée, dans laquelle l'autorité gouvernementale est tempérée par le peuple, et la démocratie gouvernante, dans laquelle le peuple passe à l'action et s'érige en gouvernant. La démocratie gouvernée est issue du système délibératif : c'est l'État libéral, la république de 1875. Là, il suffit au citoyen d'avoir la liberté, la sûreté, la propriété, un gouvernement délibératif. Dans la démocratie gouvernante, tous prennent part au gouvernement ; il y a, à la fois, tendance à effacer le pouvoir de l'État et renforcement des disciplines. Système contradictoire où l'idée de liberté évolue. Il ne s'agit plus de liberté abstraite, mais concrète de l'homme en société. Dans la démocratie populaire, le pouvoir est « facteur de libération collective, mais aussi de déchéance individuelle ». De toutes manières, les relations d'autorité à obéissance persistent. La démocratie ne peut pas supprimer le gouvernement : ce serait supprimer l'État et se détruire. Pas de puissance étatique sans pouvoir, pas de pouvoir sans qu'il soit légitimé par une idée de droit.

La démocratie signifie cette actualité politique dans laquelle toutes les volontés sont naturellement participantes. L'attachement à la cause de la démocratie ne signifie pas dévouement à la réalisation de n'importe quel plan d'organisation politique ; mais plutôt au développement de tout ce qui, dans l'actualité politique existante, sert à établir généralement des volontés individuelles. La démocratie s'oppose à la suprématie des intérêts spéciaux qui écarterait du gouvernement les volontés individuelles et les empêcherait de s'exprimer effectivement. Elle repose sur une condition essentielle, l'existence véritable et le développement continu de telles volontés. Car elle doit assurer l'existence de volontés politiquement efficaces. Il est juste de dire, en retour, que ces volontés individuelles peuvent menacer la démocratie.

Il ne s'agit pas de confondre république et démocratie. La démocratie signifie le gouvernement du peuple par lui-même. L'exercice du pouvoir appartient à l'ensemble des membres de la communauté. Beaucoup de républiques ne sont pas des démocraties, alors que des monarchies vivent sous un régime démocratique.

L'évolution du mot « démocratie » justifie ce que dit Mirkine-Guetzevitch dans l'Essai synthétique qui forme la première partie de ses *Constitutions européennes* ([43]) : « La science politique doit faire appel à l'histoire, mais aussi à la comparaison dans l'espace et dans le temps. Il ne suffit pas d'étudier la démocratie dans l'histoire par une monographie consacrée à un État déterminé ; il faut rapprocher les institutions et établir une comparaison simultanément dans le temps et dans l'espace. » Ces comparaisons devraient ensuite être confrontées avec l'étude de l'influence de chacun de ces régimes dans le monde contemporain ([44]). Pour Kelsen, « la démocratie moderne repose entièrement sur les partis politiques, dont l'importance est d'autant plus grande que le principe reçoit une plus large application ». Le parlementarisme moderne ne repose pas tant sur le principe de la responsabilité ministérielle que sur le pouvoir de la majorité — pouvoir seul conforme aux principes généraux de la démocratie — d'imposer sa volonté dans le choix des ministres. C'est que les institutions varient selon les époques et qu'on ne peut comparer le régime parlementaire de la IIIe République avec celui de Louis-Philippe. La réalité politique est changeante et mobile. Il y a plus. La crise n'a pas manqué de toucher la démocratie. « Les formes démocratiques et les droits politiques ont été graduellement vidés de leur sens, même dans quelques-uns des pays démocratiques les plus avancés, par la force submergeante du pouvoir économique ». J. Barthelémy ([45]) pouvait déjà écrire en 1928 : « Il y a une crise dans les idées, dans les esprits, si je puis ajouter, dans les cœurs. Nos pères ont fait des révolutions pour avoir la démocratie représentative ; on est à se demander aujourd'hui qui verserait son sang pour conserver des chambres, des députés, des sénateurs. La foi s'en va ; elle est morte ». La démocratie libérale du XIXe siècle s'est effondrée. Une nouvelle démocratie devait être réinterprétée en termes économiques, avec des idées économiques de liberté et d'égalité. Bref, la responsabilité du pouvoir devrait glisser de l'aspect politique à l'aspect économique. La crise repose-t-elle sur l'antagonisme entre les droits politiques et le pouvoir économique ? N'est-on pas en droit de se demander si les droits politiques des gouvernants qui signifient le contrôle du pouvoir de légiférer et d'appliquer les lois, ne

peuvent pas en même temps, garantir le pouvoir économique
et si l'exercice du pouvoir économique ne dépend pas, en
fin de compte, de ceux qui ont le pouvoir politique et, par
voie de conséquence, le pouvoir de maintenir ou d'abolir
le système économique ?

De fait, l'individu a tendance à se trouver dans une situation de sujétion à l'égard d'un pouvoir qui s'étend indéfi-
niment, pour devenir le souverain collectif. Le pouvoir ne
peut vouloir que le bonheur et la liberté pour tous. Mais le
principe majoritaire menace d'imposer sa volonté sans
réplique à l'individu. La majorité n'est qu'un rouage nécessaire à l'organisation du pouvoir. Elle devient la volonté
souveraine de l'organisme dont l'individu n'est qu'un élément. Le suffrage universel est le moyen légal pour faire
triompher les masses qui sont les faibles, sur les riches. La
liberté libérale accordait l'égalité juridique, l'égalité des
chances qui pouvaient rester virtuelles. De plus en plus, elle
paraît suspecte. Au terme, provisoirement atteint, on en vient
à exiger qu'une égalité de consommation soit assurée à tous.
Il s'agit de placer l'individu à la merci du pouvoir réparti-
teur qui peut s'écarter des règles les plus anciennes et même
de l'égalité, au nom des nécessités de la répartition. Si bien
que l'individu ne se voit plus reconnaître de droits impres-
criptibles. Ses droits individuels ont un caractère précaire.
Il n'est plus que « le bénéficiaire de prestations publiques ».
Il y a là confusion des valeurs et des droits : l'individu ne
peut trouver la liberté que dans l'État, en suivant les volontés
de la communauté dont il fait partie ([46]).

LIVRE PREMIER

La montée des classes bourgeoises
1815-1848

Chapitre premier

L'avènement de la bourgeoisie

I. LES DIVERSES SORTES DE BOURGEOISIE

Il n'y a pas une bourgeoisie, pas plus qu'il y a un prolétariat. Il y a des bourgeoisies ; et ces classes bourgeoises sont aussi différentes entre elles qu'elles peuvent l'être à l'égard du prolétariat. Mais, à la limite des classes bourgeoises et des classes prolétariennes, s'étend une zone de contact où se fondent la dernière classe bourgeoise et la première classe prolétarienne. On peut passer de l'une à l'autre, sans solution de continuité. Il est possible de sauter plusieurs degrés. La ligne de rupture entre les classes n'est pas toujours la même. Elle peut être inspirée du point de vue politique ou religieux. Le suffrage universel a une importance capitale. La rupture entre les classes bourgeoises a dépendu, dans la première moitié du XIXe siècle, du système censitaire, qui brisait la classe bourgeoise, cette brisure facilitant la tâche d'un régime favorable à une élite, qu'elle soit de naissance ou d'argent.

La bourgeoisie a fait 1789. Elle aspirait à la puissance économique et politique. 1789 lui donne celle-ci ; l'Empire, celle-là. L'an VIII détermine son expansion, comme la déclaration des droits de l'homme et du citoyen avait fait éclater la force de l'individualisme. Toute la législation révolutionnaire a préparé son avènement. La proclamation de la liberté du travail, la suppression du corporatisme d'ancien régime, la condamnation des coalitions marquaient le front de la bourgeoisie du signe de la victoire. Tous n'étaient pas prédestinés à un avenir brillant. Mais, tous, artisans, employés, laissés pour compte de la royauté, qui attendaient l'étincelle annonciatrice de leur victoire, étaient mûrs pour former, à des degrés divers, ces classes bourgeoises qui allaient, sous des formes variées, dominer le monde économique, puis politique.

Le morcellement des biens d'Église et des biens nobles n'allait pas seulement fortifier la paysannerie et forger la classe bourgeoise rurale, mais donner des assises terriennes aux bourgeois, grands et petits, pour qui la terre était le fondement de la force sociale, de la dignité. Ces bourgeois avaient salué le Consulat de leurs applaudissements. Car le régime nouveau leur apparaissait comme la fin d'une période de troubles et d'anarchie. Ils voulaient la paix, l'ordre, une méthode de gouvernement qui inspire confiance. Chacun, à sa place, y voyait l'occasion d'un épanouissement que les tribulations révolutionnaires n'avaient pas permis. Le paiement de la rente en numéraire avait contribué à les rassurer davantage. Les mesures de protection et de prohibition douanières, le système continental favorisent l'expansion économique. Mais certains, trompant la légalité, se lancent dans la contrebande et les petits bourgeois d'hier, à qui toutes les occasions s'offrent de vendre ce que la loi interdit, deviennent, parallèlement aux grands bourgeois dont la fortune assise s'était fortifiée des troubles et des guerres, de gros bourgeois nantis. Un mouvement d'osmose se produit, montrant à l'évidence, qu'il n'y a pas de cloisons entre les classes bourgeoises, mais des couloirs de communication qui les rapprochent.

La guerre nuit cependant au dévouement au régime qui les avait faits ce qu'ils étaient. C'est que les classes bourgeoises veulent la paix. Sans doute, le cloisonnement sur ce point n'est pas un mot vide de sens. Les bourgeois, les négociants, les manufacturiers que l'Empire a faits, en sont épouvantés. Dans cette Europe que Napoléon a unie sous le signe de la domination française, il serait bon de circuler sans crainte d'entendre le canon tonner. L'Europe est mûre pour être dominée par ces grands bourgeois.

Maintenant qu'elle est construite, pourquoi ne pas en tirer toute la substance ? La dominer économiquement, accroître leur fortune, vivre dans une expansion sans cesse renouvelée, à l'abri des lois et volontiers en marge. Mais le petit commerçant, l'artisan vibrent davantage au bruit des victoires. Ils sentent ce qu'elles apportent de force et, la défaite arrivée, ils souffrent dans leur chair et dans leurs sentiments. L'idée patriotique les anime. Petits commerçants, artisans se retrouveront avec l'ouvrier, prêts à se battre et, le cas échéant, à mourir.

Louis Blanc a bien montré, dans des pages inspirées ([47]), la résolution de l'abandon. « La France, écrit-il, ne pouvait avoir à la fois les destinées de Rome et celles de Carthage : Napoléon succomba et dut succomber sous l'effet de la partie carthaginoise du peuple français. » La garde nationale n'eut pas cet élan sur lequel on croyait pouvoir compter. Paul Leuilliot a bien montré que l'Alsace fut à peu près la seule province à marquer un enthousiasme belliqueux presque unanime. Si, dans l'Orne, 27 gardes seulement se présentent sur un effectif de 2 160 hommes, l'Alsace fournit un contingent de plus de 12 600 gardes, avec un déficit de 2 076 à peine. Encore faut-il se montrer réservé. Le Haut-Rhin est plus empressé que le Bas-Rhin. « Le canton de Haguenau manifeste le plus « mauvais esprit », en face des bataillons du Haut-Rhin qui « rappellent les volontaires de 1791 ». Les Cents Jours continuent le travail de sape mené par la classe bourgeoise supérieure. Le petit bourgeois reste fidèle, comme l'ouvrier.

1815 pèse lourdement au point de vue financier sur la masse des classes bourgeoises. La haute bourgeoisie y échappe. Il est clair que les réquisitions, l'entretien des Alliés, le poids des impôts pèsent sur ceux qui ont des revenus limités, sur les petits rentiers. Les emprunts à des taux considérables retombent sur la masse bourgeoise. Les gros capitalistes en profitent, comme les spéculateurs. Le crédit profite au fort, mais écrase le faible. Les petites et les moyennes fortunes sont minées au profit d'une oligarchie financière. L'individualisme bourgeois, son égoïsme, sa passion matérielle la font asservir les moins forts.

On retrouve une structure à peu près identique dans les pays étrangers, qui ont fait partie de l'Empire napoléonien. Les classes bourgeoises, en Rhénanie par exemple, se sont enrichies et ont acquis d'anciens biens fonciers du clergé et de la noblesse. Mais la paysannerie s'y intègre. Car, comme elles, elle a profité de la suppression des droits féodaux et de l'application du code civil. Leurs intérêts communs sont basés sur le désir d'une législation libérale et égalitaire. Ils s'opposent à la vieille aristocratie terrienne qui demande la restauration de ses privilèges. Le Tiers État, suivant Görres, dans *Deutschland und die Revolution*, était l'ennemi de l'arbitraire ; obéissant, mais point soumis, ayant de l'aisance.

Comment se présentent ces classes bourgeoises ? Ce n'est pas un groupe monolithique. Le commerçant, l'industriel, le banquier, en sont quelques-uns des types divers. Il y a le petit commerçant qui fait le détail ; le gros commerçant, avide de s'élever toujours davantage, ambitieux, dur aux insolvables, vivant hors de tout ce qui ne se rattache pas directement à son commerce, ayant la pratique des affaires, incapable de se faire gruger. Il n'est plus « un homme de ma sorte », mais « un homme de ma qualité ». Il atteint aux honneurs et aux charges publiques. Le petit bourgeois qui s'élève dans la hiérarchie sociale bourgeoise, se laisse griser par sa prospérité. Il étend son entreprise, spécule. Il se défie de la banque, mais se confie volontiers au notaire qui devient de plus en plus un homme d'affaires et de Bourse. Le négociant est un élément indispensable de la société. Il admire les grands, s'applique à les imiter ; il est solennel, a une haute opinion de lui-même. A côté de lui, il y a le commis-négociant, qui est souvent le fils d'un autre commerçant ou d'un industriel et a la perspective d'épouser la fille de son patron auquel il succédera. Le négociant est dur pour lui-même et pour les siens. Il dresse ses comptes, fait son inventaire, établit son avoir. Sa vie se résume en quelques mots : « être à la piste des affaires, savoir gouverner sur la place, attendre avec anxiété, comme un jeu, si les Étienne et Cie font faillite, voir passer un régiment de la garde habillé de votre drap, donner un croc-en-jambe au voisin, loyalement s'entend, fabriquer à meilleur marché que les autres. » Il est capitaine de la garde nationale et chevalier de la Légion d'honneur. Il marie sa fille noblement, s'il le peut. Il a le culte de l'or. On pense à la *Cousine Bette* et à Crevel qui dit à sa maîtresse : « je ne t'aime pas, Valérie ; je t'aime comme un million [48]. »

Le négociant est un homme d'action. Il a le sentiment de l'intérêt personnel. Il sacrifie à son entreprise tout sentiment. Il est blasé. Sa femme lui sert d'ornement dans la société. Son métier consiste en une lutte constante, opiniâtre. Il a un besoin de combattre et de vaincre. Il est animé d'une prodigieuse énergie vitale. A-t-il un esprit supérieur, il a du génie.

Le banquier représente le sommet de la pyramide bourgeoise. Il est audacieux, téméraire même. Il est au début de sa prodigieuse évolution. Chez lui, la banque n'est pas tout. Il fait les fournitures au gouvernement, les vins, les laines, les indigos. Le marché de la Bourse est encore trop restreint à cette époque. Calculateur, froid, dur, ne laissant rien à l'improvisation, souvent insensible à la ruine des autres, grave, d'apparence austère, il a le monde à ses pieds. Balzac l'a dépeint sous un jour affreux, qu'il s'agisse de Nucingen, ce « pot à millions », ce « grand référendaire des loups-cerviers », ou de du Tillet, ce « chacal qui réussit par son odorat, qui devine les cadavres et arrive le premier pour avoir le meilleur os », ou ces « pygmées », les frères Keller. Heureusement, la figure du banquier Margenod atténue la dureté de ce type social. Il est prudent, sage, loyal, scrupuleux, sûr. A un degré plus bas, on aboutit au spéculateur souple, malléable, sorte de « parasite du crédit », cynique, sachant maintenir son prestige auprès de ses créanciers, qu'il dépouille alors même qu'ils le poursuivent ; à l'usurier enfin qui prête à des taux exorbitants et qui estime que « l'or représente toutes les forces humaines ».

Mlle Daumard a dressé [49] un remarquable tableau de la bourgeoisie parisienne entre 1815 et 1848. Dans la première moitié du XIXe siècle, la classe moyenne s'amenuise sous une double influence : la prolétarisation que provoque l'arrivée de pauvres gens ; un glissement vers les niveaux

supérieurs. La classe moyenne — celle des négociants par
exemple — s'enrichit. D'ailleurs les niveaux supérieurs
de la fortune ont tendance à être plus élevés après 1830
qu'avant. Le contraste entre les petits et les grands capitalistes s'accentue, entraînant un déséquilibre social.
Pour caractériser la bourgeoisie, il faut tenir compte à la
fois des professions, des fortunes, des habitudes de vie,
du mobilier, de la domesticité, des maisons. La plus grande
partie des notables est constituée par les chefs d'entreprises,
banquiers, négociants, marchands en gros, manufacturiers.
Sous la Restauration, les électeurs départementaux, se
recrutaient, pour une bonne part, dans les professions qui
appartenaient à la bonne bourgeoisie. Dans la répartition
des électeurs ayant un cens de plus de F 1 000, les propriétaires et les sans profession étaient presque à égalité avec
les professions économiques, de même que les fonctionnaires et les officiers pouvaient se mesurer avec les professions libérales. Les éligibles ont une base immobilière solide.
Les notables sont des représentants de la classe moyenne
enrichis par le commerce. La part des oisifs s'élève sous
Louis-Philippe. En 1842, les propriétaires et les citoyens
sans profession représentent 49,9 % des électeurs ; les professions économiques, 29,4 % seulement. Les professions
libérales dépassent le service public : 12 % contre 8,7.

De 1830 à 1848, la bourgeoisie se présente ainsi : aristocratie financière : banquier, grand industriel, grand négociant, riche capitaliste ; haute bourgeoisie, riche, mais ne
tenant pas les leviers de commande : riche négociant, industriel, haut fonctionnaire, magistrat, officier, médecin,
professeur de Faculté. Les fonctionnaires forment une nouvelle aristocratie, à condition que fortune et fonctions
soient associées ; bonne bourgeoisie à fortunes grosses ou
moyennes : négociant en tissus, officier public, médecin,
avocat, fonctionnaire, magistrat, officier supérieur, sans
grande fortune, mais ayant un rang du fait de leurs fonctions ; moyenne bourgeoisie, intermédiaire entre les couches
supérieures et le peuple : boutiquier, employé de l'État,
ingénieur, gérant de société ; petite bourgeoisie, besogneuse,
sans argent, petit commerçant, petit artisan, employé de

commerce mal rétribué, agent subalterne des ministères. Ils sont à la limite des classes populaires. La société bourgeoise est bien représentée par une pyramide, dont les degrés s'emboîtent les uns dans les autres, avec des chevauchements et des interférences, sans oublier les conditions marginales qui rendent difficiles les distinctions.

La bourgeoisie est mobile. Le problème de son ascension sociale la tourmente. Elle a envie de changer de condition, pour s'élever. De leur côté, les classes populaires sont tenaillées par le désir de passer dans la bourgeoisie, si bien qu'on en vient à soutenir que la bourgeoisie n'est pas une classe, mais une position qui, un jour ou l'autre, peut être perdue. « La bourgeoisie est si peu une classe que les portes en sont ouvertes à tout le monde, pour en sortir comme pour y entrer », écrit le *Journal des Débats* du 17 décembre 1847. De fait, la classe bourgeoise s'élargit et se renouvelle. Les bourgeois de la Restauration étaient les héritiers de la Révolution et de l'Empire. Une société nouvelle se forme. La stabilité du système social repose sur l'expansion économique et la fortune. Une tradition est en train de s'établir. Il ne s'agit plus de vie oisive et de culture désintéressée, mais de travail, d'effort, de progrès. Prudent, le bourgeois a peu d'enfants pour ne pas éparpiller son patrimoine. Le grand bourgeois, ou le moyen, songe toujours à s'élever : son activité dure le plus longtemps possible, à l'opposé du petit bourgeois, qui a le goût du repos et de la retraite.

Ce qui est la caractéristique de la bourgeoisie, c'est la difficile limite entre fabricants et négociants, d'une part, artisans et boutiquiers, de l'autre. Pourtant, dans le principe, les premiers agissent, s'efforçant de moderniser leurs entreprises ; les seconds restent passifs, attendent le client. Mais, chez tous les bourgeois, le critère du succès, c'est l'enrichissement. Pour la classe moyenne, acquérir une maison est une promotion sociale. Tel est le but du boutiquier. Pourtant, sous la Monarchie de Juillet, avec le développement économique, le bourgeois se tourne avant tout vers les placements mobiliers. La rente joue un rôle important dans la petite et la moyenne bourgeoisie peu fortunée et chez certains capitalistes riches. Ce qui explique l'opposition faite à la conversion des rentes. Si les gros rentiers sont parmi les plus riches, la rente n'est pas toute leur fortune. Il en est de même de la moyenne bourgeoisie. Les capitalistes contrôlent une partie de l'économie nationale et possèdent des biens fonciers ruraux, d'immenses forêts. La petite bourgeoisie s'y cantonne.

De toute manière, les riches bourgeois ont, avant tout, le souci de se maintenir sur leurs positions. Mais ce ne sont pas des spéculateurs nés. Ils achètent de la rente, avant tout, pour s'assurer un revenu. Car avoir de la fortune, c'est le moyen de s'assurer de l'influence, politique et économique. Mais les plus riches bourgeois s'intéressent également aux investissements industriels, dans une proportion plus large que les bourgeois moyens. Les premiers ont le souci du développement économique du pays ; les seconds, le désir de vivre indépendants et de s'assurer de vieux jours tranquilles.

Pour le bourgeois, la situation apparaît sous un double aspect : politique et social. De 1815 à 1830, le premier aspect domine. Seul, le droit électoral importe. Très libéral, partisan de la charte, le bourgeois a un royalisme raisonné et critique. Sous l'influence de la politique réactionnaire du gouvernement, riches ou de condition plus modeste, tous les bourgeois se trouvent peu à peu solidaires pour la défense de la charte et des libertés publiques. Mais leur opposition se nuance d'esprit conservateur sur le plan social.

Les patrons ne saisissent pas la gravité des revendications ouvrières. Leurs rapports entre les uns et les autres sont fondés sur la condescendance ou le mépris. Ils n'envisagent pas une politique légale de secours à l'ouvrier. Ils estiment que la charité est une affaire privée et qu'établir une misère légale serait « porter atteinte aux principes fondamentaux qui font vivre et prospérer les sociétés, à savoir la responsabilité individuelle et le droit exclusif de propriété sur les fruits du travail » ([50]). Soit indifférence, préjugé ou peur, ils estiment que ces problèmes ne les concernent pas. Mais ils croient en la charité individuelle active, à l'utilité du patronage, ignorant la susceptibilité des secourus. Il y a chez eux un fond de condescendance, de tutelle et le désir de répandre les bonnes doctrines chez les travailleurs. La charité elle-même avive en eux le sentiment de leur supériorité. D'ailleurs, cette charité se démocratise, en ce sens que les dames charitables ne se recrutent plus dans l'aristocratie, mais dans la bourgeoisie moyenne qui y voit une sorte de consécration.

Pour le bourgeois, l'instruction du peuple permet le développement de l'industrie avec des ouvriers instruits, avec la crainte de voir ainsi attiser le ferment révolutionnaire avec des ouvriers qui ont appris à réfléchir. Aussi bien l'instruction primaire doit-elle être conçue pour maintenir l'enfant du travailleur dans une condition inférieure. Donner un enseignement très élémentaire est un moyen de dresser une barrière entre le bourgeois et le peuple. C'est dire que rien n'est fait pour favoriser la promotion sociale des intéressés.

II. LES BOURGEOIS ET LE POUVOIR POLITIQUE [51]

Les classes bourgeoises poursuivent la puissance politique par le droit de suffrage. Elles sont libérales. Elles s'inspirent des écrits des grands doctrinaires du libéralisme, Voltaire et Montesquieu. S'appuyant sur cette doctrine, elles s'efforcent d'établir un système constitutionnel qui leur soit favorable.

Le bourgeois est l'expression même du libéralisme. De quoi s'agit-il exactement ? Dans le cas qui nous intéresse, le libéralisme est une manière de vivre, fondé sur l'individu et son autonomie. Comme tel, il reflète les aspirations intellectuelles, sociales, économiques, politiques et les idéaux des classes commerciales. C'est dire les rapports étroits du libéralisme et du capitalisme. Cette philosophie n'est pas uniquement économique, mais politique et sociale. Le libéralisme et le capitalisme se sont développés en même temps. L'un et l'autre dérivent d'un aspect individualiste du monde. Le libéralisme n'est pas constitué uniquement d'éléments économiques. Il est un mode de penser, de croire, de vivre. Le bourgeois, à l'origine, est insatisfait ; c'est un révolutionnaire. Il y a en lui la marque d'une puissance créatrice latente, d'une volonté individuelle ; mais il est

aussi marqué par la dignité de la personnalité humaine. Il
croit aux droits de l'homme pour lesquels il est prêt à se
battre. Le bourgeois répugne au système mercantile
et au pouvoir politique arbitraire. Il ne veut pas entendre
parler de l'aristocratie de naissance, pas plus sur le terrain
économique que sur celui des principes. Il est pour les libertés
non pas abstraites ; car les classes commerciales ne se
rebellaient pas contre l'injustice dans l'abstrait, mais dans
la réalité. Il ne protestait pas contre les restrictions abstraites
à la liberté, mais contre les restrictions spécifiques. Tant que
la bourgeoisie resta, économiquement, socialement et politiquement insatisfaite, elle combattit pour les droits de l'homme. Quand le système social et économique changea, que le
monopole et le capitalisme financier remplacèrent la libre
entreprise et que la bourgeoisie eut acquis une position
politique dominante, elle tendit à adopter l'égalité formelle
et les droits formels du citoyen plutôt que l'égalité et les
droits des citoyens réels. Les droits légaux remplacèrent les
droits naturels et la liberté vint à être regardée comme la
liberté issue d'une contrainte illégale, mais nécessairement
injuste. Une juste application de la loi tendit à remplacer
la conception dominante d'une justice juste. Pour le libéral,
le gouvernement qui impose les moindres restrictions est le
meilleur. Mais, avec le XIXe siècle, l'ordre naturel que revendiquait le libéralisme dans ses origines était différent. C'est
un ordre immanent qui n'exige pas d'activité individuelle
pour sa réalisation. Il est un produit des forces matérielles
qui n'exigent ni la raison, ni la connaissance de valeurs
transcendantales. Cette conception du libéralisme n'était
pas seulement le résultat du matérialisme scientifique ; il
avait des affinités avec le mode de vie bourgeois du XIXe siècle. Contrairement à ses prédécesseurs du XVIIe et du
XVIIIe siècle, ce bourgeois est assuré du pouvoir politique,
rassasié et satisfait de la situation présente. La conception
d'un ordre naturel statique lui procure la sécurité et une certitude sur laquelle il peut compter, qu'il souhaitait avoir avant
toutes choses. La bourgeoisie ne désirait pas de changement
de la situation présente ; elle souhaitait son maintien. Aux
clameurs des réformistes, elle pouvait répondre que la réfor-

me par des individus ne réaliserait rien. Il fallait laisser aller les choses. Cette conception de l'ordre naturel n'était pas moins en affinité avec la manière particulière de vivre de la société bourgeoise du XIX⁰ siècle, que ne l'était la plus ancienne conception à la société révolutionnaire des classes commerciales en train de se soulever. La conception libérale avait subi une transformation graduelle, comme l'attitude bourgeoise elle-même, passant d'un désir agressif d'autonomie individuelle à une sécurité telle que cette attitude devenait de plus en plus défensive (⁵²).

Sous l'influence du positivisme qui voulait appliquer aux faits sociaux et politiques les méthodes scientifiques, la loi naturelle est remplacée par une loi de nature indépendante de la raison et pouvant être démontrée d'une manière empirique apparemment, alors qu'il ne pouvait en être ainsi de la loi naturelle. L'efficacité technique et la certitude mécanique remplacent la justice comme fin de la loi. Le positivisme tendait également à identifier les droits et les intérêts. Une fois la loi séparée de la morale, les droits légaux ont tendance à s'identifier avec l'intérêt et la volonté du plus fort. La liberté devenue purement formelle est déterminée par le même processus.

Aux yeux des économistes libéraux, l'intérêt individuel l'emporte, car il se confond avec l'intérêt général. Adam Smith avait soutenu que le bien-être général résultait des intérêts privés. Il y avait chez l'homme poursuivant son propre intérêt la main invisible de Dieu. En Allemagne, comme en Angleterre et en France, cette conception était considérée comme remarquable. Kraus, professeur à Koenigsberg (1755-1807), estimait que « *la Richesse des nations* » de Smith était la somme des entreprises privées des divers individus de l'État. Il en était de même au point de vue politique. La société est faite pour l'homme, non l'homme pour la société. Logiquement et moralement, l'homme, l'individu a le pas. La loi naturelle a pour qualité dominante la priorité de l'individu.

La liberté est l'un des fondements du libéralisme et de l'individualisme. Contre l'arbitraire et le despotisme, il n'est que la liberté et le gouvernement représentatif. Les points de vue économiques, sociaux et politiques se confondent contre les restrictions et les injustices. Le libéralisme signifie la liberté en face de l'arbitraire, à l'égard des autres individus, de l'État, de quelque autorité que ce soit. C'est une réaction contre l'absolutisme. Considéré dans sa forme intégrale, il dégage deux éléments essentiels : la société est composée d'individus autonomes ; mais, certaines vérités éternelles transcendantent les individus, indépendantes de chaque volonté individuelle. Les écrivains des XVIIe et XVIIIe siècles parlaient de droits naturels ; ceux du début du XIXe siècle n'ont fait que changer les termes. La loi positive est légitime ; elle est capable d'entraîner l'obligation de son contenu, s'il est conforme au contenu des *vérités transcendantes*. Le libéralisme adopte la liberté, dégagée de toute forme de contrôle social, en dehors de la loi. Mais la loi positive n'engage pas simplement parce qu'elle émane du souverain légitime, car celui-ci, comme tous les individus, est placé sous l'autorité d'une loi plus haute. L'individu peut savoir si le souverain agit justement, c'est-à-dire que son acte tombe dans les limites fixées par la loi, uniquement par sa conscience. L'obligation repose sur la seule conscience individuelle. Car l'individu n'est tenu que conformément à la raison. L'État ne doit marquer aucune sollicitude pour le bien-être du citoyen. Il n'a qu'une fonction : empêcher le mal. Or l'individu ne peut poursuivre que la liberté la plus parfaite de se développer par ses propres énergies. L'État a tendance à détruire l'initiative individuelle et fait frein au développement individuel. Humboldt comparait volontiers l'État au médecin qui retarde la mort du malade, en nourrissant son mal. Mais, avant qu'il y ait des médecins, il n'y avait que la santé et la mort. La racine du mal est chez les individus et, eux seuls, peuvent le surmonter. Ainsi le *Rechtsstaat* aboutit à un gouvernement limité. Un gouvernement constitutionnel, c'est-à-dire limité, ne signifie pas un gouvernement faible ; mais un gouvernement *qui reconnaît* des limitations substantielles à son autorité.

Avec le XIXe siècle, le libéralisme évolue, sous l'influence du romantisme et la tentative faite pour appliquer une méthode scientifique à l'étude d'un phénomène social.

Du coup, la conception de l'humanité se modifie. Il ne s'agit plus de dignité égale et d'exécution de lois universelles, mais de réalisation purement personnelle des qualités d'esprit chez les individus, puis chez les groupes sociaux. L'intuition et l'émotion l'emportent sur la raison. A la loi naturelle, le romantisme substitue le *Volksgeist*. La tendance est à la divinisation de l'État. D'autre part, les problèmes métaphysiques, comme toutes les questions relatives au jugement de valeur sont reléguées. L'épistomologie se substitue à la métaphysique. Il ne s'agit plus de savoir « ce que » les hommes connaissent, mais « comment » ; de croyances et de valeurs transcendantales ou de jugements sur le bien ou le mal, le juste ou l'injuste, mais d'utilité et d'expérience. L'empirisme stimule le subjectivisme. La conscience se voit refuser un rôle scientifiquement valable dans la détermination de la valeur ou de la vérité. Les inductions logiques tirées des faits d'expérience supplantent la raison juste. C'est le triomphe de la pensée quantitative. Il ne s'agit plus d'âme. On ne peut pas plus démontrer expérimentalement la valeur morale absolue des individus, que concevoir, de façon transcendante, les droits individuels. De là, les droits et les intérêts tendent à s'égaliser. Le XIXe siècle substitue aux droits naturels des droits légaux.

Avec la croissance du système capitaliste, les profits sont substitués aux valeurs morales de la personnalité humaine. Tout se ramène à des valeurs matérielles. La fin du libéralisme, c'est le confort matériel et l'accumulation des richesses. L'activité économique devient une fin en soi. Tous les buts de la pensée humaine, sociaux et politiques, sont subordonnés à l'activité économique dont la prédominance ne cesse de croître. L'État se voit assigner pour unique tâche, la protection légale de la vie économique dans ses rapports internes et externes.

Ainsi, le XIXe siècle a rejeté la notion de valeur morale de la personnalité humaine. Les libéraux s'attachent à la notion d'égalité et de liberté , dans un sens formel. Il s'agit de liberté et d'égalité en vertu de la loi. Ils conçoivent la loi comme tirant son contenu des volontés et des intérêts individuels. Ce n'est pas la conscience qui en fournit le contenu, parce

que la foi dans ses vérités et dans les valeurs éternelles
est écartée. Derrière la loi, il y a la force. L'utilité remplace
la certitude. Ce qui détermine l'obéissance à la règle, ce
n'est pas sa justesse, mais sa contrainte. Le contenu de la
loi est hors de propos, depuis que la forme seule détermine
sa légalité. L'État l'emporte sur la loi, car le critère de la
loi est la contrainte et l'État dispose des plus puissants instruments de coercition. Les droits individuels ne sont plus
ceux de l'homme, mais du citoyen. Les droits sont séparés
des responsabilités morales. Ils tendent à être à égalité avec
les intérêts, ces intérêts ayant une puissance suffisante pour
forcer leur reconnaissance par les membres plus faibles de
la société. Primitivement, les droits individuels étaient enracinés dans la spiritualité de l'individu ; pour le libéralisme
formel, ce ne sont plus que des concessions sociales, c'est-à-
dire que ce ne sont plus des droits du tout. Dans le libéralisme intégral, le contenu de la loi est moral. Les libéraux
formels la vident de ce contenu. La loi change de sens. Elle
est conçue comme la résultante d'un conflit d'intérêts et
de volontés individuels et de groupes. Ce n'est plus un
idéal à atteindre, mais simplement le produit de forces
sociales. Dans la mesure où l'homme a accepté les prémisses
du positivisme, les concepts originaux du libéralisme deviennent formels. Puisque l'homme ne croit plus en une vérité
transcendante, toute limitation objective à la volonté disparaît. La liberté se mue en licence. La loi devient ordre, son
obligation reposant moins sur la justice de son contenu que
sur la force qui la sanctionne. Elle n'est plus qu'une forme
dans laquelle peut être versé n'importe quel contenu, juste
ou injuste, bon ou mauvais. Le système tient aussi longtemps
que les groupes contradictoires, opposés, que le maintien
du système politique, économique et social est essentiel
à la réalisation de leurs volontés. Il est donc à la merci d'intérêts ou de volontés plus fortes.

III. LE BOURGEOIS ET LA LÉGISLATION ÉLECTORALE [53]

Le sénatus-consulte du 16 thermidor an X fondait les
collèges électoraux sur le principe aristocratique et la

fortune. Les deux ordonnances que Louis XVIII promulgua pour organiser le système électoral, en maintiennent les dispositions. Il y avait deux collèges électoraux, les collèges d'arrondissement et les collèges de département. Mais l'ordonnance du 15 juillet 1815 ne donne plus aux collèges la nomination directe des députés. Les collèges d'arrondissement se bornent à élire un nombre de candidats égal au nombre de députés du département. Les collèges de département doivent choisir parmi ces candidats la moitié des députés. Les préfets peuvent ajouter aux collèges des membres de la Légion d'honneur. L'ordonnance du 21 juillet leur permet d'ajouter encore dix membres, choisis parmi les citoyens ayant rendu des services à l'État, à chaque collège d'arrondissement, et vingt membres aux collèges de département, dont dix choisis parmi les citoyens les plus imposés du département et dix parmi les citoyens ayant rendu des services à l'État. Les collèges d'arrondissement comprenaient un membre par 500 habitants ; les collèges de département, un par mille. Les membres étaient choisis parmi les 600 citoyens les plus imposés. C'est un système restreint. En 1817, une nouvelle loi électorale est votée. Elle reposait sur l'élection directe et ne prévoyait qu'un collège de département. Le projet était simple : tout Français jouissant des droits civils et politiques, âgé de trente ans accomplis, et payant 300 F de contributions directes, était appelé à concourir à l'élection des députés du département où il avait son domicile politique. Le collège de département unique était composé de tous les électeurs du département, dont ils nommaient directement les députés à la Chambre. Il n'y a qu'une assemblée dans les départements, où le nombre des électeurs ne dépassait pas 600 ; quand ce chiffre est dépassé, le collège est divisé en sections dont chacune ne peut être inférieure à 300 membres. Les électeurs votent par bulletins de liste contenant autant de noms qu'il y a de députés à nommer. Lainé avait justifié son projet : « les choix seront ainsi dirigés vers les hommes les plus connus et les plus considérés dans toute l'étendue du département. L'intrigue et la médiocrité peuvent réussir dans un cercle étroit ; mais, à mesure que le cercle s'étend, il

faut que l'homme s'élève pour attirer les regards et les suffrages. On arrête ainsi l'effet des petites et obscures influences
pour assurer celui des influences grandes et légitimes et
on garantit d'avance à la nation que la chambre des députés
ne sera composée que d'hommes réellement dignes de confiance, et capables par leurs talents, leur existence et leur
caractère, de concourir à la création de la loi ». C'était ouvrir
le droit de suffrage aux classes moyennes. Les représentants
de l'aristocratie protestaient contre un système qui donnait
l'influence aux capitalistes et aux industriels de la classe
moyenne. « C'est la population tout entière que vous
prosternerez devant le veau d'or, la plus dure, la plus insul-
tante des aristocraties », déclarait de la Bourdonnaye. « Oui,
par ce projet, disait Corbière, les classes supérieures sacri-
fiées aux classes inférieures seront privées de toute influence
dans les élections ». « Si, par des lois nées des habitudes
révolutionnaires, disait Bonald, en appelant les petits et les
moyens propriétaires, vous excluez de fait les chefs de la
propriété, c'en est fait de l'ordre social. Si, au contraire,
par le sage rétablissement des corporations, vous rendez
à la propriété toute son influence, vous sauvez la patrie
de tout danger. » Il considérait que le projet était anticonsti-
tutionnel et antisocial. Comme l'indique Vaulabelle, dans
une note de son *Histoire des deux Restaurations* ([54]), dans le
tableau des contribuables payant 300 F d'impôts et au-dessus,
trente et un départements, seuls, avaient un chiffre d'électeurs
supérieur à 1 000. On comptait 16 052 citoyens âgés de
quarante ans et payant 1 000 F, donc éligibles et 90 878 citoyens payant 300 F, patente comprise.

L'assassinat du duc de Berry met fin à la période libérale
de la Restauration. Decazes s'efforce de maintenir la situation politique ; il n'y réussit pas. Le projet de loi qu'il avait
présenté, le 15 février 1820, affaiblissait la loi de 1817. Il
ne la détruisait pas. Les électeurs étaient répartis dans des
collèges d'arrondissement auxquels s'ajoutait un grand
collège départemental. L'élection était directe. Repoussé
à la fois par les ultras et les libéraux, le projet, qui prévoyait
deux sortes de députés, élus, les uns par des collèges d'arrondissement, les autres, par des collèges de département, s'en

vit substituer un nouveau. Les collèges d'arrondissement désignent un nombre de candidats égal à celui des députés attribués au département ; le collège de département, composé des électeurs les plus imposés en nombre égal au cinquième de la liste générale, sans pouvoir être au-dessous de cent, ni supérieur à 600, choisissait les députés sur les listes des candidats nommés par les collèges d'arrondissement. Ainsi le projet remettait l'élection de tous les députés à quelque douze mille propriétaires les plus imposés. C'était le triomphe des ultras et de l'aristocratie terrienne. Le discours du général Foy fait éclater très exactement la conclusion qui se dégage de ce projet : « Notre histoire n'est que le long récit de la guerre du tiers état et de la royauté contre la noblesse. Depuis que celle-ci a perdu une partie de ses propriétés pour avoir voulu sauver ses privilèges, elle a vécu quelquefois ennemie, mais toujours détachée de la masse des citoyens... Avec les conditions d'impôt mises à l'éligibilité, les grands propriétaires sont seuls éligibles ; on veut aujourd'hui qu'ils soient les seuls électeurs ; c'est le despotisme, non d'un homme, mais d'une classe, que constitue le système de candidature du projet. » A quoi riposte la Bourdonnaye : « A la grande propriété seule, doivent appartenir les droits politiques ;... la loi ne sera complète et durable que quand la puissance électorale, qui doit reposer tout entière sur la propriété, ne sera confiée qu'à un nombre déterminé d'électeurs choisis parmi les plus imposés. » Établir deux degrés dans les élections, n'est-ce pas faire passer les élections de la majorité à la minorité. « Ce n'est pas seulement la violation de la charte, dit Royer-Collard, ce n'est pas seulement un coup d'état contre le gouvernement représentatif, c'est un coup d'état contre la société, c'est une révolution contre l'égalité, c'est la vraie contre-révolution. » Après de longs jours de bataille, non seulement à la Chambre, mais dans Paris, un amendement fut adopté qui créait deux collèges : les collèges d'arrondissement conservent l'élection des anciens députés ; les collèges de département pourvoient aux 172 sièges nouveaux. Les électeurs des collèges de département pouvaient siéger dans les collèges d'arrondissement et votaient deux fois. C'est la loi dite du

double vote. La loi du 12 juillet 1820 fut suivie de sanctions :
Royer-Collard, Guizot, Camille Jordan furent exclus du
Conseil d'État et Laffitte perdit le gouvernement de la Banque
de France. Mais, en face des 12 000 propriétaires qui jouissent du double vote, et des quelque 80 000 électeurs censitaires, se dressent les masses exclues du scrutin, bourgeois
libéraux, capitalistes moyens, demi-soldes, révolutionnaires,
loges, sans oublier les doctrinaires qui, pour être royalistes,
n'en sont pas moins pour la liberté et un cens élargi. Mais,
en face de 350 députés ministériels, que pouvait une gauche
de 80 représentants ?

Rémusat raconte dans ses *Mémoires* [55] que, le 9 juin 1820,
rentrant à la chancellerie après la bataille, de Serre avait
répondu à ceux qui le félicitaient : « Oui, nous venons de
gagner aux Bourbons un répit de dix ans. » Lui faisant écho,
à propos du meurtre du jeune Allemand, tué par un soldat,
il ajoutait : « Pour la première fois, je crus revoir quelque
chose de ce que je n'avais connu que par les récits de la
révolution, c'est-à-dire une disposition des esprits qui donne
un rôle aux masses et à la force. Il me semblait que le vent
de la révolution commençait à fraîchir. Je n'avais pas appelé
le règne de la violence ; je me serais amèrement reproché, si
j'y avais pu quelque chose, de la déchaîner ; mais pour tout
dire, je ne la craignais pas. »

Dix ans passent. La bourgeoisie reste dans l'ombre,
inquiète de ne pas pouvoir prendre les commandes du
pouvoir. La réaction triomphe avec Polignac, frappant durement les classes commerciales. Les ordonnances de juillet
1830 suspendent la liberté de la presse, dissolvent la chambre, ramènent le nombre des députés au chiffre initial de 238
prévu par la charte, enlève le droit de suffrage aux patentés,
prescrivent le renouvellement annuel de la chambre par
cinquième. Les collèges de département et d'arrondissement étaient convoqués pour septembre. Les collèges d'arrondissement, composés des électeurs de la circonscription,
nommaient les candidats aux fonctions de députés. Les
collèges de département, composés du quart des électeurs
les plus imposés, choisissent dans la liste de ces candidats
la moitié des députés et nomment librement l'autre moitié.

Il n'y a plus qu'une sorte de députés : les députés des départements.

De 1815 à 1830, l'aristocratie de naissance et celle d'argent se heurtent. Le gouvernement du roi ne fait pas le geste qui donnerait à l'aristocratie d'argent les honneurs qu'elle espérait. Elle en est si mécontente qu'elle se tourne contre la royauté et prépare la révolution de juillet, avec l'appui de la moyenne et de la petite bourgeoisie. Elle a le pouvoir politique et le pouvoir économique. Elle garde pour elle seule le bénéfice de la victoire. Maîtresse du pouvoir politique, comme de la puissance économique, elle écarte tout ce qui tente de se dresser contre son monopole. Elle inaugure cette politique économique de caractère international dont les affairistes du siècle dernier devaient donner tant d'exemples. Toussenel dira : « La féodalité industrielle, plus lourde que la féodalité nobiliaire, saigne la nation à blanc, la crétinise, et l'abâtardit, la tue du même coup au physique et au moral. » Elle a le monopole politique et social, avec le secours de l'administration, développant le népotisme au détriment des faibles. Car elle réussit à faire entrer sa victoire dans les textes. Ce furent les lois des 21 et 22 mars et du 19 avril 1831 qui posent les fondements de la puissance politique bourgeoise ([56]).

La loi du 21 mars 1831 est l'une des bases trompeuses de la nouvelle monarchie. Elle n'a pas fourni à la royauté ce facteur largement démocratique que les vainqueurs de juillet étaient en droit d'attendre. Trois points s'en détachent, les électeurs choisissent les conseillers municipaux parmi lesquels le gouvernement, ou son représentant, le préfet, désigne les maires et adjoints, suivant qu'il s'agit de communes de plus de 3 000 habitants, ou de moins. Dans les communes de 1 000 habitants et au-dessous, le corps électoral comprend le dixième de la population pris parmi les plus imposés, avec augmentation de 4 % de 1 000 à 5 000 habitants ; de 3 % de 5 à 15 000 habitants ; de 2 % au-dessus de 15 000. Une deuxième catégorie, qui réunit notamment les officiers de la garde nationale, les officiers en retraite ayant une pension de 600 F, forme les « capacités ». Les deux tiers des membres des conseils municipaux doivent être

pris parmi les plus imposés ; le troisième tiers, parmi tous
les électeurs. Les citoyens qui versent le plus d'impôts
doivent avoir le plus d'influence.

L'opposition avait tenté de rompre le front de la propriété
foncière, en proposant d'élargir le corps électoral. Le centre
ne veut pas de ces « capacitaires » qui seraient des électeurs
à vie, de simples fonctionnaires du gouvernement, des
hommes qui ne tiennent que de lui leur brevet ou leur
décoration. La chambre adopte les notaires, les avocats
inscrits, les licenciés chargés d'enseignement après cinq ans
d'exercice réel et de domicile dans la commune, les anciens
fonctionnaires de l'ordre administratif et judiciaire, les
fonctionnaires de l'Université, les employés des administrations civiles et militaires ayant une retraite de 600 F, les
élèves sortant de l'École polytechnique, admis ou admissibles dans les services publics après deux ans de domicile
réel ; les citoyens appelés à voter aux élections législatives
et départementales, quel que soit le taux de leurs contributions dans la commune.

La gauche condamne le fait de choisir comme électeurs
les plus forts contribuables, leur droit de votation variant
avec la population. Agir ainsi, c'est substituer à un droit
un privilège ; à une condition précise et universelle, une
faveur spéciale et éventuelle. « Si le tableau des éligibles,
des électeurs, des citoyens se réduisait... à de courtes listes
des plus imposés, s'il fallait donner un nom à un tel régime,
je n'en connaîtrais pas qui lui convînt mieux que celui de
ploutocratique. » C'est ce que soutiendra l'un des organes
les plus marqués de la presse de province, le *Courrier du
Bas-Rhin*, en cette circonstance : « S'il ne s'agissait dans
cette lutte parlementaire que d'un intérêt de parti, d'une
querelle entre deux coteries politiques, également ambi-
tieuses, également avides de pouvoirs et de portefeuilles, les
transactions pourraient avoir quelque utilité. Mais les intérêts qui sont en jeu sont ceux des privilégiés contre les non-
privilégiés, des propriétaires contre les non-propriétaires,
de l'aristocratie financière et commerciale contre la bourgeoisie moyenne et les prolétaires. Les membres de l'opposition, privilégiés eux-mêmes et élus du privilège, doivent

représenter dans la chambre les masses populaires qui n'ont aucun moyen légal de manifester leurs vœux et leurs besoins. » Et encore : « La loi, pour avoir des chances d'avenir, doit être élaborée dans l'opinion publique, avant de l'être par les pouvoirs légalement établis ; elle ne doit être que l'expression des modifications survenues dans les mœurs et les besoins d'une nation ; elle doit résumer ce progrès ; elle doit donner aux idées nouvelles aux besoins nouveaux, la sanction du droit. Or, la loi électorale, pour être en harmonie avec les besoins et les idées de la nation, devait consacrer l'admission des prolétaires capables au scrutin électoral ; elle ne l'a pas fait ; c'est là son germe de mort. »

La base du système est la contribution directe. Pour les libéraux, tout citoyen français, majeur et payant une contribution personnelle, doit concourir à l'élection des conseils municipaux. Ils voient dans la loi proposée l'occasion de mettre en lumière les germes d'une aristocratie de la fortune, l'absurdité d'un système dont l'instabilité permet à un citoyen, nouvellement domicilié ou devenu plus riche, d'en supplanter un autre jusque-là capacitaire, de faire remarquer que, dans toutes les classes sociales, il y a le sentiment intime de la commune, l'intelligence et l'intérêt de la chose communale. Les représentants de la grande bourgeoisie opposent la fortune : « Dans le siècle où nous vivons, la qualité réellement prééminente est celle de propriétaire. C'est du moins celle qui est le plus à considérer dans le régime municipal, puisque les plus riches sont ceux qui participent aux charges locales dans une plus forte proportion, qui répandent le plus d'aisance par les travaux qu'ils font exécuter et par conséquent ceux qui auront le plus d'influence sur tout ce qui les entoure », disait Dupin. Mais il semble bien que le rapport de Félix Faure est le plus significatif à cet égard. Il distingue la liberté politique et la liberté civile qu'il faut bien se garder de confondre. « Celle-ci (la liberté civile) appartient réellement à tous. Elle est le droit de 23 millions de Français de tout âge, de tout sexe... Mais les droits politiques, non seulement n'appartiennent pas à tous, mais ils ne sont, ils ne peuvent être nulle part le partage de la majorité. Car les pauvres, les mineurs, ceux,

en un mot, qui ne peuvent remplir les devoirs attachés aux
droits, en sont nécessairement exclus ; et partout ces diverses
classes composent au moins les trois quarts de la population.
Et dans la minorité qui reste, les droits politiques ne doivent pas être distribués pour flatter la vanité ou les passions
de cette minorité ; ils ne doivent être répartis qu'avec les
précautions qu'exige l'intérêt général. Or, ce principe d'intérêt général veut impérieusement que des conditions soient
imposées à l'exercice de certains droits politiques et propor-
tionnées à l'importance de ces droits. Sans doute, nul
citoyen ne doit être exclu d'une manière absolue ; il faut
que tous y soient admissibles, conformément à notre droit
public. Ainsi les privilèges de caste, de naissance doivent
être écartés... Mais des garanties attachées, soit à certaines
professions..., soit au paiment d'un certain cens..., n'ont
rien d'odieux, puisque tout citoyen, en suivant une carrière
quelconque, avec probité, intelligence et application, peut
se les approprier et remplit ainsi les conditions exigées par
le législateur. » De fait, la législation nouvelle se méfie de
la nation, méconnaît ses droits naturels, lui retire ses droits
politiques. Le peuple est privé du soin de ses propres intérêts, puisque le législateur n'a confiance qu'en 7 ou 8 % des
plus riches citoyens. Aux arguments tirés des principes
d'égalité entre Français s'opposent ceux d'une bourgeoisie
maîtresse de la Chambre et désireuse de ne laisser échapper
aucun avantage politique. La gauche demandait l'élargissement du droit de suffrage et l'élection directe des maires
et des adjoints au nom du droit naturel des citoyens. Au
nom du droit politique de l'État et des grands intérêts du
royaume, la majorité de la Chambre combat cette prétention. Seule, la propriété paraît devoir être prise en considération.

Pour les élections législatives, la charte n'avait fixé
ni cens électoral, ni cens d'éligibilité. Elle se contentait
de fixer l'âge de l'électorat à 25 ans et celui de l'éligibilité
à 30 ans. A la Chambre, les systèmes s'affrontent, les uns
estimant que la monarchie de juillet ne doit pas être un
vain mot ; les autres pratiquant une politique restrictive.
A vrai dire, la discussion parlementaire montre que ce sont

des nuances qui les séparent. Car le cens électoral pour la grande majorité reste le fondement du droit électoral qui s'élabore. La bourgeoisie domine au Parlement. Sans doute, le peuple est souverain. Le plus grand nombre doit participer à l'élection. Mais il faut des garanties : l'intérêt personnel que doit avoir l'électeur au maintien du gouvernement. Car il n'est pas sûr que quiconque ne paie pas de contributions foncières ne soit pas considéré comme « fauteur de nouveautés et de révolution ». Les collèges électoraux ne doivent pas être occupés par des masses agissantes et inexpérimentées qui détruisent, au risque d'ébranler les institutions fondamentales et de perdre à la fois le pays et la liberté. Il ne faut pas admettre une nouvelle classe au droit de suffrage ; mais se contenter d'introduire seulement un renfort pris dans les mêmes rangs. Le législateur doit se méfier de la menace démocratique, en face d'une royauté encore jeune et inexpérimentée. La représentation nationale doit renfermer « dans son sein quelques éléments d'une aristocratie que l'expérience des siècles a proclamée l'appui indispensable de tout gouvernement monarchique ». Sans doute, une bonne législation doit être flexible et progressive et suivre l'état variable de la société. Dans son propre intérêt, la nouvelle royauté doit étendre les droits populaires. Car chaque électeur nouveau est un soldat dévoué à sa cause. A ne pas avoir l'avenir de la nation dans l'esprit, pour ne pas reconnaître la tendance de l'époque, les gouvernements risquent de se perdre. Mais qui représente mieux les forces réelles de la nation que ceux qui ont de la fortune ? Le gouvernement doit chercher à s'appuyer sur la masse des propriétaires, issue de la révolution de 1789.

A côté de la propriété, ne pourrait-on pas admettre certaines capacités ayant leur source dans les titres universitaires ou certaines fonctions, gratuites ou électives ? Va-t-on écarter ceux qui ont contribué à fonder la nouvelle monarchie ? Mais peut-on concevoir que les Facultés fassent des électeurs ? La Chambre finit par n'admettre que les membres titulaires et correspondants de l'Institut et les officiers jouissant d'une pension de 1 200 F et ayant un domicile réel de trois ans dans l'arrondissement électoral.

De quelque côté que l'on se tourne, le privilège censitaire écarte celui que la fortune ne favorise pas. « Dans le siècle où nous vivons, la qualité réellement prédominante est celle du propriétaire. » Le prolétaire ne peut avoir une conception juste et droite des choses. L'intellectuel n'échappe pas à l'exclusive. Qui ne connaît l'histoire du père de deux enfants, dont l'un était intelligent et l'autre inapte au travail. Au premier, il sacrifie 2 000 F pour son instruction ; à l'autre, il achète une propriété de 20 000 F. « Bien, voilà, de ces deux enfants, conclut le député de Laborde, l'imbécile qui est appelé à nommer les magistrats de la commune, et l'homme d'esprit, l'homme ayant acquis une importance réelle dans l'État, privé du moindre droit. »

Ainsi la bourgeoisie l'emporte. Il y a une catégorie normale d'électeurs composée de citoyens payant 200 F de contributions directes et une catégorie exceptionnelle réduite au minimum, celle des « capacités », qui ne paie que 100 F de contributions directes. Peuvent être éligibles les citoyens qui paient 500 F de contributions directes. Quand il n'y a pas 50 éligibles dans un département, la liste peut être complétée par les plus imposés au-dessous de 500 francs.

La nouvelle Chambre compte 459 membres élus pour cinq ans. Chaque collège électoral élit un député. Le droit de suffrage est restreint : moins de 170 000 électeurs qui se décomposent ainsi : 166 883 électeurs payant 200 F et plus ; 1 262 payant moins de 200 F ; 668 capacitaires. Soit un peu plus de cinq électeurs par 1 000 habitants. La réforme anglaise donnera 800 000 électeurs, soit 32 électeurs sur 1 000 habitants.

Comment sont composés les collèges ? A quelle catégorie sociale appartiennent les électeurs ? Si nous prenons un ou deux exemples, il semble possible d'en induire qu'il devait en être de même dans les autres départements ([57]). Choisissons une grande ville comme Marseille, où nous risquons de trouver toutes les catégories sociales. En 1839, Marseille comptait 2 187 électeurs qui se répartissaient de la façon suivante : 544 propriétaires ; 842 *commerçants* ; 22 *banquiers et armateurs* ; 133 *courtiers et changeurs* ; 84 médecins et pharmaciens ; 69 avocats ; 57 fonctionnaires et officiers ;

222 magasiniers et artisans ; 49 maçons ; 145 divers. Ces chiffres montrent que la majorité des électeurs appartenait à la bourgeoisie riche. Si nous étudions les chiffres des contributions, 184 électeurs ont plus de 1 000 F ; 444 plus de 500 F ; 734 plus de 300 F. Nous ferions la même observation si nous prenions le 1er collège électoral de Clermont-Ferrand : en 1834, sur 495 électeurs, il compte 141 *professions économiques* ; 57 professions libérales ; 63 fonctionnaires et officiers ; 7 magistrats municipaux ; 147 *propriétaires*.

La loi du 22 mars 1831 confirme la position éminente de la bourgeoisie sous l'angle de la garde nationale [58]. Cette force militaire avait joué un rôle réduit de 1815 à 1830. La garde était tombée en sommeil, sauf à Paris où les effectifs de la ligne sont faibles. Mais les gardes essaient d'échapper aux factions, patrouilles, piquets, prises d'armes. Les gens aisés se retirent ; la milice bourgeoise compte avant tout des employés, des artisans, des boutiquiers qui souvent envoient leurs commis. Beaucoup ne remettaient pas leur uniforme et servaient en civil : les bisets. L'état-major comptait une élite sociale, mais ignorante en matière militaire. L'institution se dégrade. Il n'y a ni loi, ni désir de servir. La lassitude et la méfiance suscitent l'opposition : recrutement, statut légal, discipline, telles sont les questions qui se posent. Après la revue du 28 avril 1827, où le ministère voit une fédération, la garde de Paris est licenciée par crainte d'un complot révolutionnaire. Maladresse peu politique du roi. « L'incroyable événement » provoque la stupéfaction. Par surcroît, la garde dissoute n'est pas désarmée ! Elle recouvre ses droits en juillet 1830. Spontanée, mais incohérente, elle assure la protection de Paris. Elle incorpore des ouvriers, combattants de juillet. Il en est ainsi dans tout le pays. Les citoyens ont repris leur souveraineté. Beaucoup d'ouvriers sont officiers. On voit là la menace d'une agitation antisociale. C'est la conception bourgeoise des classes laborieuses, classes dangereuses [59]. « Armer les ouvriers, dit Rumigny, aide de camp du roi, c'est amener l'émeute et enfin rénover 1793 et ses mille horreurs. »

D'ailleurs la garde spontanée faiblit. La vie économique

est ralentie. Des attroupements d'ouvriers se produisent
constamment. Les légions de banlieue, composées d'ouvriers,
ne sont pas sûres. La question de l'armement est essentielle.
Mais l'administration est réticente. De toutes parts, les
demandes d'armes affluent. Les distributions sont si considérables que le gouvernement songe à les ralentir. Certains
préfets arment une compagnie sur deux, la bourgeoise,
qui peut s'équiper à ses frais, laissant de côté les ouvriers.
Lafayette aurait souhaité que la garde fasse l'union des
bourgeois et des ouvriers. Mais la situation économique
est mauvaise. Le commerce languit. La fabrique piétine.
Le bourgeois, inquiet, mécontent, est disponible pour la
garde ; mais il est harcelé par les attroupements constants
d'ouvriers.

Dans son *Journal intime*, Cuvillier-Fleury ([60]) notait,
après la revue du 29 août 1830 à laquelle il avait assisté :
« le roi élu par la chambre des députés, reconnu par le peuple dans la journée du 31 juillet, fut *sacré* ce jour-là, c'est
le mot, par les acclamations de ces 50 000 bourgeois armés...
dont les cris furent ensuite répétés par toutes les gardes
nationales du royaume... » Avec la loi du 22 mars 1831, le
fossé se creuse entre le pays légal et la garde. Car la composition de la garde dépassait de beaucoup celle du corps
électoral : 3 781 206 gardes pour l'active ; 1 947 846 pour
la réserve. Les lois municipale et électorale ne sont pas fondées sur des principes démocratiques. Comble du paradoxe, le pays légal est défendu par des hommes qui, malgré
de lourdes charges, n'ont aucun droit politique. Tôt ou
tard, la garde devait devenir le centre de revendications
pour des franchises plus ouvertes. Le danger disparu, elle
n'était plus qu' « une institution intolérable considérée
dans les vexations qu'elle fait subir aux citoyens », comme
l'écrivait Girardin. C'est la raison qui explique que la garde
dont on pensait qu'elle serait le bouclier de la nouvelle
royauté fut une source d'opposition. Un certain nombre
de ses membres se proposent la réforme électorale qui permettrait à la démocratie de triompher. La garde est un élément populaire du régime. Formée en majorité de bourgeois
moyens et petits, elle ne manque pas de moyens. Elle s'ha-

bille. Elle achète de la poudre s'il est nécessaire. Mais elle
épouse les opinions de la population, car elle en émane.
Ces bourgeois participent aux troubles de la cité. Dans quelque ville qu'ils se produisent, elle ne se met pas du côté
de la répression, mais de l'émeute. A Strasbourg, pour
prendre un exemple, ces gardes qui souffrent du prix exor-
bitant de la viande, vont grossir « l'émeute des bœufs »
(1831), comme à Colmar, ils prennent part à l'émeute de la
piquette, par manière de protestation contre le droit de
22 sous par hectolitre imposé par le fisc (1833) [61].

Le manque d'enthousiasme des gardes nationaux tenait
certes à « une pensée d'inutilité », mais aussi au fait, patent,
que la garde nationale n'avait pas le droit de vote et ne parvenait pas à l'obtenir. Les élections d'officiers n'ont lieu,
dans certaines localités que pour accroître la liste des électeurs municipaux et comme moyen d'influence dans les
élections municipales. En 1838, la campagne pour la réforme électorale a pour mot d'ordre : tout garde national
doit être électeur. Or la loi du 14 juillet 1837 devait faire
disparaître définitivement la garde spontanée de 1830.
Les élections dégagent un esprit réformiste ; on ne note
pas un esprit de révolution. Mais le gouvernement se propose
de donner à la garde une signification politique, en faire
une police supplétive, au lieu de sa conception bourgeoise.
La garde appartient à peine « au second ordre de la bourgeoisie ». Son opinion n'était pas celle des hautes sphères.
Sans être républicaine, elle aimait peu les doctrinaires. Or
le parti républicain veut rapprocher les éléments populaires,
la petite et moyenne bourgeoisie. La garde doit surveiller
les mouvements politiques et recevoir les droits civiques
correspondant à son rôle politique. Les officiers, bourgeois
moyens, rentiers, boutiquiers, chefs d'atelier, employés,
doivent encadrer le peuple. Or le service de la garde reste
une prestation sans compensation, même pour les officiers
qui n'ont pas la franchise. Les gardes se détachent lentement
du régime. La minorité d'opposition participe aux banquets
réformistes. La garde va jouer un rôle d'agent influent de
la vie politique. Elle est soutenue dans cette attitude par les
meneurs du parti républicain qui substitue à l'insur-

rection la formation politique de la petite et moyenne bourgeoisie. Exerçant une sorte d'arbitrage, elle doit surveiller le régime. Comme l'écrit L. Girard (⁶²) : « Les officiers ne seront plus les serviteurs de l'état-major, mais les chefs d'une classe moyenne qui exercera son arbitrage. Ces rentiers, boutiquiers, chefs d'atelier, employés, encadreront le peuple et leur union contiendra le monopole économique et politique du pays légal . » Le peuple échappe au contrôle du gouvernement et la classe moyenne insatisfaite fait chorus avec lui. Tandis que la grande bourgeoisie abandonne très vite le service de la garde, laissant à la moyenne bourgeoisie le soin de la défendre, la politique mord dans ses rangs, avec la désaffectation. La réforme de la patente en 1844, en dégrevant un certain nombre de commerçants, en général gardes nationaux, leur fait perdre le cens électoral et les enfonce davantage dans l'opposition, en attendant de devenir l'arbitre de la situation politique. Ce que confirmait un homme politique, dont le rôle a été important en février 1848, Martin de Strasbourg : « Si la pétition que nous soutenons demande seulement que tout garde national soit électeur, ce n'est pas que nous entendions maintenir aucun privilège dans la loi ; c'est parce que, dans les institutions actuelles, toute la force organisée du pays se trouve représentée dans la garde nationale (⁶³). » De fait, si, en 1831, les 168 565 électeurs représentent un peu plus de cinq électeurs par 1 000 habitants ; en 1837, par suite des progrès de la richesse publique, les 199 228 électeurs n'en représentent que six pour 1 000. *Le Siècle* du 21 mars 1838 écrivait : « Quand les citoyens voudront coordonner ces quatre élections (municipales, départementales, législatives, garde) selon une même pensée, le progrès social deviendra irrésistible. » La démocratie triompherait dans l'élan général du pays réel. L'immobilisme l'emporta.

IV. LES BOURGEOIS ET LE MOUVEMENT RÉFORMISTE (⁶⁴)

Le mouvement est dirigé et orienté par des bourgeois et des intellectuels, notaires, médecins, avoués, avocats, rarement par des ouvriers. Ce n'est qu'après 1840, que les ouvriers et les révolutionnaires adhèrent avec les petits bourgeois. Le mouvement se dessinait déjà, au début du règne, avec des traits particulièrement marqués : « La nation sent plus vivement aussi que l'organisation actuelle de la représentation nationale n'offre plus ni garantie au développement des libertés publiques, ni satisfaction aux besoins matériels des classes laborieuses, disait, dès avril 1833, le principal organe de la presse alsacienne, le *Courrier du Bas-Rhin*. La nécessité d'une réforme électorale large et complète lui apparaît avec plus d'évidence... Ainsi les excès de notre aristocratie de bourgeois parvenus contribue à la discréditer aux yeux de la nation, à ébranler les privilèges dont elle s'est arrogé le monopole ; ainsi encore les efforts des hommes qui veulent arrêter la marche des idées, le développement des institutions populaires, ne servent qu'à faire sentir plus vivement la nécessité d'entourer les libertés publiques de garanties assez solides pour qu'aucun privilège ne puisse plus les restreindre, pour qu'aucun pouvoir ne puisse plus empiéter sur elles. »

En fait, le mouvement n'est pas unique. La gauche dynastique a un programme fondé sur les « capacités » : la deuxième liste du jury, les juges de paix, les officiers de la garde nationale, les membres des conseils municipaux des villes chefs-lieux de canton ou ayant une population de plus de 2 000 habitants ; les membres des chambres de commerce, des conseils de manufactures et des conseils de prud'hommes, étant entendu que les collèges électoraux auraient au moins 600 électeurs, que le cens d'éligibilité serait aboli et que les députés toucheraient une indemnité. D'autres groupes étaient partisans du suffrage universel à deux degrés : certains demandaient que les commerçants secondaires et les petits propriétaires et les travailleurs soient électeurs et tous les électeurs, éligibles. Les fonctionnaires salariés seraient exclus ; les députés, rétribués ; le vote aurait lieu par département. D'autres repoussent toute réforme partielle qui laisserait, hors des droits politiques, une ou plusieurs classes de citoyens et demandent une représentation complète de la nation. A Périgueux : égalité des charges, égalité des droits. A Toulouse : « que

tout Français soit électeur ; tout électeur éligible, tout élu
rétribué. »

Mais le programme officiel est celui qui demande que
tout garde national soit électeur. Ce mouvement, basé
sur le « droit commun », est hostile au « système de suprémati-
tie bourgeoise soutenu presque dans les mêmes termes
par les organes du château et par ceux de l'opposition
dynastique ». Toute garde est constituée par la véritable
classe moyenne, artisans et paysans, entre la bourgeoisie
et le prolétariat. Mais la formule est équivoque, car la
garde comprend deux catégories : le service ordinaire et
la réserve. Y comprendre la réserve, c'était demander le
suffrage universel, sinon c'était le suffrage restreint, c'est-
à-dire le droit de vote accordé à ceux qui payaient une contribution personnelle. Là encore, c'était restreindre les cadres
de l'active, car de nombreux gardes étaient dispensés du
service ordinaire. De plus, la contribution personnelle
est loin d'être générale. En général, on considère comme
y étant assujettis ceux qui ont un domicile. Or les ouvriers
n'en ont pas ; ils sont logés en garni. Les partisans de la
démocratie radicale adoptent l'idée de la garde nationale,
parce que l'institution a un caractère concret et que le suffrage universel rappelle 93 et la terreur. Les républicains
démocrates y voyaient la nation armée. Comme le disait
le National du 2 octobre 1839, « la garde doit être la base
et l'instrument politique de la constitution, parce que la
garde nationale représente tout à la fois l'universalité des
intérêts, la conscience et la force publiques ».

Les démocrates adoptent la formule de la garde. Car
quels prétextes pourraient invoquer les hommes de la majorité pour « refuser le droit de suffrage, à une classe à laquelle leur légalité remit des armes pour protéger la liberté,
l'ordre public et la constitution, tels que le conçoit le juste
milieu,... de nier à cette classe le droit d'être représentée
dans les affaires du pays ». « Les arguments par lesquels
on éluderait les larges exigences des classes ouvrières rendront irréfutables les prétentions de la petite bourgeoisie
que représente en général la garde nationale. »

Mais ce qui importe aux yeux des démocrates, c'est la

force politique du régime. Pour lui, la Chambre « est un résidu du monopole de l'argent et de la corruption, une réunion de bourgeois privilégiés, une représentation factice, « faussée ». « Des querelles d'antichambre, des disputes de butin, une discorde, des défections dans le camp des exploiteurs », peuvent « ouvrir à la démocratie mille débouchés ». Et pour y parvenir, ils sont partisans de serrer les rangs de l'opposition au régime : « A l'union de tous les éléments de la démocratie », dit Dupaty. « Sans abdiquer jamais l'individualité du parti démocratique, sachons concilier toutes celles de ses nuances qui sont compatibles, tous les hommes qui marchent au même but par des chemins divers. Confondons-nous par ce que nous avons de commun, au lieu de nous trancher par ce que nous pourrions avoir de divergent. Touchons-nous par la face et non par les angles, nous formerons alors une masse impénétrable. » Mais le fait de tout rattacher à la garde nationale nuit au mouvement. Beaucoup se refusent à établir une solidarité entre les deux qualités, disait l'autorité ; on préfère n'être pas électeur à devenir garde national. A quoi l'opposition ripostait que le citoyen privé de ses droits rougissait « de se voir réduit à un ilotisme politique par un système ombrageux ».

La poussée des classes moyennes est telle que l'autorité doit reconnaître, sans lui donner satisfaction, l'idée de réforme et, comme le disait un sous-préfet de l'Est, « l'esprit qui tend aux idées de réforme quand même présiderait aux démarches et les paroles sacramentelles ont produit leur effet ». Ce qui prouve que les petits et les moyens bourgeois seuls poussaient à l'élargissement du droit de suffrage, c'est que les gros bourgeois, les notables se refusent à signer la pétition. Sans doute, il en est pour diriger le mouvement. C'est une minorité. Car les citoyens qui signent sont des « gens de métier », artisans ou petits commerçants. Il est non moins évident que les citoyens qui aspirent aux droits politiques, doivent s'appuyer sur les grands bourgeois dont les revenus et les contributions permettent de jouer un rôle politique.

Le pétitionnement reprend en 1839. Le *Journal de la*

réforme électorale le soutient. Il est de tendance extrême-gauche. Son comité central est présidé par Laffitte, dont *le National* est l'organe. Des comités départementaux sont créés. Les pétitions recueillent 188 956 signatures qui se répartissent entre divers systèmes : le suffrage universel direct ; l'extension du droit électoral aux gardes nationaux ; les élections à deux degrés ; un minimum de 600 électeurs par collège.

Mais la grande bourgeoisie s'oppose à ce glissement vers le suffrage universel qui risquerait de généraliser la corruption au lieu de la réduire ! Dans le *Droit d'élection considéré en lui-même et dans ses rapports avec la monarchie constitutionnelle*, le baron Massias estimait que les deux garanties nécessaires à la conservation de la monarchie étaient le cens, « pas trop élevé pour que les hommes actifs et économes puissent y atteindre » ; « pas trop abaissé pour que le gouvernement ne tombe pas entre des mains dangereuses », et la capacité. La haute bourgeoisie, forte de ses revenus fonciers et mobiliers et se disant constitutionnelle, repoussait toute réforme qui ferait tomber le pays dans un provisoire éternel, proche de l'anarchie. Car les vrais libéraux, ajoutait-elle, ne veulent qu'une chose : la consolidation du gouvernement. Sous la pression de Guizot qui en est le porte-parole, les comités réformistes sont poursuivis, lors du troisième pétitionnement, en vertu de la loi du 20 avril 1834 sur les associations. La plupart des comités arrêtent leur activité, mettant un point final au mouvement réformiste populaire.

Il est un autre moyen de combattre la coalition de la fortune qui domine la Chambre. Elle comptait 180 fonctionnaires en 1840. Il s'agissait de faire en sorte que les députés ne puissent pas être promus à des fonctions, charges ou emplois publics salariés, ni obtenir d'avancement pendant le cours de la législature et de l'année qui suit. Le *Journal des débats*, comme Dupin, estimait qu'être pour les incompatibilités, c'est être pour la réforme électorale.

Mais que pouvaient les tenants de l'élargissement du droit de suffrage ? Sans doute, l'influence de la royauté et

celle de la corruption contribuent à rendre la majorité
de la Chambre aveugle. Mais il semble non moins évident
que l'administration est devenue l'organe de la réaction des
classes élevées de la société contre les préjugés et les principes de la révolution de 1789. Il semble qu'elles s'aveuglent
davantage, au fur et à mesure que l'opinion devient plus
réticente. Il semble aussi qu'une réaction en sens contraire
se produit dans la masse populaire, créant un courant opposé
qui avait de fortes chances de provoquer un conflit grave
dans les délais proches. Les esprits les plus pondérés ne
voyaient pas d'autre solution que d'entretenir « autant que
possible dans les premiers rangs de la classe moyenne un
parti ou une section de parti qui, en protestant contre les
influences dominantes, en les combattant par des propositions de réformes dont le sens avait plus d'importance que le contenu, conserverait la considération
et la popularité politiques que pourrait mériter la fidélité à l'esprit de 1789 et de 1830. Il apparaissait aux
plus modérés qu'il fallait faire naître au moins une
espérance.

Les propositions se succèdent de 1841 à 1847. Mais,
chaque fois, les grands intérêts l'emportent et la proposition est rejetée. D'ailleurs, si le centre gauche et la gauche
unis proposent d'adjoindre à la liste des électeurs politiques
tous ceux qui concourent à l'élection des conseils généraux,
les conseillers municipaux dans les villes dont les maires
et les adjoints sont nommés par le roi, les membres des
chambres de commerce, des conseils de manufactures et des
conseils de prud'hommes, l'extrême-gauche condamne
cette politique qui ne tranche pas dans le vif. Le parti démocratique, en soutenant la pétition réformiste, appuyait le
droit de suffrage au profit de la garde nationale. Car tous
les citoyens sont gardes nationaux, qu'ils figurent sur les
contrôles du service ordinaire ou sur ceux de la réserve.
« La logique la plus vulgaire, le droit dans ce qu'il a de
plus manifeste, veulent que le cadre électoral repose sur la
même base. » Tout citoyen ayant le droit de faire partie
de la garde est électeur ; tout électeur est éligible. Le parti
démocratique réclame le gouvernement du pays par le

pays et l'exclusion des fonctionnaires de la Chambre, pour voir disparaître le double scandale des places au pillage et des consciences à l'encan.

Le mouvement démocratique et républicain a pris forme après 1830. On parle de radicalisme républicain. Il a ses journaux, comme *le Mouvement* qui fusionne avec la *Tribune des départements*. Les idées républicaines se résumaient de la façon suivante : haine du privilège, principes de liberté et d'égalité, institutions démocratiques. Les diverses classes de la société en étaient pénétrées ; mais, dans leur majorité, elles s'étaient ralliées au nouveau régime, conditionnellement. Comme le dit G. Perreux, « la bourgeoisie du *mouvement* attendait encore la réalisation de cette « monarchie à institutions républicaines », promise par La Fayette et par le lieutenant-général. Pour elle, la révolution n'était pas l'essentiel. L'important, à ses yeux, c'étaient les conséquences de la révolution. Celle-ci devait être un point de départ et non une conclusion [65]. » Le républicain combat les mots « constitutionnel », « libéral », qui sont creux. Il est pour l'action directe. Radical, il a les yeux tournés vers la Convention, car il veut débarrasser le pays des tyrans, établir le principe de la souveraineté du peuple, c'est-à-dire le suffrage universel.

Les groupes républicains ne comptent pas d'hommes mûrs ; ce sont des jeunes gens, des idéologues, des « montagnards ». Les ouvriers sont peu nombreux. Beaucoup de bourgeois jeunes, comme Godefroy Cavaignac, qui disait : « la révolution, c'est la nation tout entière, moins ceux qui l'exploitent. » Pour eux, le sentiment moral, c'est-à-dire le sentiment de l'égalité, fait accomplir les progrès sociaux. Le parti compte beaucoup de prolétaires intellectuels. Il réclame la démocratie, qui est supérieure à tous les gouvernements. « Les devoirs politiques, dit le *Dictionnaire politique* de Pagnerre, consistent pour chacun à travailler, suivant sa position, à l'amélioration du sort de tous. »

La République ne rallie pas des groupes nombreux. Le paysan n'y est pas pour une large part. Les ouvriers l'ignorent, sauf à Paris et à Lyon. Mais la bourgeoisie libérale et intellectuelle est fortement attirée. Il y a une internationale des bourgeois moyens, comme le montrent les événements de Hambach et de Francfort, en 1833. Les étrangers sont nombreux qui travaillent de connivence avec les autochtones. Les sociétés populaires contribuent au mouvement républicain. *Amis du peuple* et *Droits de l'homme* se rapprochent, fusionnent, multipliant leurs sections de dix à vingt hommes, pour ne pas encourir les sanctions de l'article 291 du Code pénal. Les sectionnaires les plus instruits enseignent leurs concitoyens ignorants. Les étudiants y sont en majorité. De même, les lettrés, les artistes. Des bourgeois riches également. En 1833, le comité des *Droits de l'homme* avait fixé son programme : l'*Exposé des principes républicains de la société des droits de l'homme* le précise : pouvoir central électif ; assemblée unique élue au suffrage universel ; puissante organisation municipale ; garde nationale ouverte à tous ; instruction primaire ; capital social de l'État pour subventionner les particuliers ; pouvoirs du jury accrus ; organisation industrielle fondée sur une juste répartition sociale ; liberté d'association ; fédération européenne. Mais les lois sur les associations d'avril 1834 et les troubles sanglants de Lyon et de Paris montrent « l'aristocratie victorieuse » en face de la « démocratie vaincue ». La *Revue républicaine* publie les principes de sa doctrine en 1834 : elle demande un pouvoir centralisé ; la direction de l'éducation par l'État ; la fin du libéralisme économique ; l'impôt progressif ; la réduction des grandes fortunes. La durée du travail de l'ouvrier ne dépassera pas douze heures et son salaire doit lui permettre d'épargner. Patrons et ouvriers formeront des associations dont les délégués fixeront le minimum de salaire. Ainsi s'oppose à l'État libéral ou État-gendarme le principe de l'État républicain, bienfaisant. L'impôt doit être le fonds social de tous les citoyens. Les classes bourgeoises, pour qui Juillet n'a pas été uniquement l'occasion d'un simple changement de souverain, mais la réalisation d'un idéal révolutionnaire, n'étaient pas uniquement composées de ces gros bourgeois capitaines d'industrie, trop absorbés par leurs tâches mercantiles, mais d'intellectuels, imprégnés de la philosophie du XVIIIe siè-

cle et qui voyaient dans les Montagnards de 93 des modèles
et des exemples.

La majorité considère le mot « républicain » comme sédi-
tieux. Le républicain devient démocrate ou radical. Tout ce
qui représente l'aile marchante des réformistes constitutionnels est radical. Mais, sous ce vocable, les idées sont
plus ou moins larges : doit-on se contenter d'exiger les
promesses de 1830 et la démocratisation de l'enseignement
primaire ? Pousser au suffrage universel immédiatement ? D'aucuns voudraient mettre la question sociale avant la question
politique et réclament la nationalisation du crédit, la progressivité de l'impôt, la fin de la dictature des banquiers, l'attaque même du droit de propriété qui doit « soutenir chaque
jour le choc direct et incessant des opinions démocratiques ».
Ainsi les groupes radicaux ne s'inspiraient des mêmes principes que pour les dépasser sous l'angle social. A partir de
1840, suffrage universel et réforme sociale iront de pair.
A vrai dire, on en arrive à distinguer chez les radicaux les
radicaux bourgeois et les radicaux socialistes.

Le parti démocratique le précise par la bouche de Ledru-
Rollin. Dans un discours à la Chambre à propos des dépenses
secrètes du ministère de l'intérieur, le 10 mars 1842, il
disait : croyez-vous pouvoir vous appuyer sur la bourgeoisie ? Non. « Le pays légal a pu s'endormir, après la victoire,
d'un sommeil égoïste ; mais croyez bien que, quand il verra
que ce n'est pas seulement ceux que vous appelez ses ennemis que vous attaquez, que vous touchez à la liberté chérie,
à cette liberté de la presse pour laquelle il a combattu, croyez
bien qu'alors la bourgeoisie se lèvera à son tour. » Et le
1er mars 1843 : « Le pouvoir, le parti démocratique le veut
fort, puissant, en quelques mains qu'il soit momentanément
tombé... Il sera le défenseur, le protecteur de tous contre
quelques-uns, des intérêts exclus contre les intérêts exclu-
sifs. Eh ! bien, ce pouvoir dans vos mains a été constamment
subalternisé, soumis aux caprices aveugles, égoïstes, de
quelques privilégiés. » Dans toutes les circonstances, qu'il
s'agisse de la conversion des rentes, des chemins de fer,
d'union douanière, de sucres, l'intérêt des masses est toujours sacrifié à « quelques grands capitalistes », à « un petit

nombre d'industriels, grands électeurs » à « une coalition
de quelques riches fabricants ». Or, affirme-t-il, dans *la
Réforme*, le 7 mars 1845, « le parti démocratique professe
que tout citoyen a un droit imprescriptible à sa part
proportionnelle dans la représentation nationale. Pour lui,
la réforme électorale, c'est donc l'organisation du suffrage
universel ». Il est partisan de la suppression du cens d'éligibilité et d'une indemnité aux députés. Le cens est contraire
aux principes de l'idéal démocratique ; il limite la prérogative souveraine du corps électoral. « Beaucoup de citoyens
honorables, utiles, éclairés, qui pour cela ne sont pas des
héros, se découragent devant cette perspective de pauvreté
et de honte. » Avec 7 à 8 000 F de revenus, on ne peut pas
être député ; avec 15 000 F, le chef de famille peut difficilement abandonner ses affaires et venir passer la moitié
de l'année à Paris. « La jeunesse forte est contrainte par le
cens d'éligibilité de céder la place à la jeunesse dorée ». Aussi
bien le cens d'éligibilité a tendance à constituer « le monopole des candidatures au profit de la richesse oisive et dissi-
pée, de la grande propriété ou des fonctionnaires publics...
Vous aurez deux chambres des pairs, au lieu d'une ». Mais
on ne peut élargir le cercle sans indemnité. L'indemnité
est « le véritable principe de toute élection populaire ».
Donner une indemnité n'est pas entamer la dignité du député.
Elle est l'élément égalitaire. Elle consiste à déterminer les
dépenses nécessitées par l'accomplissement du mandat
et à rembourser ces dépenses au mandataire ». « La fonction
de député n'est accessible qu'à une partie très limitée des
classes moyennes ; elle est inaccessible aux classes populaires;
elle sera désormais ouverte à toutes les capacités, à tous les
talents, à toutes les fortunes. Il ne faudra plus pour l'obtenir
que le libre choix de l'électeur. » Quand le projet de loi relatif
au transfert du domicile politique est discuté, Ledru-
Rollin s'élève contre cette perspective. L'essentiel, n'est-ce
pas de payer le cens ? Où que ce soit. Si on doit le payer là
où on se présente, c'est une erreur. « L'immobiliser à sa
place, l'enraciner, pour ainsi dire, sur le terrain où l'a posé
le hasard de sa naissance ou l'empire de ses affaires, c'est
créer la glèbe dans la classe électorale ; c'est lui donner

l'esprit de clocher à la place de l'esprit de patrie »... De
terminer : « La démocratie, tôt ou tard, doit se faire jour ;
toutes vos restrictions électorales ne l'en empêcheront pas.
Laissez-lui son libre cours ; il sera pacifique et bienfaisant ;
cherchez à la comprimer, au contraire, en la concentrant,
vous centuplez sa puissance. Si multipliées que soient vos
digues, elles ne sauraient l'arrêter. Loin de là, elles accélèrent
et précipitent sa marche. »

Le parti démocratique s'élève contre tout ce qui entrave
la liberté. Il est pour la suppression du timbre et, si on se
contente de le diminuer, que cette diminution soit proportionnée à l'importance du journal. « Voulez-vous créer, au
profit de quelques habiletés industrielles ou politiques,
d'irrésistibles instruments de domination, qui livreront à
quatre ou cinq directeurs de journaux les idées, l'honneur,
la moralité de la France ? » Les élections n'ont pas une perspective nationale. Cette solennité politique « se borne aux
rapports officiels de l'électeur à l'élu ; sa plus vaste portée ;
sa pensée la plus intime, c'est l'intérêt du monopole cherchant
d'une part à se fortifier contre la royauté, de l'autre, à s'associer à sa fortune ; d'un côté, l'égoïsme intelligent et jaloux ;
de l'autre, l'égoïsme servile et pressé de jouir ; mais surtout
et avant tout, l'exploitation des classes exclues dont chaque
jour — la loi sur les livrets est là pour l'attester — rive de plus
en plus la chaîne ». Ledru-Rollin dit encore : « passer par la
question politique pour arriver à l'amélioration sociale ».
Il allait plus avant dans l'expression de la doctrine ; il voulait établir un impôt sur le revenu de chaque citoyen. « Cet
impôt sera progressif, c'est-à-dire que plus le revenu sera
élevé, plus la partie proportionnelle de ce revenu consacrée
aux charges publiques serait considérable. » Mais le parti
démocratique n'écarte pas systématiquement le droit de
propriété privée, car elle a été reconnue par la loi civile.
« Garantie nécessaire de la liberté, de l'indépendance
des citoyens, il est en même temps le meilleur instrument de
production... On peut le fortifier en combattant par des
lois... les moyens frauduleux qui servent trop souvent
aujourd'hui à usurper ce titre de propriétaire. » Car le parti
rejette le communisme qui, en supprimant la propriété

privée, ferait diminuer la production. Mais il ne s'écarte pas du socialisme à la Louis Blanc. Il exalte la *Revue du progrès* qui se proposait, comme le *Dictionnaire politique* de Pagnerre, l'unité dans l'ordre moral, dans l'ordre industriel, sous forme d'association, dans l'ordre politique par la démocratie, élément d'égalité et d'ordre. Doctrines parentes, car toutes deux, comme celle de Cabet, tendent vers un régime d'égalité politique et sociale. Chez tous, se profile, en lettres de feu, la formule de la déclaration de 1789 : « Les hommes naissent et demeurent libres et égaux en droits. » Guizot a bien résumé dans ses *Mémoires* la doctrine démocratique : « Le droit universel des hommes au pouvoir politique ; le droit universel des hommes au bien-être social ; l'unité et la souveraineté démocratiques substituées à l'unité et à la souveraineté anarchiques ; la rivalité entre le peuple et la bourgeoisie succédant à la rivalité entre la bourgeoisie et la noblesse ; la science de la nature et le culte de l'humanité mis à la place de la foi religieuse et du culte de Dieu. »

Une lettre de Guizot à lord Aberdeen du 26 avril 1852, alors que la révolution de 1848 est consommée, éclaire très exactement la pensée des doctrines et des adversaires du suffrage universel. « Nous avons eu, écrit-il, de 1830 à 1848, six élections générales dont voici le tableau : En juillet 1831, il y avait 165 583 électeurs inscrits sur lesquels 125 090 vinrent voter. En juin 1834, 171 015 inscrits, 129 211 votants ; en novembre 1837, 198 836 inscrits, 151 720 votants ; en mars 1839, 201 271 inscrits, 164 862 votants ; en juillet 1842, 220 040 inscrits, 173 694 votants ; en août 1846, 240 983 inscrits, 199 827 votants.

« Vous voyez que le nombre des électeurs inscrits et de votants allait toujours croissant, et que la progression de l'accroissement devenait de plus en plus forte. Cependant, il est certain que, par rapport à la population générale du royaume, ce nombre était petit et qu'il y avait dans l'arène électorale peu d'acteurs pour tant de spectateurs. Il en résultait pour chacun des électeurs une très grande part de responsabilité... Et en même temps, un grand nombre d'entre eux étaient dans une condition sociale trop petite et trop faible pour porter publiquement, sans embarras, le poids de cette responsabilité. Il y a en France, vous le savez, très peu de grandes existences individuelles ; dans la propriété territoriale, dans le commerce, dans l'industrie, dans la magistrature, dans le barreau, la plupart des existences sont petites et étroites. Non seulement, elles sont petites ; elles sont, de plus en plus, isolées ; en même temps que les grandes existences sont tombées, les liens qui unissaient jadis entre elles les petites existences ont disparu ; nous n'avons pas plus de fortes corporations que de grands seigneurs. Point d'individus puissants par eux-mêmes et à eux seuls ; point ou peu de liens entre les individus, quels qu'ils soient, une extrême indépendance des petits envers ceux qui sont placés au-dessus d'eux et un extrême isolement de ces mêmes petits entre eux ; ainsi est faite, aujourd'hui notre société. Le vote secret dans les élections a été la conséquence naturelle de ces faits : notre système électoral, qui ne nous donnait qu'un petit nombre d'électeurs, notre système social, qui ne nous donnait que des électeurs faibles et isolés, et notre état révolutionnaire qui ne nous donnait guère que des électeurs craintifs, ont également concouru à établir ou à maintenir le mode de suffrage. » Parlant de la distribution des places et des faveurs administratives, Guizot avouait qu'il avait usé du système, persuadé d'ailleurs que ce système est « à la fois légitime et nécessaire ». « Quoi de plus légitime que de ne confier des fonctions publiques qu'à des hommes qui approuvent la politique dont ils sont, à des degrés divers, les organes, ou les appuis. » Dans quelle mesure , « c'est une question d'appréciation morale ». Guizot signalait que 275 nominations avaient été faites au sein de la chambre des députés et elles portaient sur 1 500 personnes environ envoyées par les électeurs à la Chambre. Quant aux fonctionnaires faisant partie de la Chambre, leur nombre, entre 1831 et 1846, était passé de 146 à 185, sur lesquels 39 appartenaient à l'opposition.

Parlant enfin de la poussée de l'élément démocratique, Guizot ajoutait : « Évidemment on a gagné depuis un demi-siècle beaucoup de terrain et il ne cesse pas d'être en progrès. Si vous imprimez à ce progrès un mouvement nouveau et accéléré, si vous affranchissez l'élément démocratique des alliances par lesquelles il est encore contenu et des épreuves qu'il a encore à surmonter pour réussir, vous courrez grand risque de détruire cette répartition des influences diverses qui fait la belle harmonie de votre ordre social, et de tomber sous la domination à peu près exclusive de la démocratie. S'ensuivrait-il chez vous comme ailleurs une révolution ? Je l'ignore : ce que je sais, c'est qu'autant l'influence laborieusement progressive de la démocratie est juste et salutaire, autant sa domination prompte, facile et souveraine devient tôt ou tard fatale à la liberté des citoyens comme à la solidité et au bon gouvernement des États ([66]). »

Souvent, contre les attaques du parti démocratique, les tribunaux doivent intervenir. Les magistrats sont, la plupart du temps, des fonctionnaires de caractère modéré, imbus d'un orléanisme sans excès, conservateurs, riches, ou aisés, entourés d'honneurs ; plusieurs font partie des conseils généraux ou municipaux, ayant une vie intellectuelle que justifient leurs loisirs, participant à la vie économique du fait de leurs richesses foncières ou mobilières. Mais ils se heurtent à l'aristocratie foncière et à l'opposition. Ils ne se font d'ailleurs aucune illusion sur les jurys. Quand Ledru-Rollin fait l'objet de poursuites en 1841, à la suite de sa profession de foi radicale, le procureur du roi près du tribunal d'Angers rendit compte au procureur général « qu'un acquittement par le jury de la Sarthe paraît certain... Un véritable triomphe sera préparé en prévision par les électeurs qui l'ont nommé et la jeunesse de la ville dont les opinions sont si exaltées. Les chefs du parti radical donneront d'autant plus d'éclat à leurs démonstrations qu'ils sont réellement ici sur le terrain de la démocratie ». Il faut dire aussi que, même si les jurés sont attachés au gouvernement, ils le sont davantage encore à leur tranquillité et que, dans les affaires politiques, ils sont enclins à l'indulgence, par crainte du désordre. De plus, les poursuites intentées contre les membres du parti démocratique impliquaient une publicité dangereuse. La presse d'opposition se plaisait à reproduire les termes d'un discours ou d'une profession de foi incriminée. Elle invoquait la liberté de la tribune, sans laquelle il n'y aurait pas de véritable représentation nationale. Le prétoire devient forcément une tribune. De même, on fait juger un prévenu par une cour d'assises et des jurés qui ne sont pas ceux devant lesquels il aurait dû passer ; car il s'agit de trouver un juge qui ne se laisse pas entraîner, mais procède suivant le vœu du gouvernement, mettant ainsi en présence, suivant une formule d'Odilon Barrot, les opinions de deux collèges électoraux et de deux localités. A-t-on le droit de faire juger les doctrines moins orthodoxes par les partisans d'autres doctrines qui répondent à la ligne gouvernementale ? Alors, « c'en est fait de la liberté des élections, si la justice peut s'interposer dans le débat électoral et frapper comme des délits des explications personnelles [67].

En vain, le parti démocratique proclame sans cesse le principe de la souveraineté du peuple. « La souveraineté du peuple, dit de Cormenin, est le principe de la liberté fondée sur l'égalité politique, civile et religieuse. La souveraineté du peuple est le principe de l'ordre fondé sur le respect des droits de tous et de chacun. Elle n'est la plus belle des théories que parce qu'elle est la plus vraie. Elle n'est la plus consolante que parce qu'elle ne laisse aucun malheur sans secours, ni aucune injustice sans réparation. Elle n'est la plus sublime que parce qu'elle est l'expression de la volonté du peuple. Elle n'est la plus féconde que parce qu'il n'y a pas une perfectibilité qui ne découle d'elle. Elle n'est la plus vivace que parce que, s'il y a eu toujours des hommes rassemblés en société, elle n'aura pas eu de commencement et que, s'il y en a encore toujours par la suite, elle n'aura pas de fin. Elle n'est la plus naturelle que parce qu'elle n'est autre que la loi de la majorité qui, à leur insu, gouverne les sociétés libres... Elles n'est la plus légitime que parce qu'elle est la seule qui rende raison de l'alliance du pouvoir avec la liberté ... [68]. »

Mais que pouvait-il en face de la réaction qui se précisait de plus en plus, depuis les années 1839-1840 ? Guizot l'affirmait qui disait : « Le pays n'a accepté avec tant de facilité, de confiance et d'unanimité la révolution de juillet que parce qu'elle a été fondée sur des griefs positifs, des nécessités évidentes, et que, provoquée par la violation des lois, elle s'appuyait sur les lois mêmes et faisait naître les choses nouvelles des choses existantes et conservait de la charte, de la monarchie, de la dynastie, tout ce qu'elle pouvait conserver, c'est-à-dire le plus possible. Ainsi le gouvernement produit par elle serait infidèle à son origine et à sa nature s'il perpétuait l'état révolutionnaire, si, s'écartant de plus en plus de l'état de choses antérieur, il se lançait dans la voie des conséquences extrêmes et des innovations gratuites. La révolution, légale dans son principe, avait été en quelque sorte une révolution conservatrice et le gouvernement devait l'imiter ([69]). »

Il est évident que « l'esprit purement libéral s'est arrêté d'assez bonne heure et a fait place, dans une partie notable de la bourgeoisie, à un mouvement de réaction lent, mais discernable ». Mais ce qui marque le plus, c'est que l'on sacrifie le but au moyen. On agit comme si l'unique question pour le pouvoir était d'être, et non d'agir. On ne comprend pas qu'une fois la majorité formée et maintenue, il fallait en faire quelque chose et gouverner.

En face de la démocratie montante, Guizot, comme l'écrit de Cormenin, a voulu construire une société de fiction, moitié anglaise, moitié doctrinaire. Il a « tant soufflé aux gros bourgeois ses maximes égoïstes, perverses, impies, anti-chrétiennes ; il leur a tant répété qu'ils étaient les rois de la science, de la parole et de la pensée, qu'ils étaient les maîtres absolus du sol et de l'industrie, que tout leur appartenait par droit de suprématie sociale et que le reste de la nation n'était qu'un ramas d'ilotes et de barbares, que les gros bourgeois se sont arrangés en conséquence ; qu'ils se sont plongés, repus et engourdis, dans les charnelles délices de la matérialité ; qu'ils se sont distribué et partagé tous les emplois dans la garde nationale, dans les conseils de département, dans la magistrature, dans l'armée, dans les corps législatifs, dans toutes les administrations ; qu'ils ont battu des mains aux lois de monopole sur les élections, le jury, le recrutement, les céréales et les douanes, aux listes civiles les plus monstrueuses, aux apanages, aux abus princiers, à toutes les dilapidations de ville et de cour, et qu'ils ont attaché et lié le peuple tout vivant à une sorte de glèbe féodale, plus

insupportable relativement que celle du moyen âge... Nos
parlements qui ne reconnaissent pas la supériorité du talent
et de la vertu, mais la supériorité exclusive de la propriété
foncière, ne sont dans la réalité, de quelque nom libéral
qu'on les orne, que des parlements féodaux. Les députés
censitaires d'aujourd'hui sont tous plus ou moins aristocrates, aristocrates de fortune sinon de naissance, et cependant ils sont chargés de faire des lois dans l'intérêt de la
démocratie [70]. »

V. LES CLASSES MOYENNES ANGLAISES ET LE MOUVEMENT RÉFORMISTE [71]

L'Angleterre fournit un exemple parallèle et dont les
résultats ont été immédiatement plus profonds.

La guerre napoléonienne avait été une source de plus
grande richesse pour les propriétaires fonciers, de misère
pour les salariés. Les boutiquiers aspiraient à la paix qui
leur ouvrirait les marchés européens. Les plus riches, les
banquiers, les marchands de vieille souche étaient ralliés
à la politique tory. Les manufacturiers, fraîchement issus
du peuple ou de la classe ouvrière, n'éprouvaient aucune
sympathie pour l'aristocratie : ils voyaient dans la guerre
un événement dont ils ne partageaient pas la gloire, ni la
grandeur. Ils n'avaient aucun poids dans le gouvernement
central ou local. Mais ils n'avaient pas plus de sympathie
pour leurs personnels, qui étaient les réelles victimes de la
guerre. Aussi bien le peuple et les classes moyennes récla-
ment-ils une plus large représentation au Parlement et le
scrutin secret [72]. Les écrivains démocratiques, encore sous
l'influence de la révolution française, soutiennent leur sentiment. Leurs propos sont inquiétants pour les classes
possédantes. Orateurs et pamphlétaires attaquent les mesures gouvernementales et la constitution politique elle-même.
Leur propagande anticléricale et athée puise aux sources
révolutionnaires. Mais leurs attaques partisanes sont si
excessives qu'elles nuisent à la cause de la réforme parlementaire qu'ils souhaitent. Cobbett et Hunt, deux radicaux,
voient dans cette réforme l'amorce de toutes les autres.

L'explosion de juillet 1830 en France retentit violemment en Angleterre. Précisément, le pays, après une dissolution, élit de nouveaux députés. Dans des meetings, les radicaux déclarent leur sympathie pour les insurgés. Les aristocrates whigs et les éléments bourgeois modérés craignent la propagande révolutionnaire. Dans l'ensemble, l'opinion est hostile aux Bourbons. Devant la menace de difficultés européennes, Wellington reconnaît sans tarder Louis-Philippe, comme l'indépendance de la Belgique. Mais, comme des désordres locaux éclatent et qu'il craint d'avoir à les réprimer par la force, il se fait renverser, le 16 novembre, sur la réforme électorale. Grey forme le nouveau cabinet.

Les troubles agraires éclatent. Les régions industrielles s'agitent. Les grèves frappent les filatures de coton de Manchester. La réforme électorale tient la vedette dans les programmes démocratiques. Certes, l'industrie est prospère. Pourtant l'agitation révolutionnaire est vive à Londres, où Cobbett publiait le *Twopenny trash*, Carpenter, ses *Political letters*, Carlile, le *Prompter*. Les manifestations populaires répondent aux appels de la presse, parfois républicaine. En vain, le cabinet engage des poursuites. Les journaux radicaux imitent ceux de Paris. Le mouvement s'étend en Irlande, où les paysans repoussent la dîme et exigent la diminution des fermages et où O'Connell réclame l'abrogation de l'Acte d'union. Grey, imbu d'un whiggisme aristocratique périmé, déconsidéré, trouve peu d'appui au Parlement. L'opinion réclame une chambre basse, vraiment représentative de tout le peuple.

Le mouvement radical et réformiste groupe bourgeois et ouvriers. Les *bourgeois*, sous l'influence de Bentham, se rassemblent dans les *Unions politiques*. Les *révolutionnaires* sortent généralement de la classe ouvrière. L'accord ne se fait pas entre eux. Les jurys bourgeois sont plus indulgents pour les révolutionnaires bourgeois que pour les révolutionnaires ouvriers. Aussi les ouvriers veulent-ils renoncer à leur alliance avec les bourgeois et faire de l'agitation à leur propre profit, comme les bourgeois contre les aristocrates. Les Unions politiques bourgeoises, groupées en une *Union politique nationale*, se heurtent à l'*Union nationale des classes ouvrières.* Les groupements bourgeois demandent le vote de la réforme ; les groupements ouvriers leur opposent un programme social plus large : ils affirment le droit de propriété, l'égalité des droits, repoussant « toutes les distinctions héréditaires » et revendiquant le suffrage universel, un Parlement annuel et le scrutin secret.

Grey n'entend pas faire table rase pour reconstruire. Le 1er mars 1831, Russell expose devant les Communes le principe de la réforme. 60 bourgs de moins de 2 000 habitants perdraient leur représentation. Les bourgs de 2 000 à 4 000 habitants n'auraient qu'un seul représentant ce qui supprimait encore 46 sièges. Un dernier en perdait deux. Ainsi 168 sièges étaient supprimés. Mais il en serait créé 98, répartis entre vingt-sept villes, quatre districts de Londres et vingt-six comtés. Enfin, les conditions de l'électorat seraient les mêmes dans les comtés et les bourgs. Dans les bourgs, il fallait avoir occupé pendant six mois un immeuble (le *household*) d'une valeur locative égale au moins à dix livres. Dans les comtés, la franchise des francs-ténanciers (*free-holders*) était étendue à ceux qui tenaient leurs terres, en *copyhold* et en *leasehold*. Même franchise en Pays de Galles, en Écosse, en Irlande. Le scrutin public était maintenu. Le projet devait faire passer le nombre des électeurs de 500 000 à 1 million : au lieu d'un électeur pour 200 habitants en France avec la loi de 1831, il y en aurait un pour 30. Pourtant, l'opposition estime le projet antisocial, parce qu'il supprime sans indemnité les bourgs à nomination (*nomination boroughs*); et provisoire, car la distribution des sièges est à la merci d'un changement de population.

Le 14 mars, les Communes adoptent le bill à mains levées en première lecture ; en deuxième lecture, le 22, le ministère n'obtient que 302 voix contre 301. Le 18 avril, à la reprise des séances, l'opposition objecte l'augmentation du nombre des députés accordée à l'Écosse et à l'Irlande et la diminution des députés anglais et gallois. La motion hostile d'un tory est adoptée. Le roi prononce la dissolution plutôt que de laisser le cabinet se retirer. Les élections se font sur la réforme. Les tories sont écrasés : dans les comtés, ils conservent six sièges sur 82. Bref, quand le bill revient devant la chambre basse, il obtient, en deuxième lecture, 367 voix contre 231. La discussion se prolonge de juin à septembre. Pour la répartition nouvelle des sièges, les propositions de Russell passent malgré l'opposition, qui leur reprochait de créer de nouveaux bourgs dans le Nord, au détriment de l'Angleterre du sud et de favoriser l'agglomération de Londres. L'opposition voulait le cens gradué. Le principe de la franchise uniforme est maintenu à dix livres ; mais les impositions locales, les *rates*, seront payées personnellement par les petits locataires, s'ils veulent être électeurs. De plus, ne peuvent voter que ceux qui ont douze mois de résidence et qui, pendant ce laps de temps, ont habité le même domicile et n'ont pas reçu de secours de l'assistance publique. Le 21 septembre, les communes adoptent le bill. Le 22, il est voté par les Lords en première lecture. Mais, bien que les *Unions politiques* organisent des meetings, ils le rejettent le 3 octobre, à une majorité de 41 voix. La révolution gronde dans les faubourgs de Londres. La province est en effervescence. Catholiques et dissidents se coalisent, unis aux mécontents et aux agitateurs. Vingt et un évêques qui avaient voté contre le bill sont menacés. Le mouvement devient anticlérical. La crise politique dégénère en crise sociale. Les ouvriers cherchent à avoir leurs organisations particulières, pour échapper à la direction des bourgeois. Ils combinent ainsi leurs revendications politiques et sociales.

En décembre, le Parlement se réunit de nouveau. Russell présente un projet légèrement retouché. Pour le maintien de la franchise des bourgs, il tient compte de leur population au recensement de 1831 et du montant des impôts payés par eux. L'Angleterre et le pays de Galles ne perdent pas de représentants ; les sièges disponibles vont renforcer les grandes villes. Les membres résidants des corporations municipales (*freemen*) conservent le droit de vote à titre perpétuel. Enfin l'obligation d'avoir habité un an le même immeuble disparaît. Le 18 décembre, le bill est voté en deuxième lecture, par 324 voix contre 162. La discussion des articles dure jusqu'au 23 mars 1832. Les lords allaient-ils résister ? Serait-il nécessaire de faire une fournée de lords ? Le 13 avril, le bill est voté par 184 voix contre 175. Les difficultés reparaissent avec la discussion des articles. Grey refuse l'ajournement du vote sur l'article 1er enlevant la franchise à un certain nombre de bourgs ; il est battu ; il démissionne devant le refus du roi de nommer de nouveaux pairs. Le conflit va-t-il tourner à la révolution ? L'opinion se déchaîne à la nouvelle d'un nouveau cabinet Wellington. Le tocsin sonne. Les ateliers arrêtent le travail. Les pétitions affluent à Londres. La presse radicale insulte le roi et la reine. On songe à organiser les unions politiques en gouvernements locaux. L'*Union nationale* réussit à provoquer un mouvement considérable de retraits de fonds de la Banque. Alors les tories se divisent. Wellington renonce à former le cabinet et à pratiquer l'obstruction. Grey reprend le pouvoir. Le bill est adopté en troisième lecture par 106 voix contre 27, le 4 juin 1832 ([73]).

La crise est provisoirement apaisée. Contrairement à la loi électorale française de 1831, la réforme n'est pas basée uniquement sur le montant des impôts. Elle marque la victoire de la masse des électeurs bourgeois, manufacturiers, rentiers, boutiquiers, fermiers qui avaient obtenu la franchise sur tout le territoire. Le Parlement réunit plus de 500 membres du parti de la réforme sur 658 représentants. Les radicaux sont assez nombreux (Attwood, Cobbett, John Fielden) ; de même les Irlandais de O'Connell. Il n'y a pas plus de négociants, de financiers ou d'industriels qu'avant 1832. Les dissidents ne dominent pas. Le Parlement est composé en majorité de country gentlemen et d'aristocrates, élus par les comtés. Les grandes villes ont élu des hommes de distinction. Les bourgs les plus démocratiques n'ont pas donné la préférence, en général, aux démagogues violents. Par la volonté des bourgeois, les vieilles familles l'emportent. La réforme a montré que la menace d'une révolution pouvait en imposer aux lords. Elle a sauvé le pays du désordre. Mais elle annonce d'autres réformes. Le corps électoral reste peu nombreux. Grands propriétaires et classes moyennes se partagent le pouvoir. Celles-ci, pour rendre efficace la menace de révolution, s'étaient assuré l'aide des ouvriers et leur avaient fait des promesses. La nouvelle loi qui ne leur accorde rien, les

déçoit profondément. Elle éveille en eux la conscience politique et contribue au développement du trade-unionisme (⁷⁴).

⁎ ⁎

Les diverses mesures prises en 1601, 1722, 1782, 1795
n'avaient pas réussi à résoudre le problème de la misère et
du chômage. En 1815, les résultats sont déplorables. Les
salaires ruraux restent bas. En 1832, une enquête révèle
l'inégalité existant dans les campagnes. Ici, la détresse est
complète, ailleurs, le ministre des cultes a triomphé du paupérisme, en apportant des modifications au système ; là,
on ne paie ni secours à domicile, ni allocations s'ajoutant
aux salaires, ceux-ci montent et l'industrie locale revit.
Votée le 13 août 1834, la nouvelle législation sur les pauvres
applique le principe du tout ou rien : un homme valide
reçoit secours s'il le demande, mais dans le *workhouse*. Les
paroisses sont groupées en unions, afin de mieux organiser
des ateliers plus spécialisés et d'éviter la pression des
indigents locaux. Le *workhouse* doit repousser l'ouvrier,
non l'attirer (⁷⁵). Dans les campagnes, les maux contre
lesquels la loi est faite disparaissent en dix ans, comme disparaît la désastreuse confusion entre salaires et secours. En
pleine période de dépression agricole, on assiste à un retour
au travail rural. Certes, tout n'est pas facile pour les émi-
grants qui passent des campagnes du sud dans les comtés
industriels des Midlands et du nord. Beaucoup préfèrent
travailler aux mines ou aux chemins de fer. La suppression
soudaine des secours à domicile ne coïncide pas toujours
avec une hausse immédiate des salaires. Aussi en résulte-t-il,
temporairement, une misère accrue. A la ville, les travailleurs
essaient de résister. Leur résistance coïncide avec la première période du chartisme.

La paix intérieure n'est pas réalisée. La poursuite de la
réforme se prolonge en vue de l'étendre aux classes laborieuses. La session parlementaire de 1835 est marquée par
le vote d'une loi importante sur les corporations municipales.
C'est le deuxième volet dans l'évolution de l'Angleterre vers

la démocratie et la généralisation du droit de suffrage. Il
apparaît nécessaire que les citoyens prennent conscience
de leurs responsabilités dans l'administration des villes.
Dès 1833, une enquête avait mis à nu des abus en matière
d'élection et d'administration, la corruption d'oligarchies
irresponsables, l'incompétence et l'incompréhension des
besoins modernes des villes. L'acte de 1835 impose à tous
les bourgs, à l'exception de Londres et de quelques villes
de moindre importance, une organisation constitutionnelle.
Il substitue aux anciennes corporations un conseil de ville,
comprenant un maire, des *aldermen*, des conseillers. Ceux-ci
sont élus pour trois ans par les locataires payant l'impôt. Ils
élisent pour six ans les aldermen. Le conseil de ville élit le
maire chaque année. Tout est concentré dans les mains
des membres des corps élus.

La réforme électorale de 1832 et la réforme municipale
de 1835 creusent davantage, entre la vie sociale des villes
et celle des campagnes, le fossé que rendent plus profond
chaque jour les forces économiques. Dans le monde victorien, à l'Angleterre verte et à l'Angleterre noire, correspondent, au point de vue politique et social, l'Angleterre
rurale aristocratique et l'Angleterre urbaine démocratique.
Les comtés et les villes de marchés étaient administrés
par de nobles propriétaires fonciers, devant lesquels toutes
les classes s'inclinaient.

VI. UNITÉ ET LIBÉRALISME BOURGEOIS EN ALLEMAGNE [76]

Puzzle d'États, groupés en une confédération, l'Allemagne
est une communauté d'États autonomes. Il y a bien un
organe central permanent, la Diète de Francfort, présidée
par le délégué de l'Autriche. Il est sans pouvoir fédéral.
Sur 69 voix, 24 vont à l'Autriche, à la Prusse, à la Bavière,
à la Saxe, au Wurtemberg et au Hanovre.

Des constitutions avaient été promulguées dans les États
de l'Allemagne du sud. Elles étaient octroyées. Le bica-
mérisme était adopté. Elles accordaient certains pouvoirs
législatifs et financiers. Elles ne fondaient ni régime parlementaire, ni droit d'initiative. Le cens y était rigoureux,

basé sur les privilèges à la naissance ou à la grande propriété ([77]). Le pays de Bade a une chambre haute, composée
de privilégiés, et une chambre basse, élue au suffrage censitaire et indirect. Le régime est constitutionnel. L'opinion
est divisée en radicaux et en libéraux. En Wurtemberg, la
constitution est issue d'un contrat entre le roi et les *Stände*.

   L'Autriche est un État centralisateur, avec un conseil
d'État et une conférence d'État. La Prusse a également peu
évolué : elle est absolutiste et bureaucratique. Elle a un
conseil d'État, des ministères, des gouvernements provinciaux, un système collégial avec un président supérieur. Le
roi, partisan d'un État chrétien-germanique, ne comprend
pas le libéralisme ([78]). La Bavière a une constitution depuis
1818. Ce texte prévoyait une chambre des conseillers,
composés des princes médiatisés, et un Landtag avec quatre
classes d'électeurs, qui s'occupait des impôts et des emprunts
d'État. En Allemagne du nord, les institutions n'ont aucun
caractère constitutionnel. Les constitutions du Hanovre et
de la Hesse-Cassel sont bloquées par l'attitude des gouvernements. En Saxe, princes, nobles, grands propriétaires
siègent à la chambre haute ; les représentants des quatre
ordres, à la chambre basse. Mais les lois sont à l'initiative du
roi. Dans les Villes libres, les libertés distinguent entre les
bourgeois des villes et les ruraux qui sont soumis au régime
seigneurial. Hambourg a un régime aristocratique : un
Sénat et trois collèges qui l'assistent, se complètent eux-
mêmes, pour l'administration ; pour le législatif, une convention, composée de propriétaires et de personnalités. Francfort a un régime identique ([79]). Ces institutions ne contribuent pas à une véritable formation politique. Les classes
sociales participant à la vie politique ne forment pas la
nation. Les plus riches sont admis, seuls : ils constituent
l'aristocratie et le patriciat. Les assemblées comptent beaucoup de fonctionnaires. Les Landtags délibèrent, sans que
le public en connaisse rien. Le prince et les *Stände* sont
ennemis.

   Telle est la situation politique. En présence d'une Diète
en léthargie, l'opinion souhaite un mouvement réformateur.
Elle se méfie du système de Metternich et supporte mal le

dualisme Habsbourg-Hohenzollern, comme le dualisme confessionnel. Elle aspire à l'unité. La Prusse, en créant le Zollverein, ouvrait la voie à l'unité nationale sous l'angle matériel [80].

Le libéralisme se développe plus spécialement en Allemagne du sud. Des professeurs de l'université de Fribourg, comme Rotteck et Welcker, s'y rallient, sans aller jusqu'à la souveraineté populaire et à l'idée d'une république démocratique. Ils répugnent à l'absolutisme, à la bureaucratie et à l'armée, pour exiger la reconnaissance de la dignité du citoyen, mettant le droit au-dessus de la raison d'État. Beaucoup voient l'unité autour de la Prusse. La bourgeoisie industrielle et commerciale veut participer à la vie de la nation. Son intérêt matériel la contraint à revendiquer l'extension de ses droits politiques. La bourgeoisie souhaite avoir une vie politique plus active, surtout en Rhénanie où la structure bourgeoise et le catholicisme retournent l'opinion contre un État prussien absolutiste, féodal et luthérien. Pourtant, des milieux d'affaires lui sont favorables, à condition qu'il devienne constitutionnel, la classe moyenne étant son centre de gravité [81]. D. Hansemann, président du tribunal de commerce de Mayence [82], demande un État industriel et constitutionnel, où le rôle politique de la bourgeoisie doit être mis à la hauteur de son rôle économique. Le côté national et libéral a tendance à l'emporter sur le côté particulariste. On souhaite la diffusion de l'esprit de *Staatsbürgertum*. En 1845, Camphausen ([82bis]) réclame un Parlement commun à toutes les provinces prussiennes. Le triomphe du constitutionnalisme assurerait à la Prusse un rôle de direction en Allemagne. Pour Dahlmann [83], dans *Politique* (1835), la liberté réside dans l'indépendance des collectivités : les institutions représentatives éclaireront le pouvoir monarchique. D'ailleurs, les influences évoluent : l'anglo-saxonne se substitue à la française. En tout cas, pour les libéraux rhénans, il s'agit de permettre à la classe moyenne d'avoir des moyens d'action politique. C'est un devoir moral. Ils forment le groupe oppositionnel le plus fort de toute la Prusse. Mais comparer la bourgeoisie allemande à celles de France ou d'Angleterre est difficile. Il n'y a pas entre elles de commune mesure. Le bourgeois allemand dispose de moyens financiers beaucoup plus modestes. Il reste très attaché à l'état artisanal. Il n'a pas un étroit esprit de classe. Il n'est pas avide. Entre 1840 et 1860, la lutte est vive entre l'industrie moderne et l'ancien régime corporatif et la réaction artisanale pèse de toute sa volonté de survivre à des temps révolus [84].

Si le libéralisme est la volonté de participer à l'action politique de façon égale, sans destruction de l'ordre établi, le radicalisme est révolutionnaire. Les jeunes hégéliens, se refusant à donner au réel une valeur absolue, estiment qu'il se modifie constamment. Adversaires d'une monarchie chrétienne, ils combinent, avec Ruge, républicanisme et athéisme [85]. Le néo-hégélianisme a pris la forme d'un rationalisme théologique qui apparaît dans les groupes dissidents, protestants ou catholiques. Le radicalisme philosophique s'adresse à la petite bourgeoisie et aux ouvriers. Il fait appel à la démocratie et aux masses. Il est hostile à l'Église et à l'État absolutiste. Mais il n'a pas de classe sociale bien à lui pour le soutenir. La bourgeoisie est tendue vers un libéralisme constructif. Les radicaux se tournent vers un individualisme égocentriste ou, à l'extrême limite, vers un individualisme anarchiste, avec Max Stirner qui emboîte le pas à Bauer et à Feuerbach qui avaient sécularisé la vie sociale, les dépassant et rompant avec les « affranchis » qui s'inclinent devant l'État et la société, alors que « ni l'État, ni la société, ni l'humanité ne sont l'homme, l'homme réel, l'homme individuel, le moi » [86]. Les « affranchis » se rallient à une philosophie révolutionnaire et athée. Ils s'écartent des masses pour en venir à la critique pure. Les « Lichtfreunde », les amis de la lumière, à base religieuse et démocratique, deviennent des groupes politiques et réunissent fonctionnaires, industriels, propriétaires terriens, intellectuels, artisans, ouvriers. Les pasteurs qui les inspirent doivent quitter leurs églises pour former des « communautés libres », sans distinctions sociales, et dresser un front démocratique [87]. Les « Lichtfreunde » sont en relations avec le catholicisme allemand qui constitue une forte opposition dans les pays constitutionnellement peu évolués.

L'abbé J. Ronge a formé l'Église *deutsch-katholisch*. On en attend beaucoup pour l'unification de l'Allemagne. Faire partie des « communautés libres », c'est attaquer l'orthodoxie, donc l'État. Ainsi le radicalisme pénètre les sectes religieuses, étayé par une poésie politique, révolutionnaire et anti-cléricale. Le radicalisme idéologique a soutenu le libéralisme réaliste, par les sectes rationalistes.

La crise économique qui pèse sur la Prusse de 1845 à 1848 n'a pas été la raison directe de la révolution de 1848. Mais, indirectement, elle a créé un mécontement général qui a secoué le pouvoir et l'a affaibli [88]. En révélant l'insuffi-sance de la bureaucratie, elle a poussé la bourgeoisie à exposer ses revendications libérales. Ainsi se dégage un mou-vement qui tend à faire participer la bourgeoisie à l'œuvre législative et à la réforme des institutions, pour lui permettre son plein épanouissement, et à faire faire un pas nouveau à l'unification de l'Allemagne. Engels dira, en mars 1847 : « Au moment même où les classes bourgeoises en Prusse, jusqu'à présent sans ressort, sont pour ainsi dire, contraintes de modifier le système de gouvernement, le roi se voit obligé par le manque d'argent à amorcer cette modification en faisant appel, lui aussi, aux États Généraux [89]. »

Dès avant 1840, les Prussiens demandaient, en vain, leur réunion. En février 1847, se réunit, sur convocation royale, une assemblée consultative, un Landtag uni qui se recrute parmi les représentants des huit Landtags provinciaux [90]. Pas de sessions régulières. Le bon plaisir du prince. Dans l'intervalle, une commission intermédiaire, réunie tous les quatre ans. On est loin d'un régime constitutionnel perma-nent. Les Rhénans réussissent à dominer une assemblée où les grands propriétaires fonciers sont en force. Ils y exposent une doctrine cohérente d'un État constitutionnel, centralisé et laïque, qui assurerait la prépondérance de la classe moyenne. Plus de *Stände* ; un Parlement. Des ministres responsables devant lui, les députés y représentant, non pas une catégorie sociale, mais la nation. Sans doute, le Landtag n'avait pas répondu aux vœux des partisans d'un régime représentatif : sur ce plan, il contribua à pousser une partie de la nation vers les démocrates. Pourtant, elle permit aux partis de faire leurs

premiers pas et de s'organiser ; aux libéraux et aux conservateurs, de se compter. Sa composition même donne plus de
force au sentiment national.

Pendant ce temps, les libéraux de l'Allemagne du sud
concertent leurs efforts. Les radicaux badois, réunis à Offen-
bourg, en septembre 1847, réclament la liberté de la presse,
de conscience, l'adjonction de représentants élus au Bun-
destag, l'impôt progressif sur le revenu, l'abolition des privilèges. Réunis à Heppenheim, en octobre, les modérés réclament un Parlement unique, élu par tous les États membres
du Zollverein. Les conservateurs évoquent la tradition, la
légitimité, l'ordre. Mais protestants et catholiques n'arrivent
pas à s'entendre. La division confessionnelle persiste.

En 1840, le catholicisme renaît. Il ignore le libéralisme.
Il rêve d'un idéal théocratique, d'une monarchie chrétienne,
dont l'Église imprégnerait la morale. Il est partisan de l'alliance du trône et de l'autel, alors que le libéralisme est hostile à l'idée religieuse. Dans la Rhénanie industrielle, on
songe à réviser l'attitude du catholicisme en face des problèmes constitutionnels. Les catholiques rhénans tiennent
à conserver la monarchie dans son autorité, le rôle des Land-
stände, mais à obtenir l'égalité civile et un Parlement national. Ils veulent rétablir le travail dans sa dignité. Ils sont à
mi-chemin entre le traditionalisme et le constitutionnalisme
libéral, tout en restant plus près de la conservation sociale.
Il n'y a pas de parti catholique organisé [91]. Du côté protestant, l'État prussien offre un terrain exceptionnel pour les
tendances conservatrices. L'aristocratie y est très puissante.
Cependant, contrairement à von Gerlach, elle ne croit pas
nécessaire la formation d'un parti conservateur. D'ailleurs
les milieux conservateurs ne tiennent aucun compte de la
montée de la bourgeoisie et des vœux en faveur d'une constitution. Stahl, professeur à Berlin, entend que la monarchie
soit contrôlée par l'esprit chrétien. Elle doit être maintenue,
comme la volonté populaire, dans certaines limites. Le
prince et le peuple doivent se soumettre à un impératif
moral. Il faut rechristianiser l'idée constitutionnelle, instituer un Parlement pour le budget, imposer une religion
d'État et un enseignement chrétien.

Le conflit entre les Allemands est d'essence religieuse et morale. Piétisme, hégélianisme, libre pensée et rationalisme, libéralisme et forces de conservation s'entremêlent, qui se résument dans l'opposition de l'ordre et du mouvement ([92]).

VII. LES CLASSES BOURGEOISES ITALIENNES FACE A L'UNITÉ ET A L'ÉMANCIPATION POLITIQUE ([93])

L'effort de renaissance politique italienne, la critique des institutions et l'intention de restaurer le règne du droit naturel et de la liberté individuelle remontent au XVIIIe siècle, avec des penseurs tels que Vico et Romagnosi, qui ont une notion en quelque sorte historique et scientifique de l'unité italienne ([94]). La venue des Français marque le réveil des Italiens. Milan devient la capitale du royaume d'Italie. Les idées venues de France, enveloppées d'un prestige de nouveauté, sont adoptées d'autant plus facilement que les Italiens ont subi l'influence des penseurs du siècle des lumières. La bourgeoisie tire un grand profit des capitaux qui affluent à Milan. Elle met la main sur les biens communaux. Elle se substitue à l'aristocratie. Après la chute de Napoléon, l'Italie s'abandonne aux forces d'opposition et de réaction. Le royaume d'Italie n'avait pas de fondement. La bourgeoisie avait été peu initiée à la vie politique. Elle s'était bornée à bénéficier des avantages matériels de la domination napoléonienne, sans saisir le grand concept du royaume d'Italie. Les idées italiennes n'avaient pas changé : le mouvement de libération n'avait pas trouvé de forces à l'intérieur. Plusieurs siècles de servitude étrangère avaient endormi la conscience de la plus grande partie des Italiens. Ils regardaient les événements en spectateurs inertes, lecteurs indifférents des écrits de Romagnosi, de Cuoco, de Gioia. Pour que l'idée du Risorgimento prenne corps et devienne une force vive, elle devait être passion et mystique du sacrifice. La poursuite de l'unité l'emporte sur la démocratie. L'unification partielle, réalisée par Napoléon, a rapproché les Italiens et développé de façon notable le sentiment national. Le fait de se sentir liés par des traditions, des gloires et une langue commune sommeillait en eux. Ils se sentaient plus divers que séparés, par la variété des dialectes et des intérêts matériels.

Dans sa majorité, l'Italie de 1815 se contente de la paix. L'économie refleurit. La propriété est protégée. Très vite, elle s'aperçoit que la liberté lui fait défaut. Ce sentiment naît dans la bourgeoisie et la classe cultivée, avant de pénétrer peu à peu dans les autres classes, déterminant la naissance de sociétés secrètes. La lutte commence entre le principe libéral et le principe conservateur. L'histoire du Risorgimento est celle de la lutte pour la liberté et la neutralisation du principe conservateur. Le Risorgimento apparaît comme une œuvre sentimentale, animée par des intérêts économiques [95]. Chez lui, la conception naturaliste et l'idée démocratique ont eu un rôle préparatoire, en un sens démolisseur, aidant à expliquer les erreurs du passé et à susciter une nouvelle volonté de vie et d'ordre social. Résultat de la confrontation de forces diverses et opposées, le Risorgimento se heurte aux habitudes de vie locale qui ont créé des intérêts locaux. Mais l'unité italienne était nécessaire aux intérêts bourgeois. Cavour liera le libéralisme économique et la religiosité libérale, la démocratie et l'indépendance nationale. La Déclaration des droits qui reconnaît la souveraineté du peuple ne débouche-t-elle pas sur le principe de la liberté nationale ? Les philosophes politiques, Rosmini, puis Gioberti [96], se penchant sur le problème de la liberté, refusent de se mettre à la remorque de Descartes. Leur tendance est historiciste. Leur nouveauté consiste à vouloir transformer le passé historique en un droit à la vie, basé sur une tradition de grandeur spirituelle et en une défense du patrimoine traditionnel ; à retrouver dans le passé la personnalité nationale de l'Italie et la preuve de son unité spirituelle. Gioberti proclamera le primat des Italiens. Quelle solution adopter [97] ? Se contenter d'améliorations matérielles et administratives ? Atteindre la liberté par la voie de la révolution qui associe l'Italie au mouvement des peuples libres ?

Dans le sud, la bourgeoisie terrienne s'était substituée à une noblesse en décadence. L'ordre y était débile. C'était celui d'une monarchie, à la démarche indécise, qui se séparait de l'intelligence et de la richesse pour s'associer à la misère et à l'ignorance et qui n'avait pas réussi à supprimer radicalement la féodalité. Les inquisitions policières étaient brutales ; la crise économique, grave ; la politique financière, pénible à une classe moyenne déprimée. L'arrivée des forces françaises en 1806 avait déclenché une vie nouvelle : libération de la terre ; partage des biens communaux ; suppression des couvents et de la mainmorte. Ces réformes juridiques donnent un nouveau visage au pays. La classe moyenne et la haute bourgeoisie terrienne se consolident. Active, intelligente, la bourgeoisie fait preuve d'énergie et d'une grande maturité politique. Nouvelle classe dirigeante, elle aspirait à l'indépendance nationale et aux libertés constitutionnelles.

En 1820, des troubles éclatent dans le royaume de Naples [98]. La charbonnerie, de caractère ultra-démocratique, se répand dans les casernes, parmi les petits bourgeois et les artisans, s'opposant aux partisans de Murat qui cherchent à restaurer une monarchie libérale. Ferdinand II de Sicile veut créer un royaume tranquille, doté d'une aristocratie sans pouvoir effectif, mais pensionnée ; d'une bourgeoisie foncière, heureuse d'être la moins imposée d'Europe ; d'une classe moyenne avide de pousser ses fils vers l'administration ; d'une plèbe urbaine et rurale. Les illusions libérales s'évanouissent vite devant l'absolutisme administratif d'un souverain toujours soupçonneux. La classe dirigeante ne parvient pas à former une nouvelle classe bourbonienne, consciente de ses responsabilités et de ses devoirs. Le roi voulait la rendre puissante. Elle se développe en dehors. Car elle se refuse à se laisser enfermée dans les barrières du paternalisme auquel le roi désire la contraindre. Elle acquiert la conscience, chaque jour plus claire, de la nécessité, sinon des libertés politiques, tout au moins d'exercer une influence sur la vie politique et une participation moins passive à la vie de l'État. Elle révèle le contraste entre ses ambitions et la plate réalité. Elle accentue le fossé entre le pays et le gouvernement. Les salons, les cercles, les académies accueillent une minorité active, intellectuelle et politique, qui aspire à un régime libéral, avec des franchises constitutionnelles. Des contacts s'établissent avec l'extérieur, notamment avec les exilés. Dans les provinces, la tradition de liberté se maintient, surtout dans la bourgeoisie. Elle est entretenue par les sectes, le rappel du passé, la lecture des œuvres historiques de Botta et de Colletta. Il ne manquait même pas l'ombre de l'Empereur. Composées de techniciens de premier ordre, formées par l'administration française — la première d'Europe — les classes dirigeantes avaient collaboré aux réformes que la puissance napoléonienne avait permis de mener à terme, avec une vigueur remarquable. Si le parti réactionnaire rêve d'une rééducation politico-religieuse du royaume, le parti libéral songe à une monarchie constitutionnelle, avec contrôle politique, grâce au cens et à la culture.

La révolution de 1820 est un événement complexe. Les carbonari confèrent le pouvoir aux partisans de Murat, qui forment un état-major de techniciens. Il y a donc dualisme dans les forces révolutionnaires. La charbonnerie tend à la formation des États-Unis d'Italie. Ses émissaires circulent. Sa propagande est contrariée par les partisans de Murat qui, la jugeant peu prudente, y voient comme une justification éventuelle de l'intervention autrichienne [99]. En effet, le régime libéral modéré de Naples est abattu par l'Autriche (mars 1821). La majeure partie des carbonari actifs était composée de groupes du bas peuple. Le caractère modéré du gouvernement tendait à séparer la bourgeoisie des paysans et du prolétariat. Profitant de mesures utiles prises sur le plan économique, à partir de 1823, la bourgeoisie renonce provisoirement aux revendications politiques. Le plus grand nombre des libéraux se borne à espérer un changement dans la politique européenne. La bourgeoisie des propriétaires et des commerçants se réjouit de voir assurer la tranquillité publique. D'ailleurs le malaise économique qui frappe propriétaires, agriculteurs, artisans, en 1824, engendre le dégoût, sans provoquer de réaction politique. Par lassitude ou par faiblesse, la bourgeoisie n'est plus à même de se mettre à la tête d'un mouvement analogue à celui de 1820-21. En contrepartie, les couches populaires entraînent la radicalisation de la charbonnerie et, par voie de conséquence, la dispersion du mouvement.

L'opposition piémontaise se propose de chasser l'Autriche et de fonder un royaume constitutionnel savoyard, englobant l'Italie du nord. Ses chefs appartiennent à la secte des *Federati*, affiliés aux *Adelfi* d'origine républicaine, qui se recrute dans les hautes classes sociales et parmi les intellectuels. Ils sont partisans de la charte française de 1814 [100]. Mais Naples avait adopté la constitution espagnole de 1812. Comme le carbonarisme se répandait rapidement dans la bourgeoisie piémontaise, pour ne pas diviser les forces du proprès, les *Federati* l'adoptent, se réservant de se replier sur des positions plus conservatrices, le moment venu. Le mouvement réactionnaire s'appuie sur les doctrines de Bonald, de Maistre et surtout de Lamennais [101]. C'est une lutte de sectes dans les États qui n'ont qu'une vie politique engourdie, sauf au Piémont où le traditionalisme se mêle à une conscience assez ferme de la légalité.

La Toscane est balayée par le souffle libéral. Les esprits les plus ouverts y sont accueillis. Les libéraux, catholiques et protestants, s'entendent pour fonder l'*Antologia*. Mais la liberté a des limites. Les projets de réformes, comme les articles à tendance laïque et de gauche, inquiètent le pouvoir. L'*Indicatore livornese* est supprimé.

Jusqu'en 1831, les forces de réaction ont la prépondérance. La révolution de juillet 1830 et la proclamation du principe de non-intervention par Laffitte préparent les soulèvements de 1831 auxquels participent, d'ailleurs en nombre discret, des bourgeois et des hommes du peuple. A partir de 1831, la force nationale et révolutionnaire prévaut, soutenue par la *Jeune Italie* de Mazzini et encouragée par l'intérêt que lui portent l'opinion européenne et la monarchie libérale de juillet. Les mouvements de 1820 et de 1821 avaient eu des chefs ; pas de soldats. La masse du peuple et une bonne partie de la bourgeoisie n'avaient pas bougé. L'éducation politique ne commence qu'avec la *Jeune Italie*, par un jeu constant de brochures, de pamphlets et de journaux [102]. Le mouvement politique et unitaire est pimenté de laïcité. La déclaration du 26 février 1831, délibérée par les représentants des villes libres d'Italie prononce la déchéance du pouvoir temporel du pape. La question est essentielle. Les

historiens ne sont pas d'accord sur la signification de l'événement ([103]) ; A. Solmi y voit une preuve de la tendance
unitaire ; Monti, le désir de faire de Rome une capitale
de l'Italie et d'abattre le pouvoir temporel. Mais la monarchie ne veut pas voir qu'il est nécessaire d'accorder « la
guerre royale et la guerre du peuple », l'indépendance et la
liberté, comme le pensent Mazzini et Garibaldi.

Pourtant le mouvement révolutionnaire échoue. Une
vague réactionnaire déferle, marquée par l'action et par
la polémique. Le prince de Canosa ([104]) constate que les
révolutionnaires n'ont pas calculé l'opposition de la commune et l'indifférence des paysans. Des revues assurent la
propagande : la *Voce della Verità*, la *Voce della Razione*.
Du côté révolutionnaire, la charbonnerie traverse une crise.
Sa faiblesse tenait à son caractère secret qui favorisait l'adhésion à des hommes dont les tendances diverses rendaient
difficile l'action. La *Jeune Italie* se proposait un État unitaire et républicain. Ses buts ? Le peuple, la nation, la religion de l'humanité, le messianisme. Mazzini veut faire
de son mouvement une église militante, réunissant toutes
les classes sociales. Buonarroti se recommandait de la
révolution française ([105]). Mazzini l'écarte. De plus en plus
démocrate, il s'élève contre le libéralisme français et ne
veut pas d'une démocratie qui serait le triomphe du despotisme de la majorité. A l'idée française de la démocratie
du xviiie siècle fondée sur le droit, il oppose la démocratie
sociale. A son avis, les échecs de 1820-21 étaient dus à
la réserve des chefs à l'égard de l'intervention des masses,
considérant la révolution comme une affaire intéressant
exclusivement les classes bourgeoises, une question purement politico-constitutionnelle ne regardant que les hautes
sphères de la société. Le parti qui lui est favorable, à l'exception de quelques rares populations urbaines, ne rencontre
aucune sympathie dans les masses traditionalistes. Sa
force réside presque exclusivement dans la classe moyenne
et une partie de la classe élevée. La bourgeoisie et la classe
supérieure se retrouvent dans l'entreprise malheureuse
des frères Bandiera, en 1844. Cependant les intérêts de
l'une et de l'autre sont de conserver et de défendre. La pro-

priété n'est pas le privilège d'une classe. Les doctrines subversives ne sauraient avoir de prise sur des classes intéressées au maintien de l'ordre social. Cavour, en 1846, posera des limites à la doctrine de Mazzini : une démocratie révolutionnaire n'a aucune chance de succès en Italie ([106]).

De la défaite de la *Jeune Italie* sort une nouvelle formation politique d'un aspect à la fois mythique, le néo-guelfisme, et réaliste, le modérantisme. Dans le premier cas, le *Primato*, de Gioberti (1843) ; dans le second, les *Speranze d'Italia*, de Balbo (1844). Gioberti identifie le primat catholique et le primat italien, que Balbo rejette. L'indépendance ne doit pas reposer sur le pape, mais sur le Piémont. Certes, le roi Charles-Albert ([107]), jaloux d'un État fort, avait réprimé durement les mouvements de 1833 et de 1834, tout en arborant une attitude de réorganisation administrative intérieure et d'opposition à l'Autriche. Il avait la même conception romantique que Mazzini. Mais, contrairement au chef révolutionnaire il ne songeait qu'à renouveler les institutions existantes, rêvant d'un grand souverain pontife, qui, nouveau Grégoire VII, prendrait la tête du monde et de la civilisation modernes. En juillet 1847, Massimo d'Azeglio présente un programme portant sur l'uniformité des institutions militaires, l'amélioration de la législation sur la presse, l'unité du système ferroviaire, de la monnaie, des poids et mesures, des douanes et des régimes universitaires. Le problème a été vraiment posé, un an plus tôt, en 1846, quand Giacomo Durando, dans *Della nazionalità italiana*, affirma que la question de l'indépendance nationale était indissolublement liée à la question démocratico-libérale. Charles-Albert refuse de l'entendre encore. Pourtant la révolution italienne se réclamait d'un idéal d'inspiration religieuse et morale : une Italie une, indépendante et libre dans une Europe libre. Cet idéal finit par prévaloir sur les préjugés du souverain, qui eut conscience de la mission qui lui incombait, pour faire l'Italie une et souveraine dans la liberté politique.

Chapitre II

Les bourgeois et les classes prolétariennes

I. LE BOURGEOIS, L'ÉTAT ET L'ÉMANCIPATION DES CLASSES LABORIEUSES ([108])

A partir de 1830 et jusqu'en 1848, l'État et le bourgeois sont d'accord. L'idée maîtresse est le maintien du profit. En 1830, l'État accorde un prêt de 30 millions destinés aux entreprises secouées par la crise de 1828, 3 millions allant à la création de comptoirs d'escompte substitués à la défaillance des banques, mesure critiquée d'ailleurs par certains milieux économiques. Par contre, la liberté joue à l'égard du prolétariat par l'offre d'emploi. Elle se traduit par des interdictions légales. Par ricochet, la bourgeoisie s'oppose à toute législation sociale. On ne vote pas de lois spécifiquement ouvrières pour ne pas violer la liberté. La loi de 1841 sur le travail des enfants est inapplicable, en tout cas peu généreuse. On n'avait pas cru devoir prévoir une inspection salariée, pour rendre inexistante l'inspection prévue par le législateur. Il en est de même de la limitation de la journée de travail ; elle serait une atteinte à la liberté de l'entrepreneur. C'est pourquoi aussi le bourgeois s'oppose à la liberté de coalition. Car, pour lui, ce droit est contraire à la liberté.

Pourtant, les patrons se coalisent : ainsi le comité des filateurs de Lille, en 1824. Sous prétexte de défendre les intérêts de la filature mécanique, il fixe la hausse ou la baisse. Ce comité cessera son activité en 1848 pour la reprendre, une fois la révolution achevée. Il s'agit d'ententes sur les prix,

comme c'est le cas pour le comité linier, constitué dans les
années 50. On le vit bien encore avec l'accord des Messageries royales et des Messageries générales de France,
signé en 1827, qui constitue un véritable monopole des
transports. Les concurrents étaient écartés : en 1830 et en
1840, les deux compagnies ont gain de cause en justice. Où
est la liberté réciproque en face de ces ententes ? En 1830,
les artisans teinturiers d'Amiens se constituent en société de
commerce pour la vente des pièces peintes. L'administration
juge la mesure de caractère monopoleur ; la société est
dissoute (1832). Ainsi le libéralisme répond à des conceptions opposées, suivant qu'il s'agit de l'entrepreneur ou de
l'ouvrier. Seuls, les intérêts de la classe dominante sont
respectés. Quand il s'agit de l'ouvrier, on estime que la
liberté ainsi accordée serait contraire aux intérêts de l'industrie.

Du fait même de son égoïsme, du sentiment qu'elle a de
sa force, de son intérêt, la bourgeoisie n'est pas ouverte aux
plaintes de ceux qui souffrent. Pour elle, les misérables sont
indispensables au tableau social, comme elle l'est dans sa
prospérité. Elle est indifférente : les autres n'ont qu'à
l'imiter pour s'enrichir. Elle juge l'intervention de l'État
inopportune, dans la mesure où sa garantie financière ne
l'intéresse pas.

La bourgeoisie domine. Mais elle n'est pas très cultivée,
comme si la liberté de la presse et les journaux, en forgeant
des opinions toutes faites, dispensaient de réfléchir. « Les
esprits sont donc moins cultivés, moins aiguisés que lorsqu'il était moins facile de se faire des opinions... Les affaires
et... les distractions prennent plus de temps. J'ai toujours
remarqué combien dans le monde des avocats, des notaires
et du haut commerce de Paris, monde si riche en hommes
capables, l'esprit était rare, l'instruction nulle et la conversation insipide. » Les salons sont fréquentés par les nobles
libéraux et les riches bourgeois, ou les représentants de la
haute bourgeoisie. Celui des Delessert jouissait d'une grande
considération. « C'étaient des Parisiens de Genève. Comme à
Genève, ils mêlaient à l'esprit du commerce la dignité des
mœurs, le goût des choses sérieuses et élevées... Leur édu-

cation, fort supérieure à leur esprit, les mettait au-dessus des riches de la Chaussée d'Antin. L'aîné, Benjamin... avait une teinture des sciences et même des arts. Aussi avait-il de jolis tableaux, de belles serres, une riche collection minéralogique. Des savants, quelques gens de lettres et des hommes distingués de tout pays, particulièrement de Suisse, d'Angleterre et d'Amérique, affluaient dans ses salons de Paris et de Passy. » C'est un salon orléaniste et libéral. A vrai dire, la révolution et le gouvernement de juillet ont peu favorablement influé sur tout ce qui est bonne compagnie. Il y a aussi le salon de Mme de Boigne qui reçoit tout ce qui marque dans le parti de la nouvelle monarchie : Broglie, Guizot, Thiers, Duchâtel, Rémusat, Pasquier. « Tout y était donc un peu compassé, ressemblait à une bonne cuisine, saine, douce, agréable, mais pas assez assaisonnée, et l'on aurait voulu un peu plus de vin de Champagne. » Dans les salons du gouvernement, tout était « terne et stérile ». La cour était médiocre ; les dames insignifiantes, l'ennui mortel. Chez les ministres, c'était l'insignifiance par crainte de se froisser ou de se manquer. « La bourgeoisie française qui a fait une si grande fortune politique, fut, il y a trente ans, dit Rémusat, à Paris du moins, inférieure pour la culture de l'esprit et le goût ou le talent de la conversation à ce qu'elle était sous l'ancien régime. Des commerçants, des notaires, même des avocats distingués, sont ennuyeux et plats dans leurs entretiens [109]. » Une lettre de Barante sur cet état d'esprit, est claire. « Vous me dites que vous voilà devenu un bon bourgeois de Paris. C'est l'idéal actuel. Nous avons été sauvés, nous sommes encore sous la garde de la sagesse de la rue Saint-Denis. C'est pour cela qu'ont travaillé le xviiie siècle et cinquante ans de révolutions ; c'est ce qui devait être ; c'est ce que nous espérions, ce que nous prophétisions ; c'est ce qui peut rendre si belle la révolution de juillet. Pour le moment, elle n'a rien qui élève l'âme, qui nourrisse l'imagination. L'Europe se demande si l'activité française s'est usée et éteinte dans la lutte des marchands contre les boussingots. Notre influence morale s'en va chaque jour décroissant. Je ne sais si nous portons des étoffes de coton, mais nous n'exportons plus d'idées [110]. »

Le salon de Mme Dosne est occupé par Thiers (¹¹¹). C'est
un milieu grand bourgeois. Fille d'un négociant de Lyon,
Mme Dosne avait épousé un agent de change de Paris. Elle
avait été nourrie de bonapartisme. Elle détestait les salons
de la Restauration. Elle était vive, causante, avec les principes du xviiie siècle. Dosne était loyal, sans prétention.
Elle était assez libre. Thiers s'attache à elle et elle à lui. Puis
il épouse Mlle Dosne. Guizot, Rémusat, Duchâtel, Broglie,
Rossi, le banquier Greffulhe, Molé, fréquentaient le salon de
Mme de Castellane. On y retrouvait l'esprit de société.

Ce qui caractérise cette bourgeoisie qui tient le haut du
pavé, c'est la conscience qu'elle a d'elle-même. C'est aussi le
fait que ces bourgeois, pour la plupart, sont les fils de leurs
œuvres et que les événements qui se sont déroulés depuis
1789 ont permis à leur compétence de s'affirmer. Comme
l'explique bien J. Lambert, à propos des industriels de
Lille-Armentières (¹¹²), le patronat reste fidèle à sa classe qui
ne cesse de progresser : classe moyenne d'abord, puis
milieu économique puissant, enfin grande bourgeoisie
d'affaires. Mais elle n'a pas le sens social en face des populations ouvrières. Par contre, on assiste à la prolétarisation
des agents de la production, tisserands filtiers, fileurs. L'artisan était indépendant et responsable. Il était propriétaire
de la matière première, de la matière finie, de ses outils. Le
travailleur à domicile, dans les campagnes, travaille pour un
négociant qui organise la production et la vente. Il est façon-
nier. Il n'est pas maître de ses matières premières. La prolétarisation est chose faite, quand l'ouvrier vient travailler en
usine. Travailleur urbain, il n'a à lui que ses bras. L'artisan
et le travailleur reculent, tandis que les milieux d'affaires, du
fait de la concentration, atteignent les sommets.

La grande bourgeoisie est issue des milieux de bourgeoisie rurale, des carrières libérales, de la fonction publique, du
commerce, dont certains représentants avaient des comptoirs à l'étranger ou des représentants dans diverses villes de
France, commerce local (alimentation, boulangerie) ou
d'une autre industrie que le textile (savonneries, graisses,
sucreries, minoteries) ; du négoce textile ; du salariat, prouvant ainsi le mouvement de rotation, de renouvellement des

classes dirigeantes à cette époque ; du contremaître, du commis-négociant. A vrai dire, avec le développement moderne du textile, les anciennes élites disparaissent souvent, comme c'est le cas à Armentières. On parvient au patronat souvent par des stages techniques ou par l'association du patron et de l'employé. C'est que les débuts du XIXᵉ siècle sont marqués par une évolution des techniques, du statut juridique du producteur, tel que l'avait fait la loi Le Chapelier. La concentration des masses ouvrières a déterminé un cloisonnement social. Le bourgeois a usé des circonstances pour édifier un instrument de production qui aura une influence décisive sur la pensée et le comportement ouvriers. Imbu d'un libéralisme qui facilite son ascension, fort de sa réussite qu'il attribue à son travail, aux moyens dont il dispose, ayant réussi à sonner le rappel des travailleurs dispersés dans les campagnes pour les rassembler dans des centres où il leur fournissait le matériel nécessaire, il n'avait aucune inquiétude sociale. Sachant profiter de la surprenante concentration qui marquait l'industrie moderne, il a ouvert à la masse ses ateliers, sans contrainte, la transformation des structures économiques entraînant la poussée irrésistible vers les centres, dont il va profiter.

Les tendances patronales, nées des lois du 2 mars 1791 et du 14 juin de la même année, de la loi du 22 germinal an XI dont les principes se retrouvent dans les articles 414-416 du code pénal, sont vivantes sous la Restauration. Les coalitions temporaires d'ouvriers sont interdites, comme les associations permanentes. Ne sont autorisées que les sociétés de secours mutuels composées d'ouvriers d'états divers, dont Paris, en 1823, compte 132 groupant 11 143 membres, qui sont de véritables associations professionnelles. A Lyon, on en compte 35 en 1815 ; une trentaine de plus entre 1815 et 1830. Le code pénal est le fondement du droit ouvrier. Il est tourné contre les associations et les coalitions, mais aussi contre les ouvriers qui livrent des secrets de fabrication ou qui s'efforcent de se faire embaucher à l'étranger [113].

Le haut patronat ne provoque l'intervention du gouvernement que dans la mesure où il s'agit de protéger ses entreprises. Il la neutralise quand elle s'applique à l'ouvrier.

Fabricants et commerçants s'entendent le plus souvent pour
exiger du gouvernement l'application stricte de la législation pénale de la classe ouvrière. Ils peuvent intervenir par
l'intermédiaire de leurs députés ; les ouvriers, non.

La sévérité du patronat est d'autant plus grave que la
conjoncture se gonfle, pour l'ouvrier, des effectifs fournis par
les soldats licenciés par la chute de l'Empire. L'afflux des
travailleurs fait baisser les salaires et réduit le travail. Comme
le notent les rapports de police, « toute sa politique est dans
la sécurité ou l'inquiétude qu'elle conçoit pour sa subsistance ». Mais le jour viendra où, pour satisfaire ses besoins
matériels, la masse ouvrière ne verra d'autre ressource que
dans la violence et le mouvement révolutionnaire.

Il y a l'endroit de la médaille qui explique ce qu'il y a de
raide, d'antipathique dans le comportement bourgeois.
Grand brasseur d'affaires, il a pu devenir ce qu'il est, grâce
à un État qui ne se soucie pas d'intervenir. Devant s'adapter
aux marchés, il a acquis une grande énergie commerciale. Il
a conservé pendant un demi-siècle cette envergure qu'il
avait su dégager lorsque, commençant à être un important
détenteur de capitaux, il avait senti naître en lui l'idée de
domination politique. Aussi a-t-il le sens du commandement,
celui des larges perspectives. Chez lui, la hardiesse l'emporte sur la crainte du risque. C'est un combatif, et, en
combattant, un lutteur. Il joue une partie qui est grave, car
elle engage l'économie du pays et sa propre fortune. Dans le
combat qu'il mène, il dispose de forces de choc, le prolétariat, qu'il n'hésite pas à engager à fond, au risque de le faire
écraser. Car il lui manque le sens de l'humain. Précisément
parce qu'il est dur aux inférieurs, égoïste, qu'il ne voit pas
l'utilité d'ouvrir l'éventail politique, parce que la fortune
est, seule, capable de les inspirer dans la conduite des affaires
de l'État, il a provoqué une réaction d'autant plus forte qu'il
influe sur le gouvernement, inspire son immobilisation. En
fin de compte, il soulève une opposition qui va mener la
monarchie à la ruine. Se refusant à élargir le droit de suffrage
pour ne pas avoir à partager le privilège, votant des lois de
classe, étroites et imprudentes, les bourgeois ont déclenché
un mouvement de réaction. Ils ont manqué de sens psycho-

logique, croyant voir dans leur domination le triomphe de la démocratie, alors que tout dénonçait leur incapacité à s'adapter et à saisir l'opportunité des concessions nécessaires à une démocratie, dont Tocqueville annonçait l'avènement inéluctable. Le grand bourgeois, qui a le sens des affaires, manque d'ampleur de vues. Il s'efforce d'étouffer ce qui ne contribue pas à sa puissance. Il ne voit pas loin. Il est borné par son égoïsme, son manque de sens historique, son immobilisme sans idéal. Sa dureté l'aveugle. Parce qu'il a vaincu l'aristocratie, il ne se rend pas compte qu'une force nouvelle prend conscience d'elle-même et se prépare à la lutte, le prolétariat.

Un double mouvement se produit : l'un s'intégrant dans les institutions monarchiques ; l'autre, plus diversifié, voulant une transformation profonde s'étalant jusqu'à la république. Il est vrai que l'extrême-gauche communiste va au-delà de la réforme électorale. « La réforme politique, dit Dézamy, dans son *Code de la communauté* (1842), ne peut pas être un moyen de réforme sociale, tant qu'on déclare inviolable et sacré le privilège du propriétaire. » « La démocratie doit être logicienne, disent les communistes au banquet de Rouen, le 14 juillet 1840 ; en restituant au prolétariat ses droits politiques, elle devra lui restituer aussi ses droits sociaux. » Noiret, dans le *Journal du peuple* du 30 août 1840, dit : « Il y a des partisans de la république plus ou moins démocratique ; les autres voudraient la démocratie pure... d'autres voudraient socialiser les intérêts ; d'autres... voudraient la communauté de ces intérêts. » Mais tous forment l'armée démocratique. Une pétition saisie chez Duclos, coaccusé de Darmès, — probablement de 1832, — dit que la France est divisée en deux classes : l'une, représentée par les électeurs, jouit de tous les avantages sociaux ; l'autre, composée « d'hommes industriels, artisans, laboureurs, hommes de lettres, avocats, médecins, etc. » n'est représentée par personne, paie les impôts, « ne prend l'air que par les trous des soupiraux et des lucarnes », paie le pain cher. Les éléments communistes, révolutionnaires, s'opposent aux réformistes bourgeois et au *National*. Ils s'appuient sur le *Journal du peuple*. Ils reprochent à l'oppo-

sition radicale de l'extrême-gauche de n'avoir aucune idée
sociale, de représenter une partie avancée de la classe
moyenne, mais non les prolétaires, et de ne vouloir qu'une
modification du système politique. Pour eux, la réforme
électorale n'est qu'un des moyens de la réforme sociale.

En 1847, les banquets ne réunissent que des bourgeois.
Pourtant, le côté social perce de plus en plus. C'est ainsi
que, à propos du banquet de Meaux où plastronne O. Barrot,
la Réforme dit : « Ceux d'où qu'ils viennent dont la parole
consacre ainsi le privilège, violent cyniquement la souveraineté véritable. » Ledru-Rollin réussit à prendre la
direction du mouvement, tandis que l'opposition dynastique se rallie plus étroitement au principe monarchique,
ramenant à elle industriels, propriétaires, commerçants
déjà privilégiés, mais aussi ceux que la révolution effraie.
Il définit le parti démocratique, le parti des misères humaines
et proclame l'alliance des prolétaires et des bourgeois. La
pression des radicaux est telle, que les conservateurs en sont
effrayés. Le conservateur Chaudey écrit, en 1847, dans
La crise politique : « Il me semble à craindre que l'impatience
publique devant la prolongation d'une politique de résistance à tous les progrès ne fasse bientôt de ce mouvement
de l'opinion un danger pour la constitution et pour l'ordre
social lui-même [114]. »

Toute généralisation serait sans portée. Il y a des bourgeois
généreux, qui se proposent de défendre les ouvriers contre
leur misère. Ils se groupent dans la Société philanthropique
de Paris [115] qui agit « comme un office central des sociétés
parisiennes de prévoyance », donne des soupes économiques, ouvre des maisons de travail, des écoles de charité,
encourage les associations qui ont pour but l'amélioration
du sort des malheureux, protège les sociétés de secours
mutuels contre la police. Patrons et ouvriers s'entendent
pour développer l'idée mutualiste. Ne voit-on pas à Troyes,
en 1814, un patron bonnetier former avec ses ouvriers une
société de prévoyance qui accueille, en 1827, les ouvriers
des autres maisons et devient la société de secours mutuels
et de prévoyance des bonnetiers de Troyes. C'est un exemple
de l'association entre patrons et ouvriers pour l'amélioration

de la classe laborieuse. On les retrouve dans les conseils de prud'hommes ([116]). Créés en 1806 pour régler les conflits entre patrons et ouvriers, les conseils des prud'hommes sont avant tout des tribunaux techniques. Ils ont un caractère libéral ; leurs membres sont élus. Marchands, fabricants, chefs d'atelier, contremaîtres, ouvriers ont droit de vote. Mais les conseils reflètent l'esprit du temps. Ils comptent cinq fabricants contre cinq chefs d'atelier patentés, c'est-à-dire de petits fabricants. Pas d'ouvriers. Trente-huit conseils sont créés de 1806 à 1814 ; vingt-quatre, de 1818 à 1824. A Paris, les choses traînent. Une enquête avait été menée dans ce but au sein du conseil général des manufactures. En vain. On craignait le retour aux corporations. En 1828, nouvelle enquête ; nouvelles craintes. Certains suggèrent de limiter l'application du système aux professions qui s'occupent de fabrication. N'est-il pas dangereux de faire participer à la nomination des conseillers, les chefs d'atelier, les contremaîtres, les ouvriers patentés ? Le choix devait revenir aux seuls manufacturiers et négociants-fabricants, qu'il s'agisse des patrons, ou des chefs d'atelier, des contremaîtres et des ouvriers. Une magistrature élective, avancent les uns, aurait un caractère démocratique. L'ajournement, pensent les autres, contribuerait à faire voter une loi plus large. La patente est exigée des prud'hommes. C'est poser un problème politique : intérêt fiscal, cens. Bref, Paris n'a pas de conseil avant 1844. Encore est-il limité à l'industrie des métaux et aux industries qui s'y rattachent. Il faut attendre 1847, pour voir créer trois autres sections : tissus, produits chimiques, industries diverses. Les conseils ont une politique de concorde qui n'est pas facile à maintenir dans une période de malaise social et de bien minces mesures favorables à l'ouvrier. Pour les seules années 1835-36, leur influence morale leur permet d'examiner 30 710 affaires, dont 29 781 aboutissent à une conciliation, soit 97 %.

Il n'y a pas d'opposition formelle, ni foncière, entre la fortune qui classait le citoyen dans la bourgeoisie censitaire et les opinions plus ou moins radicales. La monarchie parlementaire offre de nombreux exemples d'éligibles de tendances républicaines ou de gauche, partisans du suffrage universel et s'étant soumis au jeu parlementaire pour pouvoir faire retentir la tribune de l'éclat de leur opposition. Les noms se pressent sous la plume, de Benjamin Constant à Voyer d'Argenson et à Coulmann (¹¹⁷), de Garnier-Pagès à Ledru-Rollin. Ce dernier, riche de trente mille francs de rentes, avocat aux conseils du roi et à la cour de cassation, va lever l'étendard du radicalisme démocratique. Dès 1841, il revendique ostensiblement le suffrage universel et critique « les partis surannés ou bâtards » ; il réclame la réforme de l'impôt qui écrase les classes laborieuses, demande la suppression du remplacement au service militaire, le relèvement des salaires. Il pousse au-delà de l'opposition à la monarchie. Il est partisan de la république. Sa profession de foi est typique ; elle exprime cette vocation démocratique qui marque les partis de l'extrême-gauche : « Pour nos pères, dit Ledru-Rollin dans sa profession de foi aux électeurs de la Sarthe, le 23 juillet 1841, le peuple, c'était la nation tout entière, chaque homme jouissant d'une part égale de droits politiques... Aujourd'hui, le peuple, c'est un troupeau conduit par quelques privilégiés comme vous, comme moi, Messieurs, qu'on nomme électeurs, puis par quelques autres, plus privilégiés encore, qu'on salue du titre de député... Le peuple, c'est l'*Ecce homo* des temps modernes. » Il faut changer la situation par une réforme électorale radicale, par une presse libérée d'entraves. Pour le radicalisme politique, dont nous trouvons les éléments dans *De l'esclavage moderne* et dans *Le Pays et le gouvernement* de Lamennais, dans l'*Histoire de dix ans* de Louis Blanc et surtout dans le *Dictionnaire politique* de Pagnerre, *La vérité sur le parti démocratique* de T. Thoré et *Le livre des orateurs de Timon*, de Cormenin, trois points en constituent le fondement : la souveraineté du peuple ne peut s'épanouir que dans la république ; la réforme parlementaire et le suffrage universel peuvent seuls assurer un régime démocratique, grâce auquel pourront se réaliser les réformes sociales. Issu de la pure pensée jacobine, le parti démocratique, lassé des échecs des mouvements violents de 1831, 1834 et 1839, se tourne vers les moyens légaux qui

semblent lui réserver une victoire plus sûre. Il s'y ajoute
l'exemple offert par les États-Unis, dont Tocqueville vient
de porter témoignage de la force et de la puissance.

Au lendemain de l'assassinat du duc de Berry (1820),
l'opposition radicale s'organise en sociétés secrètes. Maçonnerie et charbonnerie mêlent leurs efforts. L'armée y
adhère. Des complots militaires s'organisent, au nom de
la liberté pour échouer dans le sang. Quel but poursuivent
les conjurés ? La république ? Une monarchie modérée ?
L'empire ? L'unité manque. Pourtant, c'est là que le mouvement démocratique, de caractère avant tout politique,
a sa source. Pouvait-on penser social, alors que la libération
politique restait lettre morte ? Seule, la révolution de 1830
pouvait ouvrir la voie. L'a-t-elle fait ?

Le parti démocratique a besoin de l'ouvrier pour étayer
sa campagne pour l'égalité et la démocratie. Or, l'ouvrier a,
avant tout, des revendications sociales. Pour mener à bien
l'opposition anti-dynastique, il doit se faire son porte-
parole. Cette propagande pénètre une partie de la bourgeoisie. Celle-ci prend la tête du mouvement social. Elle se
fait le cerveau qui dirige. Arago présente l'extension du
suffrage comme la condition même des améliorations
sociales. Il est vrai qu'il n'était pas possible de laisser le
mouvement prolétarien tenter de se dégager entre une
paysannerie sans direction et une classe dirigeante forte.
Les ouvriers, pour la plupart, étaient analphabètes et se
refusaient à l'appel politique. De leur côté, les radicaux
souhaitaient échapper à celui que les socialistes leur adres-
saient. Ainsi se dégage un type de bourgeois, partisan d'une
démocratie populaire et sociale. Dans cette évolution très
marquée vers la gauche, des écrivains, comme Eugène Sue,
jouent un rôle éminent. Les idées subversives pénètrent
partout et les classes moyennes contribuent largement à
leur diffusion, comme le marxisme pénètre de nos jours
dans les classes bourgeoises sans qu'elles s'en aperçoivent.
Dans ses *Souvenirs*, Barante écrit : « Nos nouveaux révolutionnaires sont gens qui font de la rhétorique à propos de
l'ancienne révolution. Ils veulent se faire Barnave, Ver-
gniaud, ou même Danton, comme Talma jouait Oreste ou

Hamlet. » La révolution de 1789 hante les esprits, moins peut-être dans sa structure juridique que dans sa forme violente. En 1840, au moment où les Français étaient échauffés par la politique intérieure du gouvernement et les humiliations subies en Europe, Tocqueville écrivait à son ami anglais Reeve : « Je vous prédis que ce gouvernement ne tardera pas à être renversé et qu'à sa place vous verrez une administration révolutionnaire demandant et obtenant du pays un effort désespéré... Jamais, depuis 1830, ce danger, suivant moi, n'a été plus grand... Jamais le parti révolutionnaire n'eût renversé la branche aînée, si celle-ci n'eût fini par armer contre elle le parti libéral. Ce même danger reparaît aujourd'hui sous une autre forme. Le radicalisme s'appuie momentanément sur l'orgueil national blessé [118]. »

Peut-on teinter de christianisme la pensée démocratique des classes moyennes ? Il est évident que l'attitude de l'Église, pour sa grande majorité, ne s'y prête pas. D'abord, on chercherait en vain une politique vraiment sociale dans le haut clergé, quelle que soit l'origine des membres de l'épiscopat. L'enquête du R. P. Droulers le confirme, comme nous l'avions constaté sous l'angle du diocèse de Strasbourg. La poursuite de la liberté d'enseignement a des conséquences importantes. Non seulement elle a profondément troublé la vie politique de la monarchie de juillet, attisée par les légitimistes ; mais elle a favorisé l'anticléricalisme des classes moyennes. Le bourgeois du Nord en porte témoignage, comme le présentait le préfet de l'époque Pierre Legrand [119] : sceptique, nourri de la philosophie des lumières, l'attitude frondeuse, voltairien, peu sympathique aux congrégations et hostile à la vie chrétienne, tout au moins très indépendant à son endroit, rationaliste, passionné pour les romans d'Eugène Sue. Il y a chez ce bourgeois ce que nous retrouvons chez Thiers sous le Second empire en matière religieuse : le départ entre le peuple et le bourgeois. Mais ce bourgeois n'est pas un. Pourtant il est rallié aux valeurs spirituelles, même s'il est maçon. Il n'en est pas moins, en général, dégagé de tout mysticisme, comme il reste cupide et attaché à la richesse matérielle.

Le plus grave, c'est que, du fait de sa richesse, la classe bourgeoise supérieure est devenue une classe à part parmi les classes bourgeoises. Par le cens, elle a conquis le pouvoir politique. Elle représente la volonté générale par la place qu'elle occupe au Parlement et dans l'État et par sa propre volonté. Ces deux volontés se confondent. De ce fait, le bourgeois représente la nation. Il écarte les intellectuels dont il se méfie, remettant en mémoire l'attitude d'un homme qui n'est pas suspect au point de vue bourgeois et qui repoussait l'intellectuel. Beaucoup plus tard, pour Georges Sorel, « la véritable vocation des intellectuels est l'exploitation de la politique ; ils veulent persuader aux ouvriers que leur intérêt est de les porter au pouvoir et d'accepter la hiérarchie des capacités, qui met les travailleurs sous la direction des hommes politiques [120]. » En tout cas, la bourgeoisie s'est refusée à modifier ce qu'elle avait une fois établi. Le mot de Guizot qui lui a été si vivement reproché, traduit très exactement la pensée du grand bourgeois qui estimait que les moins favorisés n'avaient qu'à faire comme lui, s'enrichir. Les 200 000 électeurs de la monarchie de juillet, en dehors des capacités, se recrutent dans la grande bourgeoisie et les propriétaires fonciers. Ainsi se justifie la formule de Tocqueville : « Les avenues du pouvoir étaient occupées par des manufacturiers ou par des hommes engagés dans les intérêts industriels. »

II. LE BOURGEOIS ET L'ÉDUCATION

C'est ce qui explique l'attitude du gouvernement bourgeois, en particulier celle de Guizot qui a tant fait pour l'enseignement primaire, en face du futur instituteur. L'enseignement primaire avait été reconnu de première nécessité à tous les points de vue. L'instruction populaire s'imposait : c'était une question de justice. L'intérêt général l'exigeait : la liberté ne pouvait être assurée que dans une nation éclairée. Garante de l'ordre et de la stabilité sociale, l'instruction donnerait à la monarchie constitutionnelle la durée. Aussi, l'enfant pauvre devait pouvoir recevoir un enseignement gratuit. Mais l'instituteur est tenu de très

près. La loi scolaire de 1833 prévoyait la création d'écoles
normales pour la formation des futurs maîtres. Mais attention! En face des classes dirigeantes, l'instituteur représente
le peuple. Il ne s'agit pas de le sortir de sa condition originelle, de l'élever au niveau de ses concitoyens nantis d'importants revenus. Le jeune instituteur doit se résigner à une
fonction modeste, rester peuple. Il ne doit pas perdre de vue
ses habitudes de classe sociale. Il doit savoir se contenter
de l'humble traitement et de la vie modeste auxquels la
nature de sa profession le condamne invinciblement. « Les
écoles normales, où il se forme, ne doivent pas avoir le
régime des lycées et des collèges avec uniformes, domestiques et nourriture soignée. Le normalien doit se livrer
aux soins matériels et ne pas perdre ses habitudes de fruga-
lité, de simplicité, de travail personnel. » Il est évident que
cette attitude ne contribue pas à accroître la considération
due à l'instituteur. Tenu en laisse par le maire et le
curé, méprisé par les familles, précisément parce qu'il en
est réduit à un modeste traitement sur lequel le conseil
municipal lésine, subissant les rebuffades des uns et des
autres, le maître vit dans une situation inférieure qui rend
sa position intenable. Elle s'améliora le jour où, échappant
en partie au contrôle des comités locaux, composés de personnes pour la plupart ignorantes dans les campagnes, des
inspecteurs spéciaux de l'enseignement primaire seront
créés qui deviendront, en 1835, les inspecteurs d'académie.
Nommés par le ministre, assistés, dès 1837, de sous-inspec-
teurs, les futurs inspecteurs primaires, également fonctionnaires, ils vont peu à peu éliminer les comités et donner
à l'instituteur la place qui lui revenait dans la cité.

Le problème de la liberté d'enseignement pose celui de
la démocratie. Pourtant les journaux de la période 1815-1848
ne présente pas la question sous cet angle. L'opinion contemporaine y voit le triomphe de la liberté et l'exécution des
principes de la charte. Pour elle, il s'agit de la liberté des
individus à enseigner et de leur droit d'apprendre. Ses partisans se proposent de défendre les droits de la famille contre
les empiétements de l'État et de soutenir l'intégralité de la
puissance paternelle. Mais cette liberté a son côté politique

et social, celui qui permettrait d'ouvrir la voie de l'instruction aux masses et d'établir une concurrence fructueuse. La question ne concerne pas seulement l'enseignement congréganiste. Il faut multiplier les écoles pour instruire le plus grand nombre d'enfants, diminuer l'analphabétisme, former des caractères et des citoyens. La démocratie parlementaire, dont les bases s'établissent, a besoin d'esprits ayant reçu les linéaments d'une éducation littéraire, scientifique et civique. Or, elle est fondée sur les libertés. Y en a-t-il une plus précieuse que celle de l'enseignement ?

Dès 1815, les efforts se concentrent sur cette activité. La conception qu'on s'en fait dépend de l'époque. L'école s'adapte aux transformations de la société ; elle les suit. Elle subit les conséquences de la pression partisane et politique, comme ceux qu'elle forme élèvent la résistance contre cette même pression. Il était nécessaire d'instruire le petit peuple. Dans l'*Essai sur l'histoire et sur l'état actuel de l'instruction publique en France*, Guizot n'écrit-il pas — on est en 1816 — : « l'ignorance rend le peuple turbulent et féroce ; elle en fait un instrument à la disposition des factieux. » Pour faire l'apprentissage de la vie politique libérale, il était bon d'instruire l'enfant de ses devoirs. Il y allait de l'intérêt politique et social. Mais où trouver le personnel d'enseignants qui formerait les citoyens de la démocratie de demain ?

L'école mutuelle, qui vient d'Angleterre, a séduit de grands bourgeois et même des ecclésiastiques qui l'ont vu pratiquer. L'instructeur, le moniteur, qui est le meilleur élève de la classe, devient « un missionnaire » dans sa famille même. *La Société d'encouragement pour l'instruction élémentaire* l'adopte et en assure le succès. Le gouvernement s'y intéresse. L'Église s'en inquiète d'autant plus que nombre de maîtres sont protestants et que les instituteurs sont déchargés de l'enseignement religieux qui est confié à des prêtres. Malgré les assurances données, l'Église persiste dans sa lutte. Car l'esprit reste laïque. C'est que la *Société* groupe les défenseurs les plus déterminés de la France nouvelle, des partisans d'une société laïque, des réformateurs sociaux, des protestants soutenus par les églises

protestantes, les consistoires israélites, les loges. Le danger
apparaît grave aux yeux des catholiques traditionalistes.
Avec les écoles mutuelles, douze écoles modèles pour
l'enseignement mutuel et la formation des futurs maîtres
sont décidées par la Commission de l'Instruction publique
(22 juillet 1817). Il se crée à Paris une École normale militaire d'enseignement mutuel (1818). En 1819, sur les 81
départements, cinq sont dépourvus d'écoles mutuelles. Les
76 autres en comptent 687. La lutte se déplace jusqu'à la
Chambre, où libéraux et ultras se livrent à un combat très
vif.

L'enseignement mutuel est devenu l'enseignement de la
France nouvelle, du libéralisme. Instrument d'une politique, il en épouse les fluctuations. En déclin, de 1820 à 1828,
il reprend vie en 1828, et grandit après 1830, pour une brève
étape. Après 1838, il décline. La méthode simultanée lui
est substituée. Mais il avait donné une vive impulsion à
l'enseignement primaire et mis en lumière l'influence considérable que les intellectuels protestants ont exercé sur ce
plan. Historiquement parlant, l'enseignement mutuel a une
double résonance : attirer l'attention de l'opinion publique
et, par le bruit de la lutte que se livrent libéraux et catholiques, contribuer à la formation des enfants, apportant ainsi
sa participation à l'œuvre de la démocratisation de la
France.

Les bourgeois libéraux sont pour un État laïque. Avant
1789, leurs ancêtres ont lutté pour l'obtenir. Ils sont partisans de la liberté d'enseignement, à condition qu'elle
n'ouvre pas la voie aux congrégations non autorisées,
notamment aux jésuites, qui ont été expulsés au XVIIIe siècle.
C'est la tradition de la démocratie laïque que va consolider
encore Jules Ferry, dans les années 80. On accepte les établissements établis par des séculiers, qui sont des citoyens
ne dépendant pas d'une autorité morale extérieure au pays.
Le libéralisme, expression idéologique de l'individualisme,
est favorable à la liberté d'enseignement au nom des droits
de l'individu.

Plusieurs sociétés défendent la liberté d'enseignement.
Paradoxalement, l'une d'elles, *la Société pour le dévelop-*

pement de l'instruction primaire est celle que combat l'Église pour sa diffusion de l'enseignement mutuel ; la *Société pour le perfectionnement des méthodes* en est l'émanation. S'y joint la *Société de la morale chrétienne* qui réunit des membres de la gauche. Ces trois associations proposent un prix à décerner au meilleur mémoire pour la liberté d'enseignement, à condition de ne pas négliger le côté politique et social. Dans son rapport sur les travaux fournis, Renouard, auteur de *Considérations sur les lacunes de l'enseignement secondaire en France* (1824) et lauréat de l'Académie Française (1828) pour une dissertation *L'éducation doit-elle être libre?* constate que le monopole n'a rien fait pour rendre les classes laborieuses moins ignorantes. « C'est sous le monopole, disait-il notamment, que tant d'intelligences languissent sans culture ; que tant de citoyens manquent à la patrie ; c'est sous son empire que l'enseignement secondaire, renfermé dans le cadre étroit des études classiques, reste inutile et inabordable à la majorité de la population. » Il y a là une des premières manifestations en faveur d'un enseignement sans humanités classiques, réclamé pour les futurs industriels, commerçants, agriculteurs, que réalisera, en 1833, l'école primaire supérieure, et, en 1867, l'enseignement spécial. Il apparaît bien que l'instruction doit être en harmonie avec les mœurs et les institutions, comme le proposait, en 1829, la *Société d'agriculture, commerce, sciences et arts du département de la Marne*. La pédagogie doit s'adapter aux structures sociales.

La révolution de juillet 1830 est anticléricale. L'article 69 de la charte révisée annonce que des lois séparées pourvoiront, dans les plus brefs délais, à l'instruction publique et à la liberté d'enseignement. Il est l'œuvre, non des catholiques, mais des libéraux, qui sont les vainqueurs de juillet. Catholiques et libéraux n'ont pas la même opinion sur le sens du texte. Il faut songer aux ordonnances de 1828 que les libéraux ont fait promulguer. En théorie, ils sont partisans de la liberté d'éducation, mais ils ne reconnaissent pas le droit d'enseigner aux membres des congrégations non autorisées. Dupin écrira : « Les rédacteurs de l'article 69 n'y ont pas consigné la sourde pensée que ses termes serviraient de

passe-partout aux congrégations non autorisées. » Seulement
les catholiques chercheront à le prendre à leur compte. Ils
s'efforceront de retourner à leur profit une arme tournée
contre eux par les libéraux. Louis Veuillot dira : au nom du
contrat qui a été passé en 1830, entre la dynastie et la souveraineté nationale. Mais les républicains poussent à la liberté
d'enseignement dans un but laïque et démocratique. Il
appartient à l'État d'apprécier le bien fondé d'une institution scolaire, en l'inspectant et en la surveillant. Aussi bien
l'Association libre pour l'éducation du peuple, créée en 1831,
se proposait-elle de donner une éducation commune à tous
les enfants, basée sur les obligations d'une nation agricole,
industrielle et commerçante et les citoyens appelés à se gouverner : lecture, écriture, calcul, dessin linéaire, français,
architecture, comptabilité, géométrie élémentaire et des-
criptive avec applications à la mesure des longueurs, des
surfaces et des volumes, au tracé des courbes, à la taille
des pierres, aux levés, à la géographie, à la physique,
chimie, mécanique, législation commerciale et industrielle,
histoire des peuples.

Il s'agit de donner au peuple l'éducation démocratique
nécessaire. Les membres de l'*Association* sont d'esprit
maçonnique ; ils font partie de l'*Association pour la liberté
de la presse*, des *Droits de l'homme*. Beaucoup de leurs cours
ne sont pas autorisés. Quand ils sont poursuivis, ils invoquent
la charte. Sans doute s'est-on montré plus tolérant à leur
égard qu'envers l'école libre de Lacordaire ; ils avaient un
but laïque. C'est dans le même sens que tel instituteur de la
Nièvre, dans une pétition, demande la liberté d'enseignement et des instituteurs libérés de la tutelle du clergé. Telle
est la liberté que réclament les démocrates. « Les maîtres
doivent s'occuper seulement du soin d'émanciper l'intelligence du peuple et par leur conduite, lui donner un cours
permanent de morale. Les écoles nationales doivent remplacer les écoles chrétiennes. » C'est bien dans un sens laïque que
se tourne l'ordonnance du 16 octobre 1830 : elle donne la
présidence des comités d'enseignement au maire, au lieu du
curé. Cette mesure ne satisfaisait pas certains libéraux qui
ne voulaient pas même voir le curé participer aux délibé-

rations. Ils ne voulaient pas davantage de l'obligation pour le maître de produire un certificat d'instruction religieuse. L'ordonnance du 12 mars 1831 en dispense l'instituteur, ainsi que du certificat de moralité délivré par le curé ; elle le remplace par un certificat de bonne vie et mœurs délivré par le maire. Enfin l'ordonnance du 18 avril 1831 impose à tous l'obligation d'examens pour obtenir le brevet de capacité.

En face de l'attitude très nette des bourgeois libéraux et des démocrates, le professeur Villemain se montre plus nuancé. « La liberté d'enseignement n'est pas, comme d'autres libertés publiques, un ressort nécessaire au mouvement de l'État. Elle a pu être admise en principe par la charte ; mais elle ne lui est pas essentielle ; et le caractère même de la liberté politique s'est souvent marqué par l'influence exclusive et absolue de l'État sur l'éducation de la jeunesse. » Il justifie qu'on n'y parvienne que par quelques gradations. Son projet s'appesantit sur les petits séminaires qu'il assujettit au droit commun et prive d'une direction uniquement épiscopale. Quelle que soit l'attitude des partisans de la liberté, elle est en général limitée par la surveillance de l'État. En fait, ceux qui attaquent le monopole et l'université le font au nom d'un principe, toujours le même : l'Université est irréligieuse, immorale ; elle est un foyer de licence et de révolte, car elle échappe à la tutelle de l'Église. Liberté d'enseignement veut dire : contrôle de l'Église, assujettissement du pouvoir temporel au pouvoir spirituel.

A dire vrai, la question est plus large encore. *Le journal des débats,* dans ses numéros des 2 et 22 avril 1841, le disait clairement, quand il affirmait que l'épiscopat voulait être reconnu comme un pouvoir indépendant, « un État dans l'État ». Vouloir que les petits séminaires soient des établissements privilégiés et de droit commun, avec les avantages de la liberté, c'était les mettre au-dessus de toutes les maisons d'éducation et leur permettre d'absorber l'enseignement laïque en entier. Faire une Université ecclésiastique, c'est aller à l'encontre de l'œuvre poursuivie par les philosophes des lumières, anéantir la révolution, substituer, en un mot, à la démocratie qui s'institue, une théocratie. Certains vont plus loin. Ce ne sont pas les moindres parmi les catholiques ; ils estiment que les futurs prêtres doivent être élevés dans les écoles de droit commun. Il est vrai que, repoussant écoles laïques et écoles ecclésiastiques, ils envisageaient des écoles universitaires catholiques, sous le contrôle des fonctionnaires de l'Université.

Les journaux, dirigés par des catholiques ou des ecclésiastiques, invoquent la liberté d'enseignement comme un droit naturel. Ils se placent sous l'angle de la liberté du père de famille. Les journaux libéraux dépassent cette borne pour aller jusqu'au bout : réaliser les institutions que le pays s'est données en 1830 et acquérir une des libertés qui, comme la liberté de penser, est une des composantes de la démocratie. Quinet, dans *Cinquante ans d'amitié*, écrira à ce propos : « Le clergé dans cette lutte représente la croyance ; l'université, la science... Cette liberté qui, d'abord a été le principe de la science, est devenue le principe de la société civile et politique ; l'enseignement qui mentirait à la loi serait celui qui, au nom d'une église quelconque, voudrait condamner, anathématiser, proscrire moralement toutes les autres. Voilà l'enseignement qui se mettrait en contradiction non pas seulement avec l'esprit de ce siècle, mais avec la foi fondamentale de la France. » Génin, dans *Ou l'Église ou l'État*, voyait dans la question d'enseignement une question politique et sociale et il citait l'exemple de l'évêque de Liège qui revendiquait le monopole de l'enseignement moral, prouvant ainsi, disait-il, que le clergé cherchait au fond le moyen de dominer la société. Thiers dira dans son rapport sur le projet de Villemain : « La jeunesse n'est pas un objet de commerce livré aux spéculations des enseignants. Elle est un objet sacré, livré seulement aux hommes dont la prévoyance du législateur a fixé d'avance la qualité et les titres... Il faut figurer l'État non pas comme un despote qui commande au nom de son intérêt égoïste, mais la société elle-même commandant dans l'intérêt de tous. » Et le 2 mars 1845 : « Il y a le droit de l'Église sur lequel nous ne pouvons empiéter ; mais il y a aussi le droit de l'État sur lequel nous ne devons pas souffrir qu'on empiète... De quelque façon qu'on entende le droit de l'État sur les associations religieuses, politiques ou autres, que les uns s'imaginent, comme en Angleterre, que l'on ne peut agir sur les associations que par la voie répressive, que les autres s'imaginent comme en France, que l'on doit agir par la voie préventive, le droit de l'État est incontestable ; l'État ne peut pas souffrir qu'il y ait un État dans l'État, qu'il y ait des congrégations dont il n'aurait pas la surveillance, sur lesquelles il n'aurait pas la faculté d'autorisation ou de dissolution. »

Le bourgeois a pour lui la loi qui est faite pour lui et qui fixe son état social sous l'angle purement bourgeois. Dans un régime où, seul, l'argent compte, la puissance maritale est considérable. Il s'agit de maintenir le cadre fermé de sa classe. Car les enfants de bourgeois se marient entre eux. Avant même la grande période de l'industrie moderne, les unions se pratiquaient dans les mêmes milieux. La future bourgeoisie industrielle hermétique se constituait déjà. L'ordre bourgeois en gestation était formé de familles puissantes, véritables dynasties s'appuyant sur une double solidarité économique et familiale. Il ne s'agit pas, pour reprendre une formule typique de J. Lambert, dans son *Essai sur les origines et l'évolution d'une bourgeoisie* ([121]), de faire « une erreur matrimoniale ». Toute mésalliance risquerait d'arrêter l'ascension de cette classe même en passe d'atteindre les sommets de la hiérarchie sociale. L'alliance constitue une communauté d'intérêts, sans qu'il y ait transfert de patrimoine d'une famille à l'autre. Il s'opère, après la mort des parents, sur la tête des enfants. Il faut éviter la confusion des enfants. Question sociale, bien plus que morale. La situation de la femme dans une famille où l'amour joue un rôle secondaire en face des grands intérêts en présence, est médiocre. Elle va s'améliorer non pas dans les lois, mais dans les mœurs et dans la doctrine. L'influence du saint-simonisme et du positivisme y contribue. La femme doit avoir un rôle modérateur et un pouvoir spirituel dans la société. Son individualité s'affirme de plus en plus. L'autorité maritale recule sous les coups des transformations économiques, du développement de la grande industrie, qui réduisent les heures de vie commune. Par bonheur, en ce

qui concerne les grandes familles, leur vie se traduit par de
grandes réunions ou synodes qui ont lieu les dimanches et
les jours de fête. Vie familiale terne et sans fantaisie! Les
hommes ont de graves discussions ou se promènent dans la
campagne environnante ; les femmes font de la tapisserie.
Les mœurs sont simples, coupées de repas solides, que
dominent toujours les intérêts de l'entreprise.

La puissance paternelle est rigoureuse. C'est une « institution de droit public » [122]. Le code civil a ainsi confié aux
parents une autorité très forte : il n'a pas organisé de contrepoids. Le législateur semble n'avoir considéré le père que
comme un homme idéal, « auquel les enfants sont soumis
mais qui n'écoute, lui, que la voix de la nature, la plus douce
et la plus tendre de toutes les voix et dont la magistrature a
moins pour effet d'infliger une peine que de faire mériter
le pardon ». En tout cas, le père est le maître de régler
le genre de vie de l'enfant. Il a sur lui le droit de garde et de
correction. Mais ce qui est soutenable quand il s'agit du
bourgeois qui songe à faire faire des études à ses enfants
et à les mettre en stage dans ses propres ateliers, ne l'est
plus quand il s'agit des enfants de l'ouvrier. Dans ce cas,
l'enfant n'est pas protégé ; il est la victime de l'ordre social.
Les contrats de louage ou d'apprentissage qu'il signe pour
l'enfant ne retirent pas au père les droits de puissance paternelle. Les maîtres ne peuvent pas céder leurs droits.
C'est ici que la question devient grave. L'enfant est livré
par ses parents à une besogne meurtrière. Dans les ateliers
où il est envoyé, il devient un instrument de débauche.
Il vit au milieu du vice et de la corruption. Il est exploité
par ses parents, comme il l'est par son patron.

III. LE BOURGEOIS ET LES DOCTRINES
SOCIALES ET POLITIQUES [123]

Dans les milieux bourgeois, des doctrines d'émancipation des classes laborieuses s'élaborent : d'inspirations fort
diverses. Ici nous trouvons Saint-Simon. Pour lui, le pouvoir doit revenir à la classe industrielle. Les producteurs
constituent la classe la plus puissante. Les travailleurs

ont la capacité administrative et l'expérience des affaires.
Certes, l'industrie prend une part active aux combinaisons
sociales ; elle a de l'influence sur la place publique ; mais
elle diffère de l'industrie en Angleterre, en ce qu'elle n'a
pas le sentiment de la communauté d'intérêts. Mais, pour
Saint-Simon, la classe industrielle ne se borne pas aux chefs
d'entreprises. Le parti national qu'il forme est composé
de ceux qui exécutent des travaux utiles, de ceux qui les
dirigent ou ont fourni les capitaux, de ceux qui concourent
à leur production. Les savants en font partie. Mais il est
bien difficile d'adapter sa conception à la réalité. Car il
en écarte, pour former le parti antinational, les nobles, les
prêtres, les juges, les militaires. Ce sont les producteurs
seuls, les « abeilles », qui comptent. Il est évident que Saint-
Simon a cru en la fortune. Les intérêts variés qui se cachaient derrière « la classe industrielle » ne risquaient-ils
pas d'entraîner des heurts violents ? L'intérêt général l'em-
porterait-il sur l'égoïsme ?

Avec Villeneuve-Bargemont, la doctrine est chrétienne.
Après avoir vitupéré l'aristocratie de l'argent et de l'industrie, plus despotique, plus oppressive que la féodalité médié-
vale, il estime que « tout fait prévoir que l'aristocratie manufacturière anglaise sera violemment renversée dans un avenir
qui ne saurait être éloigné » et que le tour de la féodalité
industrielle française suivra de près. Une grande révolution
politique et sociale est inévitable ; il n'est pas possible de
maintenir longtemps un « paupérisme hideux » et « l'exubé-
rance d'une population sans débouché ». Seul, un christianisme social, dynamique, serait capable d'humaniser la vie
économique et de développer l'esprit d'association appliqué
à la charité. Lui faisant écho, de Morogues condamnait
le capitalisme aux dépens de l'ouvrier. Il s'agissait de développer les colonies agricoles où chaque ouvrier jouirait d'une
petite maison et d'un jardin et trouverait à proximité du
travail, soit agricole, soit industriel.

Dans le grand mouvement de pensée sociale, une autre
tendance s'en tient à la constatation. C'est dans ce contexte
qu'en 1840, le Dr Villermé a établi le *Tableau de l'état
physique et moral des ouvriers employés dans les manufactures*

de coton, de laine et de soie. Certes il entend démontrer,
quoi qu'il arrive, les réalités du progrès. Il a vu des horreurs ; il les a notées. Il n'a pas reculé devant les précisions.
Il a constaté la longueur de la journée du travail, l'exploitation des enfants et des femmes, la dissolution des mœurs
provoquée par la promiscuité des taudis et des fabriques,
la prostitution de beaucoup de jeunes filles, faisant « leur
cinquième quart de journée », la mauvaise santé physiolo-
gique de l'ouvrier. Il a signalé la différence entre la mortalité
infantile chez les industriels et chez les ouvriers : si la moitié
des enfants des fabricants, des négociants, des directeurs
d'usines atteint la vingt-neuvième année, la même proportion d'enfants de tisserands ou de filateurs meurt avant la
fin de la deuxième. Il pose le problème de l'industrialisme ;
il en voit la gravité sans chercher à le résoudre. Il repousse
même l'interdiction de l'emploi des enfants au-dessous de
quatorze ans, car les familles ouvrières ont besoin du gain
des enfants. Ainsi il souscrit à la déplorable exploitation
de l'enfant dans les ateliers. Il n'admet pas davantage
l'obligation scolaire, qui entraînerait « la suppression forcée
des manufactures ». Pourtant le vote de la loi du 22 mars
1841 sur le travail des enfants découle de ses conclusions
sur la nécessité d'une réglementation du travail dans les manufactures. Le législateur avait accepté de brider la liberté
chère au bourgeois, en apportant des obstacles à l'application de la loi nouvelle. Pourtant elle fixait à huit ans l'âge
requis pour le travail dans les usines et ateliers à moteur
mécanique et dans les fabriques occupant plus de vingt
ouvriers en atelier. La durée du travail variait avec l'âge.
Le travail de nuit était interdit. Les enfants de moins de
douze ans devaient produire un certificat d'assiduité dans
une école. C'était la première loi de protection ouvrière.
Villermé avait révélé les méfaits d'un libéralisme sans
limites et condamné par le procès-verbal qu'il en dressait,
un système qui, au nom de la liberté, dégénérait en oppression [124].

Avant l'éclosion des théories de la lutte des classes, Buret,
en 1839, s'est efforcé d'apporter des solutions et des remèdes
à la situation de l'ouvrier [125]. Il a dénoncé, comme capital,

le caractère étranger à l'un et à l'autre de l'industriel et de l'ouvrier. Cette situation est d'autant plus grave qu'elle contribue à saper les progrès enregistrés dans l'ordre politique. Le travail est devenu une corvée de manœuvres. Le prolétariat connaît un nouveau servage. Le régime censitaire fait la loi, insoucieuse aux intérêts du plus grand nombre. Il s'agit bien des intérêts des classes privilégiées, quand on parle de l'intérêt de la communauté. L'état social et industriel est contraire aux lois régulières de la population du fait de ses abus. Le droit de la communauté doit primer le droit individuel et le droit successoral. Dans l'héritage, elle doit avoir sa part, pour accroître l'aisance de nombreuses familles. C'est par l'association, la coopération, le rapprochement du capital et du travail que l'on guérirait le mal social et établirait l'égalité politique entre tous les citoyens. La démocratie doit pénétrer dans tous les rouages de la société. L'aristocratie d'argent doit être remplacée par un régime qui ferait de chaque homme un être utile.

Dans le mouvement pour la démocratisation du pays, l'idée de propriété privée se maintenait. Le parti radical, tout en se targuant du grand mouvement révolutionnaire de 1793 auquel il se disait appartenir, en retenait le droit. La constitution de 1793 dans son article 16 ne disait-elle pas : « Le droit de propriété est celui qui appartient à tout citoyen de jouir et de disposer à son gré de ses biens, de ses revenus, du fruit de son travail et de son industrie ? » La révolution avait créé une propriété plus absolue et plus complète que celle de l'ancien régime au profit de la bourgeoisie triomphatrice en 1789. Mais le parti radical, sur sa gauche, subissait l'influence des socialistes, faisant reculer la propriété privée.

Il restait au grand bourgeois une seule prise de position, celle de la charité. Dans le *Traité de la vie élégante*, paru en 1830, Balzac écrit : « N'avons-nous pas en échange d'une féodalité risible et déchue, la triple aristocratie de l'argent, du pouvoir et du talent, qui, toute légitime qu'elle est, n'en jette pas moins sur la masse un poids immense, en lui imposant le patriciat de la banque, le ministérialisme et la balistique des journaux et de la tribune, marchepied des gens de talent ? Ainsi, tout en consacrant par son retour à la monarchie constitutionnelle une mensongère égalité politique, la France n'a jamais fait que généraliser le mal ; car nous sommes une démocratie de riches. » De fait, amoureux de l'ordre, mesuré, conduit par la raison, ayant l'esprit tendu vers les valeurs concrètes, calculateur, antiétatiste, partisan de la concurrence économique, le bourgeois admet la misère sur le plan social. Car la vie est une lutte. Il faut être du bon côté, ce qui implique l'intelligence, la valeur de l'individu, l'habileté et la souplesse. Il s'en dégage un individualisme hargneux, revêche, sans attrait, dans lequel la charité apparaît comme un loisir et le paternalisme comme une forme de contrôle et d'autorité, d'où la fraternité est exclue et où domine toujours l'intérêt. Le bourgeois est hostile à l'association patron-ouvrier. Seul, un chef peut diriger une grande entreprise. On peut admettre que l'ouvrier soit secouru ; il ne saurait s'agir de le traiter sur un pied d'égalité. Traite-t-il mieux le bourgeois moyen ou petit ? Et même, dans le cadre de la grande bourgeoisie, le négociant est-il sur le même pied que le fabricant ou l'industriel ?

Les laissés pour compte disposent des bureaux de bienfaisance, chargés de distribuer des secours à domicile. Le gouvernement de juillet, par une circulaire du 24 février 1840, avait organisé une grande enquête sur les causes de la mendicité, les établissements de refuge ou de travail organisés pour les mendiants, les ateliers de charité, les dépôts de mendicité. Pour dresser la statistique des pauvres et des mendiants, des commissions furent instituées à l'échelon communal, départemental et national. En dehors des personnalités officielles, comme le maire, le curé, l'évêque ou le préfet, il y a des notables. Il en est de même pour les monts de piété qui se sont multipliés depuis la Restauration et qui comptent dans leur commission administrative des notables spécialisés dans la banque. L'idée dominante est d'obliger le pauvre ou le mendiant à travailler. Mais, d'un autre côté, il s'agissait d'empêcher la concurrence des ateliers de charité au travail libre et à la fabrique, pour ne pas aggraver la crise économique.

IV. LA POUSSÉE CHARTISTE DANS L'ANGLETERRE INDUSTRIELLE ([126])

En 1834, la *Grande Union nationale consolidée des métiers*, fondée sous l'influence de Robert Owen, est une riposte à la réforme de 1832 qui a écarté du droit de vote les cinq sixièmes des travailleurs. Les attaques contre la capitalisme venaient de tous côtés. Elles remontaient à Thomas Spence, partisan de la nationalisation de la terre, et à Charles Hall, partisan de la petite propriété. Elles s'appuyaient sur les économistes politiques, comme Ricardo, sur les théories de Th. Hodgskin, fondées sur la coopération. La *Grande Union* rassemble un demi-million de membres, dont beaucoup de femmes. Des missionnaires soutiennent sa propagande. Les industriels mettent les ouvriers en demeure de retirer leur affiliation, sous menace de renvoi. Des grèves éclatent auxquelles les ouvriers agricoles se rallient. Le 21 octobre, un grand meeting réunit 30 000 travailleurs à Londres. Les patrons qui ont fermé leurs usines réussissent à briser les unions. La *Grande union* disparaît.

Fait curieux, — pourrait-on dire : paradoxal, — la place prise par les aristocrates dans les mouvements politiques et sociaux. Les banquiers radicaux voulaient rester en contact avec la politique des pauvres, mais comme des chefs, tout au moins comme les interprètes du peuple devant le Parlement et l'opinion. En fait, à bien des égards, les tories étaient plus près du peuple qu'ils ne l'étaient par tempérament, par leur aversion des changements, leur suspicion à l'égard du progrès. Ils ne réussirent pas davantage, précisément parce qu'ils voulaient diriger le mouvement. Les travailleurs se méfiaient d'eux.

Le mouvement radical est traversé par le mouvement de la *Jeune Angleterre*, composé de jeunes gens qui voulaient s'opposer à des changements dans la structure sociale. Appartenant à l'aristocratie, ils pensaient que l'Angleterre avait une chance d'éviter la révolution, si les classes supérieures et inférieures s'unissaient pour résister aux radicaux et aux industriels. Ainsi la classe supérieure serait à la tête d'une nouvelle féodalité à caractère paternaliste. Ils s'inspiraient d'une sorte de torysme romantique à la Southey et d'un ouvrage de Digby, sorte de résurrection du moyen âge chevaleresque. Ils critiquaient les libre-échangistes, accusant le régime des fabriques d'être aussi féodal que le système féodal d'autrefois.

Mais la direction des mouvements tomba souvent aux mains d'aventuriers, venant d'autres partis ou d'autres classes. La présence de ces individus, dont certains ralentissaient le mouvement par peur ou parlaient modération, par trahison à la cause, explique que la scission entre les travailleurs et les classes moyennes ne fut jamais complète. Aucun mouvement ne se cantonna aux travailleurs manuels. Il n'est pas de programme qui n'ait reçu le soutien des partis politiques des classes moyennes.

Après 1835, les préoccupations politiques l'emportent avec le programme du radicalisme de Bentham : Parlement annuel, suffrage universel, égalité des circonscriptions électorales, scrutin secret, indemnité parlementaire, suppression du cens. Ce programme constitue « la charte du peuple ». Pour certains, elle était une fin en soi et un but dans l'établissement d'une démocratie politique. Pour d'autres, la prise du pouvoir politique était la première étape dans l'établissement d'un nouvel ordre économique. Le paysan y voyait un symbole, un instrument pour la suppression de forts griefs locaux. Aussi le mouvement faiblissait avec les bonnes récoltes et le plein emploi ; il se gonflait dans les mauvaises périodes. A la dernière période, le mouvement de politique devenait agrarien de la plus grossière sorte.

Le résultat du démantèlement de la *Grande Union nationale* est double. Les métiers hautement qualifiés, centrés surtout à Londres, s'efforcent avant tout d'améliorer leurs propres conditions de travail. De leur côté, les chefs de la classe laborieuse doivent reconnaître qu'ils ne pouvaient pas obtenir de changements sociaux profonds tant que leurs défenseurs ne voteraient pas. Ainsi décident-ils de faire peser sur la classe moyenne et sur le Parlement réformé toute la force qui avait soutenu le bill de 1832 contre les classes supérieures. En 1836, Lovett et ses amis fondent la *Working men's association*. Ils se proposent de faire l'unité de la partie intelligente et influente des classes laborieuses de la ville et de la campagne et de chercher par tout moyen légal de mettre toutes les classes en possession de droits politiques et sociaux égaux. Recrutés dans la classe ouvrière, ils admettaient cependant comme membres honoraires des sympathisants d'autres classes, y compris les radicaux membres du Parlement. Francis Place, membre honoraire, dressa, avec Lovett, une liste de revendications en forme de bill parlementaire. Ce sont les six points de la charte du peuple.

Les plus prudents des membres de l'association estimaient que la charte n'avait aucune chance de succès. Pour les radicaux du Parlement, les Communes rejetteraient les six points. Autre chose : certains s'inquiétaient de l'usage que les classes laborieuses voulaient faire du pouvoir politique. L'idée d'une pétition nationale pour le soutien de la charte partit de l'*Union politique de Birmingham*, dirigée par un banquier, Th. Attwood. Il y avait de fortes chances pour que les soutiens du mouvement ne se tiennent pas dans les limites de la légalité. Le mouvement se combine avec la lutte menée par Fielden, un manufacturier, et un ministre wesleyen Stephens, contre la loi sur les pauvres. Ils s'adressent à des hommes affamés. Il s'agit bien de « la force morale » de Lovett. La charte devient un cri de guerre pour ceux qui souffrent du développement du machinisme, de la dépression économique et de la dureté de la loi sur les pauvres. Un autre membre honoraire, O'Brien, fils d'un marchand irlandais de vin et de tabac, était prêt à user de la haine de classe comme instrument politique ; il réclamait la nationalisation de la terre, l'extension du crédit à la classe ouvrière. Il s'associe avec O'Connor, dont on a pu écrire qu'il était la ruine du mouvement chartiste. Irlandais de tempérament traditionnellement révolutionnaire, il est membre honoraire de la *London Working men's association*, qu'il quitte pour fonder la *London democratic association*, mieux adaptée à ses violences de langage, et le *Northen Star*.

A la convention chartiste qui tient ses assises à Londres

en février 1839, l'éclatement du mouvement apparaît en pleine lumière. D'un côté, le parti de la « force morale » avec Lovett ; de l'autre, celui de la « force physique » avec O'Connor. Peu à peu, la force physique l'emporte. Les méthodes constitutionnelles sont ajournées. La convention lance une adresse qui prévoit diverses mesures : les grèves, les émeutes, une marche sur les banques, le boycottage des boutiquiers non chartistes, le refus de payer les taxes. Le 4 juillet 1839, des troubles éclatent à Birmingham. Le 12, le Parlement refuse de prendre la pétition en considération. Le 6 septembre, la convention se dissout. La rébellion éclate le 4 novembre, sous l'impulsion de John Frost, marchand de Newport et juge de paix. Elle tourne court.

Les partisans de la « force morale » se demandent s'il était prudent de refuser le soutien des classes moyennes. Lovett en est venu à cette conclusion que les associations de gens pauvres et sans éducation politique ne sont d'aucune utilité. Dans une brochure « *Chartism : a new organization of the people* », il fait appel aux personnes de toutes classes, de toutes croyances, de toutes opinions. Il songe à la formation intellectuelle des masses qui les rendrait capables de présenter leurs revendications aux classes dirigeantes avec une force morale irrésistible. Il s'adjoint un quaker, meunier de profession, Sturge, qui pense que les classes moyennes doivent soutenir le mouvement politique des classes ouvrières qui leur ont prêté assistance en 1832. Il pousse à la réconciliation entre les deux classes. Révolution ou conciliation ? Les faits tranchent l'hésitation. En avril-mai 1842, une seconde convention se réunit à Londres. En mai, en dépit du soutien des radicaux parlementaires, la seconde pétition nationale est rejetée. En août, des troubles se produisent. La force physique l'emporte une fois de plus. La grève échoue, comme échouent les tentatives de rapprochement avec les classes moyennes. En vain aux Communes, les radicaux déposent une motion condamnant le langage du président du tribunal spécial. Ils sont battus. La réaction est brutale. Les peines de prison se multiplient.

Sturge, qui avait lancé le nouveau mouvement (new move) pour l'alliance des deux classes, craint que la complète acceptation de la charte effraie la classe moyenne. Il veut donner au mouvement une nouvelle forme. Les chefs des travailleurs ripostent qu'il veut abandonner un nom lié aux luttes des travailleurs, par fantaisie et caprice, pour satisfaire les fins égoïstes des prêtres, des trafiquants politiques, des boutiquiers. Le mouvement échoue. C'en est fait de la force morale. O'Connor prend la tête d'un nouveau mouvement. Il avait constaté que de nombreux ouvriers regardaient vers la vie rurale de leurs parents. Le prolétariat anglais avait faim de terre. En 1845, est fondée la *Chartist cooperative land Society*, devenue, en 1846, la *National land C°*. Des domaines sont acquis. En 1847, O'Connor est élu : c'est le premier député chartiste. Une troisième fois, une convention chartiste se réunit, reprenant les principes de la charte. Une pétition est rédigée. C'est l'échec. La compagnie est en mauvaise posture. Les meneurs n'avaient pas la formation politique et technique suffisante. Ils s'inspiraient plus de la Bible que des changements contemporains.

Le refus des classes moyennes et supérieures de satisfaire aux demandes n'était pas entièrement égoïste. Certes, il y avait de l'égoïsme. Mais les travailleurs parlent d'exploitation capitaliste et bourgeoise. Il semble, aux yeux de certains historiens, que la mauvaise volonté des classes riches et des membres les mieux payés de la classe laborieuse pour admettre dans l'immédiat la demande chartiste en faveur de l'égalité sociale, est la reconnaissance de la complexité des problèmes sociaux et de la difficulté de changer les institutions.

V. CLASSES BOURGEOISES, MASSES LABORIEUSES ET LIBÉRALISME SOCIAL EN ALLEMAGNE

Dans les États allemands, l'industriel et le négociant exploitent, non par esprit de lucre, mais pour mieux lutter contre la concurrence internationale et une technique archaïque. Ils paient une partie des salaires en nature. L'augmentation de la production n'entraîne pas une amélioration de la condition du travailleur. A la campagne, le groupe des petits exploitants s'amenuise, tandis que le nombre des ouvriers agricoles ne cesse de croître. Trop endetté, le paysan devient fermier ou journalier. Le riche paysan se rapproche de la bourgeoisie urbaine. Ainsi se creusent des oppositions sociales, plus vives à la campagne qu'à la ville.

En principe, la bourgeoisie libérale ne s'intéresse pas spécialement au problème ouvrier. Il faut nuancer le jugement quand il s'agit de pays industrialisés comme la Rhénanie, la Westphalie ou la Silésie. Là il apparaît que l'État doit intervenir dans les questions sociales, en particulier en ce qui concerne les impôts de classe et ceux sur la mouture et l'abattage. C'est le cas du patriciat industriel rhénan, en 1845-47. La presse libérale dénonce l'État absolutiste, indifférent au paupérisme, et met l'accent sur la misère croissante des masses que la bourgeoisie impute à une bureaucratie indifférente. Mais il faut le dire, c'est l'aspect politique des réformes qui retient son attention. Elle voulait s'exprimer dans un cadre plus large que celui des diètes provinciales et avoir sa part dans l'œuvre de réformes législatives et institutionnelles. Ainsi les difficultés économiques et sociales de 1845 contribuent au mouvement de libéralisme.

Le nombre des ouvriers libres a considérablement augmenté ; ils sortent des campagnes ou de l'artisanat. Cependant le travail à domicile reste très important et le régime corporatif, toujours prépondérant. L'artisan se rattache à l'aristocratie du travail. Le tisserand croit appartenir au monde bourgeois comme le marchand qui l'exploite. La défense des petits métiers est toujours un des buts de l'artisanat. Les compagnons ne se résignent à rejoindre le prolétariat que par force. Ils sont hostiles à la machine. Si l'artisanat est dans une situation précaire, l'industrie n'est pas encore très concentrée. Les entreprises sont de dimensions modestes. Les exemples de concentration verticale sont assez rares. On ne voit pas encore de masses prolétarisées. L'idée de classes opposées ne s'impose pas.

Le mouvement révolutionnaire théorique part des milieux intellectuels, non des travailleurs. La France contribue à la formation des futurs chefs. Le tailleur Weitling qui vécut longtemps à Paris, a un communisme mystique, messianique, tourné vers l'Évangile et hostile au matérialisme. Feuerbach se dégage de la religion pour parvenir à une philosophie sociale qui combat l'égoïsme libéral. L'abolition de la propriété privée est, pour Hess, l'aboutissement de l'émancipation de l'humanité ([127]). Pourtant certains critiques de la bourgeoisie libérale, comme Weydemeyer, reconnaissent que sa politique donne des résultats progressifs, alors que Karl Marx et Engels rédigent le *Manifeste communiste* (1847), qui devance l'organisation de la classe ouvrière en prolétariat. L'éducation des travailleurs se fait dans les *Arbeiterbildungsvereine*, sociétés de formation ouvrière, œuvre de patrons, d'artisans ou de bourgeois démocrates. D'inspiration radicale, elles font reculer le communisme de Weitling, au profit de celui de K. Marx et d'Engels ([128]).

En 1848, le mécontentement est partout, sans qu'il soit possible d'imputer ses revendications à une classe particulière. Certes, la bourgeoisie est soutenue par les masses et elle y compte. Mais le mouvement sera plus politique, juridique, métaphysique que fondé sur la réalité sociale, plus tendu vers la liberté que vers l'égalité ; car les chefs du mouvement libéral sont des professeurs d'Université. Ils sont hostiles aux ploutocrates de France comme à l'aristocratie privilégiée. Ils ne s'occupent pas du peuple. Ils estiment qu'il ne porte aucun intérêt au problème politique qui, seul, les intéresse. Dahlmann ne voudra-t-il pas voir fermer l'école aux enfants des pauvres, pour maintenir le volume de la main-d'œuvre ? Aussi, le moins qu'on puisse dire, c'est que la bourgeoisie voyait mal le problème social.

VI. LES RÉACTIONS ITALIENNES

En Italie, les masses se jugeaient étrangères aux buts poursuivis, n'attribuant aucune valeur à une constitution censitaire qui ne concernait que la classe moyenne. Le mouvement entraînerait le succès d'une classe sur une autre, d'une aristocratie nouvelle sur une ancienne.

D'ailleurs, pour les masses, plus que le poids de l'occupant autrichien comptaient l'agent du fisc, le douanier, le sbire, l'espion ; plus que la privation de l'indépendance, la gabelle, la taxe foncière, le papier timbré. Obsédé par le point de vue social, Mazzini estimait que la révolution devait être réalisée par l'action conjointe des classes bourgeoises et des classes populaires, indispensable à la victoire révolutionnaire. La révolution ne pourrait parvenir à son terme, que si les forces populaires étaient dirigées par les intellectuels et la classe moyenne, l'initiative des grandes batailles révolutionnaires partant des classes cultivées, du haut vers le bas.

Le manque d'unité nationale et d'indépendance condamnaient les ouvriers à l'isolement municipal, à l'ignorance, à l'inertie. Aussi la révolution devait-elle être sociale. Politique, elle satisfaisait les propriétaires et les bourgeois. Mais les travailleurs, misérables, tourmentés par la précarité du travail et l'insuffisance des salaires, avaient besoin d'un ordre social. Il ne devait pas y avoir lutte des classes, mais entente entre l'intelligence et les masses, les travailleurs guidés par les classes moyennes. Car la rupture entre les deux classes ne pouvait qu'entraîner le communisme. Mazzini l'agitait sous les yeux des bourgeois, avec ses violences et ses colères, pour les encourager à soutenir son action ([129]).

Chapitre III

Le bourgeois et la démocratisation du crédit

Un dernier aspect de la bourgeoisie : dans ses rapports avec l'État qu'elle domine de toute sa puissance sur le marché national et en matière douanière, et dans la nouvelle conception du crédit de quelques financiers entreprenants inspirés par le radicalisme politique et par les doctrines sociales.

I. LE BOURGEOIS ET L'ÉTAT [130]

Le capitalisme pénètre partout. Il vient au secours de l'État, dont les moyens financiers sont inférieurs aux besoins. Un exemple typique est donné par la solution apportée au problème des canaux sous la Restauration. Le gouvernement de Louis XVIII avait estimé urgent de donner au pays « un système complet de communications par eau, soit en améliorant le cours des rivières navigables, soit en ouvrant des canaux destinés à les suppléer ou à les réunir ». Mais la situation était fort obérée par les conséquences de la défaite. La collaboration de l'État et des particuliers paraît la solution la meilleure. Devait-on faire appel à une seule compagnie ou à plusieurs ? Le projet mis en avant par le gouvernement est soutenu par le rapporteur : « Favorisons les compagnies locales qui ne demandent qu'à se former dans chaque département. Elles détruiront bientôt l'inévitable système de centralisation contre lequel vous entendez journellement tant de récriminations. » C'est ici que l'on voit intervenir les gros capitalistes auxquels semble devoir revenir cette manne.

Laffitte critique un système qui manquait de vues d'ensemble pour ne satisfaire que des capitalistes n'ayant aucune considération d'intérêt public. Et le voilà parti en guerre contre des projets qui sont de véritables emprunts établis sur des contrats sans réciprocité, à des conditions onéreuses, passés sans publicité, sans concurrence et qui ont pour but de faire contribuer la majeure partie de la France pour procurer plus promptement des avantages particuliers à quelques départements et à quelques compagnies ». Un autre député, Ganilh, voit dans le système la marque « d'une prodigieuse prodigalité scandaleuse, d'une véritable dilapidation de la fortune publique ». Il critique les concessionnaires qui veulent que l'État qui n'accorde à ses créanciers, en rente perpétuelle, qu'une affectation générale sur ses revenus, « leur donne une affectation spéciale sur le canal, les investisse en quelque sorte de sa proposition pendant cent cinq ans et leur paie une somme de 15 000 F annuellement pour leur participation à l'administration du canal ». Il conclut : « Le gouvernement ne peut pas donner trop d'attention aux entreprises qu'il fait et qu'il dirige. Il est dans sa nature de faire tout ce qu'il fait et loin de l'aider à favoriser généreusement les associations de capitalistes qui peuvent se former dans les départements pour l'entreprise des travaux publics, il faut le mettre dans l'heureuse impuissance de déranger les rapports qui existent dans chaque département entre les profits des capitalistes, les salaires du travail et la rente de la terre. » Le gouvernement proteste contre le reproche d'avoir voulu satisfaire des intérêts purement locaux : « Sont-ils donc si bornés les avantages du canal Monsieur qui traverse l'Alsace, la Franche-Comté et une partie de la Bourgogne, qui offre à la navigation un développement de plus de soixante-six lieues, qui se rattache au Rhin, au Rhône, à la Loire et à la Seine, c'est-à-dire à tous les grands fleuves qui parcourent la France dans les directions diverses et qui viennent aboutir à l'Océan et à la Méditerranée ? » Au reproche du manque de publicité, il répondait que *le Moniteur* et les feuilles des départements avaient publié le rapport du ministre de l'intérieur qui appelait les soumissions des capitalistes. D'ailleurs les profits étaient tout à fait problématiques. « Sans doute, les canaux sont destinés à donner un jour à l'État des profits considérables ; mais il ne faut pas se dissimuler que ces produits, faibles dans le principe, ne s'accroîtront que par la succession des temps. Toutes les marchandises ne suivront pas immédiatement la voie nouvelle qui leur sera offerte... Les développements de l'agriculture et de l'industrie... ne seront pas subits et instantanés... Les produits, quels qu'ils soient, seront grevés de tous les frais nécessaires pour l'entretien des ouvrages, pour les réparations ordinaires et extraordinaires, pour les travaux d'amélioration, pour l'administration des canaux, pour la perception des revenus de toute nature. »

Ce qui caractérise le débat, c'est l'obstruction de la haute banque contre le projet qui lui échappe. Elle ne proteste contre le projet que parce qu'elle n'y participe pas. Tous les avantages qui sont accordés ne lui apparaissent exorbitants que dans la mesure où elle n'y prend pas part. Sans doute, s'écriait Casimir Perier, si le gouvernement venait dire : « voici le cahier des charges, nous l'avons fait afficher, nous avons invité tout le monde à concourir ; nous vous présentons l'offre la plus avantageuse ; alors il serait démontré que le gouvernement a fait son devoir ». Et le député du Gers, de Cassaignolles, disait de son côté : en dehors de la prime de 27 600 000 F qui représentait la part des bénéfices de la compagnie pendant 69 ans, il fallait compter peu « le sacrifice énorme qu'une pareille transaction coûterait à l'État, en comparaison de l'atteinte qu'elle porterait à la morale publique ». Et voilà que Saint-Aulaire, député du Gard, intervient pour soutenir qu'il ne s'agit pas d'une simple affaire financière : « Il s'agit d'atteindre certains capitaux, de déterminer une certaine classe de citoyens à employer leurs capitaux pour le bien du pays et d'acquérir la plus grande certitude possible qu'une fois entre les mains du gouvernement, ces capitaux recevront la destination qui leur est indiquée. »

Dans ce conflit qui dressait les uns contre les autres de très gros capitalistes, il est bon d'entendre la voix de Georges Humann : député du Bas-Rhin, riche d'une immense fortune et l'un des membres de la compagnie du canal Monsieur, il faisait front contre l'opposition. Ce grand bourgeois libéral, membre de l'opposition à la Restauration, sait compter ; il explique : « Il est facile en embrassant un siècle dans ses calculs de frapper l'imagination par des résultats gigantesques ; mais qu'on les analyse et l'on n'y trouvera que les progressions connues de l'intérêt composé. On sait, par exemple, que cent francs à recevoir au bout d'un siècle n'offrent au présent qu'un capital de trente-deux centimes ». Il dit encore : « Un de nos collègues disait naguère et avec raison : un avenir de trente ou quarante ans, terme moyen de la durée d'une génération, est aujourd'hui une éternité. J'ajouterai : des combinaisons qui vont au-delà, donnant peu au présent et plus dans un avenir éloigné, conviennent à l'État qui se doit à lui-même d'associer les familles à ces idées d'avenir et de perpétuité sur lesquelles repose son existence. » Il se refuse à voir dans le système un recours à l'emprunt, car les capitaux « ne jouiront pas du précieux avantage de cette constante disponibilité qu'offrent les effets publics réalisables à tout moment ». D'ailleurs Humann était hostile à l'emprunt. Ministre des finances de Louis-Philippe, il restera fidèle à sa doctrine. L'emprunt est la ressource des temps extraordinaires. C'est, dans cette circonstance, que ce grand comptable, qui fut un habile ministre, prononcera cette phrase qui aura une grande fortune : « Je puis assurer à la Chambre que les calculs que je lui ai présentés sont exacts ; je les ai faits moi-même. »

Le débat, sur le projet d'achèvement du canal du Rhône au Rhin fait s'affronter deux conceptions. Il est marqué par la crainte de la menace de la puissance envahissante du capitalisme. Cette crainte s'exprime dans le discours que ne prononça d'ailleurs pas le député Chifflet, faute de temps : « Croit-on sans danger concéder pour un long terme une branche aussi forte des revenus publics à une seule compagnie ; de lui confier une influence inévitable dans l'administration de ces canaux qui vont devenir le principal véhicule du commerce ?... Cette compagnie (par la masse des actions dont elle disposerait) ne serait-elle pas maîtresse de contrarier les opérations du gouvernement, de la caisse d'amortissement, de la Banque de France ? » Ainsi on oppose étatisation des moyens de circulation et organisation de ces moyens par l'industrie particulière. Il se dégage une solution de compromis : la concession temporaire ; une compagnie privée avance des fonds à l'État, qui réalise lui-même, mais partage les produits nets du canal avec les concessionnaires pendant un délai déterminé. Une opposition non moins nette est celle qui dresse une sorte de fédéralisme économique en face de la centralisation paralysante. Il y a aussi le reproche d'immoralité lancé par les adversaires du projet. A la lueur d'un siècle de vie parlementaire, nous sommes devenus sceptiques. L'intérêt général que l'on proclame pourrait bien n'être que la façade d'un égoïsme hypocrite. En dépit ou plutôt en raison de leur acharnement, ni Laffitte, ni Casimir Perier ne réussissent à nous convaincre de la sincérité de leur désintéressement. Il n'y avait pas si longtemps que ces grands banquiers avaient attaqué la politique du gouvernement de Louis XVIII, quand Corvetto avait demandé aux banquiers Baring et Hope les crédits nécessaires pour liquider les conséquences financières des défaites de la fin de l'Empire. Alors, comme en 1821, on avait employé les mêmes arguments concernant une publicité insuffisante. Les regrets d'avoir manqué une affaire importante animaient l'argumentation de l'opposition au projet. Mais ce qui est plus intéressant encore, c'est le heurt de deux groupes financiers et la colère des très grands contre ceux qui leur apparaissaient moindres, mais qui n'en représentaient pas moins la grande bourgeoisie qui va triompher après 1830.

L'État favorise la grande bourgeoisie. Il protège la Banque de France et la haute banque. Or, cette solidarité du gouvernement et des grandes sociétés de crédit a pour conséquence la spoliation du travailleur et du faible. Proudhon, dans ses *Contradictions économiques*, l'expliquait très justement : le crédit est fait pour ceux qui manquent de moyens financiers ; mais il faut disposer de moyens financiers pour faire appel à lui.

Les capitalistes voient au-delà des frontières. Précisément, la construction des chemins de fer va entraîner un brassage de fonds considérable. Il n'était possible de réaliser un ensemble de travaux aussi important sans l'intervention de capitaux venus de tous les points de l'horizon. C'est dans

cette circonstance que l'internationale du capitalisme apparaît en pleine lumière.

Dans ce cas, le rôle de la bourgeoisie est double. A
quoi est due la lenteur de la construction des chemins de
fer ? A l'opposition entre les partisans de la construction
par l'État et les partisans de la construction par les
compagnies. Nous retrouvons ici, sous une forme plus considérable, la lutte entre l'étatisation et les compagnies, à propos
de la construction des canaux sous la Restauration. Un premier projet, en 1835, concernant les lignes Paris-Rouen-Le
Havre et Paris-Saint-Germain, posait le principe que les
lignes courtes seraient concédées à des particuliers. Pour les
lignes longues, l'État définirait le tracé, accorderait des subventions, souscrirait le cinquième des actions et ne participerait aux bénéfices qu'après prélèvement de 5 % pour les
particuliers. Mais la Chambre, qui est composée de gros
bourgeois peu désireux de voir leur échapper ce profit,
oppose un contreprojet fondé sur l'exploitation par des
compagnies. En mai 1837, le gouvernement dépose trois
projets. Le premier, qui concède de petites lignes, aux
risques et périls des particuliers, passe sans effort. Le
second accorde des subventions aux sociétés en difficulté.
Le troisième — le gros morceau — porte concession de grandes lignes avec concours financier de l'État. En vain. En 1838,
nouvelle tentative du gouvernement : il propose l'exécution
par l'État des lignes allant de Paris vers Le Havre, Strasbourg,
Bruxelles, Marseille, Orléans, puis de Bordeaux à Marseille
et de Marseille à Bâle. L'opposition se déchaîne. Ici, l'opposition de coalition conclut au rejet : pour les uns, les chemins
de fer sont d'une importance surfaite; pour les autres, l'exclusion des compagnies est injustifiée. Projets et contre-projets
s'entrecroisent. Alors que la Grande-Bretagne vient en tête,
avec 3 617 km de voies ferrées, l'Allemagne, avec 2 911,
la France reste en arrière avec 885 km. L'expansion économique est en péril. La Chambre se décide à un compromis
en 1842 : l'État ne réalisera pas, seul, la construction des
chemins de fer. Mais les compagnies ne les exécuteront pas
seules non plus. La loi de juin 1842 combine la collaboration
de l'État, des localités intéressées et de l'industrie privée.

Départements et communes paient les deux tiers des indemnités pour les terrains ; l'État, un tiers et se charge des terrassements et des travaux d'art ; les compagnies posent les voies et les entretiennent, fournissent le matériel d'exploitation. L'État prenait à sa charge les dépenses les plus difficiles à chiffrer. La puissance de la Chambre, dans sa majorité grand-bourgeoise, se révèle dans toute sa force en cette circonstance. Sous l'influence de Teste, ministre des travaux publics, dont les complaisances apparaîtront lumineusement à la fin de la période, la Chambre laisse de côté des demandes de concessions qui pourraient faire obstacle à d'autres auxquelles le ministre est favorable. La chose est patente au sujet de la concession de la ligne d'Avignon à Marseille. Pour la ligne d'Orléans à Tours, où des capitaux anglais étaient offerts, Teste pouvait écrire au représentant des banques anglaises : « Vous pouvez hâter la conclusion en rapportant dans le plus court délai la ratification des honorables capitalistes anglais. » Teste avait repoussé, semble-t-il, toutes les propositions rivales. Mais, en même temps, le ministre avait accordé la concession à une autre compagnie. Déçu, le premier concessionnaire s'agite et finit par obtenir la concession.

En effet, la construction des chemins de fer ne peut être menée à bien que grâce à des capitaux internationaux. Le capitalisme anglais a une action déterminante. Désireux de relier Londres et Paris, les dirigeants du *London and Southeastern Railway* proposent de construire une voie ferrée Boulogne-Paris, sans résultat. Mais un banquier irlandais, installé à Paris, Edward Blount, vivement soutenu par plusieurs membres de l'aristocratie anglaise résidant sur le continent, obtient la concession du Paris-Rouen-Le Havre. Ingénieurs, entrepreneurs et ouvriers sont, pour une bonne part, anglais. On retrouve cette coopération franco-anglaise dans la construction de la ligne Amiens-Boulogne, financée par les dirigeants du *London and Southeastern Railway* et le banquier Laffitte, futurs concessionnaires du « Nord ». Cette coopération se poursuit avec le banquier Barry, de Manchester, concessionnaire de l'Orléans-Tours-Bordeaux, en 1843, et l'appui d'une de plus grandes figures du capitalisme international concessionnaire de lignes en Belgique, en Angleterre et en Irlande : Mackenzie. Après sa mort, le même groupe anglais construit plusieurs lignes dans l'ouest de la France, deux lignes en Belgique, sans négliger le développement du *Northern and Eastern Railway*. La fièvre des projets tient les deux rives de la Manche. La banque Rothschild de Paris est gagnée. La haute banque protestante suisse avec Hottinguer s'associe avec les banquiers Baring. La direction de la compagnie du Nord compte huit administrateurs anglais, dont deux Baring. Il finit par n'y avoir plus qu'un marché financier pour les actions de chemins de fer : Londres et Paris sont littéralement jumelées. La situation se renverse à la fin de la période. La spéculation, la crise alimentaire, la crise extérieure, les appels d'argent frais insatisfaits amènent, en juin 1846, le dépôt en bourse de 20 000 actions de chemins de fer. En août 1847, les 2 491 000 actions de chemins de fer, représentant un capital social de 1 232 900 000 F, ont perdu en bourse 488 307 500 F de leur valeur en quelques mois. Le bruit court que l'escompte à la Banque d'Angleterre va augmenter. Les capitalistes français perdent toute illusion de pouvoir faire appel aux capitaux anglais. D'ailleurs, en Angleterre, le capital et le travail avaient déserté l'agriculture pour les chemins de fer, les moulins, etc. Des sorties d'or considérables avaient compensé la disette alimentaire de l'Angleterre. De nombreuses banques s'étaient effondrées.

La haute bourgeoisie est satisfaite. Le gouvernement se laisse intimider. Au Parlement, elle a des défenseurs acharnés. Le régime le meilleur est certainement celui qui favorise les profits les plus importants. La démocratie ? N'a-t-on pas le régime censitaire ?

Jamais la condescendance du pouvoir n'a été aussi marquée qu'avec la conversion des rentes, « parce que convertir les rentes, c'est toucher à l'arche sainte de la féodalité de l'argent. Ces messieurs trouvent bon qu'on impose le pain, la viande, le vin, la terre, le travail, cette propriété des bras, la plus sacrée de toutes, comme l'appelait Turgot ; mais imposer les écus, allons donc ! Ce serait une impiété constitutionnelle ! » A propos du sucre qui donne lieu à des interventions du ministre soutenant à la Chambre et aux Pairs des opinions diamétralement opposées : « Pourquoi ces tergiversations gouvernementales ? Parce que, dans la question des sucres, les intérêts nationaux sont en opposition avec les intérêts de la coterie des raffineurs, qui tiennent la haute banque, et que le pouvoir ne sait qu'une chose : bien mériter des puissances financières. » Et la menace : « Non, non, persévérez, car je suis bien convaincu au train dont vont les choses, qu'il est dans vos destinées de faire nos affaires plus vite que nous ne pourrions le faire nous-mêmes. »

Grâce à la loi de 1845 autorisant l'union des propriétaires de mines de charbons, une entente « colossale » se forme entre « les monopoleurs ». Les prix du charbon montent à Saint-Étienne, car il n'y a plus de concurrence libre [131]. « La féodalité dure et farouche de l'argent » domine, aux dépens du consommateur et du travailleur. La corruption est partout, au détriment de la démocratie. En 1847, le scandale Teste-Cubières-Parmentier éclate à propos de la concession des mines de sel de Gouhenans, en Haute-Saône. Les débats mettent en lumière l'attitude du général Cubières qui avait coutume d'intervenir dans les discussions relatives aux concessions de lignes de chemins de fer, n'hésitant pas à reprocher aux ministres de faire jouer la politique dans les questions industrielles et à condamner l'immoralité du procédé !

II. LE BOURGEOIS ET LE NATIONALISME ÉCONOMIQUE [132]

Tout au long de la période qui va de 1815 à 1848, l'industrie, le commerce, l'agriculture réclament à grands cris une protection efficace. Les grands manufacturiers, les riches propriétaires que la Restauration a introduits à la Chambre, proposent des solution restrictives, favorables à leurs intérêts. Pendant la disette de 1816-1817, devant la montée des prix du blé, le gouvernement accorde des primes à l'importation des grains, soulevant les protestations des producteurs. Certains députés, portant la question à la tribune, soutiennent avec cynisme, que plus les blés sont chers, plus la classe ouvrière en tire profit ! La loi du 16 juillet 1819 institue l'échelle mobile, qui subordonne l'intérêt du consommateur

à celui du producteur. Il s'agit, avant tout, d'éviter la baisse
et, le cas échéant, de faire remonter les prix à un taux jugé
rémunérateur, conformément à un système de prix-limites
qui établit un équilibre artificiel. La classe aisée n'est pas
satisfaite. En dépit de l'opposition, elle pousse au renforcement du système, réclamant une nouvelle hausse
des droits et prétendant que les ouvriers ne sauraient vivre
sans un labeur assidu. La loi du 4 juillet 1821 modifie le
barème des prix. Cette législation a des conséquences
fâcheuses. Les grains connaissent des alternatives d'admissions et de prohibitions qui découragent le commerce.
En 1819, les départements-frontières avaient été divisés
en trois classes, chacune disposant de prix différents ; en 1821,
ils le sont en quatre, avec des prix plus élevés. Cette division
autorise de trop grands écarts entre les divers marchés
intérieurs. Mais le régime ainsi instauré favorise avant tout
le producteur qui récolte assez pour vendre.

Cependant des députés estiment que leurs commettants
ne sont pas assez protégés. Un conflit s'élève entre les éleveurs et les fabricants de draps. Les premiers ne veulent
plus de droits à la sortie ; mais ils réclament une taxe à
l'entrée des laines étrangères et des droits d'entrée sur les
laines étrangères du nord. Le gouvernement, favorisant les
seconds, décide de percevoir un droit à la sortie des laines
mérinos et métisses, les mêmes laines ne payant qu'un droit
de balance quand elles viennent de l'étranger.

Les industriels protestent sans cesse. La Chambre de
commerce de Rouen ose écrire que « la prohibition est de
droit politique et social ». Le gouvernement songe-t-il à
substituer un droit à la prohibition qui frappait les sucres
raffinés, la majorité de la Chambre refuse de le suivre. Elle
met des droits sur les sucres bruts, variables suivant qu'ils
sont français ou étrangers et transportés sous pavillon
français ou étranger. Elle n'autorise la modification du tarif
que dans un sens restrictif ou prohibitif, à moins qu'il ne
s'agisse de matières premières nécessaires aux fabriques
nationales. Les denrées coloniales étrangères ne sont
admises sur le marché français qu'après écoulement des
produits similaires de nos colonies.

En 1816, le législateur avait dégagé le tarif de sortie d'un certain nombre de prohibitions ou de taxes exagérées ; c'est le cas pour le cuivre et l'étain bruts, les chanvres, les graisses, le houblon, le lin, les peaux et les bestiaux. Mais le service des douanes peut rechercher dans les dépôts de l'intérieur, comme à la frontière, les cotons filés, les tissus et tricots de coton et de laine et tous les autres tissus de fabrication étrangère prohibée. En cas de fraude, les cours prévôtales sont compétentes.

En 1820, les droits sur l'acier et le fer sont augmentés considérablement, pour pouvoir résister aux fers et aux aciers anglais fabriqués à la houille et au laminoir. Le législateur substitue à la prohibition un droit de sortie sur les laines communes ; il autorise la sortie des moutons, béliers, brebis et agneaux, moyennant un droit de sortie par tête. Il impose un droit de sortie à l'entrée des laines fines lavées et aux laines communes en suint. Il accorde une prime à l'exportation des draps et des étoffes de laine, mais il prohibe les tissus de soie ou d'écorce originaires de l'Inde et les tissus de bourre de soie.

Malgré les mesures favorables aux planteurs antillais en 1816, les récriminations continuent. En 1820, la surtaxe sur le sucre étranger importé, que ce soit sous pavillon français ou étranger, suffit à en réduire l'importation. Les sucres coloniaux français atteignent un chiffre record : 50 000 T. Les planteurs antillais jugent leur marge bénéficiaire trop mince et demandent la prohibition de tous les sucres étrangers. Le législateur de 1822 renforce encore la protection, au point de favoriser la fabrication du sucre de betterave qui va finir par l'emporter sur le marché intérieur. Sous la pression des herbagers, les droits sur les bovins sont augmentés au point d'entraîner des représailles de la part des États allemands lésés. Le droit sur les laines fines est relevé ; celui sur les laines communes, doublé ; les primes à la sortie augmentées dans la même proportion. Sous la pression des maîtres de forges, soutenus par les propriétaires de forêts, les droits sur les fers et les fontes sont accrus considérablement, réussissant à écarter les fers des États du Nord et d'Angleterre. Ainsi apparaissait, en pleine lumière, la coalition des intérêts privés, aboutissant à la routine et à la paralysie du progrès technique. En 1826, la Chambre pousse plus loin encore son esprit de chauvinisme économique. Elle établit un droit uniforme de 30 % *ad valorem* sur les laines, qu'il s'agisse de laines communes ou des laines de Saxe. Elle unifie les tarifs relatifs aux bestiaux, qu'ils soient gras ou maigres, alors que les importations de bœufs étrangers sont tombées de 27 000 à 12 000 têtes, de 1821 à 1825.

Nombre de députés s'hypnotisent sur la concurrence belge, oubliant que, pendant vingt ans, la France et la Belgique ont été réunies, qu'il y a eu un déplacement d'industrie et que le coton a remplacé le lin. Maîtres de forges et propriétaires de forêts ont fait d'immenses bénéfices. Pourtant, invoquant les capitaux engagés et le jeu normal de la concurrence qui ne manquerait pas de se faire sentir, les représentants des départements métallurgiques obtiennent le maintien du tarif de 1822. Les sucres raffinés jouissaient déjà du *drawback* : au moment de leur exportation, les droits perçus à l'importation sur les sucres bruts étaient remboursés. Il est décidé d'opérer un remboursement uniforme, indépendant de l'origine du sucre, c'est-à-dire, en fait, de donner une prime à l'exportation.

Le système protecteur atteint alors le sommet de la courbe. Toute la France paie une prime aux colons, aux maîtres de forges, aux éleveurs de bestiaux de Normandie. Aussi bien les ports de mer protestent contre l'exagération de la protection. L'enquête ouverte par le gouvernement, en 1828 révèle que la faveur accordée aux maîtres de forges fait peser sur l'industrie française une surcharge annuelle de 31 millions. Le gouvernement de Martignac songe à réduire les droits sur les fers et les fontes et à abaisser la surtaxe sur les sucres étrangers et les droits d'entrée sur les soies. L'avènement de Polignac arrête tout.

La révolution de juillet 1830 ne met pas un terme à ce prurit de protection. Pourtant il se dégage un esprit plus libéral, qui s'appuie sur un mouvement doctrinal. Un mot d'ordre circule : les produits s'échangent contre les produits. L'importation étrangère ne réduit pas la production nationale ; elle tend à l'augmenter. En vain. Le groupe des industriels et des grands propriétaires agite, sous les yeux du roi, le spectre de nouveaux désordres qui entraîneraient la ruine de l'économie nationale. Il réussit à freiner la poussée libérale. Pourtant le gouvernement ne renonce pas à modifier le système protecteur. Un coup d'essai en 1832. En 1834, lors de l'enquête commerciale qu'il a ordonnée, partisans et adversaires se comptent. La plupart des fabricants se dépeignent comme étranglés par l'étranger et submergés par la fraude. La fin de la protection aurait pour conséquence la décadence du pays. Écoutons ces prophètes de malheur : « Le système protecteur, dit le représentant de la Chambre de commerce de Lille, a pour but d'assurer le marché du pays à l'industrie du pays ; il favorise ainsi l'extension du travail national, moyen puissant de richesse et de repos... Le système conduit au bas prix par la libre concurrence intérieure ; il garantit le consommateur de toute exigence outrée ; il amène enfin nos produits à paraître sans désavantage sur les marchés étrangers. Il offre à toutes les parties du royaume emploi des bras et des capitaux ; en créant du travail, il crée des consommateurs. » C'est de l'autarchie. « Le retrait de la prohibition, quel que soit le droit qui la remplace, dit un fabricant de draps d'Elbeuf, amènerait une lutte qui finirait par écraser nos fabriques. » « Nous ne pouvons pas en limiter la durée, ajoute-t-il ; car, pour nous, la prohibition n'est pas un fait, mais un principe qui produit les meilleurs effets. Nous pensons que l'aisance générale des classes ouvrières, résultant du travail qu'elle favorise et protège, vaut mieux que toute autre condition. » Tout le monde, estiment les protectionnistes, profite de cet état de choses : « Il y a une plus grande masse de travail ; la plus-value des propriétés prouve que l'agriculture en profite aussi. » Cunin-Gridaine justifiait la protection et la prohibition. Le contrecoup de la levée de la prohibition affecterait toutes les autres industries, la propriété privée et les revenus publics. A cette vaste enquête que *le Moniteur* a reproduite, il ne manque même pas la note mélodramatique.

Mimerel, délégué des chambres de commerce de Lille, de Roubaix et de Tourcoing, nous la fournit : « Vous ne voudriez pas qu'on puisse dire un jour : des hommes graves et instruits furent choisis pour veiller à la conservation et à l'accroissement de la richesse nationale. En un même jour, toutes les industries furent citées devant une cour ; toutes furent entendues ; toutes entendirent leur arrêt. La plus puissante d'entre elles, celle qui, riche du passé, l'était encore plus de l'avenir, celle qui distribuait à un million de familles françaises des salaires qui leur permettaient de connaître l'aisance et le bonheur... ils l'ont décapitée. » Pour le bonheur et l'aisance, je ne puis que renvoyer à Villermé et à Buret. Ces références sont suffisantes pour éclairer l'hypocrisie de la déposition et des larmes du déposant. Agressif, Mimerel parle haut. C'est le gros morceau, si l'on peut dire. Il a derrière lui, les 500 millions de la production de coton en France, les 400 millions versés comme salaires aux ouvriers, les 30 millions des producteurs et les 150 fabriques employées à la filature de coton de l'arrondissement de Lille, leurs 600 000 broches, les 100 000 ouvriers de l'industrie cotonnière. « Quelle est donc la partie du public qui réclame, ou du moins qui a intérêt à réclamer ?» Qui a le droit de se plaindre ? Les ports ? Il y a accroissement, sauf pour Bordeaux. Les banquiers ? Ils profitent de la progression de l'industrie. Les rentiers ? Chaque année il est versé 40 millions à la Caisse d'amortissement pour maintenir le cours de la rente. Les propriétaires sont favorisés par les droits sur les produits agricoles étrangers ; les salaires des journaliers ruraux augmentent avec l'émigration vers la fabrique. Une activité industrielle forte augmente la vente des vins de Bordeaux.

Certains industriels, pour ne pas être aussi intransigeants, demandent que la fabrique française soit placée dans les mêmes conditions que les industries étrangères pour les matières premières et la main-d'œuvre et qu'elle travaille aux mêmes frais. D'autres sont partisans de la levée de la prohibition. « S'il était vrai qu'au bout de dix-huit ans nos filatures ne fussent pas plus avancées, on pourrait dire qu'elles ne sont pas dignes de la protection spéciale dont elles ont joui jusqu'à présent et, selon mon opinion, les filatures de la Suisse, de la Saxe et de la Belgique ont beaucoup plus de mérite d'être parvenues à filer jusqu'au Nº 120 anglais à côté de la formidable et ancienne concurrence anglaise que nos filatures du Nord à filer du Nº 143 métrique avec une prohibition absolue », disait le fabricant de mousselines de Tarare, Leutner, après s'être élevé contre les chiffres donnés par Mimerel. La Chambre de commerce de Bordeaux mettait en doute l'objectivité et la liberté du Conseil du commerce, dont la majorité peut varier suivant les cas, le nombre et la qualité des membres, dont la désignation par le gouvernement fausse la portée des décisions, viciées dans le principe. Bref, à quelques exceptions près, les délégués de l'industrie sont unanimes à réclamer le maintien des prohibitions.

L'affaire rebondit en 1836. Un projet de loi propose d'abaisser les droits de douanes. Le rapporteur Ducos, hostile à la prohibition, condamne le monopole qui favorise quelques bourgeois au détriment de la masse des citoyens. « Les lois de douanes, dit-il, ont un but essentiel de créer un revenu à l'État... Leur influence, leur action doivent s'exercer au profit de la liberté, qui est la règle et le besoin de tous et non au profit du monopole qui est l'exception et le besoin de quelques-uns... » « En prohibant les productions étrangères, nos industries resserrent les limites de leurs approvisionnements ; or, plus on élargit le cercle des marchés et plus on se prépare de chances favorables. » Dans son exposé, le député de Laborde montrait bien la position des partisans de la prohibition. « Plusieurs de ces négociants, auxquels on a demandé pourquoi ils n'avaient pas admis les procédés étrangers, ont répondu : qu'avons-nous besoin de dépenser des capitaux pour cela ? La prohibition nous suffit. J'ai vécu, ajoutait un autre, sous cet arbre protecteur ; je désire y mourir. D'autres disaient : les objets de fabrication étrangère sont si bons et si peu coûteux, qu'il faut les prohiber, car je ne puis pas les fournir de la même manière. » Il est clair que le mouvement de réforme douanière n'est pas dans le champ de la bourgeoisie repue, mais dans celui de la réforme électorale. Ce qui faisait dire à un député gouvernemental, Jaubert : « Nos adversaires nous laissent entrevoir dans l'avenir la liberté commerciale absolue à peu près, comme... on laisse apercevoir la république. » Le grand bourgeois est d'un protectionnisme outrancier qui coûte cher à la nation et ne profite pas aux classes moins fortunées. La position de l'opposition est claire entre le gros bourgeois prohibitionniste et le défenseur de la liberté qui est à la base du bonheur des classes inférieures. Car il y a, d'un côté, une minorité qui tient la puissance et dont les défenseurs à la Chambre vont jusqu'à déclarer cette déplorable insanité, comme le fit le député Jaubert, le 14 avril 1836 : « J'aimerais mieux pour ma part que tout fût cher et ce serait là bien plus l'intérêt de l'ouvrier qui n'a pas de rentes et qui vit de son travail ; car le salaire de ce travail est nécessairement basé sur le prix des objets de consommation. » Beaucoup de ces protectionnistes voient dans la liberté économique les premières manifestations de la république dont on craint qu'elle ne soit pas aussi accueillante aux hommes d'affaires que la royauté de juillet. La même presse, constate encore Jaubert, réclame à la fois la réforme commerciale et la réforme électorale. Les paroles de ce député, lié aux intérêts matériels les plus importants, — on pourrait faire appel à la voix d'autres défenseurs de la haute bourgeoisie, — retentissent, exaltant l'éminente classe des grands industriels et négociants, « fondement de la dynastie nouvelle », et s'insurgeant à l'idée qu'on pût les aliéner, car « ce serait pour ainsi dire frapper au cœur la révolution de juillet elle-même ». On ne pouvait faire meilleur aveu.

La lutte entre protectionnistes et libre-échangistes n'est autre chose que celle des partisans de la libération des citoyens ou mieux celle qui font s'affronter les intérêts privés et les intérêts généraux. C'est bien ce que soutient Pagès de l'Ariège : « La liberté politique s'opposera à la liberté aussi longtemps qu'il sera condamné à s'attribuer le monopole de certaines cultures, le privilège de certaines industries ;... qu'il élèvera le taux de tous les produits en les frappant par des taxes dans leur production, leur circulation, leur consommation... La richesse d'un peuple commence au moment où les privilèges de l'aristocratie industrielle tombent devant la liberté générale et cette richesse s'arrête au moment où le pouvoir politique envahit sur la liberté ces privilèges que la liberté avait conquis sur l'aristocratie industrielle. » En somme, le débat a pour fondement la question politique et le renversement des féodalités industrielles et les monopoles oppressifs des travailleurs. Mais le président du conseil, interprète des grosses fortunes et des gros intérêts, prend la défense du système protecteur, qui a porté la prospérité dans l'intérieur du pays où jamais elle n'avait pénétré. Le système de la liberté commerciale peut bien enrichir quelques villes du littoral ; il s'arrête là. Il ne pousse guère la prospérité au-delà de l'embouchure des fleuves. Le système qu'on accuse la refoule, la porte à l'intérieur, la fait pénétrer partout. Résumant la discussion, Ducos vitupère son collègue Jaubert : « M. Jaubert en songeant à créer parmi nous une aristocratie industrielle, n'aurait-il pas fait ce reproche, moins dans l'intérêt de la prohibition que dans celui de cette aristocratie même qu'il essaie de ressusciter ?... Les grands industriels, a-t-il dit, sont les aristocrates de juillet. Messieurs, la révolution de juillet n'admet d'autre aristocratie que celle des masses qui l'ont faite. » Et encore : « Les premiers barons de la Restauration furent les maîtres de forges et les possesseurs de forêts. » Lors de la discussion des articles, d'Harcourt reprend l'argument, en accusant les maîtres de forges de prendre leurs propres intérêts pour ceux de la France : « Vous avez pu vous convaincre de ce que j'avance par les résultats de l'enquête commerciale... On peut dire que sur les cent industries qui y ont été appelées à donner leur avis, il n'y a qu'un seul sur lequel elles aient été d'accord, c'est la liberté pour tous et pour soi le monopole. Ce qui veut dire que les quatre-vingt-dix-neuf centièmes de la France veulent la liberté et un centième le monopole et le privilège. »

Certes, les droits sur les charbons de terre importés par mer sont réduits. La prohibition est levée sur les fils de coton écru très fins, les châles de cachemire, les cuirs de Russie, les rhums, les extraits de quinquina, etc. Elle est supprimée à la sortie des soies, des peaux et poils pour la chapellerie, des bois de construction. Les droits d'entrée sont abaissés sur les laines, les fers fabriqués à la houille, les toiles communes, la passementerie, la rubannerie de laine, les chevaux, les fourrages. Mais les lois des 2 et 5 juillet 1836 ne touchent pas au régime des bestiaux : il en résulte une hausse de 30 % dans les prix de la viande dans l'Est et le Midi et une diminution individuelle de la consommation de 9 %. La coalition des villes manufacturières et de la propriété foncière avait empêché de trouver le remède.

Malgré quelques aménagements favorables au libéralisme économique en 1841, dans l'ensemble, les partisans du protectionnisme tiennent de fortes positions. Le projet d'union douanière franco-belge le démontre (133). Les industriels y sont hostiles, comme ils l'avaient été à la réunion de la Belgique à la France, en 1831. Chaque grande industrie, sous le patronage de pairs ou de députés, forme un comité pour la défense du système prohibitif : comités des lins, de la métallurgie, des constructions. *L'association pour la défense du travail national* alerte les chambres de commerce et les chambres consultatives des manufactures, pour intimider le pouvoir par une violente campagne de pétitions, de mémoires, de doléances.

Depuis l'implantation du Zollverein en Allemagne, l'attention de la France avait été attirée sur l'intérêt d'une union douanière avec la Belgique (134). Les partisans de la liberté des échanges la souhaitaient. Les protectionnistes s'élevèrent contre une menace annonciatrice d'une véritable catastrophe nationale pour l'industrie française. Le comité des intérêts métallurgiques en entretient Guizot. Les délégués de la ville d'Elbeuf remettent au roi un mémoire contre le traité franco-belge. Le gouvernement recule. *La Revue des Deux mondes*, que cite Deschamps, écrit : « Ce que nous demandons à notre gouvernement, c'est de ne rien précipiter. Une mauvaise loi vaut mieux encore qu'un mauvais traité. On est maître de ses lois ; les traités vous lient. » Aussi bien le gouvernement de Paris pose des conditions difficilement acceptables par les Belges. Georges Humann, ministre des finances français, estime que l'union ne peut se réaliser que sous le contrôle financier de la France.

Guizot déclare : « L'union douanière n'offre à la France qu'une seule compensation, c'est l'accroissement de son influence politique... Dès lors l'union douanière n'est possible qu'autant qu'au gouvernement français appartienne le pouvoir exécutif tout entier en matière de douanes... A toutes autres conditions, l'union douanière est impraticable. » C'était la manifestation de la majorité protectionniste de la Chambre, représentée dans le cabinet par Humann, Cunin-Gridaine, Martin du Nord. Le comité des intérêts métallurgiques resserre son entente. *Le Constitutionnel*, représentant les intérêts du centre gauche, se rallie au système protectionniste, tout en défendant les intérêts du centre gauche, pratiquant un jeu de bascule qui montre bien la solidité de ses opinions en matière économique ! Si les négociants reprennent sur un thème plus restreint, les industriels protectionnistes, de leur côté, ne ménagent pas leurs interventions auprès des ministres. Ceux-ci sont très réticents. Certains même ont perdu toute confiance. Le cabinet ne veut pas jouer son existence sur cette question. L'affaire s'envenime de la réunion des conseils généraux de l'agriculture, des manufactures et du commerce, favorables à la résistance. Le conseil de l'agriculture vote le maintien des droits sur les importations de bois de Belgique. Le conseil du commerce rejette la proposition du député Ducos, de Bordeaux, pour que « le gouvernement fasse tous ses efforts pour conclure des traités de commerce avec les puissances étrangères ». Le conseil des manufactures est d'avis de maintenir intégralement le tarif des fers et des fontes. La France devait conserver le monopole de la fabrication des rails. Il était présidé par Mimerel. Dans la séance plénière qui suivit, les trois conseils plaidèrent la plus large protection, à l'exception du saint-simonien Arlès-Dufour de Lyon. La réflexion du *Constitutionnel* paraît donner exactement l'opinion que l'on peut déduire de ces palabres : « consulter les fabricants de verreries, de porcelaine, de tissus, de fer, sur l'opportunité de réduire les droits à l'entrée de ces différents articles, c'est consulter un chanoine sur la suppression du chapitre. »

La haute bourgeoisie, qui constituait la majorité de la

Chambre haute et le plus sûr soutien du régime, fit entendre
au gouvernement, par la voix de Boissy, que la Chambre
des pairs refuserait de sanctionner le projet, « parce qu'elle
sait très bien que le traité aurait pour conséquence inévitable et immédiate d'aliéner au gouvernement la propriété,
sans l'appui de laquelle nul gouvernement ne peut durer,
à plus forte raison un gouvernement contre lequel, comme
le nôtre, la conspiration d'une partie de la classe qui ne
possède pas est permanente [135]. » Pour défendre leurs
intérêts personnels, les industriels ne voyaient pas la menace
que constituait le Zollverein et l'attraction qu'il exerçait
sur les petits pays environnants, non seulement en Allemagne, mais en Belgique, qui finira par se laisser entraîner,
peu de temps après. D'Harcourt, quoique propriétaire
de bois et maître de forges, était favorable à l'union douanière. Il dénonça l'aristocratie redoutable de l'industrie.

En 1842, les négociations reprennent. Les industriels
leur font grise mine. L'expérience prouve que la concurrence
étrangère ne peut qu'engendrer des crises. *Le Commerce*
écrivait : « Une révolution industrielle, quelque bienfaisante qu'on pût la croire dans l'avenir, serait cent fois plus
dangereuse, cent fois plus désastreuse dans ses résultats
présents qu'une révolution politique. » Le projet a contre
lui les maîtres de forges d'abord, les propriétaires de forêts,
de mines du nord, les manufacturiers du lin, de la laine et
du coton, les armateurs du Havre et de Dunkerque. A
vrai dire, les fabricants de fer sont les maîtres du marché
intérieur, dont ils fixent les prix et qu'ils régentent comme
ils l'entendent. La réunion, organisée par le député Ful-
chiron, un des représentants de la protection à la Chambre,
fit chanceler la position du cabinet. « Il n'y a plus de liberté
dans un pays où les intérêts qui parlent le plus haut sont
toujours certains d'amener le pouvoir à composition »,
disait Léon Faucher. Les réticences du gouvernement étaient
fortement condamnées par *le National*. Le Zollverein ne
manquerait pas de profiter de la faute commise. Et d'ajouter : « Bientôt, grâce aux intérêts égoïstes qui prévaudront
toujours avec le système actuel, nous verrons les douanes
prussiennes installées à nos frontières. Un tel résultat équi-

vaut à la perte d'une bataille. » Par contre, le conseil général du nord, puis les chambres de commerce et les chambres
consultatives des arts et manufactures des principaux centres du nord, de la Somme et de la Normandie sont hostiles
au projet de traité. Mimerel réunit les adversaires de l'union
douanière, rédige une lettre collective aux ministres, envoie
des délégués auprès du roi. L'économiste Rossi proteste,
dans la *Revue des Deux mondes*, contre « les saturnales des
intérêts privés » et réclame la célébration de la fête de l'intérêt général. Il faut dire que la réunion Mimerel ne représentait pas toute l'industrie. Marseille, Lyon, Bordeaux, Nantes,
Toulouse, Strasbourg, Nîmes, Montpellier n'y avaient pas
envoyé de délégués. Mais les industriels trouvèrent dans
les États européens, comme la Prusse et la Grande-Bretagne, des alliés, au nom de la neutralité de la Belgique.
« Le comité Mimerel, disait Armand Bertin, du *Journal
des Débats*, à l'économiste belge Briavoinne, est conduit en
dessous main par MM. Decazes, Roy et d'Argout. Avec
Decazeville, M. Decazes refait sa fortune ; M. d'Argout
grossit la sienne. Quant à M. Roy, il a un revenu de 1 800 000
francs presque tout en bois, sur lequel il dépense 200 000
francs tout au plus chaque année ; et si son revenu était
réduit à 1 600 000 francs, il croirait manquer du nécessaire ([136]). » Les protectionnistes acquièrent le *Courrier
francais* qui défendait le projet d'union douanière ; ils en
évincent Léon Faucher. Le comité Mimerel tient séance tous
les trois mois, tandis que les membres présents à Paris
se réunissent tous les mois. A la chambre haute, lors du
vote de l'adresse, le texte voté recommandait au gouvernement « le respect dû aux intérêts existants ». C'est ainsi
que la Belgique se tourna du côté du Zollverein. Ce fut une
« occasion manquée ». Le projet d'union aboutit à un simple
traité franco-belge, le 16 juillet 1842, d'une durée de quatre
ans. La Belgique obtient un traitement de faveur pour les
fils et les tissus de lin ou de chanvre. Elle abaisse son tarif
de 20 % sur les tissus de soie français et les droits sur les
vins. Elle s'empresse d'accorder les mêmes avantages à
l'Allemagne. En mars 1845, ces concessions avaient une
portée si faible qu'il fut décidé de ne pas renouveler le traité

et de ne plus appliquer les droits de faveur pour les toiles et les fils, à compter du 16 août 1846.

La longue négociation entre Bruxelles et Paris avait montré l'importance de la féodalité industrielle française. Léon Faucher avait beau dire : « Tous ces privilégiés de fraîche date ne représentent que des individus ; quelques grands propriétaires de forêts, quelques maîtres de forges, voilà les tyrans de notre industrie. » Il n'empêche qu'ils tenaient la majorité dans les Chambres et dans les conseils de Paris et de la province. Comme il dit encore : « Grands référendaires, frères ou beaux-frères de ministres, pairs, députés », « ils tiennent dans leurs mains cette influence électorale devant laquelle se courbe le pouvoir ([137]). » En octobre 1846, se constitue *l'Association pour la défense du travail national*, groupant maîtres de forges, propriétaires de forêts, manufacturiers et disposant d'un journal, *le Moniteur industriel*.

Pendant ce temps se développe un vaste mouvement libre-échangiste que soutient *le Libre-échange*, pour la défense des doctrines de liberté commerciale. Mais la majorité affirme son désir de maintenir la législation sur les céréales. Certes, le gouvernement essaie de présenter un nouveau projet qui s'inspire nettement de la liberté, supprimant des prohibitions, faisant disparaître du tarif une centaine d'articles désormais admis en franchise, en affranchissant cent soixante-deux autres, accordant la franchise sur les fers en barre, les cuivres et les zincs bruts, le chanvre pour l'armement maritime. Il laissait intacts les droits sur les matières premières. Il s'efforçait de rester dans un juste milieu, étant proprement négatif. Mais la commission est hostile à tout aménagement douanier. La France est le dernier bastion de la protection. Peu importe que l'infériorité française tienne à l'aggravation des frais que lui fait subir le régime restrictif ; que les droits prohibitifs lui fassent payer cher ce qu'elle consommait ; que le développement de l'industrie soit accablé sous le poids de lourdes charges. Les considérations, pas plus économiques que politiques, ne furent pas prises au sérieux par les majorités des chambres dominées par les grands propriétaires et les grands manufacturiers. Le privilège arrêtait l'essor de l'industrie, comme le cens tenait écartée du pouvoir politique la masse qui ne votait pas.

III. LE BOURGEOIS ET LA DÉMOCRATISATION DE LA BANQUE : LES CAISSES POPULAIRES

Les grands bourgeois sont les maîtres de la finance de la France. Ils sont représentés à la Banque de France, comme actionnaires, car les actions valent 1 000 F l'une ; comme régents et comme censeurs, car les trois censeurs et sept des quinze régents sont choisis parmi les actionnaires « manufacturiers, fabricants ou commerçants ». Quant au conseil d'escompte, il comprend douze membres représentant de la soierie, de la quincaillerie, de la draperie, de la papeterie, du commerce du bois, des vins. Il en est ainsi depuis sa création. Les coupures sont importantes : 500 F. Il en sera créé de 200 F, en 1847. Il est clair que ces billets ne sont pas à la portée du petit bourgeois. Il faut dire aussi que la Banque de France pose des conditions draconiennes de prêt et d'escompte. La nécessité des trois signatures éloignait une bonne partie de la circulation commerciale. Les personnes ayant besoin de capitaux en étaient réduites à l'autofinancement ou à faire appel à l'hypothèque. Les grandes banques privées sont aux mains de la grande bourgeoisie. A côté des banques d'origine judéo-allemande ou suisse-protestante, comme celles que dirigent Rothschild, Hottinguer, Mallet, Delessert, Ternaux, d'Eichtal, Cahen d'Anvers, deux banques françaises jouissent d'une large autorité financière : Casimir Perier et Jacques Laffitte. Elles ont un caractère international. Elles s'occupent de la vente et de l'achat d'effets et de valeurs mobilières pour le compte de tiers, du commerce des métaux précieux et de marchandises. Elles réussissent, grâce à leurs relations internationales, à faire l'arbitrage des effets, des marchandises, des métaux sur divers marchés mondiaux. Elles font des avances aux sociétés, participent à la fondation d'entreprises. Les effets qu'elles acceptent, ou endossent, ont cours d'argent et peuvent être immédiatement convertibles dans tous les pays.

Des banques locales servent de correspondantes aux banques parisiennes, très souvent ([138]). Mais, en province, le départ n'est pas encore réalisé entre le métier de banquier et celui de marchand. De gros négociants font commerce de l'argent. Ils mettent volontiers des capitaux à la disposition des industriels. Certaines banques locales sont issues de fabriques de sucre indigène ; c'est le cas dans le nord. Dans le sud, les Périer forment la Société industrielle de le Drôme et la Caisse d'escompte de Grenoble. A Lyon, les marchands de soie tiennent le marché de la soie et celui de l'argent. A Marseille, les gros commerçants font le commerce de l'argent, avec l'appui des banques parisiennes. A Bordeaux, les Balguerie sont armateurs, commerçants, banquiers. Mais une évolution s'opère qui contribuera à hiérarchiser la classe bourgeoise riche : le marchand-banquier, la maison de banque bien approvisionnée, en attendant les grandes banques qui vont animer la trésorerie des entreprises industrielles. Les banques départementales apparaissent ([139]) sous la Restauration et prospèrent sous la Monarchie de juillet. Les notaires qui représentent la bourgeoisie riche font l'office de banquiers. Les receveurs généraux, gros capitalistes, font un travail analogue. Ils se livrent à la banque, se lançant dans les affaires privées. Ils commanditent les banques locales. On voit même, en 1816, se constituer le comité des receveurs généraux, admis immédiatement à l'escompte de la Banque de France. En 1825, le syndicat des receveurs généraux est institué sous la forme d'une société commerciale, dans le but de fournir des capitaux à la Bourse, de soutenir la rente, de garantir un prix favorable aux valeurs publiques. Cette société, au capital de 30 millions, dispose de parts de 300 000 F, fractionnables en parts plus petites de 100 000 F. Seule, la classe bourgeoise supérieure pouvait y être admise.

Toutes les tentatives de création sont à l'usage des grosses fortunes. Les projets ne s'adressent qu'aux industriels ou aux fabricants dont les disponibilités sont considérables. Dans les années 1825, une compagnie commanditaire de l'industrie se proposait de soutenir toute entreprise relative au commerce, à l'agriculture et à l'industrie. Son capital était considérable : 100 millions répartis en 20 000 actions de 5 000 F.

Pourtant, à côté des grandes fabriques, existaient des entreprises de plus mince volume qui avaient vocation à se développer et auraient dû être admises au bénéfice du crédit des grandes banques. Aussi, pour les soutenir, voit-on apparaître des établissements qui escomptent des effets à deux signatures et à échéance de plus de trois mois. Préfigurant les magasins généraux de 1848, ils imaginent un entrepôt général des produits du sol et des manufactures, qu'on estime et qu'on met en circulation sous forme d'effets de commerce.

Il faut être juste. Les Français moyens se méfient du billet et ne voient dans cette monnaie fiduciaire qu'un moyen de transporter de grosses sommes. Même dans les milieux financiers ou parmi les représentants à la Chambre, on ne considère que les facilités que le Trésor peut tirer des émissions de la Banque de France. Ils s'inquiètent de la multiplication des banques départementales qui risquaient de rendre excessive la circulation des billets et ils réclament le monopole de l'émission pour la Banque. Au moment du renouvellement du privilège de la Banque, en 1840, on constate que le manque de comptoirs dans les grands centres commerciaux faisait monter le prix de l'argent, et, par voie de conséquence, le prix de vente. Le monopole des grands capitalistes ou des fabricants, membres de la Banque, se précise par leur action continue contre les banques départementales. La majorité de la Chambre décide que ces banques seront régies désormais par une loi. Leur prorogation exigera la même procédure. Par contre, la Banque crée des comptoirs d'escompte pour drainer les opérations qui jusqu'alors lui échappaient. Elle fait l'escompte avec le gros négoce et la grosse banque. Ses billets se répandent dans tout le pays, dès 1840.

Les vieilles maisons d'origine étrangère poursuivent leur expansion. Groupes réalistes, prudents, ils s'occupent de commissions sur l'achat et la vente par des tiers de métaux précieux, d'effets de commerce, de lettres de change sur l'étranger ; ouvrent des crédits à l'étranger pour l'achat de matières premières ; s'intéressent à la soumission aux emprunts d'État, aux chemins de fer ; tiennent la caisse de grosses entreprises ; souscrivent à l'émission de rentes.

Les banques privées prennent un tour démocratique. Il ne s'agit pas seulement de soutenir les entreprises moyennes et petites qui se créent, mais d'ouvrir les guichets à une clientèle modeste, jusqu'alors restée en dehors du circuit capitaliste. C'est le début d'un capitalisme démocratique qui va se préciser pendant les périodes suivantes. Pour faire démarrer des entreprises qui ont besoin de crédits, il faut attirer les capitaux, quel que soit leur montant. Ainsi se produit un rassemblement des fonds privés. Moyens et petits bourgeois peuvent participer à la prospérité du pays. Ce qui caractérise la période, c'est, à côté de la haute bourgeoisie disposant de gros capitaux, l'accumulation de petits nombres d'actions par de très nombreux souscripteurs. Il se produit une hiérarchisation du crédit qui fait que la majorité des petites bourses de la nation contribue à l'édification des entreprises les plus considérables, comme les canaux et les chemins de fer. La petite bourgeoisie inaugure une politique qui va triompher, après 1852. Des banques se développent pour accueillir les dépôts les plus modestes, notamment ceux du petit commerçant, du petit détaillant. Cette démocratisation, en réaction contre la grosse banque destinée aux gros industriels, se traduit dans la réalité par la création de nouveaux établissements de crédit qui n'obtiennent que le droit de s'appeler des Caisses. J. Laffitte, dans ses *Mémoires*, raconte comment il avait conçu sa *Caisse générale du commerce et de l'industrie*. « L'aristocratie s'était tournée contre moi, j'eus foi dans la démocratie... Je fondai une banque pour le commerce et l'industrie. » Il expliquait le mécanisme de son établissement : « Ses opérations consistaient à escompter toutes sortes de valeurs, à faire des avances sur billets, lettres de change, factures, mémoires, créances, loyers, arrérages de rentes, pensions, traitements, et généralement sur toutes les valeurs non litigieuses à terme fixe ; toutes ces opérations se faisaient tous les jours, payables à l'instant, non à prix fixe, mais à un taux modéré, variable en raison de la nature du prêt ou de l'escompte et du risque ou de la durée du prêt. Par là, j'étouffais l'usure, je la détruisais, je procurais de l'argent à bas prix, à tous les instants, à toutes sortes de valeurs. Tandis que la Banque de France n'escomptant que du papier sur Paris à 90 jours au plus, revêtu de trois signatures, trois fois par semaine seulement, ne payant que le lendemain, bornait ainsi ses services à quelques privilégiés, moi, je n'écartais personne, et les services s'étendaient à tous les Français. A faire des avances, moyennant garantie, sur marchandises, effets publics, valeurs du gouvernement, valeurs industrielles et commerciales, soit à titre de prêt, soit qu'on les consignât pour la vente... A se charger de tous payements, recouvrements et négociations sur la France et l'étranger, de l'achat et vente par commission de tous effets publics, valeurs et marchandises. A émettre des billets au porteur au-dessous de 500 F à Paris et de toute somme dans les villes du royaume et de l'étranger, remboursables à vue par nous à Paris, et par les receveurs généraux et nos correspondants dans toutes villes principales du royaume. A ouvrir des comptes courants à tout négociant et à chaque particulier de manière à être utile à tout le monde et de mettre tous les capitaux oisifs en circulation. Enfin à opérer la négociation de tous papiers de change, à se charger de l'ouverture et du service des emprunts publics, du placement de toutes les actions industrielles, du recouvrement des semestres des rentes, des dividendes d'actions, de tous traitements, loyers et pensions, de l'achat et vente de toute espèce d'effets publics, de toutes valeurs, matières et marchandises, de fournir des lettres de crédit sur toutes les places du monde aux voyageurs et à chaque particulier. » Laffitte dut renoncer au titre de banque et à l'émission des billets qui eût permis une large circulation de billets remboursables à vue sur tous les points du territoire. Il eut à s'incliner devant le veto de la Banque de France. Sa Caisse ouvrit ses portes le 2 octobre 1837. Son succès fut considérable. En dix-huit mois, on notait l'ouverture de 1 550 comptes courants à Paris et de 1 778 en province. En 1844, la Caisse avait escompté 476 888 effets, représentant une somme de 358 millions.

L'obligation apparaît pour résoudre les difficultés provenant du crédit trop limité accordé par les banques. Les petits et les moyens épargnants répugnaient aux valeurs à revenu variable. L'obligation répond à leurs vœux : elle est transmissible, amortissable dans un temps donné ; elle rapporte un intérêt fixe. Les emprunts vont se généraliser. En 1845, lors de la crise boursière qui ébranle le marché financier, les cours s'effondrent. Les gros capitalistes se débarrassent de leurs paquets de titres, rendant la dépression plus profonde. Les petits épargnants risquent de se retirer. Une lettre de Haulon, datée de Rouen ([140]) dit : « Il est de la plus haute importance, *pour que les petits capitalistes ne soient pas épouvantés*, qu'on soutienne les cours. »

Ainsi, en face de la Banque de France et de grosses banques qui ne traitent qu'avec les grands industriels et négociants, une autre forme de crédit prend corps. Il semble bien que le parallélisme entre la mise en place politique de la petite et de la moyenne bourgeoisies et leur entrée en scène dans le circuit financier, est boiteux. La démocratisation économique prend le pas sur la démocratisation politique.

LIVRE II

Les classes bourgeoises et le faux départ de la démocratie
1848-1851

Chapitre premier

Le triomphe provisoire
de la démocratie ([141])

I. VICTOIRE, MESURES SOCIALES
ET PREMIÈRES RÉTICENCES

La révolution de février 1848 fait triompher la république. C'est la conséquence logique de la campagne des banquets, de l'attitude de plus en plus affirmée du parti démocratique et de l'immobilisme du gouvernement de juillet. Dans l'*Histoire des sociétés secrètes* ([142]), de la Hodde constate que le 23 février au matin, peu de gardes répondirent au rappel. Il en déduit que les gardes bourgeois, en majorité favorables au régime, se laissèrent surprendre par les événements et par l'incurie du gouvernement. C'est ce que confirme Guizot dans ses *Mémoires pour servir à l'histoire de mon temps* ([143]). A. Crémieux, étudiant les trois journées révolutionnaires de 1848, constate à son tour qu'il n'en a pas été ainsi ([144]). Même dans les compagnies de gardes les plus royalistes, la politique de Guizot était particulièrement critiquée, ces critiques retombant sur la politique du roi. Le gouvernement ne trouva aucun appui dans la bourgeoisie de Paris. « En fait, écrit-il, la garde nationale ne se contenta pas d'une hostilité passive ; son rôle durant les deux dernières journées fut capital ; elle apporta aux combattants des barricades une force matérielle et morale qui détermina peut-être le succès de l'insurrection ([145]). »

Cependant la composition même du gouvernement provisoire ne manque pas d'inquiéter les républicains. Elle est

le résultat de la fusion de deux listes, d'un compromis.
Elle représente trois tendances : l'une modérée, la plus
nombreuse, composée de bourgeois moyens, instruits ;
l'autre, plus radicale, représentant le petit bourgeois, le
petit boutiquier, l'artisan ; la troisième, socialiste, la classe
ouvrière. Toutes les difficultés futures découlent de ce point
de départ, brumeux, sans contours nets. Il en est de la province comme de Paris. Les comités républicains sont composés d'une majorité bourgeoise qui veut assurer la république
et l'ordre. Mais ils s'adjoignent des hommes du peuple, qui
forment une minorité. La république que proclament ces
bourgeois, est purement politique. Les classes populaires
voient les conséquences sociales qui doivent découler de la
révolution. Mais elles laissent jouer aux classes bourgeoises
le rôle décisif. Dans la région alpine, par exemple, le vent
est à « la concorde sociale », avec une exception, Manosque,
où le comité républicain soutient « le peuple » contre les
« riches ». Son président dans un toast au peuple, demandait
« que le peuple, gardien de la propriété des riches, ne soit
pas toujours privé à l'avenir de toutes les jouissances ». Les
campagnes le soutiennent, profitant des événements pour
diriger un large mouvement contre les notables. Les petits
propriétaires mènent le jeu, portant parfois atteinte à la
propriété privée. Le défaut de la cuirasse tient au fait que le
ralliement à la république bourgeoise s'appuie sur des groupements issus du régime déchu et sur les masses populaires
dont on s'efforce de ne pas tenir compte des revendications
sociales.

La république, une et indivisible, est reconnue. Les ouvriers la veulent rouge. « Les combattants républicains ont lu
avec une douleur profonde la proclamation du gouvernement
provisoire qui rétablit le coq gaulois et le drapeau tricolore.
Le drapeau tricolore inauguré par Louis XVI a été illustré
par la première république et par l'empire ; il a été déshonoré
par Louis-Philippe. Nous ne sommes plus, d'ailleurs, ni de
l'Empire, ni de la première République. Le peuple a arboré
la couleur rouge sur les barricades de 1848. Qu'on ne cherche pas à la flétrir. Elle n'est rouge que du sang versé par le
peuple et la garde nationale. Elle flotte, étincelante, sur Paris;

elle doit être maintenue. Le peuple victorieux n'amènera pas son pavillon. » Ainsi, pour l'ouvrier, le drapeau rouge signifie la Convention, l'abolition du salariat, l'exaltation du travail ; pour le bourgeois, la terreur, la guerre civile, la suppression de la propriété privée. Il ne veut pas de « ce symbole de sang ». Mais, comme tout n'est que transaction dans le régime naissant, « comme signe de ralliement et comme souvenir de reconnaissance pour le dernier acte de la révolution populaire, les membres du gouvernement provisoire et les autres autorités porteront la rosette rouge, laquelle sera placée aussi à la hampe du drapeau ». Le 25, le gouvernement déclare que « la nation adopte les trois couleurs disposées comme elles l'étaient pendant la république ».

Mais une question domine : le droit au travail ([146]). Il est reconnu : « le gouvernement provisoire de la République française s'engage à garantir l'existence de l'ouvrier par le travail. Il s'engage à garantir du travail à tous les citoyens. Il reconnaît que les ouvriers doivent s'associer entre eux pour jouir du bénéfice de leur travail. » Par ce texte, la république était sociale, sans que pour autant soient précisés le droit de l'ouvrier et le travail qu'il pourrait revendiquer. On pouvait l'interpréter, en disant : « L'État se fait industriel et il organise la production ; l'État doit l'assistance à l'ouvrier. » Mais il s'était agi de faire face à la demande impérative d'une délégation ouvrière, demandant qu'un minimum soit assuré à l'ouvrier et à sa famille, en cas de maladie et que le droit au travail soit garanti. C'est le programme de Louis Blanc en 1840. On connaît son système : *l'atelier social* est une société de production qui groupe les ouvriers d'un même métier en nombre limité. Les bénéfices vont aux malades, aux infirmes, à l'achat d'outils. Le 25 février, il est décidé que les Tuileries serviraient d'asile aux invalides du travail.

C'est certainement pendant la période qui s'étend de février à juin 1848 que grandit et se fixe l'opposition entre les classes bourgeoises et la démocratie dans le sens où les bourgeois la prenaient à cette époque : synonyme de socialisme et de communisme. D'abord ceci : la révolution de février est arrivée, impromptue. Certes, les bourgeois n'é-

taient pas tous satisfaits du gouvernement de juillet. Pour
un petit nombre de nantis, que de laissés pour compte, écartés du système censitaire ! Que le cens soit abaissé et tout
rentrerait dans l'ordre. Mais le gouvernement ne veut pas :
on ne galvaude pas les privilèges ; sinon, ils ne le seraient plus.
De ce fait, le volume des rancœurs croissait. D'autant plus
que les nantis exagèrent. Ils spéculent, s'enrichissent, jouent
de la corruption. Les personnages les plus haut placés sont
ceux qui se livrent sans vergogne à ce jeu déplorable. Dans
ses *Souvenirs*, (147) Tocqueville écrit : « Tous les pouvoirs
politiques, toutes les franchises, toutes les prérogatives, le
gouvernement tout entier se trouvèrent renfermés et comme
entassés dans les limites de cette seule classe (la classe bourgeoise riche). » D'ajouter : « La postérité ne saura peut-être
jamais à quel point le gouvernement d'alors avait, sur la fin,
pris les allures d'une compagnie industrielle, où toutes les
opérations se font en vue du bénéfice que les sociétaires en
peuvent retirer. » En face des 180 000 électeurs censitaires,
les prolétaires qui, « produisant la richesse de la nation, ne
possèdent pour vivre que le salaire journalier de leur travail
et dont le travail dépend de causes laissées en dehors d'eux »,
dit Jean Reynaud, dès 1832, dans la *Revue encyclopédique*.
Lamartine, rallié à la démocratie, ne déclare-t-il pas, en
1838, à la Chambre : « 60 ou 80 fabricants de fer tyrannisent
impunément tout le pays ? » Il était temps que le cens
fût supprimé et le suffrage universel, institué. Lamartine
disait encore, en 1849 : la république est la forme la plus
conservatrice de la société, parce qu'elle suppose le suffrage
universel qui offre une voie de dégagement au « volcan
populaire ».

Le suffrage est universel (148) : « l'unité de la nation,
formée désormais de toutes les classes de citoyens qui la
composent, le gouvernement de la nation pour elle-même ;
la liberté, l'égalité, la fraternité pour principes ; le peuple
pour devise et pour mot d'ordre, voilà le gouvernement
démocratique que la France se doit à elle-même et que nos
efforts sauront lui assurer », dit la proclamation du Gouvernement provisoire.

La situation du travail est mauvaise : le commerce de

luxe est arrêté ; les caisses d'épargne ne reçoivent plus de
dépôts ; les monts de piété sont assaillis ; les bureaux de
bienfaisance ne peuvent plus accueillir de demandes ; les
travaux publics sont arrêtés. Des milliers d'ouvriers arrivent
à Paris. Le gouvernement provisoire, pour parer à cet envahissement, décide la création d'ateliers nationaux. Leur création constitue pour la bourgeoisie un premier moyen de
défense. Le nom rappelait les ateliers sociaux de Louis
Blanc. En fait, ce n'étaient que des ateliers de charité, où les
ouvriers embauchés ne faisaient pas de travail utile, mais
remuaient de la terre. En face d'une menace de révolution
sociale, le gouvernement se rallie à des ateliers de charité,
qualifiés nationaux. C'est le contrepoids aux prolétaires
du Luxembourg que préside Louis Blanc [149]. Le 27 février,
le gouvernement arrêtait l'organisation d'urgence des ateliers
de terrassement : pour déblayer la tranchée de Clamart et
porter les terres dans Paris, à l'effet de préparer une gare
de chemin de fer de l'Ouest entre le souterrain extérieur et
le boulevard ; pour exécuter la gare du chemin de fer de
Paris à Chartres ; améliorer la navigation de l'Oise et prolon-
ger le chemin de fer de Sceaux à Orsay.

Marie, ministre des travaux publics, lance un appel aux
ouvriers des ateliers pour les inviter à donner l'exemple
du travail. Il n'est pas socialiste et il ne croit pas au droit
au travail. Pour bien saisir le mouvement, il faut se placer
dans la conjoncture : il s'agit d'aller vite et de dépenser le
moins possible, tout en satisfaisant à des demandes toujours
plus nombreuses. Il faut endiguer la poussée du socialisme.
Un décret du 6 mars fixe le statut des ateliers et s'occupe de
les organiser autoritairement. Émile Thomas en devient le
directeur. C'est un républicain du lendemain, ancien élève
de Centrale, d'inspiration saint-simonienne, fils d'industriel.
Il organise des services généraux qui centralisent les bureaux
d'inscriptions des douze mairies de Paris. L'état-major
compte un directeur, quatre sous-directeurs, des chefs de
service. Les ouvriers sont répartis en escouades, brigades,
lieutenances, compagnies, services, un chef d'arrondissement réunissant plusieurs services. Mal payés (2 francs
contre F 1,50 aux chômeurs), ils font peu de travail utile.

Ils constituent une force à la disposition des républicains modérés, pour freiner les éléments de désordre. Les ouvriers qui se font enrôler deviennent les salariés du gouvernement. Ils sont à sa discrétion. Il s'agit d'organisation collective du travail par l'État. Ce n'est qu'une aumône pour pallier les difficultés de l'heure et mettre un frein à toute velléité de révolte, en donnant un salaire aux embauchés, même s'ils sont entretenus pour un travail inutile. Certes ils n'avaient pas été organisés pour des fins politiques. Mais tout était politisé. De plus, les hommes politiques recommandent les candidats, quelle que soit leur spécialité. Les ouvriers forment une armée, à laquelle il faut réserver sans cesse du travail pour éviter des désordres, car ils font partie de la garde nationale et, de ce fait, sont armés.

La garde municipale de Paris avait soutenu l'armée pendant les journées révolutionnaires. Elle est licenciée par le gouvernement, le 25 février. Ses membres sans ressources s'inscrivent aux ateliers où ils sont mal vus. La garde nationale est ouverte à tous les citoyens (¹⁵⁰). Elle est partout avec l'opinion, contre le pillage, pour le respect de la propriété et la paix. Elle a le sentiment du salut social. Son service est gratuit et volontaire. La révolution avait fait triompher le suffrage universel ; le service dans la garde l'est également. Le peuple y entre. Pour remplacer la garde municipale, un arrêté du 25 février crée la garde nationale mobile, composée de jeunes gens désœuvrés dont on s'efforce de freiner les turbulences par un embrigadement. Elle compte 24 bataillons, deux bataillons par arrondissement. Les gardes mobiles doivent être volontaires et âgés de seize à trente ans. Ils ont l'habillement de la garde fixe et l'armement de la ligne. Ils sont l'avant-garde de la garde fixe, et même de l'armée parisienne en cas de guerre. Ainsi la jeunesse ouvrière est enrôlée par les bourgeois pour leur défense. C'est un instrument de sauvegarde sociale, pris dans le peuple même.

Mais la république démocratique va se heurter à divers obstacles dans son développement social. Les ouvriers réclament un Ministère du travail (¹⁵¹). Les modérés repoussent cette demande. Louis Blanc insiste ; mais il se contente d'une *commission du gouvernement pour les travailleurs* qu'il préside. La solution semblait heureuse pour le sort de la question sociale. La commission siège au Luxembourg. La proclamation du gouvernement marque le triomphe de la démocratie. « Sur ces bancs où siégeaient naguère les législateurs du privilège, les pairs de France, le peuple est venu s'asseoir à son tour, comme pour prendre matériellement possession de son droit et marquer la place de sa souveraineté. » Patrons et ouvriers siègent, car Louis Blanc voulait rapprocher les deux classes. Chaque profession nomme trois délégués ouvriers, dont plusieurs femmes. Ils tirent au sort dix d'entre eux pour former un *comité permanent*. On en fait autant pour les patrons. Il y a, au début, 242 délégués ouvriers et 231 délégués patronaux. Les délibérations durent jusqu'au 27 avril. La position de la Commission était difficile. Elle manquait de moyens financiers ; elle n'avait aucun pouvoir. C'était, avant tout, un organisme consultatif, devant lequel étaient traitées les grandes questions sociales. A la discussion participent des économistes éminents, dont certains formèrent une opposition. Deux questions retenaient l'attention des ouvriers tout particulièrement : la durée du travail et le marchandage. Au nom de la dignité humaine et de la santé du travailleur, la journée de travail est réduite d'une heure : dix heures, à Paris ; onze, en province. L'exploitation des ouvriers par des sous-entrepreneurs ouvriers, dits marchandeurs ou tâcherons, est abolie.

L'œuvre entreprise au Luxembourg aboutit à un projet qui résume la pensée des socialistes de 1848. Un ministère du travail serait créé, dont la mission serait de « préparer la révolution sociale » et « d'amener graduellement, pacifiquement, sans secousse, l'abolition du prolétariat ». Ce ministère aurait un budget propre, comprenant les bénéfices retirés des chemins de fer, des mines, des assurances, de la Banque qui désormais iraient à l'État, des droits d'entrepôt. Le ministre du travail rachèterait, au moyen de rentes, chemins de fer et mines, centraliserait les assurances au profit de l'État pour l'avantage de tous, ouvrirait des entrepôts où entrepreneurs et industriels pourraient déposer marchandises et denrées, dont les récépissés auraient valeur de papier-monnaie ; des bazars pour le commerce de détail.

Le ministère commanditerait les associations ouvrières et fonderait des colonies agricoles.

Les associations ouvrières, après prélèvement des salaires, de l'intérêt du capital, des frais d'entretien et de matériel, devaient répartir le bénéfice en quatre quarts : amortissement du capital appartenant au propriétaire avec lequel l'État aura traité ; secours aux vieillards, malades, blessés ; un quart à partager entre tous les travailleurs ; fonds de réserve. Il faudrait étendre l'association à tous les ateliers d'une même industrie. Pour éviter toute concurrence, on fixerait le chiffre du bénéfice licite au-dessus du prix de revient, de manière à arriver à un prix uniforme. Dans tous les ateliers, le salaire serait proportionnel aux conditions de la vie matérielle, de façon à représenter la même quantité de marchandises. On grouperait les divers fonds de réserve en un fonds de naturelle assistance entre toutes les industries. Ce grand capital appartiendrait à tous collectivement. Un conseil d'administration le gérerait. Un ingénieur nommé par l'État dirigerait chaque industrie. Les colonies agricoles fonctionneraient dans les mêmes conditions. Il y en aurait une par département, composée de cent familles, dont un tiers se livrerait aux petites industries villageoises. Les colons formeraient une cité et certains services (bibliothèque, lavoir, cuisine) seraient en commun. Comme le dit Georges Renard ([152]), le chimérique était de présenter ce projet de révolution sociale à une assemblée avant tout bourgeoise, qui, évidemment, n'avait pas du tout l'intention de se suicider.

La commission joue le rôle d'un grand conseil de prud'hommes. A plusieurs reprises, elle eut à arbitrer des conflits entre patrons et ouvriers. En général, elle parvenait à établir un tarif, c'est-à-dire un contrat collectif favorable aux ouvriers.

Les associations ouvrières se multiplient. Certaines sont de tendance socialiste. Elles obtiennent des commandes de l'État et des établissements publics. La ville de Paris commande 100 000 uniformes de gardes nationaux à la Société fraternelle des tailleurs de Paris. Ses marchés cassés en juillet 1848, celle-ci se transforme en association commerciale, *le Travail*, dont un tiers des bénéfices futurs formera une caisse d'assistance fraternelle chargée d'attribuer des secours aux veuves et aux orphelins des associés et des pensions aux vieillards. En 1849, elle abandonnera l'égalité des salaires pour adopter le travail à la tâche et devenir une société en nom collectif à l'égard du gérant, en commandite à l'égard des sociétaires. Elle court d'ailleurs à sa fin. Les associations ouvrières voulaient aussi se fédérer et former une union avec un comité central. L'association des ouvriers en limes démarre avec des façonniers et des petits patrons. Elle est en nom collectif. Le gouvernement lui fournit un capital. Les salaires dépendent d'un conseil élu ; la répartition des bénéfices se fait suivant le salaire. Ce sont des travailleurs indépendants qui ne peuvent participer à l'association qu'à la condition de travailler.

II. PROBLÈME SCOLAIRE ET POINTE D'ANTICLÉRICALISME

Le problème scolaire est fondamental ([153]) dans une période où les analphabètes sont encore très nombreux. A peine au pouvoir, Hippolyte Carnot annonçait aux recteurs : « L'Université comprendra aisément qu'elle ne peut que s'affermir et grandir sous l'influence de la république, qui compte nécessairement au nombre de ses principes les plus essentiels *l'extension et la propagation active des bienfaits de l'instruction dans toutes les classes de la société*. » Il instituait une haute commission des études que présidait Jean Reynaud, sous-secrétaire d'État à l'Instruction publique. Le secrétaire général était le philosophe Charles Renouvier. Il accordait la priorité à l'enseignement primaire, qui devait obéir aux trois principes suivants : gratuité, obligation, liberté. Le décret sur l'enseignement primaire, déposé le 30 juin, fixait le devoir de l'État. Il « est de veiller à ce que tous soient élevés de manière à devenir véritablement dignes du grand nom de citoyen qui les attend. L'enseignement primaire doit, par conséquent, renfermer tout ce qui est nécessaire au développement de l'homme et du citoyen, tel que les conditions actuelles de la civilisation française permettent de les concevoir ». L'esprit de la réforme était

nettement démocratique. Pourtant Carnot ne concevait
pas un enseignement laïque. Certes, le programme du
primaire ne comprenait pas d'enseignement religieux ;
celui-ci était donné par les ministres des divers cultes. Tout
citoyen avait le droit d'enseigner à la condition de donner
la preuve de son aptitude, devant un jury. « Les écoles privées
pouvaient s'ouvrir après déclaration préalable ; elles étaient
soumises à l'inspection ; aucune disposition restrictive ne
s'appliquait aux méthodes d'enseignement. »

Les salles d'asile ne sont plus uniquement des établissements charitables, comme sous Louis-Philippe. Elles deviennent des écoles maternelles. « L'école maternelle doit être
regardée comme le domicile de la meilleure des mères qui,
rassemblant autour de ses enfants ceux des familles du voisinage, s'appliquerait à les développer sans fatigue tous ensemble sous le triple rapport du cœur, de l'intelligence et
du physique, tout en les excitant à s'égayer. » Une école
maternelle normale était créée, le 28 avril, à Paris, et confiée
à Mme Pape-Carpentier. Elle devait apprendre aux élèves
« à diriger les écoles maternelles dans l'esprit de la république ». Dressant un plan d'organisation des écoles normales,
la directrice insistait sur le côté moral et civique des écoles
maternelles. « L'école n'a plus seulement à recueillir les
enfants, mais à préparer des hommes. »

Carnot voulait sortir les filles de l'état de minorité dans
lequel elles végétaient. En 1848, la France avait onze écoles
normales pour les filles. Carnot songeait à la pourvoir d'une
École normale supérieure. Le 5 juin, il astreignait les congréganistes au brevet de capacité, comme les surveillantes
religieuses des écoles maternelles.

Déjà commence à se manifester le sentiment des républicains à l'égard des congrégations enseignantes. Dans une
lettre aux cardinaux du 23 mars, Carnot se montrait favorable aux associations religieuses, à condition de ne pas
affecter « le caractère de corps constitués ayant une existence
propre », ni d'essayer « de faire, par personnes interposées,
les actes de la vie civile, dont la reconnaissance légale aurait
seule pu les rendre capables », enfin de ne pas avoir « pour
fondement des vœux qui seraient en désaccord avec l'esprit

non moins qu'avec le texte de la législation du pays ». Le problème des congrégations non autorisées était ainsi posé.

Le caractère anticlérical ressortait d'autres manifestations. La *Revue de l'instruction publique* protestait, le 15 mars, contre des associations qui réalisaient des sommes considérables et qui ne mouraient pas. Le texte en question avait des allures que n'auraient pas reniées les radicaux anticléricaux des années 90. On reprochait aux Frères un esprit de résistance à la loi, une obéissance mécanique, une doctrine qui était « la négation de tout progrès ». « Parce que, en un mot, vous avez voulu être des instruments et non des hommes,... nous vous refusons l'honneur et le pouvoir de faire des hommes. »

Carnot donna une impulsion admirable aux cours pour les adultes, encourageant l'organisation de bibliothèques communales, créant le service officiel des lectures publiques du soir pour les ouvriers, bijoutiers, mécaniciens, charpentiers, menuisiers, où des lecteurs faisaient prendre connaissance aux auditeurs des chefs-d'œuvre de notre littérature, en attendant des cours complémentaires d'histoire, de langue française, de droit public, d'hygiène. Carnot souhaitait développer le recrutement démocratique des grandes écoles et en faciliter l'entrée aux enfants du peuple. Dès l'enfance, des examens décèleraient chez les enfants des écoles primaires les sujets capables. Les collèges les prépareraient gratuitement aux examens de l'école polytechnique. Les sujets d'élite des écoles élémentaires bénéficieraient de bourses. Il ajoutait dans une circulaire aux recteurs : « Il faut que toutes les branches du service national aient aujourd'hui une école polytechnique. » Il songeait à créer une école d'administration, qui donnerait des cadres démocratiques au gouvernement né de la révolution. Ce fut l'objet du décret du 8 mars 1848 ([154]).

Pour Carnot, les instituteurs « sont les membres de la hiérarchie universitaire qui touchent le plus directement à tout le peuple ; c'est à eux que sont confiées les bases de l'éducation nationale ». Intermédiaires nés entre le gouvernement et la démocratie, ils devaient être les apôtres de la république nouvelle. « Ils ont du moins un rapport avec les apôtres ; ils sont pauvres comme eux ; comme eux, ils ont souffert des misères du peuple. » L'instituteur doit lui-même progresser et pouvoir atteindre « les plus hautes sommités de notre hiérarchie ». « Pour que tous soient animés dans une voie d'émulation si glorieuse, il est nécessaire que des positions intermédiaires lui soient assurées. Elles le seront naturellement par l'extension qui doit réunir dans les écoles primaires supérieures, l'enseignement des mathématiques, de la physique, de l'histoire naturelle, de l'agriculture. Les instituteurs primaires seront donc invités, dans toute l'étendue de la république, à se préparer à servir au recrutement personnel de ces écoles. Tel est l'un des complément de l'établissement des écoles normales primaires. L'intérêt de la république est que les portes de la hiérarchie universitaire soient ouvertes aussi largement que possible devant ces magistrats populaires. » Dans l'esprit du ministre, les instituteurs devaient avoir une double ambition : représenter le peuple au sein de l'assemblée nationale : « qu'ils viennent parmi nous au nom de ces populations rurales dans le sein desquelles ils sont nés, dont ils savent les souffrances, dont ils ne partagent que trop la misère ; qu'ils expriment dans la législature les besoins, les vœux, les espérances de cet élément de la nation si capital et si longtemps délaissé ». Devenir les guides de la nation, en formant les citoyens ; car « il faut que le peuple français se sente vivre dans l'assemblée future ». Aussi bien les manuels d'enseignement civique se multiplient. Ducoux, dans le *Catéchisme républicain ou manuel du peuple*, écrivait : « Tout le monde, riche ou pauvre, a sa part du pouvoir ; car tous les citoyens ont, non seulement le droit de nommer les députés, mais encore le droit d'être nommés eux-mêmes députés ou représentants à l'assemblée nationale. » Henri Martin, dans le *Manuel de l'instituteur pour les élections* disait de son côté : « Il faut que les citoyens sans fortune puissent être élus s'ils en sont dignes et que la nation leur fournisse les moyens de vivre à Paris et les dédommage de la perte au moins de leur profession... La république doit être le règne des braves gens et des hommes de bonne volonté. Il faut au représentant du peuple des mœurs simples et une probité sans tache, pour être à l'abri de toutes les séductions. » Renouvier enfin écrivait, dans le *Manuel civique* : « La république doit à tous le droit à travailler et à subsister par leur travail, le droit de recevoir l'instruction, sans laquelle un travailleur n'est que la moitié d'un homme ; ... sans détruire le droit d'héritage, on peut le limiter pour l'intérêt public, et, sans supprimer l'intérêt du capital, on peut prendre beaucoup de mesures pour le rendre aussi faible qu'on voudra ; ... la part de l'impôt doit s'élever plus rapidement que la fortune. »

Mais le moment n'était pas encore venu de donner à l'éducation civique un tour trop révolutionnaire. Les ennemis de la république guettaient Carnot. Ils l'attaquèrent et le poussèrent à démissionner, le 6 juillet 1848 : « ma disgrâce est le premier succès expressif des ennemis de la république, écrira-t-il ; aussi je ne doute pas qu'elle ne leur inspire de nouvelles hardiesses. » Son projet en matière d'enseignement primaire, remanié, tronqué fut emporté par la loi Falloux.

III. RÉPUBLIQUE ET CLUBS

Ce qu'il y a d'essentiel, c'est le fait que la masse a été réduite au silence depuis 1835 et que la proclamation de la république lui donne toute possibilité de s'exprimer. La république démocratique triomphante inspire la création de très nombreux clubs et journaux [155]. 1848 est marqué par un magnifique mouvement sociétaire. Au bout d'un mois, il s'en est créé 250 à Paris et en banlieue ; près de 450 peu après ; une éclosion analogue se produit en province. Les clubs avancés sont les plus nombreux, le plus souvent de pensée socialiste et antibourgeoise [156]. Le club de la rue Fréquillon, qu'animaient l'abbé Constant et un ouvrier tailleur Hilbey, exaltait le peuple français contre Lamartine et les modérés. « Déjà la garde nationale et les écoles prennent la direction du mouvement que le peuple seul a opéré : la bourgeoisie veut vous escamoter encore cette révolution. Au nom du ciel, restez debout ; défiez-vous de la garde nationale. L'aristocratie des riches, disait Marat, est pire

que l'aristocratie des nobles... Établissez des clubs ; exigez
une convention nationale. » Le club de la révolution se propose
la formation d'un comité central « pour appuyer les candidatures radicalement démocratiques ». Le *Comité révolutionnaire, Club des clubs* qui ne reconnaît que la déclaration
des droits de l'homme et du citoyen de 1793 veut républicaniser le pays. Il envoie à travers la France des délégués
d'opinions très avancées pour s'aboucher avec des personnes
influentes, si elles sont républicaines ; les miner, si elles sont
hostiles aux idées nouvelles. Il s'agit avant tout d'unir les
républicains ; de révéler à chaque électeur le droit qu'il a à
exercer ; de lui inculquer des pensées républicaines ; de
faire pénétrer le républicanisme par tous les pores. Il étend
sa propagande aux casernes où se sont constitués des comités
de soldats, qui demandent la démocratisation de l'armée :
« Faites en sorte, écrit l'un d'eux, que l'École de Saint-Cyr,
pépinière de bons officiers, devienne accessible aux soldats
intelligents et studieux. » Fort de la représentation de deux
cents clubs, de la garde nationale, des corporations d'ouvriers,
d'un certain nombre de sectionnaires de la Société des droits
de l'homme, le *Club des clubs*, avec ses cinq cents agents
électoraux, veut faire de la réunion de tous les clubs de Paris
un pouvoir dans l'État. Réunissant les hommes d'action,
disposant de toutes les forces vives de la nation, il serait
capable d'influencer les électeurs et d'intimider la province,
d'imposer au gouvernement la nationalisation de la Banque
de France, des assurances, des mines, des chemins de fer,
des canaux.

Dans le même ordre d'idées, se présente le manifeste des
sociétés secrètes : droit au travail, impôt sur le revenu,
impôt progressif, enseignement gratuit et obligatoire, souveraineté du peuple et suffrage universel. Il ajoutait : « point
de transaction possible entre les soutiens du privilège,
aujourd'hui déguisés en républicains, et les fervents apôtres
de la démocratie. » *La Société des droits de l'homme et du
citoyen* reprend sous une autre forme le même thème.
S'adressant aux privilégiés, il leur disait : « Si, au point de
vue de la forme sociale ancienne, les privilèges dont vous étiez
investis ont été acquis par vous d'une manière légale, ne

vous en prévalez pas, car les lois étaient votre ouvrage. »
Le *Club républicain des travailleurs libres* voit très justement
dans les clubs « les barricades vivantes de la démocratie.
C'est par les clubs, c'est par cette seconde assemblée nationale, toujours permanente, toujours agissante que doit
s'édifier le nouvel ordre social ». Nous retrouvons le même
état d'esprit, anticapitaliste et antibourgeois à la *Société
des représentants républicains*, fondée en juin 1848. Partisan
de l'affranchissement de l'individu, de l'égalité sociale et
civile, elle condamnait le capitalisme qui tendait à s'approprier
tous les fruits de la production : « Livré à tous les écarts,
(il) entretient la fièvre des spéculations, aiguise la cupidité,
détruit les bons rapports des hommes entre eux et dénature
le caractère national. » A son avis, l'État devait intervenir
dans les relations entre le capital et le travail, diriger le
crédit et le travail sur les points jugés nécessaires, provoquer
les associations de petits propriétaires, de travailleurs agricoles, d'ouvriers industriels, et les créditer, obliger le propriétaire à lui céder les terres qu'il ne peut travailler, garantir à l'individu la liberté, l'éducation, la justice, la sécurité,
la propriété, la protection. Ainsi, les clubs étaient des sortes
de petits parlements qui aspiraient à devenir grands.

Pas de démocratie vraie sans une presse libre. 1848 voit
une prolifération des journaux. Jusqu'alors la presse
s'adressait à une élite aisée, car les abonnements étaient
chers. En 1848, le timbre et le cautionnement tombent,
libérant la presse. Les journaux se vendent dans la rue, au
numéro, à un sou. Il s'en crée 274, entre février et juin. Publier
un journal, c'est faire un acte de foi en la république. Ils
sont avant tout socialistes. Ils ont un but : la transformation
sociale totale. La propriété retient tout particulièrement
leur attention : « ce qui fait la liberté civile et politique,
c'est la propriété : aussi, ou bien il faut faire autant de propriétaires, ou il faut socialiser la propriété de manière à ce
que nul citoyen ne dépende matériellement de tout autre
citoyen. » Ils revendiquent l'organisation du travail agricole,
industriel et intellectuel par l'État et la socialisation progressive et pacifique des instruments de travail. Certains journaux se recommandent de la période de 1793. Dans *Le*

peuple, A. Esquiros écrivait : « Nous entendons fonder une république morale où les devoirs soient la balance des droits... Les opinions sont individuelles ; les principes sont universels ; c'est donc à ces derniers qu'il faut rattacher notre révolution si rapide et si glorieuse, si nous ne voulons point qu'elle tombe entre les mains d'une coterie. » Et de rêver de luttes libératrices, de nivellement des fortunes, de partage de bénéfices entre le patron et l'ouvrier, avec cette pointe de panache qui caractérise 1848 : « Nous serons au besoin les républicains des coups de feu et des barricades. » L'expression d'une rancœur trop longtemps contenue provoque une peur panique chez le bourgeois que George Sand stigmatise dans une lettre publiée dans les *Murailles révolutionnaires* : « Aux riches. La crainte ou le grand prétexte de l'aristocratie, à l'heure qu'il est, c'est l'idée communiste. Sous ce mot de communisme, on sous-entend le peuple, ses besoins, ses aspirations... Prenez garde, le peu que vous avez nous prouve peu de confiance en vous-mêmes, et si vous méconnaissez le progrès que nous avons pu faire, vous révélez que vous n'en avez aucun. »

Le bourgeois avait été surpris par l'explosion démocratique et sociale. Certes, le moyen et surtout le petit bourgeois avaient accueilli la révolution avec satisfaction. Mais la république, pour eux, c'était la chute d'un régime immobile et incapable de donner aux événements de juillet 1830 toutes leurs conséquences, c'est-à-dire un suffrage très large. La mise en mouvement de la classe ouvrière, le désir vivement manifesté de voir entrer les doctrines sociales dans les faits, les réalisations, la menace du drapeau rouge les inquiètent. En face de la poussée socialiste, ils se trouvent aux côtés du grand bourgeois, pour freiner le développement social de la révolution. Ainsi on se trouve en présence d'un double mouvement contradictoire : le mouvement démocratique pour la réalisation de la révolution dans ses aspirations sociales, avec pour point d'appui Ledru-Rollin, et le mouvement de réaction qui s'appuie sur la majorité du gouvernement provisoire et le bourgeois, soucieux d'ordre et de stabilisation politique et sociale. Par voie de conséquence, on assiste à une poussée à gauche sur les commissaires, avec constitution de comités électoraux, tandis que se dessine un parti de l'ordre, soutenu pas d'autres comités électoraux.

La position du parti démocratique s'est modifiée. La première fournée de commissaires du gouvernement dans les départements est d'opinions très diverses : modérés, nuance *National*, nuance *Réforme* ([157]). La plupart ont été choisis parmi les notabilités départementales, ancien député, ancien magistrat municipal ou commandant de la garde nationale, chef du parti local ou régional. Ces cent dix commissaires, répartis dans 85 départements, exercent des fonctions de préfets. Les instructions de Ledru-Rollin sont très nuancées : elles varient selon les époques. La première circulaire du 8 mars est modérée. Elle marque tout d'abord l'union des Français qui « doit aussi être la source de la modération après la victoire... La république est exempte de vengeance et de réaction ». Les fonctions publiques ne peuvent être confiées qu'à des « républicains éprouvés ». « En un mot, tous hommes de la veille et pas du lendemain. » Ledru-Rollin s'efforce de rassurer ceux qui ont peur. Où est le danger ? « Ceux qui se montrent inquiets pour la propriété ou la famille sont peu sincères ou fort ignorants. Dépouillée de son caractère de personnalité égoïste, garantie et limitée par l'intérêt et le droit de tous, la propriété devient le fruit exclusif du travail. » Il conseille la célérité, l'application, le zèle. « Appliquez-vous à ménager les transitions. N'inquiétez pas des intérêts respectables... Éclairez ceux qu'un passager entraînement égarerait... Il nous appartient de rassurer les esprits, de raffermir le crédit, de renouer les transactions, de réunir les matériaux du vaste édifice que l'assemblée nationale édifiera. »

Une nouvelle circulaire du 12 est plus dure et donne un son révolutionnaire qui inquiète le bourgeois conservateur. Victor Bouton en impute la rédaction à Jules Favre, secrétaire général du ministère de l'intérieur. Elle précisait les pouvoirs des commissaires : « Ils sont illimités. Agents d'une autorité révolutionnaire, vous êtes révolutionnaires aussi. Vous ne relevez que de votre conscience. » L'ombre des représentants en mission s'étend sur le régime nouveau. Ombre dangereuse qui, aux yeux de certains, faisait présager les comités révolutionnaires, les tribunaux révolutionnaires, la

Terreur. D'ailleurs, la menace suivait, répondant à l'inquiétude même du ministre : « Jusqu'ici vous n'avez eu à briser
aucune résistance sérieuse et vous avez pu demeurer calme
dans votre force ; il ne faut cependant pas vous faire illusion
sur l'état du pays. Les sentiments républicains y doivent être
vivement excités ; et pour cela il faut confier toutes les fonctions publiques à des hommes sûrs et sympathiques. » Une
révolution ne pouvait réussir que si tout le personnel administratif était changé. « C'est à vous de faire comprendre aux
populations qu'on ne peut conserver ceux qui ont servi un
pouvoir dont chaque acte était une corruption. » Il faut remplacer sous-préfets, maires et adjoints à la nomination du
pouvoir déchu. On conservera les conseils municipaux dans
la majorité des cas, sauf le cas « de rigoureuse nécessité ».
Les commissaires du gouvernement avaient les pouvoirs de
l'autorité exécutive. La force armée était sous leurs ordres.
Mais ils devaient la ménager, car elle était « peuple comme
nous ». En un mot, « vous servir de la force militaire ou la
contenir, et la gagner par des témoignages d'estime et de
cordialité ». Les magistrats étaient suspects. Il fallait les surveiller et les suspendre en cas d'hostilité. Il y a là sujet à
observation critique : on ne voit pas un préfet suspendre un
magistrat, confusion entre l'exécutif et le judiciaire. L'explication est dans la suspicion que les républicains font peser
sur la magistrature, dont l'inamovibilité était synonyme de
piétinement et d'immobilisme.

Avant tout, préparer les élections. La nouvelle assemblée
doit être « animée de l'esprit révolutionnaire, sinon nous
marchons à la guerre civile et à l'anarchie ». Un seul mot
d'ordre : élire des hommes nouveaux, issus du peuple. Les
travailleurs doivent désigner des candidats sortis de leurs
rangs. Dans un pays où l'analphabétisme est grand, il faut
éduquer le peuple, le guider, le former dans les comités.
Pour faire triompher la république démocratique et sociale,
il faut administrer révolutionnairement, combattre les faibles
et les adversaires déclarés et diffuser les bons principes par
une constante propagande.

Ces prescriptions firent scandale et créèrent une sorte
d'épouvante dans la classe moyenne. Devant les attaques de

la presse modérée, le gouvernement voulut croire que la circulaire dépassait la pensée du ministre et décida que tout acte ministériel important donnerait lieu à délibération du gouvernement. Toujours la politique pendulaire. La manifestation bourgeoise, dite des bonnets à poil, provoque la riposte des forces socialistes et ouvrières, le 17 mars. Ledru-Rollin l'emporte. Il fait triompher la politique des républicains avancés. Il remanie l'administration des départements. Il nomme des commissaires inspecteurs ou généraux pour surveiller les opérations des commissaires et des sous-commissaires, exercer un droit de réquisition sur les autorités civiles et militaires et un droit de révocation. Au début d'avril, vingt-quatre sont en place dans soixante départements. Un sérieux coup de volant à gauche n'alla pas assez loin. Car le personnel ne fut pas complètement renouvelé. L'avenir de la république n'en sortit pas consolidé.

La campagne électorale s'ouvre indécise. L'extrême-gauche organise, le 16 avril, une grande manifestation populaire de caractère révolutionnaire. Certes, Ledru-Rollin riposte violemment en faisant battre le rappel de la garde, assurant ainsi la victoire des modérés. Mais il n'ose pas bousculer les clubs. Il lance une proclamation contre les ennemis de la révolution, abolit l'impôt sur le sel et les droits sur la viande, abroge l'inamovibilité de la magistrature, n'arrivant qu'à encourir les critiques de la droite et des révolutionnaires.

IV. LES BOURGEOIS FACE AUX ÉLECTIONS ET AUX REVENDICATIONS DE LA MASSE

La période de concorde sociale est passée. Certains comités républicains, composés au début de bourgeois et d'hommes du peuple, prennent une attitude politique plus avancée, pour en arriver à une déclaration de guerre à la bourgeoisie. Les clubs lancent des appels pour « l'élection du plus grand nombre possible d'hommes connus pour leurs luttes constantes contre le pouvoir déchu ». Les délégués des comités républicains des Basses-Alpes, par exemple, issus du peuple, sont des républicains éprouvés ([158]). Alors les représentants de la bourgeoisie réagissent. Les démocrates se heurtent aux

républicains authentiques, mais modérés, ainsi qu'à des
notables, avocats ou riches propriétaires fonciers, rendant
complète la rupture. La bourgeoisie joue sur le mécontentement causé par les 45 centimes et sur la peur révolutionnaire, dénonçant les démocrates comme des « communistes »
et des « buveurs de sang ». Les démocrates invitent les citoyens à voter prolétaire, pour la république démocratique
et contre les bourgeois partisans de la république aristocratique. C'est toujours le même jeu : la république politique
et la république démocratique et sociale.

Toutes les candidatures évoquent le triomphe de la
république ([159]). Mais laquelle ? Je veux la république, la
liberté, l'égalité, la fraternité, l'ordre, le respect des droits
acquis, le progrès, dit Armand Mancel, directeur général de
la sécurité commerciale. Je crois à la république démocratique, dit Leroy d'Étiolles, délégué des blessés de février,
ex-chirurgien major de la légion de cavalerie ; je veux une
meilleure répartition de l'impôt qui frappera les revenus,
la rente et les créances hypothécaires, l'éducation obligatoire et gratuite, la transmission de la propriété dans une
certaine limite, car « la grande famille humaine a aussi des
droits de succession à exercer », le socialisme se substituant
au libéralisme. Isidore Debrie, huissier, fils d'ouvrier, disait : « Si le suffrage universel ne devait pas avoir d'autres
résultats que de nous donner un plus grand nombre de représentants serviles et égoïstes, ce n'était pas la peine de répandre notre sang pour la défense de nos droits... Que la classe
riche choisisse ses représentants dans sa classe et les ouvriers
dans la leur ; que les représentants qu'il s'agit d'élire arrivent
à la Constituante, pour chaque classe, dans un nombre proportionné à la quantité de têtes qui la composent. » L'officier
de marine Levasseur demandait l'union des chefs d'industrie et des travailleurs, la meilleure association du capital et
du travail, la meilleure répartition des impôts. Pagnerre,
secrétaire général du gouvernement provisoire, affirme : « En
un mot, ma république à moi, ce n'est pas la république
rouge, c'est la république tricolore. » Dans l'expression
« démocratique » des déclarations et des manifestes, on sent
poindre une crainte ; on met en avant l'ordre. Certains

accepteraient l'impôt progressif, à condition que ce ne soit pas un moyen pour arriver au communisme. D'autres voudraient voir oublier l'étiquette de « républicain du lendemain ». Certains vont à dire : vous ne nommerez pas tels candidats parce qu'ils « seraient de mauvais députés et qu'ils n'aiment pas la république ». Toutes les professions sont représentées : professions libérales, officiers, fonctionnaires, surtout professeurs et instituteurs, ouvriers en nombre. H. Castille, rédacteur en chef de la *République française,* invite ses lecteurs à choisir les républicains les plus avancés, les « montagnards ». Menaçant : « Si vous envoyiez à la Chambre une majorité molle, qui viendrait arrêter l'essor de la minorité progressive, le peuple briserait d'un coup de crosse de fusil l'urne équivoque de l'assemblée nationale et jetterait par les fenêtres du Palais-Bourbon ces hommes indignes de le représenter. » En face de ces républicains aux opinions diverses, mais qui se rattachent en gros aux principes essentiels de la république, on note des candidats qui sont d'anciens députés du régime précédent. Ils se rallient au gouvernement provisoire, mais ils mettent au-dessus de la forme du régime, la France. Certes, il faut que « la société soit libérale envers ceux qui font sa force ». Il faut éviter que soit perturbée « la zone économique de la société, la propriété, le commerce, l'industrie, le capital qui donne travail et salaire, la liberté », dit G. de Beaumont. B. d'Hernart dira à ses électeurs de l'Aube : « La république devra s'affermir par une conduite prudente et modérée ;... elle n'a d'ennemis dangereux que ses propres excès. » Le caractère modéré de plusieurs candidatures éclate : ce sont des républicains qui acceptent ceux du lendemain comme ceux de la veille. Et d'ajouter, comme le fait Stourm, ancien député de l'Aube : des citoyens qui veulent la république « sérieusement, sans regret pour le passé, sans espérance coupable pour l'avenir, mais aussi sans esprit de réaction, sans appel à la violence »...

Ce qui frappe le plus chez les hommes nouveaux, c'est la lutte pour la liberté et l'introduction du système électif dans les fonctions publiques ; l'instruction publique pour tous ; l'organisation du travail avec, pour corollaire, l'association

travail-capital ; la proportionnalité de l'impôt, plus rarement la progressivité ; le développement des institutions
sociales, crèches, salles d'asile, patronages, pensions aux
vieillards ; le fait de dire très haut que l'on est du peuple,
que l'on a partagé son pain, ses jeux, comme le dit un propriétaire de Lesmont (Aube). C'est encore que l'on se sert
de phrases pompeuses et creuses qui n'expriment que le
désir d'être élu, sans préciser sur quel programme (« la
mission à remplir est noble et belle » ; « mon passé vous
répond de mon avenir » ; « je ne puis vous offrir que la parole
d'honneur d'un honnête homme »).

Duvergier de Hauranne s'élève au-dessus de considérations sans originalité pour faire la philosophie du mouvement. Il avoue l'évolution sociale, en particulier celle de la
classe ouvrière, « dont, peut-être, nous n'étions pas nous-
mêmes assez frappés ». Une fois au pouvoir, les classes laborieuses devront se soumettre aux lois nécessaires qui mènent
le monde moral. Mais, dans le système républicain, « sous
les gouvernements où l'initiative et la direction sont partout,
les hommes modérés ne peuvent s'abstenir sans livrer la
société à toutes les folies, à toutes les violences ». L'opinion
libérale est toujours prête à défendre l'ordre et la liberté, à
soutenir un gouvernement régulier, respectueux des droits
de tous et à travailler au développement sans contrainte des
forces nationales. L'opinion libérale demande à la république
l'ordre que le parti républicain avait promis avant 1848. « Il
faut, en un mot, qu'à la corruption, arme familière des
monarchies mixtes, ne succède pas l'intimidation, arme
trop habituelle des démocraties pures. » On peut noter également cette appréciation sur la vocation politique de la
France : « La France, dit-il, il serait puéril de le nier, n'a
beaucoup d'enthousiasme pour aucune forme de gouvernement, beaucoup de foi dans aucune organisation politique.
Après avoir, de 1789 à 1814, essayé de tous les gouvernements et vu périr cinq à six constitutions, elle s'était réfu-
giée dans la monarchie constitutionnelle, comme dans le
port où les orages ne pourraient plus l'atteindre. La monarchie constitutionnelle, deux fois tentée dans des conditions
diverses, disparaît à son tour, et la France, déçue dans ses

espérances, est prête à chercher dans la république ce que la monarchie constitutionnelle ne lui a pas donné. Il dépend de ceux qui sont au pouvoir d'empêcher que cette nouvelle épreuve n'avorte comme les précédentes, et de fonder définitivement et avec l'assentiment universel, le gouvernement qu'ils ont toujours désiré. » Se ralliant à la république pour défendre les principes de 89 et de 1830, Duvergier de Hauranne pense que le gouvernement doit « en peu de mois achever la dissolution des vieux partis et rallier à elle tous les bons citoyens ».

Aux circulaires passionnées correspondent des appels, où la démocratie et la liberté se marient à l'ordre et à la raison. Riches cultivateurs ou négociants, ces candidats ne désirent que le calme, la tranquillité. A quoi répondait le manifeste de la *Société meusienne* : « Par républicain, nous n'entendons pas les libéraux de la Restauration, non plus que ceux du règne dernier... Nous sommes convaincus que la constitution ne sera guère qu'un simple règlement pour lequel suffira le bon sens ; car l'établissement de la république anéantit toute discussion sur le droit d'association, la liberté de la presse, le suffrage universel et sur toute autre question de souveraineté populaire. »

Les femmes ne sont pas absentes dans ce grand mouvement social. Au nom de l'égalité des droits et de l'unité de la république et du fait que la femme forme la moitié du genre humain, elles demandent de participer à la vie politique et sociale de la nation. Femmes artistes, ouvrières, écrivains, professeurs expriment leurs vœux : « de la solidarité des liens nouveaux et naturels que vous établirez entre l'homme et la femme, résultera... le mariage pas excellence, le mariage social, trinité matérielle, intellectuelle et morale dans le travail. »

Le clergé, inquiet des revendications socialistes, intervient dans le débat, demandant le maintien de la propriété sous toutes ses formes, les libertés, y compris celle d'enseignement, « sous la surveillance directe et immédiate de la république », et « d'association pour l'établissement, la conservation et la défense des intérêts religieux, politiques, littéraires, industriels, commerciaux, agricoles ». C'est bien l'avis d'Émile

Chavin, candidat dans le Jura, pour la défense de l'agriculture, la liberté du commerce et de l'industrie, l'inviolabilité de la famille, les libertés d'association et de réunion, de penser, d'écrire, de la presse, l'établissement d'œuvres sociales (crèches, asiles, écoles d'adultes, d'ouvriers, bibliothèques en faveur des classes pauvres), la réduction de l'impôt et sa répartition suivant le revenu, la réduction de l'impôt sur le sel, des taxes d'octroi sur la viande, la suppression des subventions théâtrales.

Les travaux de sape menés contre une représentation nationale trop démocratique poussent le ministre de l'intérieur à rassurer les craintifs, les peureux, les pusillanimes. Le 17 mars, le *Bulletin de la république* écrit : « La république ne vient pas bouleverser vos légitimes intérêts ; elle vient mettre fin à cet indigne pillage de la fortune publique ; elle vient rendre vie à toutes les grandes forces productives du pays... La démocratie... est aujourd'hui partout ; dans les intérêts, dans les idées, dans les mœurs... Si, par malheur, vous vous laissiez aller aux frayeurs puériles que veulent vous inspirer les ennemis de la république,... vous déshonoreriez à jamais aux yeux du monde la justice, la liberté, l'égalité... »

A vrai dire, le gouvernement provisoire est accusé de despotisme. « Vos principes et votre volonté sont posés d'une façon tellement absolue, que jamais firman ou ukase n'a présenté le caractère d'un plus impérieux despotisme. » Que le gouvernement ne croie pas qu'il n'a qu'à commander et à décider : « le principe républicain est très répandu, sans doute, mais il faut à sa consécration la majorité des suffrages de neuf millions d'hommes, majorité qui aura seule le droit d'établir des principes généraux et absolus. » P. Dejort, le protestataire, ajoute, contre la circulaire de Ledru-Rollin aux commissaires du gouvernement : « Cela promet et nous voilà bien au moins aussi libres que ces soldats auxquels un colonel disait : Soldats ! vous êtes libres, mais le premier j... f... qui ne vote pas pour l'empereur, je lui brûle la g... cervelle. »

La bourgeoisie moyenne est partisan des libertés, du jury, d'une magistrature élue et inamovible ; mais elle rejette l'impôt progressif qui absorberait le capital, le fonds de terre et tuerait l'industrie et le travail, et toute loi fiscale ayant pour but un prétendu nivellement des fortunes, qui mènerait à la misère toutes les classes sociales, comme l'exprime Battut, avocat à la cour d'appel de Paris, dans sa profession de foi.

Mais le gouvernement s'en inquiétait. Il ne se faisait pas d'illusion sur l'unité républicaine. Il faut une assemblée nettement républicaine si on veut éviter la guerre civile et l'anarchie. Il faut repousser les tièdes, les indifférents, les intrigants. Le comité central maçonnique pour les élections nationales posait pour principe essentiel que le candidat doit être républicain. Ne faisons pas de république entourée d'institutions monarchiques, disait-il. « Est républicain celui qui depuis longtemps reconnaît la république comme le seul gouvernement normal d'une société arrivée à un certain degré de civilisation ; qui a prouvé, par ses discours et par ses actions que les principes républicains sont dans sa tête, et surtout dans son cœur. » Ainsi tous les candidats parlent de république. Tous se disent républicains. Le clergé s'y rallie. Les candidatures étaient fort nombreuses : 2 000 à Paris. Des ouvriers; surtout des bourgeois. Les élections du 23 avril assurèrent le triomphe des républicains modérés. La république bourgeoise l'emporte ; la majorité des élus est formée d'anciens électeurs censitaires, malgré les efforts faits dans certains secteurs pour se débarrasser de la tutelle bourgeoise. La nouvelle assemblée réunissait 876 députés, dont 250 monarchistes environ ; 200 démocrates, le reste appartenant aux républicains nuance *National*. 165 députés avaient été députés sous divers régimes, depuis les Cent-Jours. On compte 253 avocats, 40 notaires, avoués, anciens avoués, 117 magistrats ou anciens magistrats ; 25 contremaîtres et ouvriers. C'était peu pour faire triompher la république sociale. Les trois quarts des députés payaient plus de 500 F de contributions.

Chapitre II

De la réaction bourgeoise au coup d'État du 2 décembre

Une période de réaction bourgeoise commence. La bourgeoisie, moyenne et petite, se rapproche de la grande, par peur de la république sociale.

I. LA POUSSÉE RÉACTIONNAIRE DE LA BOURGEOISIE

L'avènement de la Constituante s'ouvre sur une émeute, le 15 mai. « La faction ultra-démocratique, c'est-à-dire une bonne partie de la population de Paris, représentée par de nombreux clubs, était mécontente de l'assemblée » dont les nuances politiques ne répondaient pas à ses vœux. Bref, les chefs des clubs se proposaient de maîtriser l'assemblée, puis de la disperser. Ils avaient l'intention de remettre des pétitions à propos de la question polonaise. La présence de Blanqui, de Huber et de Sobrier donne à la manifestation un autre tour. La garde nationale dégage l'assemblée.

Pour bien saisir les motifs de cette journée, il faut se rendre compte qu'une première question avait divisé les représentants. Il s'agissait du remplacement du gouvernement provisoire par un exécutif nouveau. Le représentant Dornès avait proposé une commission de cinq membres, qui nommerait, hors de son sein, des ministres responsables et révocables. Sur la proposition de Baroche ([160]), Peupin est chargé d'étudier la question et d'en faire rapport. A côté de la proposition de Dornès, il présente l'idée d'un ministère de neuf membres avec portefeuille et d'un dixième sans portefeuille assumant le présidence. Peupin se rallie à la deuxième solution qui était celle de la majorité. Sur les instances de Lamartine, l'assemblée adopte la première, par 411 voix contre 385. Les « contre-révolutionnaires » souhaitaient bien voir écarter Ledru-Rollin ; mais Lamartine refuse de séparer sa cause de celle de son collègue, ce qui lui fit perdre un grand nombre de voix. Louis Blanc et Albert sont écartés du gouvernement.

La seconde question est celle de la création d'un ministère du travail ([161]). Ce ministère dont la Commission du Luxembourg avait proposé l'établissement, devait avoir pour « mission spéciale de préparer la révolution sociale et d'amener graduellement, pacifiquement, sans secousse, l'abolition du prolétariat ». En fait, il s'agissait de remplacer l'économie bourgeoise par un dirigisme d'État. L'article II en fournissait la preuve. Il devait être l'étincelle qui déclencherait le mouvement général de libération. Allant à l'encontre des intérêts essentiels des hommes d'affaires et des capitalistes, le ministère du progrès devait entreprendre le rachat des chemins de fer et des mines, transformer la Banque de France en banque d'État, nationaliser les assurances. Les bénéfices retirés de ces institutions iraient à l'État pour constituer le budget des travailleurs sur lequel seraient versés les intérêts et l'amortissement des sommes engagées par la nationalisation et le rachat, fournir les crédits nécessaires à la commandite des associations ouvrières et à la création de colonies agricoles. Les bénéfices de chaque association ouvrière seraient répartis par quart pour servir à l'amortissement des capitaux appartenant aux propriétaires, à la constitution d'un fonds de secours pour les ouvriers malades, blessés, vieillis, au paiement de bénéfices aux travailleurs et à la formation d'un fonds de réserve. Les fonds de réserve des diverses associations formeraient une masse commune qui serait administrée par un conseil et sur laquelle serait secourue, le cas échéant, une industrie en souffrance. Le système traditionnel serait maintenu à côté du nouveau système d'économie dirigée, qui ne manquerait pas, pensait-on, d'absorber peu à peu l'économie classique. L'assemblée lui oppose un refus. Les éléments conservateurs et bourgeois décidèrent la création d'une commission d'enquête chargée de faire le point sur la situation du travail industriel et agricole en France ([162]). Dans leur esprit, c'était substituer à l'utopie les réalités profondes du pays. Thiers, représentant de la grande bourgeoisie, l'entendait bien ainsi, quand il écrivait dans *le Constitutionnel* : en repoussant la proposition de création d'un ministère du progrès, l'assemblée nationale « a entendu se dégager de ces conceptions qui avaient la prétention de reconstruire la société sur un terrain nouveau et d'après des combinaisons complètement étrangères aux tendances de l'humanité ; elle a entendu couper court aux entreprises de ces faiseurs de système, de ces rêveurs, qu'il faut ranger à côté des alchimistes qui cherchent la transmutation des métaux ». La commission d'enquête prenait pour point de départ « la société telle qu'elle est constituée ». Elle se fond peu après dans le grand *Comité du travail* que Corbon préside et qui est chargé d'étudier les projets relatifs aux travailleurs. Il rassemble tous les éléments d'une immense enquête qui s'étend à tout le territoire. Dans chaque canton, une commission, présidée par le juge de paix et composée de délégués élus en nombre égal par les patrons et par les ouvriers, enregistre les réponses à un questionnaire de vingt-neuf questions. L'esprit du comité était tout différent de celui de la Commission du Luxembourg. Celle-ci était un comité d'études qui discutait et revisait les projets de lois économiques et sociales. L'enquête se heurta à de grandes difficultés, à Paris où elle fut ajournée ; dans les départements, où la nomination des commissaires traîna : les résultats ne furent connus souvent qu'en 1850. Pourtant, sur 2 847 cantons, 177 seulement ne donnèrent pas de réponse.

La troisième question concerne les ateliers nationaux. Sous le gouvernement provisoire, ils étaient un instrument aux mains du parti modéré. Les ouvriers des ateliers ont pour raison d'être la neutralisation du prolétariat d'aspiration socialiste. Lamartine a pu écrire justement : « Ils protégèrent et sauvèrent plusieurs fois Paris à son insu. Bien loin d'être à la solde de Louis Blanc, ils étaient inspirés par l'esprit de ses adversaires. » Les ouvriers ont leur club, où leur chef, Thomas, les invite à vivre dans l'ordre. On les tient éloignés du Luxembourg. Ils sont à la disposition des forces bourgeoises pour briser, le cas échéant, toute manifestation socialiste. A dire vrai, la révolution de février est la terreur des hommes d'affaires. Pour beaucoup, elle représente le triomphe du communisme, la suppression prochaine de la propriété. Aux « barbares » qui menacent de la violence et de la force brutale, il faut opposer la force morale. Le bourgeois se sent rassuré par les membres du gouvernement provisoire qui dégage une volonté d'ordre. Lamartine rassemble les suffrages des honnêtes gens. Banquiers, industriels, commerçants ne restent pas béats. Ils veulent profiter de la conjoncture. Ils font pression pour obtenir la prorogation à trois mois de toutes les échéances. Ils menacent : sinon les ateliers seront fermés. Le gouvernement ne touche pas à la Banque de France, dont les billets reçoivent cours forcé et qui obtient de créer des comptoirs en province.

Pourtant, la présence des ouvriers au Luxembourg inquiète beaucoup de bourgeois. Certains reprochent au gouvernement d'avoir accordé le droit au travail dès le début et à des capitalistes d'avoir fait participer les ouvriers aux bénéfices. Les nantis prennent l'offensive contre le gouvernement provisoire. N'a-t-il pas mis sous séquestre deux compagnies de chemins de fer dont les administrateurs avaient annoncé l'arrêt du trafic si elles n'étaient pas secourues par l'État, et projeté leur rachat qui permettrait de donner du travail à beaucoup de chômeurs. D'autres projets ne menacent-ils pas les bourgeois ? Une taxe progressive sur les successions, la suppression du remplacement militaire, la gratuité de l'enseignement primaire. D'autres mesures les irritent. Le gouvernement n'a-t-il pas déclaré dissoutes les compagnies d'élite de la garde ? La situation reste paradoxale : la sortie prolétarienne du 17 mars apparaît comme la reconnaissance par le peuple des efforts faits par le gouvernement en faveur de la classe ouvrière. Celui-ci en profite pour faire des concessions spectaculaires aux travailleurs : report des élections de la garde au 5 avril, visite en corps au Luxembourg, sanction contre le marchandage, au cas où son abolition ne serait pas respectée ; les rangs de la garde largement ouverts aux ouvriers et le directeur des ateliers invité à y faire entrer ses

hommes. De fait, les élections de la garde sont favorables.
Les amis de l'ordre peuvent compter sur une garde fortement étoffée et sûre, sur les gardes mobiles et sur la perspective de l'arrivée à Paris de quelque vingt mille hommes.

Le manque d'organisation des ateliers, l'insignifiance de
leur rôle économique, l'espoir que fait naître chez certains
les déclamations du Luxembourg, le bruit qui court de leur
prochaine dissolution, les font se retrouver, pour une part,
à la manifestation du 15 mai. Ce jour-là, les deux portions
de la classe ouvrière se rapprochent et tendent de nouveau
à l'unité. Mais la manifestation rend la commission exécutive plus intransigeante. Elle raidit sa position. Le conflit entre
les travailleurs, le gouvernement et le comité du travail
s'aigrit. D'un côté, les ouvriers, anxieux à l'idée de perdre
leur gagne-pain ; de l'autre, la bourgeoisie, inquiète de ces
rassemblements. Certes, le parti conservateur veut donner
l'impression qu'il est du côté des foules et que son sentiment
est démocratique. Le bourgeois se vante d'être républicain.
Or la chambre qui sort des élections est plus riche de grands
propriétaires que celles de la période précédente. Sept cent
cinquante représentants, amis de l'ordre, dont beaucoup
avaient appartenu aux anciennes chambres orléanistes. Une
commission exécutive ayant à sa tête Arago, Garnier-Pagès,
Marie, puis Lamartine et Ledru-Rollin. Parmi les ministres,
deux républicains de la veille seulement, Carnot et Flocon.
Les nantis avaient trop peur, pour que Lamartine obtienne
la place à laquelle il aurait eu le droit d'aspirer. La propriété
avait tremblé. Louis Blanc, exclu du pouvoir, démissionne
de la présidence du Luxembourg. La Commission du Luxembourg tient sa dernière séance le 16 mai. Le comité des
travailleurs qu'anime Falloux, la rend inutile. En somme,
l'invasion de l'assemblée donne un regain à la passion de
l'ordre contre la démocratie. Bien étayés par la force ministérielle, les gens de bien, comme le dit Guillemin ([163]), estiment qu'il est temps de revenir à la réalité, de combattre le
socialisme et ses illusions, de ne pas oublier que le salaire
est une marchandise et que la société repose sur une civilisation vieille de vingt siècles. Il ne faut pas substituer une
nouvelle classe sociale à une autre. La révolution est poli-

tique : c'est le régime constitutionnel qui a été renversé. Le mouvement n'est pas social. La manœuvre a un double but : liquider les ateliers et le Luxembourg. Les premiers préfigurent le système socialiste et le second a tendance à se placer au-dessus de l'État. Voilà le point de départ de la révolution sociale : il faut le ruiner avant qu'il ne perce. Il y a plus : les ateliers nationaux dilapident les deniers de l'État et les contributions des citoyens. Que l'homme des champs ne s'y trompe pas. Le communisme qui menace entraînerait le partage des terres et la promiscuité des femmes.

Des mesures sont prises pour couper court à toute émeute. Là encore, les opinions divergent. Certains, que la crainte domine, demandent des mesures de rigueur ; d'autres parlent d'oublier. La justice suit son cours. Plusieurs agitateurs sont arrêtés ; des clubs sont fermés. Le préfet de police est révoqué. L'armée se rapproche de Paris. Le ministre de la guerre, qui n'a pas fait donner la troupe, est remplacé. Aux troubles qui persistent, vient se joindre, en juin, la candidature de Louis-Napoléon Bonaparte qui est élu à Paris aux élections complémentaires du 5. Il était sous le coup de la loi d'exil de 1832. Que décidera l'assemblée ? Ici vient s'insérer un élément nouveau, qui dépasse le problème social : un nom prestigieux qui fait éclater les cadres partisans. Le 13 juin, Ledru-Rollin le combat : « Vous dites, citoyens, on dit du moins à côté de vous : le citoyen Louis-Napoléon est étranger à toutes ces manœuvres. Il y est étranger ; tout le monde l'a dit, sauf lui. » D'ajouter : « Une fois, il a été prétendant ; deux fois, il a parlé au nom des droits héréditaires de l'Empire. Eh ! bien, depuis qu'il est nommé, est-il venu dire : je m'incline devant la république, je conserve comme traditions les souvenirs de gloire de mon oncle, mais il y a quelque chose de plus grand que lui, c'est le pays qui l'avait élu. Je m'incline devant celui qui a couronné mon oncle, devant le peuple souverain, et je mourrai simple citoyen de la république, que ce peuple a glorieusement fondée ? A-t-il dit cela ? » De Londres, Louis-Napoléon Bonaparte a écrit au président de l'assemblée pour désavouer toute ambition et pour affirmer : « mon nom est un symbole d'ordre, de nationalité et de gloire. » Il disait encore et c'était inquiétant : « Si

le peuple m'impose des devoirs, je saurais les remplir. » Le
nouveau ministre de la guerre, Cavaignac, constatait, et
c'était plus grave : « Ce que je remarque, c'est que dans cette
pièce qui devient historique, le nom de la république n'est
pas prononcé. » Le message du prince s'accompagne de tout
un mouvement de propagande. Ledru-Rollin le dénonçait,
le 13 juin : à Paris, on organise le recrutement d'une nouvelle
garde impériale ; on distribue de l'argent ; on verse du vin
sur la place publique et on invite les badauds au nom de
l'Empereur Napoléon. Des journaux sont fondés : *Le Napoléonien, La République napoléonienne*. L'assemblée approuve
l'élection du prince, engageant ainsi le destin du pays [164].

    Se penche-t-on sur les raisons de ce geste, on est frappé
par ce fait que ceux qui approuvent sont ceux que les troubles
du moment effraient. Ouvrez les *Mémoires* de Rémusat [165]
ou les *Études et souvenirs* de Quentin-Bauchart [166], vous
entendrez le même son de cloche. « Je votai avec la majorité,
écrit Rémusat. Ce n'est pas que je me fisse illusion sur le
nouvel élu ; je n'avais aucun doute sur ses intentions... Je
n'excluais pas absolument de l'avenir de la France les chances d'un Bonaparte. A cette époque, j'étais loin d'être rassuré
quant au salut public... Nous restions à la merci d'un coup
de main des ouvriers de Paris. » Napoléon-Bonaparte était
« une poire pour la soif ». Mais, retenons l'aveu : « Je ne
croyais pas que ce pouvoir puisse être aussi facilement usur-
pé. » Quentin-Bauchart énumère les projets qui sont admis à
l'assemblée : banque hypothécaire, banque nationale, crédit
territorial ; invalides de la terre ; création de médecins can-
tonaux ; suppression des droits d'octroi et sur les boissons ;
partage des communaux. « Tout cela ne suffisait plus, conti-
nue-t-il. Les faiseurs d'utopies, les docteurs de toutes les
écoles socialistes, les démagogues de profession : Considérant,
Pierre Leroux, Proudhon, Caussidière, Louis Blanc et d'autres avaient tellement perverti, par leurs déclamations hai-
neuses et leurs pernicieux enseignements, l'esprit et le cœur
des masses populaires, que rien de raisonnable ne pouvait
plus les satisfaire... Elles en étaient arrivées à dégager de ce
chaos une formule qui résumait toutes les convoitises avec
une simplicité brutale : détruire et spolier pour jouir. C'est

pour poursuivre ce but, sans se rendre compte peut-être de ce qu'elles font, dans le vague espoir qu'à la place de l'ordre social existant, il y aura on ne sait quel état sauvage indéfinissable où elles seront maîtresses, que nous allons les voir prendre les armes et se précipiter sur la société frappée d'épouvante. » Pour Rémusat, il en est de même : février a provoqué un abcès. La promotion brutale des classes laborieuses aux droits politiques ne pouvait qu'entraîner la guerre civile, « la révolte des gouvernés contre les gouvernants, des pauvres contre les riches, des ouvriers contre les patrons, du salaire contre le capital, du prolétariat contre la bourgeoisie ».

Devant le danger et la peur, un pouvoir collectif ne paraît pas répondre aux nécessités de la conjoncture. Le 24 juin, la commission exécutive donne sa démission au bénéfice d'un seul, le général Cavaignac. Le parti de l'ordre compte sur lui, parce qu'il est républicain. On accuse les prolétaires de revendiquer « les bénéfices du monopole ». On ne prend plus la défense du pauvre ; on ne verse plus une larme sur la misère du prolétaire. S'il est misérable, c'est qu'il ne sait pas vivre, a le goût de la dépense, des vices et non le sens de l'épargne et de la moralité. La république, à quoi bon ? Elle n'amène que le socialisme et le communisme, l'impôt. Elle n'est que la « ruine-publique ». Comme le dit Georges Sand, « à Paris, on est factieux dès qu'on est socialiste ; on est communiste, dès qu'on est républicain, et si, par hasard, on est républicain socialiste, alors on boit du sang humain, on tue les petits enfants, on bat sa femme, on est banqueroutier, ivrogne, voleur, on risque d'être assassiné au coin d'un bois par un paysan, qui vous croit enragé, parce que son bourgeois ou son curé lui a fait la leçon ».

Les riches ne veulent plus des ateliers. Ils leur imputent la léthargie dans laquelle se perd l'industrie. Bugeaud crie : le capital n'est-il pas le produit du travail ? Les ateliers sont une « plaie dévorante », conséquence des doctrines sociales. Cette « troupe soldée », est-elle autre chose qu'une « armée d'occupation » en plein Paris ? Au droit du travail, les gens bien pensants opposent la « conspiration contre le travail », que représentent les ateliers. Falloux mène le jeu, par per-

sonne interposée. A la lumière, il ne cesse de proclamer sa
« sollicitude » pour les travailleurs. Sa force dans le cynisme
sera de tourner les ouvriers des ateliers qui devaient être les
défenseurs de l'ordre, du côté de l'émeute pour mieux les
écraser. Pour mettre un visage à cet homme patelin et d'une
fourberie peu commune, il suffit de citer un morceau quelconque du rapport dans lequel il essayait de prouver que la
suppression des ateliers était la première condition du retour
au bien-être pour l'ouvrier, tandis que Montalembert, souf-
flant sur le feu, montre le gouvernement avide de mettre la
main sur la propriété. Il y a là un concert de combinaisons
qui montrent à quel point peut aller l'hypocrisie politique.
Il s'agit de détruire les forces démocratiques dans un grand
mouvement de rues poussé jusqu'au massacre, qui permettra de plaquer au sol les ennemis des possédants et de
ruiner pour un temps la démocratie.

L'opinion, effrayée, commence à se défier « des idées
républicaines et même simplement libérales ». « Le goût des
traditions revient à la mode. C'était comme une protestation contre les prétentions de la démocratie. » L'unité bourgeoise s'était refaite dans la peur du soulèvement ouvrier.
La dictature paraît bonne, parce qu'elle donne confiance et
sécurité. Les journées de juin 1848 ont provoqué la rupture
entre les classes bourgeoises et le prolétariat, déclenché la
réaction et annihilé tous les projets que les socialistes avaient
mis en avant. Jusque-là, la vie politique et sociale de la
nation reposait sur une sorte de juste milieu, chaque groupe
au gouvernement faisant triompher telle ou telle idée. Depuis
le 4 mai, la situation était plus claire, puisque Louis Blanc et
Albert ne faisaient pas partie de la Commission exécutive.
Le fait que le général Cavaignac prend le gouvernement
rend la situation encore plus nette. Le prolétariat et ceux qui
ont combattu à ses côtés, ou pour lui, en font les frais. La
contre-révolution bourgeoise l'a emporté avec l'écrasement
des insurgés. Cavaignac s'entoure de ministres républicains
modérés, Sénart, Goudchaux, Lamoricière, Carnot qui ne
reste pas. Louis Blanc, avec une amertume désespérée, explique : « Les vrais maîtres de la situation furent MM. Thiers,
de Falloux, de Montalembert, Odilon Barrot, Berryer : des

royalistes. De la république, il ne resta que le mot ; et cela même était un malheur, parce qu'on la rendit responsable des attentats qu'en son nom ses plus mortels ennemis commirent contre la liberté. » L'état de siège avait été proclamé ; les clubs reconnus dangereux, fermés ; les journaux qui avaient excité à la guerre civile, saisis. La garde nationale fut partiellement frappée : les légions des quartiers bourgeois restèrent armées ; les autres furent dissoutes ou désarmées. Sur la proposition de Cavaignac, l'assemblée décide la formation d'une commission, chargée de rechercher les causes de l'insurrection de juin et « de l'attentat du 15 mai ».

Les rebelles arrêtés sont nombreux ; les prisons et les forts, pleins. Sur la proposition de Sénart, le décret suivant est pris : « Seront transportés par mesure de sûreté générale, dans les possessions françaises d'outre-mer autres que celles de la Méditerranée, les individus actuellement détenus qui seront reconnus avoir pris part à l'insurrection du 23 juin et jours suivants. » Les chefs de l'insurrection sont poursuivis devant les conseils de guerre, les autres insurgés étant transportés sans jugement. Huit commissions de triage mixtes relâchent plus de 6 000 individus. 4 348 sont transportés.

D'autres mesures sont prises dans les semaines qui suivent. La réaction bourgeoise l'emporte à l'assemblée qui repousse la proposition de Proudhon ([167]) prévoyant la remise du tiers des loyers, des fermages, des créances pendant trois ans pour être distribué entre l'État et les particuliers : « la proposition du citoyen Proudhon est une attaque odieuse aux principes de la morale publique ; elle viole la propriété ; elle encourage la délation ; elle fait appel aux plus mauvaises passions », dit l'assemblée, en passant à l'ordre du jour. En effet, la proposition de Proudhon dispensait les locataires, les débiteurs, l'État de payer un tiers des termes échus, des intérêts ou des rentes, suivant le cas. Il en était de même pour les actions industrielles. Le tiers divisé en deux sixièmes était abandonné aux fermiers, locataires, débiteurs divers, « à titre de crédit que s'accordaient entre elles les différentes classes de citoyens ; l'autre serait versé dans les caisses de l'État, à titre d'impôt sur le revenu ». L'intervention de Proudhon est aussi violente que la discussion de l'assemblée. Ne décla-

re-t-il pas que la liquidation de l'ancienne société est ouverte ? Ne somme-t-il pas les bourgeois et les propriétaires de
soutenir l'œuvre révolutionnaire ? « En cas de refus, nous
procéderions nous-mêmes à la liquidation sans vous. »
D'ajouter, à l'invitation du président de l'assemblée : « Lorsque j'ai employé les deux pronoms vous et nous, il est évident que, dans ce moment-là, je m'identifiais, moi, avec le
prolétariat, et vous, avec la classe bourgeoise. » De terminer
son exorde : « Moi aussi, je veux en finir, et puisque vous
m'avez garanti la liberté de la parole, il ne tiendra pas à moi
que nous n'en finissions avec le socialisme ou avec autre
chose. »

Les clubs, dangereux aux yeux des républicains modérés
qui y voyaient des foyers de désordre à la disposition des
« pires démagogues », avaient joué un rôle essentiel dans
l'organisation de l'insurrection, poussant au renversement de
la société bourgeoise. Les bourgeois estimèrent que, pour
faire respecter l'ordre public, il était nécessaire de leur
imposer une réglementation stricte. Pour parer à tout écart,
sans couper au droit de réunion contre lequel on ne croit pas
pouvoir revenir, en juillet, un décret du 28, réglemente la
vie des clubs. Désormais, un club ne peut être ouvert sans
une déclaration faite 48 heures à l'avance. Les femmes et
les enfants en étaient exclus. Il ne pouvait pas se tenir dans
un édifice public ou communal. Il était public, ouvert aux
étrangers, mais interdit à tout individu armé. Il ne pouvait
communiquer avec d'autres clubs par le moyen d'adresses,
de délégations de commissaires. En cas d'infraction, la justice disposait d'une gamme de peines : amendes, prison,
fermeture. Les sociétés qui ne faisaient pas de déclaration
préalable ou ne se soumettaient pas à une publicité complète,
étaient considérées comme secrètes et, de ce fait, interdites.
D'ailleurs, l'agitation secrète continuant, les parquets ne
relâchent pas leur surveillance. Une loi des 19-22 juin 1849
autorise le gouvernement à interdire les clubs et autres
réunions pendant un an ; elle est renouvelée, le 6 juin 1850
et le 21 juin 1851.

La question du rachat des chemins de fer divise les membres de l'assemblée. Le 2 juin 1848 le gouvernement avait

fait savoir que le rachat était la base de son système financier. Il avait obtenu la priorité, malgré les vives attaques des modérés. Plusieurs députés jugent que l'existence des compagnies est conforme aux principes de la démocratie et que la nationalisation ne pourrait que créer « une immense agglomération de fonctionnaires ». A leur appel, la majorité repousse tout rachat, qu'il s'agisse des chemins de fer, des mines, des assurances, des banques.

Après les journées de juin, Cavaignac a supprimé une douzaine de journaux. Les lois des 9 et 11 août sur la presse édictent des mesures de coercition. Le cautionnement est rétabli, comme avant la révolution ; son taux est moins élevé : 24 000 F au lieu de 100 000 F dans la région parisienne ; 6 000 F, dans les grandes villes ; 3 600 F, dans les petites. Là encore, bourgeois modérés et socialistes se comptent. Évitons le désordre, disent les premiers ; pourquoi rétablir le cens pour la presse et la mettre sous le boisseau du capital, disent les seconds.

Une deuxième série de mesures semble ressusciter le climat de la monarchie légitime. Les offenses et les attaques à la république, à l'assemblée, à la souveraineté nationale, à la liberté des cultes, aux droits de la famille et au principe de la propriété sont érigés en délits de presse.

Enfin il s'agit de ruiner la réputation politique de ceux qui ont dirigé le pays ou inspiré son opinion, pendant les journées troublées ou sanglantes. L'enquête, dirigée par Odilon Barrot et rapportée par Quentin-Bauchart, fait retomber sur les clubs, le préfet de police et les socialistes, la flambée révolutionnaire de juin. A étudier de près le rapport de Quentin-Bauchart et à le rapprocher d'études plus récentes, on en arrive à penser que l'émeute « ne cédait pas au cri subit de la faim uniquement ». Comme le dit E. Tersen [168] « c'est une explication. Je serais tenté de penser qu'il y a là un effort de certains ouvriers plus conscients ». Voilà qui apporte un élément supplémentaire à l'opposition entre les socialistes et les classes bourgeoises.

Le rapport de la commission était enrobé de cette peur qui avait paralysé la majorité de l'assemblée, comme les esprits que le spectre rouge affolait. Rémusat l'atteste [169].

Ne songea-t-on pas à évacuer Paris ? La guerre des classes
était déclarée et l'issue de la lutte, incertaine. Mis en cause,
Ledru-Rollin demanda la parole pour un fait personnel et
l'obtint. S'il se défendit, il n'hésita pas à attaquer les commissaires chargés de l'enquête : « Eh! bien, descendez dans
le fond de vos cœurs ; êtes-vous bien sûrs d'avoir oublié,
comme moi, toute espèce d'amertume ? Êtes-vous bien sûrs
que, malgré vous, dans votre rapport, n'a pas passé cette
rancune que vous auriez dû étouffer ?... Et j'ai cette conviction que les commissions politiques, sous quelque forme
qu'elles se produisent, ne sont pas des tribunaux de justice :
on tue avec elles, mais on ne juge pas. » Ce discours déplut
aux membres de la commission. Mais ici le rapporteur
rejoint le chroniqueur : « Toujours est-il qu'il fallait être bien
aveugle, en 1848, pour ne pas voir que la démagogie socialiste présidait à toutes les agitations de la rue et que le but
qu'elle poursuivait au prix de tant de sang versé, n'était
autre chose que le renversement de la société. »

Les élections municipales et départementales de juillet,
d'août et de septembre 1848 marquent un mouvement de
réaction. La situation économique et sociale dessert la cause
de la république modérée. La réaction se développe sous
l'influence du gouvernement lui-même, dont la politique « de
complaisance à l'égard des anciens royalistes est suivie, à
l'échelon local, par les autorités républicaines ». Les préfets
ménagent les notables ([170]).

Ainsi les hommes qui avaient fait la révolution devaient
se défendre. Ils se heurtaient à ceux qui regrettaient la monarchie. Il y a dans le témoignage de certains l'aveu de ces
regrets, donc de ces rancunes dont Ledru-Rollin parlait,
dans son discours du 3 août : « Sans être des républicains de
la veille, n'étaient-ils pas (ceux qui votèrent des poursuites)
d'anciens libéraux sincèrement ralliés à la république ? »
C'était tout le problème. La conclusion nous est fournie par
Quentin-Bauchart, dont l'esprit de réaction bourgeoise
éclate à chaque page de ses souvenirs et qui montre, de ce

fait, excellemment, la rupture entre les classes moyennes et la démocratie teintée de socialisme à la Louis Blanc et à la Pierre Leroux. Après avoir montré les philosophes du socialisme entrant à l'assemblée dans l'espoir de faire adopter leurs doctrines, il ajoute : « Il arrive que les éléments modérés et conservateurs furent en majorité compacte et qu'aucun des systèmes n'eût chance de s'y faire adopter. Il en résulta... des mécomptes, des déceptions qui amenèrent... ces revendications violentes que j'ai dû déplorer et flétrir. » Mais il dit encore, et ceci est une erreur grossière : « où donc, dans cette succession si concevable de faits qui ne s'expliquent que trop d'eux-mêmes, y a-t-il place pour un rôle quelconque des anciens partis monarchiques ? »

A coup sûr, les réticences des modérés avaient contribué à augmenter la tension et à rendre plus nerveux des esprits qui ne voyaient pas se réaliser leurs vœux les plus chers. Les républicains n'avaient pas soutenu leur unité. Il aurait fallu épurer l'administration, en étouffer l'esprit monarchique ; tout détruire, pour tout reconstruire, dès le début. La république naissante avait besoin d'institutions nouvelles qui fussent le reflet de ses principes. C'est pour avoir négligé cette précaution dominante qu'elle s'est laissé miner à la fois par les anciens orléanistes, camouflés en républicains du lendemain qui n'avaient que des regrets, et par ces bourgeois, moyens et petits, en tout cas modérés, peu soucieux de sortir de leur routine, suivant le mouvement, mais dans la mesure où il ne bouleverserait pas leurs principes courants et où il ne les entraînerait pas dans une révolution sociale. Si bien que les uns et les autres se solidarisèrent dans la réaction, faisant une fois de plus le jeu de la grande bourgeoisie, qui, demain, va triompher, au détriment de la démocratie.

Que va apporter à la démocratie le problème constitutionnel [171] ? Telle l'assemblée s'est montrée en juin, telle elle va faire le jeu bourgeois que va encore pimenter la menace de Louis-Napoléon Bonaparte. Le droit au travail est la question principale. En février, le gouvernement, sous la pression d'ouvriers en majorité fouriéristes, s'était engagé à garantir le travail à tous les citoyens et avait reconnu aux ouvriers le devoir de s'associer entre eux pour jouir du bénéfice de leur travail. En effet, il était impatient de « réformes de structure », ce qui laissait prévoir l'établissement d'un nouvel État constitutionnel à caractéristiques sociales. La création des ateliers nationaux n'a pas un caractère provisoire, comme il se devait. On peut croire qu'ils sont une des pièces maîtresses du nouveau système social, alors que les moyens financiers manquent. Pour compléter l'opération, la Commission du Luxembourg est créée pour régler le problème du travail. Mais, de même que les ateliers nationaux étaient une caricature des ateliers sociaux de Louis Blanc et, somme toute, des ateliers de charité, la Commission n'est pas le ministère du progrès souhaité, n'ayant ni services, ni budget, ni pouvoir d'émettre des décrets exécutoires. Pourtant, le gouvernement décrète la réduction de la journée de travail, institue des bureaux de placement gratuits dans les mairies, abolit l'esclavage dans les colonies, mettant en pratique son idéal de fraternité et d'émancipation de la condition humaine. En mai, les ouvriers sont électeurs et éligibles aux conseils de prud'hommes par élection à deux degrés. Les statuts des associations de secours mutuels échappent au contrôle de l'administration. La Constituante décidait une enquête sur la situation matérielle des travailleurs.

Le droit au travail est discuté à la commission de constitution, présidée par de Cormenin et composée de dix-huit membres, dont seize d'inspiration républicaine modérée et deux socialistes, Considérant et Corbon. Un premier projet, déposé le 19 juin, menace le droit au travail : « Le droit au travail est celui qu'a tout homme de vivre en travaillant. La société doit, par les moyens productifs et généraux dont elle dispose et qui seront organisés ultérieurement, fournir du travail aux hommes valides qui ne veulent s'en procurer autrement. » L'article 9 prévoyait le droit à l'assistance pour les enfants abandonnés, les vieillards, les infirmes. L'article 132, reprenant, pour une bonne part, une proposition de Beaumont à la commission, disait : « Les garanties essentielles du droit au travail sont : la liberté même du travail, l'association volontaire, l'égalité des rapports entre le patron et l'ouvrier, l'enseignement gratuit, l'éducation professionnelle, les institutions de prévoyance et de crédit et l'établissement par l'État de grands travaux d'utilité publique, destinés à employer, en cas de chômage, les bras inoccupés. » Timon (de Cormenin) déclarait, dans *Petit pamphlet sur le projet de constitution* : « Le droit au travail a son origine et sa légitimité dans les clauses fondamentales et implicites du pacte social et son justificatif dans l'obligation naturelle de travailler. »

La conjoncture n'est pas favorable au droit. Les quinze bureaux de l'assemblée en discutent. Au 3ᵉ, Thiers, représentant de la grande bourgeoisie, s'élève contre la folle promesse du gouvernement provisoire. Il ne faut pas détruire l'esprit de prévoyance. Puis, il est impossible de donner du travail à une masse de travailleurs. Si le 4ᵉ bureau considère le droit au travail comme un devoir de la démocratie, le 9ᵉ estime que l'ouvrier ne peut avoir d'action sur la société. Duvergier de Hauranne, au 14ᵉ, juge que « l'inscription du droit au travail dans la constitution est un appel à la guerre civile ». Les journées de juin rendent plus affirmées et plus vives les oppositions. Un projet nouveau s'élabore, dans lequel on oppose la liberté du travail au droit au travail. La commission élude la question qui est remise en course en septembre. Certains députés, lors de la discussion générale, exposent que le législateur parle trop de droits, sans en garantir aucun. Mais il ne semble pas qu'ils soient même d'accord sur le sens du mot. « La république doit protéger le citoyen dans sa personne, sa famille, sa religion et sa propriété. Elle reconnaît le droit de tous les citoyens à l'instruction, au travail et à l'assistance », disent les démocrates, qui ont le désir de voir organiser l'économie du pays de façon que jamais le travail ne manque et qu'à la charité se substitue la justice sociale. L'État doit garantir le travail qui est la propriété du pauvre, comme il garantit la propriété au riche. Proudhon avait dit : « Donnez-moi le droit au travail et je vous abandonne le droit de propriété. » Pour les modérés, il ne serait que « le premier anneau de la chaîne que les communistes veulent imposer à la société ». D'ailleurs, « un droit ne doit pas faire d'exception entre les classes de citoyens ; un droit s'applique à tous ; quand ce n'est qu'un droit de

classe, ce n'est pas un droit ». Pour eux, l'État n'a qu'un
devoir économique : encourager et pratiquer à l'occasion
une bienfaisance qu'on doit considérer comme facultative
et purement gracieuse. « L'État ne peut proclamer un droit
qu'il ne peut mettre en pratique, notamment sous l'angle
financier. » Cherchant une solution de compromis, Mathieu
de la Drôme veut « la reconnaissance explicite du droit au
travail, non la garantie de l'exercice du droit au travail ».
Le travail est un droit comme la propriété. Le peuple ne se
bat pas uniquement « pour conquérir des droits politiques » ;
« il veut des droits sociaux, au premier rang desquels se
place le droit au travail ». Les démocrates chrétiens,
comme Arnaud de l'Ariège, soutiennent le droit qui « est
une nécessité sociale » ; ils y voient « comme un vœu de fraternité que l'avenir se chargerait d'accomplir ». « Dans tous
les cas, le principe du droit au travail n'est pas nécessairement un appel à l'insurrection. »

Ainsi, pour les démocrates, pour les radicaux, le droit au
travail est l'expression même de la république et de la reconnaissance de la classe ouvrière, victorieuse en février ; pour
les républicains modérés et les survivants de juillet, la guerre
civile. Ils reprenaient la menace de Proudhon. Le droit au
travail leur apparaît comme incompatible avec le droit de
propriété. Ils ne veulent pas d'une organisation étatique du
travail. L'appel qu'ils font à la propriété, aux finances dété-
riorées, à la révolution sociale l'emporte sur tout autre argument. Le droit au travail est écarté. Il est clair que, à la base
de toutes les opinions, il y avait un parti pris. Le gouvernement, en la personne de Fould, considère que l'expression
« droit au travail » n'a pas de sens, ni d'utilité et que d'ailleurs les fonds manquaient. A vrai dire, la peur des mots
fait écarter le droit.

Pourtant le problème du travail a une place constitutionnelle sérieuse. La constitution fixe les droits politiques et
sociaux des ouvriers. Comme on l'a dit ([172]), elle masque
l'introduction du droit ouvrier dans le droit positif français.
Parmi les bases de la république, il a le premier rang. Les
citoyens doivent « s'assurer par le travail de moyens d'existence ». « La république doit protéger le citoyen... dans son

travail. » « Elle doit par une assistance fraternelle assurer l'existence des citoyens nécessiteux, soit en leur procurant du travail dans les limites de ses ressources, soit en leur donnant, à défaut de la famille, des secours à ceux qui sont hors d'état de travailler. » L'article 13 dit encore : « la constitution garantit la liberté du travail et de l'industrie. » De plus, la proclamation du suffrage universel et le fait pour tous les travailleurs d'élire et de faire élire élargissait considérablement leurs droits sociaux. Il est évident aussi que, parmi les constituants modérés, beaucoup étaient d'inspiration catholique sociale. Tous avaient été frappés par les questions sociales. Ainsi, les « montagnards » firent des concessions au socialisme, tandis que les socialistes ne virent pas édifier une constitution démocratique et sociale. La constitution de 1848 reprend le principe de 1791, suivant lequel la liberté du travail et de l'industrie était garantie aux citoyens ; elle le fait dans son sens le plus large : il ne s'agit plus de la liberté du patron d'établir et de faire du commerce, mais de celle du travailleur. Ainsi elle établit l'égalité des rapports du patron et de l'ouvrier, ouvrant tout de même l'avenir au droit au travail. La constitution fait triompher l'armature économique et sociale traditionnelle. Elle ne réussit pas à « consacrer le droit et la destinée de l'homme ».

Le droit social ne se développe pas pour deux raisons majeures : la mince représentation ouvrière à l'assemblée et le frein constitué par les bourgeois, dont Ledru-Rollin disait, dans son discours du 21 août 1848, à propos de l'emploi des fonds secrets : « il y a eu une révolution. Avant elle, vous étiez du parti des aveugles et vous n'avez point encore ouvert les yeux. Vous êtes un de ses incurables ennemis ». Sans doute, le discours qu'il prononce le 25 août, à propos de l'enquête sur les événements du 15 mai et de juin, montre-t-il le mieux la psychologie des classes bourgeoises. « Vous aviez fait 1830, vous vouliez conserver le gouvernement de juillet et vous le miniez sans savoir quoi mettre à sa place. » Et ceci : « Ah ! vous avez été, permettez-moi de vous le dire, impuissants au pouvoir. Eh ! bien, ce que vous avez été pour la révolution de juillet que vous aviez fondée, pour cette révolution que vous aimiez tant, je crains bien qu'à votre

insu, vous n'essayiez de l'être pour la république que vous
n'avez pas fondée. » C'est la faute de l'opposition dynastique
si la république a été proclamée. Qu'elle ne recommence pas.
Elle n'avait pas eu d'idées avant 1848 ; elle n'en a pas de
nouvelles à présent. « Il s'agit de fonder et vous n'avez su
que détruire. » Qu'elle continue à calomnier la république
actuelle et le pays aura la république rouge, c'est-à-dire le
socialisme. Il ne s'agit pas d'attaquer les personnes, de les
juger. Il s'agit de défendre la famille et de diffuser la propriété, pour que le plus grand nombre soit propriétaire,
sinon de la terre, tout au moins de ses instruments de travail.
Ledru-Rollin se trompait sur le résultat politique, mais il
prévoyait très justement que les bourgeois modérés enterre-
raient la république et se donneraient à la dictature impériale
pour échapper au spectre rouge.

La constitution du 4 novembre 1848 n'avait pas déterminé le système électoral, qui fut réglé par la loi du 15 mars
1849 ([173]) : tout Français, âgé de 21 ans, ayant ses droits civils et politiques et habitant la commune depuis six mois,
était électeur. Passant outre à toutes les autres constitutions,
domestiques et serviteurs à gages figuraient sur les listes
électorales. Votée, il s'agit d'élire le président de la république. La bourgeoisie aspirait à l'ordre ; le paysan aussi.
Les masses se détournaient de Cavaignac qui passait pour
un bourreau, pour regarder du côté du prince Louis-Napoléon Bonaparte. La république ne séduit pas tout le monde :
il y a le bourgeois qui a peur et qui accourt au parti de l'ordre,
parce que Cavaignac, c'est la république. Il y a certains journalistes que la république n'inspire pas et d'anciens orléanistes de l'opposition dynastique, qu'on avait accusés d'avoir
fait glisser à la république et qui, comme le dit Rémusat,
cherchaient « une occasion de rendre aux républicains la
monnaie de leur pièce ». L'élection de Louis-Napoléon
Bonaparte est le résultat de l'opposition à Cavaignac, qui a
manqué de souplesse avec les conservateurs et qui a fait
tirer sur le peuple en juin. Georges Renard dit justement :
« *Il a le tort d'être au pouvoir, ce qui est en France un moyen
sûr d'avoir contre soi les ambitions mécontentes et les déceptions
aiguës.* » Les démocrates n'ont pas réussi à se grouper autour

de Ledru-Rollin. Louis-Napoléon Bonaparte, dont la popularité s'enfle de la légende de son oncle, de la perspective d'une autorité ordonnée, rassemble sur son nom les artisans, et les paysans, le parti de l'ordre, les catholiques à la Montalembert, les modérés apeurés. Sur le plan parisien et parlementaire, le parti de l'ordre l'a emporté ; sur le plan régional, alpin par exemple, le peuple des campagnes est entré dans l'arène politique et a fait triompher le prince. Le gouvernement qu'il forme avec Odilon Barrot est celui de l'ancienne opposition dynastique, à l'exception de Rullière et de Falloux.

La république va désormais s'acheminer vers la dictature. Le personnel administratif est épuré ; les préfets changent. Certes, la garde mobile a combattu l'émeute en juin. Elle gêne. Son existence est mal vue des conservateurs. Ses effectifs sont réduits. L'extrême-gauche est menacée dans la société qui la rassemble, *la Solidarité républicaine*, qui se propose la constitution de 93, la dictature révolutionnaire avec un comité de salut public et un conseil réunissant un délégué par département. A la satisfaction des conservateurs, la Constituante décide sa dissolution, dès que certaines mesures auront été votées. La loi électorale est votée le 15 mars. Le décret du 9 août 1848 sur le cautionnement des journaux et écrits périodiques est prorogé jusqu'au 1er août 1849 par la loi du 21 avril. Pendant les 45 jours précédant les élections, tout citoyen pouvait afficher, distribuer, vendre des journaux et des écrits, ces derniers signés du nom de leurs auteurs. Mais, avant d'être affichés, criés, vendus, ils devaient être déposés au Parquet. Afficheurs, colporteurs, vendeurs, devaient faire connaître leur nom, leur profession et leur domicile et remettre un exemplaire des écrits au maire. La suppression des clubs est votée. La gestion financière de la république est attaquée — sans résultat — par le bloc conservateur. La *Solidarité républicaine*, des conseils municipaux, des gardes nationales sont dissous. Les boulangeries sociétaires, soupçonnées d'être des centres d'agitation politique, sont interdites. La garde mobile est licenciée. Les accusés du 15 mai sont jugés par la Haute Cour de Bourges, où, d'ailleurs, les démocrates étalent leurs divisions. Les difficultés s'aggravent de la question romaine. Un corps expéditionnaire devait défendre la liberté romaine contre l'intervention de l'Autriche. En fait, il rétablit le pape Pie IX dans son autorité absolue. Les troupes de la république française, inspiratrice de tous les mouvements révolutionnaires depuis plus d'un demi-siècle, s'étaient chargées de renverser le régime républicain romain.

La campagne électorale marque excellemment la position des uns et des autres. Le parti de la rue de Poitiers ou de l'ordre est celui de la peur : il groupe légitimistes, orléanistes, bonapartistes, catholiques. Il a son comité central, l'*Union électorale* et des comités locaux. Ses moyens : faire peur. Il bat le rappel des forces conservatrices. Parmi les auteurs de brochures qui accablent socialistes et communistes, des fils de commerçants, des policiers, des personnalités, comme Louis Veuillot, Bonjean, Bugeaud, Thiers. Les républicains modérés sont démocrates, mais aussi bourgeois. Ils sont isolés. Radicaux et socialistes se rapprochent. Le parti du travail ou démocrate-socialiste demande le droit au travail, l'éducation gratuite, obligatoire et commune pour tous les enfants, la reprise du milliard des émigrés, le droit de résister au cas où la constitution serait violée, le secours de la république aux nations opprimées, la république au-dessus du droit des majorités. Il se rapproche des paysans et de l'armée.

Le parti de l'ordre triomphe aux élections du 13 mai, avec 450 élus. Les « rouges », la Montagne, ont 180 sièges. Les républicains modérés sont les vaincus : 80 sièges. Les 450 élus de la rue de Poitiers se sont unis contre la république et la démocratie. Ainsi deux groupes que séparent non seulement leurs opinions, mais leur origine de classe. Rémusat dit : « C'était plus qu'il ne fallait pour rendre nos séances orageuses, pour entretenir, pour exciter la terreur et la colère du parti conservateur. » La France bourgeoise, par besoin de repousser les partis révolutionnaires, avait voté pour la droite. La Chambre d'ailleurs ne manquait pas de valeurs.

La maladresse de l'extrême-gauche, le 13 juin, a pour conséquence des mesures réactionnaires qui affaiblissent encore la démocratie : l'état de siège, la suspension des journaux, au nom de l'usurpation de la souveraineté par une portion du peuple prétendant représenter tout le peuple ; la privation de l'indemnité parlementaire ; l'exclusion de l'assemblée ; la dissolution de gardes nationales soupçonnées d'esprit républicain ; la possibilité d'interdire les clubs et autres réunions publiques, de nature à compromettre l'ordre public, pendant un an.

La loi sur la presse du 27 juillet s'applique aux attaques contre les droits et l'autorité du président de la république et aux offenses à sa personne ; aux provocations des militaires à la désobéissance ; aux attaques contre le respect dû aux lois ; à l'apologie de crimes ou de délits. Les colporteurs et distributeurs de livres et d'écrits sont soumis à l'autorisation du préfet. Toute publication traitant de questions politiques et économiques et ayant moins de dix feuilles, est déposée au parquet, quatre jours avant toute distribution ou publication. Le cautionnement est maintenu.

Enfin, une loi du 9 août 1849 décidait que l'état de siège pouvait être déclaré, en cas de péril imminent, intérieur ou extérieur, par l'assemblée. Était-elle prorogée, il l'était par le président, sur avis du conseil des ministres. L'assemblée devait être alors convoquée : il lui appartenait de maintenir ou de lever l'état de siège. Dans les places et ports de guerre, le commandement militaire pouvait le déclarer, mais en rendre compte. En cas d'état de siège, le pouvoir de l'autorité civile passait à l'autorité militaire. Les tribunaux militaires pouvaient être saisis des délits et crimes contre la sûreté de la république, la constitution, l'ordre public, quels qu'en soient les auteurs. L'autorité militaire pouvait faire des perquisitions de jour et de nuit, ordonner la remise des armes, interdire toute publication invitant au désordre. Les citoyens continuaient à jouir des droits qui n'étaient pas suspendus. Si l'assemblée avait décidé l'état de siège, seule, elle le levait. Le président pouvait le lever, si elle était prorogée. Si le président l'avait proclamé, il pouvait le lever, à moins qu'il ait été maintenu par l'assemblée. C'était prévoir le coup de force que Louis-Napoléon Bonaparte tramait dans l'ombre.

Les magistrats et les tribunaux existants sont maintenus ;

les épurations et suspensions, annulées par la loi sur l'organisation judiciaire du 8 août.

Toutes ces mesures sont le préambule au renvoi de Barrot ([174]) et à l'instauration d'un gouvernement personnel. Le régime parlementaire mal engagé va s'enliser dans la dictature, dressant de nouveaux obstacles à la démocratie. Le prince-président le proclame dans son message du 31 octobre. Le texte mérite citation : « Pour raffermir la république menacée de tant de côtés par l'anarchie... il faut des hommes... qui soient aussi pénétrés de ma propre responsabilité que de la leur... Au milieu de cette confusion, la France inquiète parce qu'elle ne voit pas de direction, cherche la main, la volonté de l'élu du 10 décembre. Or cette volonté ne peut être sentie que s'il y a communauté d'idées, de vues, de convictions entre le président et ses ministres et si l'assemblée elle-même s'associe à la pensée nationale dont l'élection du pouvoir exécutif a été l'expression. » Un nouveau cabinet est nommé qui n'est que l'exécuteur de la volonté du président. L'assemblée, qui, dans sa majorité, trouvait Odilon Barrot trop libéral, suit. Il n'y a plus de président du conseil. L'assemblée est divisée dans sa majorité ; elle ne veut pas le montrer. Chez beaucoup de députés, Louis-Napoléon Bonaparte apparaissait comme le remède le plus désespéré ; la révolution était d'autant plus impardonnable qu' « un Bonaparte de rencontre » était nécessaire. Une seule idée guide l'assemblée : « résister au parti rouge, réagir contre la révolution de février ». Le parti de l'ordre et les modérés font chorus avec le président.

II. LA DÉMOCRATIE LIGOTÉE

La démocratie est mise au rancart ; tout ce qui est bourgeois la pousse au tombeau. Modérés et conservateurs sont derrière le président. L'administration est vidée des derniers républicains. Soixante-sept inculpés sont mis en accusation à la suite de l'attentat du 13 juin et poursuivis en Haute Cour, où la liberté de la défense est restreinte. Des peines de transportation sont prononcées contre les contumaces et plus de la moitié des autres. Les avocats sont sanctionnés, non seulement par un arrêt de la cour, mais certains, par une délibération du conseil de l'ordre de Paris, pour irrévérence grave envers les magistrats. L'impôt sur les boissons est rétabli. Les instituteurs sont à la disposition des préfets. La délation est organisée à l'égard des fonctionnaires. Les arbres de la liberté sont abattus. La révolution de février est « bafouée ouvertement » et Thiers parle de « funeste journée ». L'ouvrier est abandonné à lui-même. Un arrêté du 15 février 1850 décide que les rapports entre patrons et ouvriers « continueront à être régis par les conventions qu'ils feront librement entre eux ».

Cependant, à la veille des élections complémentaires de mars, la droite s'inquiète. Elle dénonce la poussée démocratique et socialiste, tandis que, dans le sein de la majorité, se déclare une guerre sourde que vont mener les partisans des deux dynasties royales contre le président. « En dehors même des républicains avancés, deux forces contraires étaient en présence » : « elles se combattraient jusqu'à ce que l'une d'elles eût détruit l'autre. » De fait, les élections dans la Seine furent favorables à l'opposition : vingt républicains passent, sur trente sièges vacants. C'était la réponse des classes laborieuses à la réaction antidémocratique et antirépublicaine.

Parmi les élus, figurait Carnot, dont le gouvernement se préparait, de connivence avec la majorité, à renverser l'œuvre scolaire. On s'en souvient, Carnot avait été renvoyé pour avoir accordé son patronage de ministre de l'instruction publique au *Manuel républicain de l'homme et du citoyen* de Charles Renouvier. Cet ouvrage passait pour subversif : ne contenait-il pas une question relative à l'oisiveté des riches et au moyen de les empêcher de manger les pauvres ? La réponse ne disait-elle pas qu'il fallait limiter le droit d'héritage et que l'État avait le droit de limiter la liberté de l'industrie ? D'autre part, Carnot s'efforçait de concilier les devoirs de l'État et les droits des parents, en n'établissant pas de monopole pour l'Université. L'enseignement primaire était gratuit et obligatoire ; l'enseignement religieux, donné dans les édifices du culte et en dehors des classes ; la situation de l'instituteur, améliorée avec avancement sur place et retraite. Le budget de l'enseignement primaire était subventionné par l'État et par la commune. Quant aux écoles privées, toute personne, munie du certificat d'aptitude, jouissant de ses droits civils et politiques, pouvait les ouvrir, après en avoir fait déclaration au maire et au recteur et à condition de se soumettre au contrôle des inspecteurs. Ce projet fut combattu vivement dans la gratuité du primaire, dans l'enseignement religieux qui fut rétabli, dans le comportement de l'État à l'égard des instituteurs.

Le projet gouvernemental paraît insuffisant aux catholiques. Falloux charge une commission d'en élaborer un nouveau, tandis que l'assemblée en forme un autre et rejette celui de Carnot pour le primaire. Pour le secondaire et le supérieur, elle adopte la liberté d'enseignement avec surveillance de l'État. A l'échelon central, un conseil divisé en trois sections : enseignement public, programmes, enseignement privé. Le baccalauréat suffisait comme preuve de capacité. Les inspecteurs de l'État se contentaient de vérifier si les lois, la morale et l'hygiène étaient respectées. L'État conférait les grades. Mais la Constituante ne devait pas voter la loi sur l'enseignement. C'est le projet de la commission de Falloux qui fut discuté. Cette commission était, dans sa composition, l'expression de l'entente de l'Église et de la bourgeoisie : Thiers pour la bourgeoisie, Dupanloup pour l'Église. Elle se traduit par la crainte du socialisme et la nécessité d'une éducation religieuse. Il faut partir de cette idée que l'Université est matérialiste, anticléricale, dans l'esprit du parti de l'ordre ; que les instituteurs sont des révolutionnaires que l'on doit mater ([175])!

La loi du 15 mars marque le fossé qui sépare la droite, qui ne rallie pas tous les catholiques d'ailleurs, de la gauche. L'Université de France perd sa personnalité civile ([176]). Le ministre de l'instruction publique n'est plus Grand Maître de l'Université. Il est assisté d'un Conseil supérieur, composé de huit anciens membres du conseil de l'Université formant la section permanente, sept représentants des cultes, trois conseillers d'État, trois conseillers à la cour de Cassation, trois membres de l'Institut, trois membres de l'enseignement libre. Les Académies, de régionales deviennent départe-

mentales. Falloux dira : « Ce n'est pas l'Université multi-
pliée par 86 ; c'est l'Université divisée par 86. » Le recteur
devient un personnage ayant peu d'autorité, assisté d'un
conseil académique. Il peut être pris dans l'enseignement
libre, même en dehors de l'enseignement. Il doit avoir des
sentiments religieux éprouvés. Les évêques vont jouer dans
ces nominations, un rôle plus considérable que les propositions faites par les inspecteurs généraux chargés de l'enquête.
Sur 87 Recteurs, il y avait un inspecteur général, dix-neuf
anciens recteurs, trente-trois inspecteurs d'Académie, un
directeur d'école de médecine, neuf proviseurs, six professeurs, trois principaux, un régent, trois directeurs d'école
normale, quatre chefs d'établissements libres, quatre juris-
tes et médecins. Sur l'ensemble, six ecclésiastiques. Les journaux catholiques jugèrent la proportion faible et protestèrent
contre la nomination d'un ancien diacre « qui a jeté la soutane
aux orties ».

L'enseignement primaire n'est gratuit que pour les indigents. Les instituteurs étaient devenus des hommes politiques
en 1848. Pour être instituteur, il faut avoir un brevet de
capacité, le baccalauréat, des certificats d'admission dans
une école spéciale de l'État ou être ministre d'un des cultes
reconnus. L'instituteur libre est soumis à une triple déclaration, au maire, au recteur et au procureur, et à une inspection. L'instituteur est nommé par le conseil municipal,
sur une liste dressée par le conseil académique ou, pour les
congréganistes, sur présentation des supérieurs. Le département doit pourvoir à leur recrutement, en entretenant des
écoles normales. Celles-ci d'ailleurs peuvent être supprimées
par les conseils généraux. En 1851, elles deviennent des
« noviciats » où l'instruction est plus poussée. Les ministres
des cultes sont chargés de la surveillance et de la direction
morale du primaire. Ils peuvent toujours entrer dans les
écoles. D'accord avec eux, le maire dresse la liste des enfants
admis gratuitement. La commission d'examen, chargée d'examiner l'aptitude des aspirants au brevet de capacité, comprend sept membres, dont un ministre des cultes. Pour les
congréganistes, la lettre d'obédience tient lieu de brevet.
Il n'y a pas de coéducation, en principe, quand il s'agit

de garçons et de filles ou de catholiques et d'enfants appartenant à d'autres confessions.

L'instituteur reste dans une situation précaire. Il est soumis au contrôle du maire — un bourgeois — et du curé. Il a droit à un traitement minimum de 200 F et à la rétribution scolaire, dont le total doit atteindre au moins 600 F, et à une retraite. Les institutrices n'en bénéficient pas. Le principal de l'instituteur est l'éducation religieuse.

Pour le secondaire, Dupanloup demandait la suppression du certificat d'études, l'abrogation de l'ordonnance de 1828 sur les petits séminaires et leur transformation en pensionnats ecclésiastiques, ayant les mêmes droits que les lycées et les collèges, la permission pour les directeurs et les professeurs de l'enseignement libre de ne pas avoir les mêmes grades que ceux des établissements publics, l'admission de toutes les congrégations à enseigner. Il en résulta un projet dans lequel on maintenait le nom de l'université et les recteurs, ainsi que les conseils académiques, les uns perdant de leur autorité, les autres, leur compétence au bénéfice des forces sociales. L'enseignement libre était dégagé de toutes les entraves. Les membres du clergé étaient dispensés des grades. Les membres de l'enseignement libre pouvaient devenir inspecteurs d'Académie et inspecteurs généraux. On ne parlait pas des congrégations religieuses. Falloux se chargea de la rédaction du projet, qui était favorable à l'enseignement ecclésiastique et bouleversait l'organisation universitaire telle qu'elle existait. Pour le secondaire, le baccalauréat pouvait être remplacé par un brevet de capacité délivré par un jury spécial. Les établissements libres pouvaient obtenir des subventions des collectivités. La commission parlementaire, que préside Thiers, renforce le projet initial. Elle supprime le primaire supérieur et les écoles normales. Le projet est renvoyé au conseil d'État qui le modifie : il remonte l'Université, mais place les instituteurs sous la coupe des préfets. Comme le dit Bastid, le contreprojet était plus autoritaire que confessionnel.

Le 11 janvier 1850, une loi s'occupait des instituteurs qui étaient placés dans la main des préfets. La conjoncture était favorable à la réaction bourgeoise et cléricale. Il s'agissait de faire jouer un rôle au fonctionnaire politique qu'est le préfet représentant le pouvoir dans toute sa force, quelle que soit sa compétence sur ce point. Devant les menaces de l'extrême-gauche, le parti de l'ordre s'était reconstitué et rapproché du président, tandis que les bonapartistes se séparaient des républicains. Il ne semble pas pourtant que la coupure entre les deux enseignements ait été vue clairement et que l'on ait saisi le principe même de la liberté de conscience.

En conclusion, le conseil supérieur compte sept membres du clergé au lieu de quatre. Pour le primaire, tout est maintenu, mais la lettre d'obédience peut remplacer le brevet de capacité pour les institutrices congréganistes. Pour le secondaire, Thiers prit la défense des Jésuites. Les aumôniers eurent la surveillance des professeurs d'histoire et de philosophie. La messe fut obligatoire à l'École normale supérieure.

Un comité supérieur de l'enseignement libre oriente les nouvelles fondations. 257 établissements libres sont créés de 1850 à 1852. Les Jésuites sont partout. Les congrégations enseignantes de femmes se multiplient. La population scolaire populaire passe aux mains de l'Église pour plus des deux tiers.

Quentin-Bauchart, dont on sait l'attachement à l'Empire, écrit : « l'interdiction des clubs prolongée, le timbre des journaux rétabli, le cautionnement augmenté, la déportation dans une enceinte fortifiée, tout cela donnait des garanties d'ordre et de sécurité dont il était juste de tenir grand compte ; mais il y avait un autre coup beaucoup plus fort à frapper : c'était la réforme de la loi électorale de 1849. »

En effet, les dernières élections complémentaires avaient été favorables à « la démagogie socialiste ». Une coalition antidémocratique est formée. Le gouvernement décide que ne serait électeur que le citoyen âgé de 21 ans, jouissant de ses droits civils et politiques, domicilié, dans la commune ou dans le canton, depuis trois ans au moins, le domicile étant constaté par l'inscription sur le rôle de la contribution personnelle, ce qui correspondait indirectement au rétablissement du cens. Étaient exclus également ceux qui avaient subi

une condamnation pour mendicité, vagabondage, outrages
ou rébellion. Le texte allait à l'encontre du suffrage universel,
reconnu par la constitution. Exiger des conditions de domicile, c'était restreindre le droit ; exiger la contribution
personnelle, violer l'article 25 de la constitution. On écartait
ainsi 3 millions d'électeurs sur 9 millions et demi. En somme,
c'était mutiler la constitution. Il y avait là un abus de pouvoir. La majorité bourgeoise fait un nouveau pas vers la
réaction avec la loi du 31 mai 1850 qui rétablit le cens et
recule l'exercice du droit de suffrage à 25 ans, puisqu'il
est fixé à 21 ans, qu'il faut être inscrit depuis trois ans et
qu'on ne peut le faire qu'à 21 ans. Suivant la formule de
Thiers, « la vile multitude » était écartée. Le droit de vote
était subordonné à la capacité. Ce qui était revenir aux beaux
jours de la monarchie de juillet. Y fut ajouté un principe
toujours bien vivant : au premier tour, le candidat doit obtenir un nombre de voix égal au quart des électeurs inscrits.
D'ailleurs, la commission, chargée d'étudier le projet,
n'était composée que de représentants du régime précédent.
La droite ne se cache pas pour combattre la démocratie
sociale. Montalembert dira : « Nous voulons la guerre légale
au socialisme. »

La révolution de 1848 était annulée, politiquement. Les
historiens se sont plu à rappeler les paroles prononcées
à cette occasion par le président et Mᵐᵉ Cornu. Il s'agissait
pour le président de perdre l'assemblée en lui faisant prendre
des mesures impopulaires et, une fois tout à fait compro-
mise, de l'envoyer au précipice. En tout cas, la bourgeoisie
rompait avec la classe ouvrière. La gauche se divise. A la
Montagne qui songe à un renversement de la situation en
1852, s'oppose une nouvelle Montagne. Chacune marchera
dans la même voie pour parvenir à la république. La gauche
va s'abstenir de participer aux consultations électorales jusqu'au coup d'État. Enfin, la nouvelle loi enlevait à l'élection
présidentielle de son caractère de large consultation populaire.

A dire vrai, la république est **égorgée. C**ertains membres
de la gauche essaient de reconstituer **les** sociétés secrètes,
à côté des groupements politiques. Mais la loi contre les

clubs du 16 juillet 1850 étendit la loi du 19 juin 1849 « aux réunions électorales qui seraient de nature à compromettre la paix publique ». Elle était soutenue par Baroche ce qui ne manquait pas de surprendre chez un homme favorable au droit de réunion, en 1848. C'est qu'il voulait les libertés politiques tant que la bourgeoisie en était bénéficiaire seule. Il se refusait à admettre à ce bénéfice les démocrates ([177]).

La presse est bridée : on la jugeait trop sociale. Au cautionnement, la loi du 16 juillet 1850 ajoute l'obligation de la signature pour les articles relatifs à la politique, à la philosophie et à la religion. Le journal est personnalisé. Tout journal, écrit et recueil périodique de moins de dix feuilles était soumis au timbre de 0,05 à 0,02, suivant le lieu. Les écrits non périodiques, d'ordre politique ou économique et social, y étaient également astreints. Le roman-feuilleton n'y échappait pas. La feuille démocratique à un sou et le roman social populaire ont vécu ([178]).

L'aventure insensée se complique. Les apparences du régime parlementaire s'évanouissent, provoquant une scission dans la majorité. En effet, un projet de loi fixait aux Iles Marquises le lieu de déportation en cas de délit politique. Malgré Odilon Barrot, l'assemblée voulait lui donner un caractère rétroactif. Mais si une loi de procédure pouvait l'avoir, il n'en était pas de même d'une loi pénale. La majorité se divise : les orléanistes de la nuance « opposition dynastique » votent contre ; Barrot l'emporte. Le gouvernement battu ne se retire pas, alors que Barrot et ses collègues qui avaient la confiance de la Chambre avaient dû se retirer, le 31 octobre 1849, sur l'initiative du président.

Thiers avait dit : « la république est le terrain qui nous divise le moins. » Mais le parti de l'ordre, s'il est conservateur et se propose la défense des intérêts matériels, ne forme pas un bloc. Il est fait de légitimistes, grands propriétaires fonciers, d'orléanistes, industriels ou négociants, que le principe d'autorité rapproche, mais qui inquiètent le bourgeois et le paysan et qui ne réussissent pas à manœuvrer le président ; de bonapartistes aussi. Légitimistes et orléanistes entrent peu à peu en conflit avec l'Élysée. On le voit bien quand le journal *Le Pouvoir*, de tendance élyséenne, écrivit, le 15 juillet 1850 : « On se demande si, dans l'état de profonde désorganisation où se trouve la France, l'ordre n'est pas beaucoup plus compromis que défendu par une assemblée complètement étrangère à l'esprit politique comme à l'esprit des affaires et si elle n'est pas bien plus un obstacle qu'une garantie. On se demande si la France, tant qu'elle dépendra des assemblées, n'est pas condamnée fatalement aux luttes, aux déchirements et aux révolutions. » De conclure : « Tout semble annoncer sa fin prochaine, car ses actes sont presque tous autant de démissions. » La gauche s'opposa à ce que le gérant du journal comparaisse devant l'assemblée au nom de la liberté illimitée de la presse. Mais l'assemblée vota la poursuite, tout en ne le condamnant qu'à une des deux peines prévues.

On vit encore mieux la rupture prochaine avec l'Élysée, à propos des ordres de Changarnier de n'obéir qu'à ceux émanant de lui et non d'une autorité politique. Changarnier dément. Ses ordres ont été donnés sous Cavaignac pour maintenir l'unité de commandement pendant la lutte. Mais le président enlève à Changarnier le double commandement de la garde nationale de la Seine et de la 1re division militaire. Le gouvernement est remplacé par un nouveau, sans que l'assemblée ait dit son mot. Le bonapartisme et Louis-Napoléon Bonaparte gagnaient tout le terrain que perdait la république, pour paraphraser les paroles de Rémusat. A la fin de 1850, l'opposition républicaine est muselée ; la démocratie, mise sous le boisseau.

Les anciens orléanistes commencent à passer à l'opposition. L'opposition montagnarde leur est indispensable quand il s'agit de voter contre la politique du président. Les cent trente « montagnards » sont les maîtres. Lanjuinais, rapporteur de l'affaire Changarnier, dénonce la poussée vers l'Empire et soutient que, suivant la constitution, les ministres sont responsables, alors que le président a revendiqué, pour lui toute la responsabilité des actes du gouvernement. Le caractère bâtard de la constitution explique et permet une double interprétation de la responsabilité, celle du président et celle des ministres.

La question qui se pose à propos de Changarnier a un

double aspect. Il y a les droits de l'exécutif ; il y a ceux de l'assemblée. Il y a le fait que le ministère a un double caractère : exécutant des ordres du président et émanation d'une majorité. Il semble que l'assemblée a le droit de repousser les propositions du président par le canal de ses ministres et celui de faire passer en Haute Cour le président s'il persistait à violenter l'opinion, comme le dit Marrast dans son rapport sur la constitution.

Thiers attaque pour défendre la majorité contre le pouvoir. Il montre les pressions successives de l'exécutif et les silences de l'assemblée devant le renvoi du cabinet Odilon Barrot, les négociations sur la loi électorale, la destitution du général Neumayer. Reste l'affaire Changarnier : si l'assemblée cède, l'exécutif restera seul. « Si vous n'y résistez aujourd'hui, l'Empire est fait. » Les voix se comptent sur un amendement de Sainte-Beuve : « L'assemblée déclare qu'elle n'a pas confiance dans le ministère et passe à l'ordre du jour », qui obtient 417 voix contre 278. Application du régime parlementaire : le cabinet démissionne (20 janvier 1851). Le président constitue un cabinet d'affaires : c'est le « petit ministère », formé de personnalités extra-parlementaires. La tension semble s'apaiser pendant quelques jours.

Cette courte période est occupée par le vote d'une loi sur l'exercice de la contrainte par corps contre les représentants du peuple (21 janvier) : aucune contrainte par corps ne pourrait être exécutée sans autorisation préalable de l'assemblée. Le représentant était déclaré démissionnaire si, dans les trois mois, il ne justifiait pas qu'il était dégagé de la contrainte. Il ne pouvait être réélu tant qu'elle durait. L'arrestation du représentant Mauguin, qui avait opposé les deux pouvoirs, s'était traduite par l'opposition d'arguments juridiques.

Pendant ce temps, les républicains poursuivent leur propagande. Certes, le mot d'ordre des démocrates est d'attendre, pour agir, les élections de 1852. Sans doute, la « jeune montagne » pousse à l'action immédiate ; il y a des arrestations dans l'est et le sud. De leur côté, les légitimistes, pour leur part, songeaient à leur union avec la démocratie, se proposant de soumettre le retour du roi de France au suffrage universel par l'appel au peuple. Le comte de Chambord s'y refuse. Ces difficultés réjouissent le parti démocratique, qui pense venir « facilement à bout d'une société qui se décourage d'elle-même ». Des banquets s'organisent, ici et là, où l'on crie : Vive la république ! Le bruit se répand que les « rouges » soutiennent qu'en 1852, tous les citoyens voteraient, malgré la loi du 31 mai, sinon le fusil parlerait. Ainsi monte la peur de 1852. Les journaux de gauche réussissent à paraître. La société *La propagande démocratique et sociale européenne* diffuse ses brochures jusque dans les plus petits villages. Elles atteignent le paysan qui voudrait le partage des grandes propriétés. Dans les villes, les sociétés secrètes se multiplient.

Pour lutter contre le danger démocratique et révolutionnaire, la majorité lutte contre toute atteinte portée à la loi du 31 mai et demande la révision de la constitution. Précisément, le président voulait faire abroger la première pour se concilier les masses et réviser la seconde. Les conservateurs voulaient le maintien de la loi électorale. Dans cette conjoncture, se forme le ministère du 11 avril, pris parmi les fidèles du président et les porte-parole de la majorité. Il était le résultat d'une transaction. Mais le fait de maintenir la loi du 31 mai écartait les républicains de la révision de la constitution pour laquelle il fallait une majorité des trois quarts. De fait, 446 voix se prononcent pour la révision ; 278 contre. Quand il s'agit de l'abrogation de la loi du 31 mai, en novembre 1851, la proposition est rejetée par 355 voix contre 348. Le parti républicain se sépare définitivement de la majorité royaliste et vote contre la proposition des questeurs de rendre au président de l'assemblée le droit de requérir la force armée, la faisant rejeter par 403 voix contre 300.

La loi de juin 1851 est le pendant de la loi du 31 mai pour le suffrage universel. Elle reconstitue une garde bourgeoise ([179]), dont le service est obligatoire de 21 à 55 ans, facultatif de 55 à 60. Il faut un an de domicile. Il y avait deux services : ordinaire, réserve. Les conseils de recensement écartent les suspects et les pauvres. Préfets et sous-préfets choisissent leurs membres dans les conseils municipaux et parmi les gardes. L'administration a la haute main. Le régime électoral spécial varie suivant qu'il s'agit des officiers et sous-officiers : direct dans les compagnies ; à deux degrés dans les bataillons (officiers et délégués des gardes). Les corps d'élite restent supprimés. La loi qu'on avait vivement combattue n'entre jamais en vigueur. Certains bourgeois protestent qu'on laisse les armes aux ouvriers : « les bourgeois auront la corvée et les ouvriers auront les fusils. » Ils réclament un corps de volontaires s'engageant à court terme et versant un cautionnement représentant la valeur de l'armement. Tout le problème est de savoir le rôle de la garde : combattre à côté de l'armée ? Lui servir d'éclaireur ? Pour certains, les citoyens armés servent de contrepoids aux troupes soldées.

La conjoncture républicaine se présente sous une lumière vive. Les sociétés sont actives et de caractère révolutionnaire. L'*Union des communes*, qui demande l'abolition de l'exécutif et de la rente, l'impôt progressif, l'élection des fonctionnaires, réunit des bourgeois et surtout des ouvriers. Les sociétés du sud-est se groupent autour de la « nouvelle montagne », provoquant des réunions. L'avocat Gent, d'Avignon, qui dirige le mouvement, finit par être arrêté (24 octobre 1850). Les accusés du sud-est furent condamnés pour une bonne part (37 sur 51) ; ceux du sud-ouest furent en partie acquittés. Partout ailleurs, le calme régnait, épouvantant les conservateurs. D'ailleurs, la presse de droite pousse à la peur pour favoriser les mesures de réaction.

Les événements déroulent leur cours, tandis que le conflit de 1852 se prépare. Mais le coup d'état du 2 décembre renverse le législatif, rétablit le suffrage universel, convoque les électeurs, met en état de siège Paris et les départements voisins. Il est subi, parce qu'il se prononçait contre une assemblée monarchique et une gauche de nuance socialiste. Seule, la bourgeoisie se souleva au cri de : Vive la république ! Les masses ne bougèrent pas. Elles avaient été désarmées après les journées de juin. Les républicains furent arrêtés par milliers, la plupart des bourgeois, alors que la circulaire de Morny aux préfets parlait de « guerre sociale », d'incendies, de brigandages et d'assassinats : ce qui était faux, les républicains n'étant soucieux que de défendre la constitution de 1848. Les membres de l'assemblée dissoute furent « éloi-

gnés » ou « expulsés », avec menace d'être déportés, s'ils reve-
naient. Les commissions mixtes jugèrent à huit clos. Leur
pouvoir était discrétionnaire. Elles remettaient en liberté,
envoyaient devant les conseils de guerre, condamnaient
à la transportation, renvoyaient devant le tribunal correc-
tionnel, mettaient en surveillance.

Mais l'opposition démocratique et républicaine, pour
être réduite au silence, n'est pas domptée. Les sociétés
se dissolvent, comme à Lyon, où elles brûlent leurs papiers.
Personne n'était prêt. Les ouvriers n'ont pas bougé. A Lyon,
le parti démocratique était discipliné, militarisé, groupé en
centuries ; il ne manquait ni d'argent, ni d'armes. Il s'était
laissé devancer par le gouvernement. Les chefs ne surent pas
rallier leurs hommes. Beaucoup d'ouvriers ne pensaient pas
que le président serait soutenu par le plébiscite. L'autorité
profita de la crédulité du parti démocratique. A Lyon, les
condamnations furent nombreuses : 270 ouvriers, 58 commerçants, 26 membres des professions libérales (rentiers,
médecins, officiers ministériels, instituteurs, journalistes, etc.).
Bourgeois aussi les socialistes de Vesoul : Chaudey, avocat ;
Petit, marchand de bois ; Humbert, commissaire-priseur ;
Parrot, avocat ; Huguenin, avoué. 21 suspects sont mis sous
surveillance : un manufacturier, deux médecins, deux avocats, deux agents d'assurances, un ancien percepteur, un
greffier, un commissaire-priseur, un brasseur, des propriétaires. Certes la bourgeoisie craint une jacquerie socialiste ;
mais elle est indignée du coup d'état et pleine de pitié pour
les exécutions arbitraires. Elle votera contre le président en
décembre 1851. Les démocrates ont reçu un coup dur : ils
sont affolés. Une hostilité se dessine dans les classes éclairées
contre lesquelles le pouvoir ne peut user des mêmes procédés
qu'envers les démocrates ? Quant aux gardes qui ne s'étaient
pas manifestées lors du coup d'état, va-t-on les supprimer ?
Elles constituent un moyen d'agitation. Un décret du 11 janvier 1852 les dissout. Les gardes nationales seront réorga-
nisées là où le gouvernement le jugera utile. Lui seul fixe
le nombre des gardes et nomme à tous les grades. Un conseil
de recensement dépendant du pouvoir les choisit. A Paris,
la garde ne fait plus partie de la vie normale de la classe

moyenne. Elle survit avec un minimum de service. Elle figure dans les cérémonies. Elle a un rôle social : elle fait la haie !

III. L'EXEMPLE DE L'ALLEMAGNE ET DE L'ITALIE

A. — En Allemagne du sud-ouest ([180]), les révolutions qui éclatent en 1848 sont le triomphe des revendications constitutionnelles exprimées par la bourgeoisie et plus spécialement par les professeurs. Le pouvoir passe à la classe moyenne. La liberté de la presse, d'association, le jury, une garde nationale, des assemblées élues à un large suffrage et dont les membres représentent les citoyens, la réunion d'un Parlement national ont été acquis. Si la forme monarchique de l'État est conservée, les institutions constitutionnelles et représentatives sont adoptées. En Bavière, on abandonne les *Stände* pour une deuxième chambre moderne, élue au suffrage indirect et censitaire. En plusieurs points du territoire allemand, comme en Saxe, il y a compromis entre libéraux et démocrates. D'un côté, le professeur Biedermann ; de l'autre, R. Blum.

La révolution a été menée par une coalition libérale-démocrate. En mars 1848, les démocrates sont en liaison étroite avec les bourgeois pour obtenir une société démocratisée. Mais les libéraux craignent de voir progresser davantage les revendications démocratiques. Les possédants ont peur d'une expérience trop poussée. Nombreux sont ceux qui se tournent vers la Prusse par peur d'une république démocratique. En même temps, le bourgeois libéral veut substituer à la Diète un Parlement allemand. Il s'attache à la Prusse, pour que la défense de l'Allemagne soit assurée militairement.

Les gouvernements s'inquiétaient. Tandis que les représentants libéraux du Pays de Bade, du Wurtemberg, de la Hesse, du Nassau, de Francfort, de la Bavière et de la Prusse se rassemblent à Heidelberg en vue de réunir une assemblée nationale (5 mars 1848), la Diète autorise la suppression de la censure et accorde la liberté de la presse. Elle fixe les couleurs de la Confédération : noir, rouge et or.

En Autriche, la bourgeoisie et la noblesse libérale se rapprochent. L'Université, les cercles d'affaires sont pour les réformes constitutionnelles, tandis que les classes plus déshéritées ont des revendications sociales. Les étudiants et de nombreux artisans s'y rallient. Dans leur esprit, l'idéal joséphiste et les principes démocratiques se combinent. Après la journée du 13 mars, une constitution est promise, tandis qu'un comité de 24 bourgeois prend en main l'administration de la ville de Vienne. Ces mesures agréent aux bourgeois libéraux ; mais étudiants et classes inférieures tournent à la démocratie radicale.

A Berlin, les manifestations sont également imprégnées de revendications sociales. Le bourgeois se méfie de la mobilisation des travailleurs. Le 8 mars, une proclamation royale annonce l'organisation constitutionnelle des États allemands, une armée fédérale, un pavillon allemand, un tribunal fédéral, l'extension du Zollverein. Le même jour, l'insurrection éclate : de nombreux jeunes ouvriers y prennent part. Dans une proclamation du 21 mars, le roi reprend la formule *Constitutionnelle Verfassung*, avec responsabilité des ministres. Le prestige royal n'en est pas accru pour autant. Le monarque est humilié ; mais il n'y a pas de programme précis de réformes [181].

En Rhénanie, la grosse bourgeoisie s'inquiète. Les affaires vont mal. Le crédit s'effondre. Les banques suspendent leurs avances. Les masses se radicalisent, repoussant le bourgeois vers la couronne : il ne veut pas rompre avec le roi pour ne pas renforcer la démocratie sociale.

Comme en France, le spectre rouge apeure le bourgeois. Le prolétariat l'inquiète. Il s'arrête à des concessions raisonnables. Il s'agit de tracer un programme d'action constitutionnelle et de faire fusionner le principe monarchique et les libertés. Les libéraux rhénans veulent que la nouvelle constitution soit discutée par le roi et par une assemblée élue ; elle donnerait une meilleure représentation aux classes sociales et établirait des institutions représentatives dans le cadre traditionnel. Le roi renoncerait au pouvoir personnel et la responsabilité ministérielle serait reconnue. Le bourgeois rhénan libéral repoussait le suffrage universel. Il doit l'accepter dans la nuit du 29 au 30 mars, au second degré, comme en Bade. En tout cas, la bourgeoisie d'affaires l'emporte sur les anciennes classes dirigeantes.

Le Landtag uni, réuni le 2 avril, maintient le droit de vote à deux degrés et confirme la concession des libertés de la presse, de réunion, de l'égalité des cultes, du contrôle du budget par l'assemblée, des impôts et des emprunts. De son côté, le *Vorparlament* décide de convoquer à Francfort une assemblée nationale, élue au suffrage universel, annulant la décision du Langtag uni prescrivant des élections à une assemblée nationale. Le roi de Prusse est peu décidé à se soumettre aux règles du régime parlementaire.

Les mesures prises font éclater en pleine lumière le fossé creusé entre le libéral et le démocrate, entre la bourgeoisie et les classes populaires. Ici l'aspect social domine. Il repousse la bourgeoisie vers les forces de l'ordre. Devant la peur de nouveaux troubles, le vent tourne au conservatisme. La majorité du *Vorparlament* est partisan de mettre un terme à la révolution, tandis que les députés radicaux parlent d'élection des fonctionnaires, de suppression des armées permanentes, d'impôt progressif, d'abolition des privilèges, de sécularisation des monastères, de création d'un ministère du travail (31 mars). De fait, le *Vorparlament* décide que tout Allemand, majeur et indépendant, est électeur et éligible. La souveraineté du peuple est au-dessus du principe monarchique. Pas de mesures révolutionnaires : le politique a le pas sur le social. Cette attitude irrite les démocrates qui multiplient leurs revendications sociales contre l'égoïsme bourgeois. Les classes moyennes, fortes des libertés et des droits qu'elles convoitaient et qu'elles ont obtenus, ne veulent pas aller au-delà. Elles s'organisent en garde civique, prête à lutter pour briser la violence des radicaux. Ceux-ci sont décidés à la lutte. En Pays de Bade, paysans et petits bourgeois écoutent la voix des meneurs qui réclament un ministère du travail et préconisent un bouleversement économique et social. Une forte propagande républicaine agite tout le sud allemand. Un peu partout, on s'efforce de créer des sortes de comités de salut public qui remplaceraient les autorités régulières. Il en est ainsi à Francfort, comme dans la Hesse-

Cassel et à Mayence, où l'économie capitaliste est attaquée.
Mais l'insurrection badoise est écrasée.

Le *Vorparlament* avait formé la Commission des cinquante
pour faire exécuter ses décisions. Elle était avant tout
composée de constitutionnels qui ne surent pas imposer
la volonté souveraine de la nation. Le Comité des dix-sept
jette les bases d'un projet de constitution, avec un Empire
héréditaire, un système bicamériste, des institutions fédé-
rales, un tribunal suprême d'empire, sans aboutir. Le Parlement lui-même a mal résisté aux forces de réaction et de
particularisme. Les élections se présentent comme un affron-
tement entre constitutionnels et démocrates. Les conservateurs prennent le masque des constitutionnels. La question
religieuse joue. Pourtant, le Parlement, élu de façon assez
diverse, est homogène. Il représente les couches « supérieures
de la bourgeoisie intellectuelle ». Sur 573 députés, on compte
38 propriétaires terriens, 20 membres du patriciat commercial et industriel, 49 professeurs d'université, 32 professeurs
de lycée, 78 magistrats, 64 avocats, 73 hauts fonctionnaires,
20 *Landräte*. La haute bourgeoisie l'emporte sur la petite.
Les artisans sont peu représentés ; les ouvriers, pas du tout.
Le Parlement se considère comme le successeur de la Diète.
Il organise le pouvoir avec un chef unique. La désignation
de l'archiduc Jean représente la victoire du principe monarchique et constitutionnel sur le principe républicain et
de l'autorité fédérale sur le particularisme. Il supprime la
Diète ; constitue un ministère d'Empire qui provoque la
résistance des États particuliers. Il manifeste un nationalisme
expansionniste qui inspire au représentant de la France
ce jugement, le 6 août 1848 : « Tout ce que je vois et entends
me confirme dans l'opinion que l'esprit allemand dominera
toujours l'esprit démocratique [182]. » Il ne réussit pas à former une armée nationale qui aurait fait pression sur les
gouvernements. Mais il traduit la pensée de la haute bourgeoisie désireuse de détourner l'attention de l'opinion des
problèmes politiques, pour manifester au dehors la grandeur
économique de l'Allemagne. Les *Grenzboten*, qui expriment
la pensée et les aspirations de la bourgeoisie libérale et
nationale, imaginent une Allemagne lançant des antennes

vers la mer du Nord et la Baltique, l'Amérique et l'Inde ; engageant la lutte économique avec l'Angleterre, repoussant l'Autriche vers l'Est. La question des Duchés montre à l'évidence que la Prusse passe outre aux décisions du Parlement et que les forces traditionnelles l'emportent sur les institutions nées de la révolution. Les tergiversations de Francfort (refus de ratifier l'armistice (5 septembre), puis refus de continuer la guerre (16 septembre), développent chez les démocrates un mouvement antiparlementaire. Ils désavouent le Parlement. Les manifestations révolutionnaires éclatent; la réaction riposte. Le bourgeois libéral, pris entre le radicalisme et la réaction, préfère celle-ci. La tentative de Struve pour proclamer la république allemande en Bade aggrave encore la tension. L'*Association pour la défense de la propriété et du bien-être général* s'efforce de ramener à elle la petite et la moyenne bourgeoisie.

* *

La réaction triomphe.

En Autriche, une constitution est octroyée le 7 mars 1849 : elle prévoit une chambre des pairs, formée de membres viagers ou élus par les grands propriétaires fonciers et une chambre basse, élue au suffrage censitaire, excluant ainsi petits bourgeois, commerçants et paysans. L'attitude menaçante des démocrates entraîne l'élargissement du cens à toute la bourgeoisie et à la paysannerie. Le mouvement démocrate est soutenu par le Comité des étudiants, les clubs démocratiques, des organisations prolétariennes ; bref, des intellectuels, des bourgeois, des ouvriers. Le radicalisme viennois est antibureaucratique, antiféodal, anticlérical. Intellectuels et ouvriers ont pris part au mouvement *deutschkatholisch*, particulièrement démocratique qui s'appuie sur la justice sociale. Au Reichstag, élu au suffrage universel indirect, les discussions sont dominées par l'abrogation des redevances féodales et des liens de sujétion paysanne. A peine ont-ils obtenu satisfaction que les paysans tournent le dos à la révolution.

Le gouvernement de Vienne avait décidé de mettre la

Hongrie en état de siège. Le Reichstag avait refusé d'admettre la délégation hongroise, sous l'influence des slaves et des conservateurs allemands. Alors les démocrates s'insurgent en octobre. Ils ont le sentiment que la bourgeoisie s'essouffle, souhaite le retour de l'ordre, prête à trahir. La réaction mobilise toutes ses forces et triomphe, entraînant une terrible répression.

En Prusse, un fort mouvement démocratique et social s'est déclaré. La démocratie berlinoise, qui s'appuie sur les clubs ([183]), se heurte au roi qui a hâte de rétablir son pouvoir personnel. D'ailleurs la société berlinoise est divisée, sans possibilité de rapprochement ni de compromis, entre travailleurs et employeurs. Certains, comme Held ([184]), songent à unir les classes populaires et la monarchie contre les bourgeois libéraux. Pour eux, il appartient à la couronne d'établir une constitution sociale et démocratique. La solution doit venir d'en haut. Pour les radicaux, de la nuance Ruge et Oppenheim, le progrès social dépend du développement de l'instruction : les premières réformes seraient intellectuelles et morales. Des démocrates de tendance socialiste, comme Born ([185]), jugent prématurée la mise en application des théories marxistes. Les ouvriers ont des réactions artisanales et petit-bourgeoises. Ils revendiquent le droit au travail et à l'instruction. Aussi faut-il ménager l'alliance — provisoire — entre la bourgeoisie et la classe ouvrière.

Le Landtag de Berlin est très démocratique. Les bourgeois y sont peu représentés : 27 propriétaires fonciers et une dizaine d'industriels et de commerçants. Par contre, beaucoup de paysans, d'artisans, des ecclésiastiques dissidents, des professeurs de collège, des fonctionnaires en général subalternes, des magistrats. La majorité de gauche se rallie à une assemblée unique, défend la souveraineté populaire et le régime parlementaire. Le roi y est hostile.

L'insécurité sociale inquiète la bourgeoisie ; elle a peur des chômeurs ; elle craint le désordre. Elle se rallie à la *Bürgerwehr* qui défend les intérêts bourgeois contre la réaction et la démocratie. Les ouvriers en sont exclus. L'émeute du 14 juin, autour de l'Arsenal, l'inquiète encore davantage et la sépare de la révolution.

Le particularisme soutenait la politique de réaction. La Prusse, avec son armée disciplinée, apparaît comme le rempart de l'Allemagne. L'aristocratie s'organise. Une *Association pour la défense des droits de la propriété* est créée. La *Kreuz-Zeitung* est fondée pour défendre l'idéal artisanal contre l'exploitation capitaliste. La *Selbstverwaltung*, c'est-à-dire la diminution du pouvoir des fonctionnaires de l'administration communale et provinciale au profit des citoyens, pose un problème ([186]). Les démocrates demandent la décentralisation administrative, la disparition de la tutelle administrative des grands propriétaires sur les paysans, des conseils municipaux élus au suffrage censitaire. Au gouvernement qui dépose un projet de loi communale, le 15 août 1848, le Landtag oppose un contreprojet proposant des élections au suffrage universel et direct et enlevant à l'État tout pouvoir en face des assemblées locales.

La tension s'accentue à propos d'une législation nouvelle sur la *Bürgerwehr*, qui prononçait la dissolution des corps d'étudiants et d'ouvriers de gauche. La bourgeoisie, en particulier, les clubs constitutionnels et les chambres de commerce se rapprochent du gouvernement. Ils sont soutenus par les autorités ecclésiastiques. Le Landtag prussien est dissous (5 décembre 1848). Une constitution est « octroyée », le même jour ; elle s'appuie sur les principes monarchique et constitutionnel : égalité civile, libertés publiques, responsabilité ministérielle, droit d'initiative du Parlement, partage du législatif entre le roi et le Parlement, une chambre élue au suffrage universel indirect ; une deuxième au suffrage censitaire. Le roi, qui a un droit de veto absolu, peut suspendre les droits fondamentaux et ordonner l'état de siège. Le Parlement ne décide que des impôts nouveaux.

Pendant ce temps, le Parlement de Francfort échoue dans sa politique unitaire. Les États ont refusé de se sacrifier à l'unité, qui imposait la mort du particularisme. Dans la discussion de la loi électorale, les représentants de la bourgeoisie préconisent une limitation du droit électoral. Si l'ouvrier a droit aux secours, il n'a pas à prendre part au gouvernement. C'est la politique de la bourgeoisie censitaire en France : le droit électoral à ceux qui possèdent. La loi électorale, votée le 27 mars 1849, crée un suffrage universel, direct, égalitaire et secret. La démocratie ne tire pas beaucoup d'espoir de cette victoire. Car le législatif est partagé entre deux chambres, la chambre des États étant désignée pour moitié par les gouvernants et l'empereur pouvant dissoudre la chambre populaire. Le Parlement n'en sort pas grandi. En fin de compte, les démocrates deviennent antiparlementaires et songent à une nouvelle révolution sociale.

A Berlin, la deuxième chambre, élue en février 1849, ne dure pas. Devant le refus du roi d'accepter la couronne impériale du Parlement de Francfort et l'ordre du jour de ce dernier, elle est dissoute. Le roi ne veut pas d'une dictature des masses. Il décide d'aménager le suffrage universel, en utilisant la loi municipale de la province du Rhin de 1845, avec ses trois classes : impôt foncier, impôts de classe, impôt sur le chiffre d'affaires (30 mai), le même chiffre global d'impôts donnant le même nombre de représentants. C'était favoriser les grands bourgeois industriels au détriment des moyens et des petits. Si les gros commerçants, les paysans propriétaires sont satisfaits, les classes moyennes le sont peu. Les nouvelles élections (17 et 19 juin) sont très favorables aux possédants. Les votants de la troisième classe s'abstiennent en grand nombre. L'autocratie était rétablie.

Les milieux de gauche sont divisés : démocrates de mentalité petit-bourgeoise et réformiste ; adeptes de Marx, acharnés à ruiner les illusions petit-bourgeoises. Marx peut aisément montrer la peur de la bourgeoisie en face d'une révolution prolétarienne et son retour à la monarchie. Elle est loin d'avoir connu le développement économique et social des bourgeoisies anglaise et française. Comme le dit la *Neue Rheinische Zeitung*, dans son nº du 15 décembre 1848, elle ne représente que « certains intérêts nouveaux », à la fois conservatrice et révolutionnaire, toujours égoïste.

La plupart des démocrates sont réformistes. C'est que la classe ouvrière allemande englobe un nombreux artisanat. Ils refusent d'admettre la conception catastrophique de l'histoire prophétisée par K. Marx. En somme, le mouvement démocratique est dirigé par la petite et moyenne bourgeoisie intellectuelle et commerçante : avocats, légistes, instituteurs, médecins, négociants, aubergistes, artisans. Beaucoup d'associations sont hostiles à une position de révolte sociale et penchent en faveur d'une démocratie politique. Leurs menaces à l'égard des éléments conservateurs s'en trouvent affaiblis [187]. Aussi, peut-on soutenir au congrès démocratique de Berlin du 26 octobre 1848, que le moment n'est pas encore venu de séparer absolument bourgeoisie et prolétariat. Certes, en mars 1849, le *Zentralmärzverein* groupe 950 associations. Malheureusement, la reconnaissance de la constitution impériale dresse les uns contre les autres bourgeois libéraux et démocrates avancés, paralysant l'action de l'association.

En dépit du mouvement démocratique, le Parlement tombe en décadence et disparaît. Les mouvements révolutionnaires sont réprimés partout. Les tentatives insurrectionnelles du Pays de Bade et du Palatinat échouent. La Prusse s'efforce de faire l'unité à son profit.

Les Allemands de 1848 s'étaient dressés contre l'absolutisme et l'étouffement de la liberté de pensée. Les troubles avaient eu pour centre les revendications politiques. Mais la peur de la bourgeoisie constitutionnelle et libérale à l'égard des doctrines socialistes et de la république rouge creuse le fossé entre bourgeois et ouvriers. La crainte de la révolution sociale, comme en France, explique l'échec, tandis que les ouvriers prennent conscience de leur force. Le Parlement n'a pas su organiser un pouvoir central. Le monde universitaire a eu une action limitée en matière démocratique. N'est-ce pas Ritschl, professeur à Bonn, qui écrivait en février 1849 : « Comme j'appartiens à cette classe de citoyens qui a quelque chose à perdre de son patrimoine spirituel et matériel, je fais front naturellement contre la démocratie, dont le fol aveuglement a tourné contre elle, même lorsqu'elle avait raison, le jugement des gens raisonnables [188]. » Beaucoup d'intellectuels veulent voir l'État s'appuyer sur la fortune et l'intelligence. Aux tendances progressistes des années 40 a succédé la résignation. Ce phénomène a été général en

Europe, en 1848. En Allemagne, le fait est que les anciennes classes dirigeantes ne songent nullement à lâcher prise devant une bourgeoisie encore peu concentrée et de moyens réduits. Ses divisions territoriales avaient vu son évolution économique encore retardée. L'Allemagne n'a pu promouvoir des institutions libérales qu'une fois l'industrie développée et le prolétariat menaçant. Elle n'a pas connu le régime parlementaire ([189]).

B. En Italie, unité et liberté politique vont de front ([190]). Une poussée constitutionnelle se manifeste de janvier à mars 1848 : Palerme (janvier), Naples (29 janvier), Piémont (8 février), Toscane (17 février), États du pape (14 mars). Dans la perspective de l'avenir, le statut piémontais apparaît comme essentiel. Il est octroyé. Fondé sur des institutions représentatives, il faisait passer le Piémont du gouvernement du roi à un système où la direction politique était conditionnée par le jugement des élus du corps électoral. Il s'efforçait d'accorder le principe du gouvernement monarchique à celui du gouvernement représentatif, les sujets du roi devenant des citoyens. Se réclamant des dispositions des communes libres italiennes et du gouvernement des citoyens, il mêlait un élément traditionnel à un événement rempli d'inconnues. La couronne était indispensable au pouvoir législatif et à la formation du gouvernement ; les ministres étaient nommés par le roi dont la personnalité est sacrée et inviolable et qui s'identifie à l'État. Le pouvoir législatif appartient à deux chambres. Les sénateurs, nommés à vie par le roi, sont choisis parmi les prélats et les plus riches familles, les hauts fonctionnaires civils et militaires, les députés après trois législatures, les ministres d'État. Les députés étaient élus suivant un système censitaire. Ils représentent la nation. Les magistrats sont inamovibles. La religion catholique est proclamée religion d'État ; les autres sont tolérées. Une garde civique est prévue. L'institution d'un régime parlementaire était l'aboutissement de la guerre avec l'Autriche, de la révolution française de 1848, de l'obligation d'aligner le gouvernement sur les gouvernements libéraux.

Deux partis se forment : le parti modéré s'appuie sur

l'aristocratie éclairée, dominée par le patriciat libéral piémontais, des groupes de la bourgeoisie manufacturière et commerçante, une partie des professions libérales ; le parti démocratique, sur les classes moyennes qui se considèrent comme les représentants des classes populaires. La révolution française inquiète les modérés, alors que les constitutions italiennes ne sont pas encore entrées en fonction. Ils craignent l'orientation républicaine et sociale des démocrates ; mais ils comprennent que rien ne sera fait tant que l'Autriche occupera la Vénétie et la Lombardie. En présence de ce préalable commun, Mazzini fonde à Paris l'*Association nationale italienne* (5 mars), qui groupe républicains démocrates et monarchistes libéraux, d'accord pour renvoyer à la Constituante, après le départ des Autrichiens, la solution de la question institutionnelle.

Le roi du Piémont pousse à la fusion, dans le cadre de son royaume, de Plaisance, Parme, Modène, Reggio, Brescia, Crémone, Bergame, Vicence, Padoue, Trévise, Rovigo. A Milan, Gioberti réussit à la faire voter aux modérés et à une partie des démocrates : à la fin de la guerre, une Constituante, élue au suffrage universel, déciderait de la constitution du nouvel État. Un ralliement progressif s'opère dans les autres États, préfigurant les événements de 1860.

L'albertisme aurait pu s'appuyer franchement sur les démocrates de sentiments dynastiques pour constituer une monarchie démocratique nationale, qui aurait rallié Gênes, Milan, Venise. A Turin, Gioberti se heurte aux modérés qui veulent bien d'un plus grand Piémont, mais non d'un nouvel État, où les postes de commande leur échapperaient et où Milan se substituerait à Turin. Il offre aux Toscans le secours des troupes piémontaises pour mater les démocrates. Il est renversé. Les démocrates ne lui pardonnent pas son projet d'intervention en Toscane.

A Rome, la situation est difficile. Mamiani s'efforce de conserver un juste milieu entre le parti modéré et le parti démocrate, sans réussir à briser la résistance du pape et du clergé à la laïcisation de l'administration et à faire triompher la formule du souverain constitutionnel. Un court intermède de Fabbri ouvre la voie à la violence avec les démocrates de

Bologne et les vétérans que Rossi voudrait désarmer. Il est assassiné. Les démocrates prennent le pouvoir, forçant le pape à fuir, et convoquent une constituante romaine, qui proclame la république romaine et la fin du pouvoir temporel (9 février 1849). Mazzini prend des mesures sociales : suppression des taxes académiques, lotissement des biens ecclésiastiques, abolition de quelques monopoles (sel). Ces mesures tiennent les modérés qui craignent une révolution socialiste. Les masses ne sont pas satisfaites, surtout dans les campagnes soumises aux grands propriétaires et aux prêtres.

Après la chute de Gioberti et l'armistice de Selasco, le roi du Piémont se heurte à la Chambre, à propos du projet de traité de paix. Le pouvoir n'est pas seulement un pouvoir modérateur et neutre qui se contente d'enregistrer les mouvements de l'opinion et des chambres. Il est dévié de la règle statutaire. L'attitude hostile de la Chambre entraîne deux dissolutions. Le roi menace, prêt, dit-il, à libérer le pays de la tyrannie des partis. La nouvelle chambre finit par approuver le traité.

Le roi est réticent à l'égard des problèmes institutionnels. Comme son entourage, Charles-Albert craignait la revendication des libertés politiques par le peuple ; il ne voulait pas lui en octroyer. Il accorde peu de crédit aux volontaires de 48. S'il y avait cru, la guerre serait devenue nationale. Car la résistance de Venise, de Brescia, de Rome sont des mouvements populaires. Mazzini défend Rome au nom du peuple, pris dans son sens le plus large, celui de nation. Il en est de même à Venise où l'aristocratie fait corps avec les autres classes pour la défense de la république. Ce sont des bourgeois et des intellectuels que l'on retrouve, après 1848-49, comme volontaires dans l'armée sarde, comme parmi les Mille de Garibaldi.

Si nous observons le Risorgimento dans sa perspective générale et nationale, il a un fondement social et concret qui n'est pas simplement de l'enthousiasme. Le 48 italien est entraîné dans un mouvement oscillatoire. Il est marqué par une double poussée de forces et d'intérêts, les uns conservateurs et idéaux, les autres matériels et révolutionnaires. Au paroxysme de la crise, les deux forces s'additionnent et engendrent les importants résultats du mouvement. Ces forces se dissocient-elles, les groupes conservateurs de la bourgeoisie terrienne et urbaine empruntent-ils la direction de droits et de valeurs idéaux parfaitement conciliables avec le privilège, alors la force de résistance de la révolution diminue rapidement, par rapport à la force de choc qu'elle a fait triompher. C'est l'échec. La révolution sicilienne du 12 janvier 1848 est inaugurée par le peuple. Son union avec les groupes dirigeants fait triompher le mouvement. Mais le 18 janvier, la restauration des lois fondamentales du royaume est entreprise. C'est le retour au statut politique légal. Les victoires autrichiennes, avec le retour de Ferdinand II, brisent l'alliance des classes sociales. Pendant la lutte, la solidarité avait uni la bourgeoisie libérale, l'artisanat et le salariat. Sur les barricades, étudiants et ouvriers, professions libérales et paysans avaient combattu au coude à coude. Cette solidarité est rompue au cours du combat. Les classes bourgeoises, en effet, satisfaites des concessions de statuts juridiques qui garantissaient leurs privilèges, deviennent hostiles aux revendications du salariat, leur compagnon de lutte. La rupture conduit à la restauration. Il semble que, contrairement à ce qui a été souvent soutenu, 1848-49 n'a pas ouvert la voie à la collaboration entre les classes. Passés les premiers enthousiasmes, les relations de classes se définissent nettement, comme à Paris, en juin 1848 ([191]).

Ce sont des interventions extérieures qui ont porté les événements à leur conclusion. En tout cas, les résultats sont équivoques. L'instauration des garanties constitutionnelles et juridiques était le but poursuivi en Sicile, à Naples, à Rome, en Toscane. La conquête des constitutions a un sens très différent, suivant les classes sociales. Pour les classes privilégiées, il s'agit de l'extension et de la restauration de leurs privilèges ; pour les classes sujettes, d'un régime répondant à plus de justice sociale. Le peuple est repoussé sur ses positions de départ ; car, dans les constitutions, il n'y a pas trace de leurs revendications. La structure sociale n'a pas été entamée. Le mot justice n'a pas le même sens, suivant le groupe social. Pour les libéraux et les patriotes, il ne doit pas y avoir d'ingérence de l'État en dehors de certaines limites ; pour les conservateurs, il s'agit de restauration de privilèges de castes, en face d'un absolutisme paternaliste ; pour les prolétaires, de redistribution de biens sociaux.

Les classes aisées réagissent contre les buts des prolétaires, encouragées par l'Encyclique du 29 avril, qui désavoue l'ensemble du mouvement inauguré sous la bannière de l'unité et de l'indépendance. A partir de ce moment, il n'y a plus rien à faire pour les classes laborieuses et pour les petits bourgeois. Le caractère démocratique, que leurs représentants avaient imprimé à la législation sociale de la république romaine, constitue la preuve de la menace qui pesa sur la bourgeoisie, de façon intolérable pour elle. La rupture oppose les pouvoirs constitués ou reconstitués avec l'aide de l'étranger et la complicité des classes privilégiées aux groupes insurrectionnels divisés, pas plus solidaires dans les buts que soutenus dans les moyens. En Sicile, la réaction militaire est une croisade contre les gens du Parlement qui ont confisqué le pouvoir royal et les anarchistes et les travailleurs qui ont osé donner un contenu social aux mouvements révolutionnaires. En tout cas, le côté social n'est pas réglé.

A partir de 1849, le problème se fait plus aigu. Les modérés continuent à le voir sous l'angle du paternalisme dynastique et de la soumission des classes à l'ancien privilège féodal et financier. Dans le Nord, le groupe aristocrate et féodal a cédé sous le poids de la législation. Mais, de Solaro della Margherita à A. Rosmini, il a pour drapeau la légitimité des titres dynastiques et seigneuriaux. Il peut comprendre les problèmes nationaux, pas ceux de la société italienne. La nation peut se faire ; mais la société doit se défendre, même si la nation doit attendre. Il se défie des classes déshéritées qui s'apprêtent à revendiquer des droits. Une fois de plus, leurs concessions ne pourraient avoir qu'un masque paternaliste.

Le prolétariat pouvait fournir les masses de manœuvre de la réaction dans le Risorgimento. Cléricaux, collaborateurs de l'Autriche, bourboniens, étaient recrutés dans les groupes du privilège et chez leurs clients petits bourgeois. Leur force était dans la masse paysanne et dans les organisations urbaines, dont ils tenaient en main les cadres sélectionnés. Le libéral qui veut l'indépendance, est l'ennemi pour eux. La moyenne et la petite bourgeoisie sont ouvertes au renouvellement de l'État, avec ses groupes professionnels, largement perméables à la culture économique, désireux de se rapprocher des sources du pouvoir pour le contrôler et, en un second temps, en partager la direction. La presse, considérée comme subversive, est aux mains d'intellectuels de la petite et de la moyenne bourgeoisie qui fournit des cadres à l'administration publique et des volontaires aux armées de la libération. Ces petits bourgeois associent volontiers dans la propagande politique les thèmes de la justice sociale et ceux des revendications nationales. De là, se manifeste de nouveau l'hostilité des prolétaires à l'égard de l'État, qui reste pour eux l'État des bourgeois. Dans les États du pape, la mauvaise administration et la corruption créent un état d'esprit insurrectionnel. A une agitation endémique, les classes privilégiées opposent avec ardeur les thèses sur la personnalité et la propriété, menacées par des tumultes subversifs et par une presse incendiaire. Le ton prend des allures d'anathème. Dans le sud, la féodalité et le haut clergé tournent autour de l'institution monarchique. La monarchie s'appuie sur les masses affamées ; elle les lance contre ses plus proches ennemis, les réformateurs et les libéraux bourgeois. Le prolétariat, rural et urbain, n'a pas de conscience de classe. On ne peut pas dire que la bourgeoisie et ses représentants, dans le milieu du barreau en particulier, se présentent avec un programme généralement tourné vers le réhabilitation du travail. Ils ont satisfait leur faim des biens fonciers de l'Église. Aussi redeviennent-ils conservateurs, avec l'état d'esprit des détenteurs de la richesse et des moyens de production. L'unité n'a rien résolu, au point de vue de la politique intérieure. Le royaume constitutionnel n'est porteur d'aucune solution. L'unité défend la bourgeoisie rentière, industrielle et rurale, par la loi et la force. La droite a été le gouvernement des classes cultivées, dans un sens aristocratique, dit-on ; tout au moins, elle se fait passer pour telle, identifiant la culture et les privi-

lèges économiques. Vers la gauche, une double vocation :
le système anglais bipartite et le système démocratique
français, en attendant le système bismarckien de la force.
Il faut dire enfin que les groupes dirigeants, par leur cynisme,
ont porté à maturité les germes insurrectionnels ([192]).

LIVRE III

La bourgeoisie triomphante
1852-1870

Chapitre premier

Le capitalisme bourgeois et la généralisation du crédit

I. SAINT-SIMONISME ET BANQUES NOUVELLES

Dans *Du système industriel,* Saint-Simon écrit : « Je crois que, dans chaque nation européenne, l'administration des affaires temporelles sera confiée aux entrepreneurs de travaux pacifiques qui occuperont le plus grand nombre d'individus. » Penché sur les innovations issues de la chute de l'ancien régime, il croit constater que les révolutionnaires n'ont rien compris à l'évolution qui se fait. C'est que la révolution, préparée par les philosophes, dirigée par les bourgeois, n'a pas été l'œuvre de la classe industrielle. Le peuple a commis une faute insigne : il a considéré les avocats, les légistes, comme ses mandataires, et leur a confié la cause industrielle. Or, on ne peut s'adresser à un légiste pour gérer des intérêts particuliers ; à plus forte raison des intérêts généraux. Légiférer n'est qu'un moyen. Les révolutionnaires ont démoli, sans se soucier de reconstruire. Ce rôle revenait à la science. Pourtant, la royauté abattue, la Convention aurait pu introduire le régime industriel. Mais elle s'est retournée vers le passé romain. Les légistes ont tenu à se maintenir au pouvoir et savants et industriels les ont laissé faire. Ils ont laissé implanter un gouvernement qui, finalement, s'est retourné contre eux. On a fini par céder le pas au militaire, qui a voulu rétablir l'arbitraire et, pour le faire supporter, a procuré aux Français la jouissance de l'exercer sur leurs voisins. Ainsi s'est créée une nouvelle aristocratie d'ambitieux et de parvenus, de privilégiés en fin de compte. La Charte de 1814 n'est qu'un compromis, une étape. Elle a été incapable de donner le pouvoir à ceux qui sont intéressés à l'économie et au bon emploi des crédits de l'État. La classe industrielle ne se retrouve dans aucun parti. Anciens émigrés et nouveaux nobles s'entendent pour tondre le contribuable, paralysant l'industrie par des impôts énormes. La classe stérile absorbe les capitaux nécessaires de la classe industrielle. Le prince a pris les industriels et la classe laborieuse pour des fauteurs de désordre. Il est vrai que les industriels se sont jetés dans une opposition négative ; ils ont nommé des candidats de l'opposition, au lieu de choisir leurs représentants parmi les candidats appartenant à leur groupe social. Le roi, de son côté, a mis les non-producteurs à la tête des communes.

Pour résoudre le problème, les industriels doivent s'unir et le roi doit renoncer à s'appuyer sur la noblesse et le clergé. Car, seuls, les industriels peuvent assurer la stabilité de l'État. Il appartient à la classe productive d'exercer le pouvoir. Car l'administration des intérêts généraux de la société ne peut être confiée qu'aux seuls possesseurs de capacités positives, aux industriels, qui représentent la plus grande partie de la richesse française. Ils ont la capacité administrative, parce qu'ils ont l'expérience des affaires. Ils sont la seule classe sociale intéressée à la réduction de l'impôt et à la mobilisation de la propriété territoriale, pour procurer à l'industrie les capitaux dont elle a besoin.

Si l'on pouvait combiner tous les résultats acquis par la classe industrielle dans l'organisation d'un système social nouveau, il n'y aurait plus de forces perdues, ni de société divisée en deux fractions ennemies. Il y aurait combinaison des efforts. Ainsi, à la tête du pays, il devait y avoir un conseil d'industriels, en attendant que le régime scientifique et industriel soit instauré.

Saint-Simon croyait à un gouvernement d'hommes d'affaires, se refusant à voir la formation d'une féodalité industrielle se substituant à la féodalité militaire et nobiliaire. Mais, ne l'oublions pas, il a une vision très nette du développement de la production. Ses disciples devaient donner à la France du milieu du XIXe siècle le goût des grandes entreprises et inspirer dans ce sens les hommes du gouvernement, sous le Second Empire. Par ce biais, il est possible de parler du gouvernement technicien auquel avait songé Saint-Simon [193].

Avec Napoléon III, l'économique a la priorité sur le politique. Le gros bourgeois se satisfait d'un régime autoritaire, parce qu'il a donné la prospérité ; mais il adoptera volontiers le régime parlementaire sur lequel il mettra la main. La bourgeoisie moyenne qui a échoué dans sa tentative de suprématie se rapproche du grand bourgeois, fait alliance avec lui et tombe sous sa coupe, en fin de compte.

La période est marquée par une double caractéristique : tout d'abord, la voie s'ouvre largement au commerce international et à la vaste exploitation des ressources naturelles ; d'autre part, le crédit s'ouvre aussi largement aux couches sociales, qui, jusque-là, n'avaient pas été touchées et, de ce fait, se démocratise.

La pensée saint-simonienne anime la politique économique du Second Empire. Elle correspond au vœu du gouvernement de progrès et de travaux publics, cher à Saint-Simon. Ce qui ne s'était pas réalisé sous Louis-Philippe le sera sous Napoléon III, qui est inspiré, avant tout, par les transformations industrielles. Le saint-simonisme positif pénètre le gouvernement, d'autant plus profondément que l'Empereur souhaite un prodigieux développement économique du pays. De fait, après 1851, la France est prise d'une frénésie d'entreprises. Le bourgeois, emporté par le matérialisme ambiant, mobilise toutes ses forces. Le capitalisme devient le maître, soutenu en quelque sorte par Morny, aristocrate et homme d'affaires, qui a inauguré, avant 1848, la politique de production industrielle qui va s'épanouir sous le règne suivant. Dans un article de la *Revue des Deux Mondes* du 1er janvier 1847, il insistait sur la primauté de l'industriel sur le social [194].

Les bases de l'économie française s'élargissent considérablement par le nombre, l'ampleur des créations, les fondements juridiques nouveaux qui sont proposés à une extension remarquable. Le crédit évolue et se transforme, sous un double aspect : dans l'organisation même de la banque, dans l'esprit qui l'anime. Une nouvelle génération de capitalistes et de financiers se juxtapose au capitalisme traditionnel et lui insuffle un air frais et nouveau.

La Banque de France se développe en province, en attendant d'absorber la Banque de Savoie. Son organisation centrale ne change pas : elle reste aux mains des grands bourgeois qui la dirigent avec prudence, lui imprimant un magnifique essor. Le traité du 10 juin 1857 précise qu'elle doit faire des avances permanentes à l'État et lui consentir des emprunts. Il augmente son capital, abaisse la valeur minima du billet de 100 F à 50 F, de façon à répandre davantage la circulation de la monnaie fiduciaire dans la masse.

La haute banque, d'origine genevoise ou juive, a toujours pour chefs de file les Rothschild, les Mallet, les Hottinguer. Le télégraphe, la naissance de nouveaux établissements de crédit, la nouvelle politique d'emprunts inaugurée par l'État pèsent lourdement sur son expansion, comme d'ailleurs les garanties prises. Pourtant, elle conserve le contrôle d'un grand nombre de sociétés et dispose de plusieurs places de régents à la Banque de France. La banque Rothschild, en particulier, en dehors des opérations bancaires et des prêts aux États et aux particuliers, se livre au commerce des métaux, des textiles, des céréales, du thé et dispose à cet effet de docks et de navires.

Les établissements que les nécessités nées de la révolution de 1848, avaient créés, se transforment ou meurent. Certains s'intègrent dans de nouveaux types d'établissements financiers et vont participer à la poussée capitaliste. Le Comptoir d'escompte de Paris se dégage de la tutelle de l'État, pour devenir une société anonyme pure et simple. Ses opérations ne vont pas cesser de s'étendre, escomptant les effets, les engagements avalisés par les sous-comptoirs, les avances sur rentes, actions, obligations, acceptant tout paiement, toute souscription aux emprunts publics, ouvrant des comptes courants, fondant des succursales. Plusieurs sous-comptoirs spécialisés disparaissent. Celui consacré aux chemins de fer naît et va devenir une caisse de prêts sur valeurs ferroviaires.

Une nouvelle classe de financiers paraît, fortement imprégnés de saint-simonisme. Ils appartiennent à des milieux de petite bourgeoisie. Ils se sont faits eux-mêmes. C'est la démocratisation des hauts emplois dans la finance. Ce qui fait leur originalité, c'est tout d'abord leur hostilité à l'égard de la Banque de France qui le leur rendait bien. Mais c'est une autre histoire. Ils lui reprochaient le taux élevé de l'escompte : la Banque, organisme aristocratique de crédit, était « constituée dans l'intérêt de ses actionnaires plutôt que dans celui des travailleurs ». Il s'agissait de faire du crédit « un instrument de production matérielle et d'émancipation morale de la classe la plus nombreuse » (195). Car, pour eux, l'or était la véritable richesse. Si le taux élevé de l'intérêt de l'argent permet à la Banque de conserver son encaisse métallique, il n'apporte pas de solution aux crises qui frappent les classes laborieuses. Il faut, au contraire, multiplier le crédit et le répandre, le démocratiser. Ils partageaient les idées de Michel Chevalier, d'origine petit bourgeois — son père était collecteur de taxes indirectes (196).

Saint-simoniens de la première heure, ils étaient partisans de la liberté des échanges, bénéfique pour tous. Michel Chevalier proposait « le système de la Méditerranée », qui établirait une liaison ferroviaire entre l'Occident et l'Orient, avec des jonctions par bateaux à vapeur. Les Pereire le tenteront sous le Second Empire, sans réussir complètement. Ce n'est que par de larges échanges de capitaux, excluant tout privilège, que l'on pourrait disposer de capitaux bon marché. Professeur au collège de France, Chevalier continue de soutenir le développement des voies de communication, les banques populaires. Il s'agit de substituer à la vieille classe dirigeante, qui a reçu une éducation classique, une nouvelle classe, formée d'ingénieurs et de chefs d'industrie. Le progrès moral et le bien-être des masses lui importent avant tout. Il met au premier rang le souci des classes laborieuses et le développement de l'industrie. La liberté du travail est la conséquence nécessaire de la liberté politique. Les problèmes de l'individu sont concernés par la liberté du producteur, le droit de la propriété et l'égalité de tous devant la loi. La première est violée, s'il

est défendu au travailleur d'acheter quand il le veut les
outils qu'il désire ; le second l'est, s'il ne peut disposer
des fruits de son travail comme il l'entend et qu'on lui
refuse l'égalité. Obliger à acheter cher d'un voisin ce qui
pourrait être acheté à meilleur marché à un étranger, c'est
payer à son voisin une taxe qui ne lui est pas due. Vue dangereuse aux yeux des protectionnistes. En 1850, à une séance
du Conseil général de l'agriculture, des manufactures
et du commerce, dans une résolution protectionniste, il fut
demandé que l'enseignement de l'économie politique ne se
bornât pas au libre échange, mais à la législation industrielle
de la France ; qu'un professeur payé par l'État dût marquer
le plus grand respect pour les lois en vigueur et ne pas attaquer les institutions et ne rien dire qui puisse encourager
la désobéissance aux lois de l'État ou l'opposition à leur
renforcement. A quoi Chevalier répondit qu'il devait enseigner ce qu'il croyait devoir promouvoir le bien-être du pays,
protestant contre le privilège de libre discussion que les
protectionnistes du Conseil s'arrogeaient. D'ailleurs, n'était-
ce pas aller contre les lois de l'État, quand la constitution
garantissait la liberté du travail et que personne ne pouvait
se dire travailler librement si le commerce ne l'était pas ?
Ainsi il se retrouvait avec les Pereire dans leur penchant
pour la démocratie économique et le développement du
crédit populaire.

Le traité de 1860 rendit l'opposition plus vive encore entre
la haute banque traditionaliste, représentée par les Rothschild, et les Pereire. Napoléon III eut contre lui les grands
chefs d'entreprises, les producteurs de filés, de tissus, de
fonte et de fer, qui pétitionnèrent, avant d'entrer dans l'opposition politique. Les Pereire en subirent le contrecoup.
L'opposition des grands manufacturiers rejoint l'opposition
de la haute banque. Par un revers, un peu paradoxal, si
on considère le principe, les républicains et les libéraux
montrèrent leur opposition, parce que les Pereire étaient
liés avec Napoléon III et qu'ils étaient considérés comme
inféodés au capitalisme et aux puissances d'argent. L'attitude
des Pereire aboutit à une double constatation : libres
échangistes, ils se heurtent à Thiers qui soutient les intérêts

protectionnistes ; soutiens de l'esprit individualiste et produc-
tiviste hardi du régime, ils se heurtent à Ernest Picard et à
Jules Simon, accusant la féodalité d'argent et lui reprochant
le manque de publicité des sociétés anonymes. Reproche
d'autant plus étrange que les comptes rendus des Pereire
étaient toujours d'apparence claire, alors que ceux de leur
adversaire, Paulin Talabot, étaient « toujours enveloppés,
avec des parties secrètes accessibles aux seuls initiés ».
Les Pereire ont le génie des affaires, chemins de fer, banques.
Ils gouvernent dix-neuf compagnies, représentant un capital
de trois milliards et demi de francs. Riches de 168 millions, ils apportent au crédit ce sens démocratique et
cette ouverture sur la petite bourgeoisie, qui avaient échappé
aux Rothschild. Ils voulaient appliquer les principes du
saint-simonisme et transformer économiquement l'Europe,
en réorganisant le crédit industriel. Le *Crédit mobilier* [197],
fondé en 1852, devait être le centre chargé de lier les intérêts
généraux et les intérêts privés et de « socialiser » le régime
économique pour réaliser la thèse saint-simonienne de la
production. Banque d'emprunt et de prêt, il lui faut un
capital-actions « toujours en fonctions » et un capital-
obligations « à lointaine échéance ». Par consolidation en
un fonds commun, ils pensaient réaliser l'*omnium* de toutes
les valeurs se garantissant les unes les autres, égaliser le
revenu par un système de compensation, centraliser en une
dette unique toutes les dettes des entreprises.

  Les Pereire voulaient étendre aux entrepreneurs les moins
favorisés par la fortune les bienfaits du crédit. Ils songeaient
à constituer, dans chaque localité, des sociétés de crédit
mutuel, spéciales à chaque branche de la production nationale. Chaque sociétaire payait une cotisation fixe et une
prime proportionnelle à son degré de solvabilité. Une caisse
centrale utilisait les espèces métalliques et des obligations,
comme papiers de circulation. Les sociétés ouvraient des
comptes courants, escomptaient les valeurs. Les bénéfices
étaient répartis entre la caisse et les membres. Le système
avait une forme pyramidal : au sommet, le crédit mutuel,
émettant de la monnaie fiduciaire portant intérêt ; la caisse
centrale et ses succursales servant de banques d'escompte

et distribuant le crédit aux sociétés de crédit mutuel. La mutualité permettait de démocratiser le crédit et de le consentir à la petite industrie : la banque mutuelle était fondée « par et pour les travailleurs », les plus forts aidant les plus faibles. Le projet n'aboutit pas [198].

Démocratisation au profit du paysan. En 1852, le crédit foncier s'organise par la création de sociétés de prêts remboursables par annuités à long terme. La *Banque foncière de Paris* a peu de succès en province : les sociétés de cette sorte y trouvent si difficilement des capitaux que le privilège de la Banque foncière est étendu à tout le pays. Le *Crédit foncier de France* pratique le prêt hypothécaire de cinquante ans, puis les prêts aux collectivités locales ; il émet des obligations foncières et des obligations communales ; en bref, il relève le crédit des propriétaires fonciers.

II. MULTIPLICATION DES ÉTABLISSEMENTS DE CRÉDIT ET DES COMPTES COURANTS : L'OBLIGATION

Pour démocratiser le crédit, il fallait le rendre accessible aux bourses les moins garnies. C'est le rôle des sociétés de crédit, créées après 1859, afin de recueillir les capitaux dispersés, développant ainsi l'habitude des dépôts. Le caractère international du capitalisme, dont le développement des chemins de fer avait permis de constater l'importance, apparaît. Qu'il s'agisse de la *Société générale de crédit industriel et commercial* (1859), du *Crédit Lyonnais* (1863) ou de la *Société générale pour favoriser le développement du commerce et de l'industrie en France* (1864) [199], ici ce sont des capitaux français, anglais et allemands ; là, des fonds français et genevois ; dans la troisième, des capitaux suisses, hollandais, allemands, belges, français. Le but est de disposer d'un volume considérable de capitaux permettant l'exécution des ordres de bourse, emprunts, subventions aux entreprises et l'appel aux souscripteurs les plus modestes, en multipliant les succursales et les filiales et en ouvrant des comptes courants de plus en plus nombreux. Le nombre des déposants décuple en quelques années. Le Crédit Lyonnais accepte des sommes, « quelque minimes qu'elles soient ». La démocratisation se fait par les affaires. Ce qui ne convertit pas tout le monde. P. Dulac, dans une brochure contemporaine ([200]), lui reproche de servir surtout les intérêts les plus favorisés. « Des spéculateurs ont imaginé de se procurer de l'argent de tout le monde, sans avoir le risque d'être priés de le rendre à personne, si leur entreprise se déconfit. Le procédé est des plus simples. Ils s'associent le public au lieu d'emprunter de lui... Ils annoncent qu'ils fondent des crédits de toutes sortes, moins le crédit au prolétaire. » Il s'agit de mobiliser les épargnes. A côté de la clientèle riche, la petite et moyenne bourgeoisie, les couches aisées de la paysannerie, ou les ouvriers supérieurs, justifient la formule : « Nous nous adressons à la masse entière du public et non à une catégorie restreinte de grands négociants et de capitalistes. » On pense, en effet, que la masse du petit public fera des millions de dépôts, en la détournant des caisses d'épargne. Une statistique de 1871 concernant les déposants de titres permet de constater que, sur 2 269 déposants, il y avait 1 112 rentiers, 264 négociants et fabricants, 207 artisans ; 169 employés ; 40 ouvriers ; 75 avocats, magistrats, avoués ; 68 médecins et pharmaciens ; 64 militaires ; 22 professeurs et instituteurs ; 58 membres du clergé ; 19 notaires.

La Banque de France enregistre rapidement « la concurrence formidable des sociétés de crédit », en même temps que baisse le chiffre de ses affaires courantes. Un rapport du 19 octobre 1867 dit : « les nouveaux établissements de crédit... travaillent à tout prix et à tous les prix ». Comme l'écrit H. Darcy, beau-frère de Germain, fondateur du Crédit Lyonnais, lui-même sous-secrétaire d'État aux finances, la situation « représentait très bien l'état d'esprit de l'époque, l'époque de la bourgeoisie étale après celle de la bourgeoisie conquérante » ([201]).

La généralisation des comptes courants s'accompagne de la démocratisation des rentes. Contrairement à la tradition, les emprunts ne sont pas couverts par l'intermédiaire des grandes banques, sous le Second Empire ; le gouvernement s'adresse directement au public. En 1854, l'emprunt de 250 millions est couvert par 99 224 souscripteurs, dont 71 322 en province. 80 142 se sont inscrits pour 50 F de rentes et au-dessous. Le deuxième emprunt de 500 millions est couvert plus de quatre fois (2 175 millions) par 180 480 souscripteurs. Jusqu'à 50 F de rentes, les souscriptions sont irréductibles. En 1855, l'emprunt de 750 millions est couvert près de cinq fois (3 652 millions) par 316 864 souscripteurs. En s'adressant directement au public, sans l'intermédiaire des banquiers, l'Empire a démocratisé la rente. Le nombre des rentiers croît dans des proportions considérables : 207 000, dont les trois quarts à Paris, en 1847 ; 664 000, dont la moitié en province, en 1854.

Le libéralisme qui perd de son idéalisme pour des buts plus positifs et qui est passé maître, grâce à un capitalisme qui domine la vie française, entraîne la modification juridique des sociétés. Il s'agit de les adapter à leur mouvement ascensionnel et de les favoriser sans limites. Le Code du commerce de 1808 offrait deux formes de sociétés par actions, la société anonyme et la société en commandite par actions. La société anonyme, placée sous la tutelle de l'État et l'autorisation du roi, se voyait préférer la commandite par actions qui était libre et qui avait permis, sous la Monarchie de juillet, une large poussée de spéculation dans la métallurgie, les mines, la soierie, la papeterie. La prépondérance est aux grands intérêts. Le gouvernement, en 1838, aurait souhaité voir supprimer la commandite. Les financiers et les affairistes de la Chambre ne le suivirent pas.

La révolution passée, la commandite retrouve sa lancée. Alors le gouvernement intervient. Une loi du 23 mai 1863 crée la société à responsabilité limitée. Elle est affranchie de la tutelle de l'État ; mais son capital ne peut excéder 20 millions. Ses administrateurs solidaires doivent posséder le vingtième du capital social. C'est la première loi admettant la liberté de constitution pour une société qui ne compte pas d'associé personnellement responsable. La loi du 24 juillet 1867 va plus loin. Elle déclare que les sociétés anonymes peuvent se former sans l'autorisation du gouvernement et les commandites se transformer en sociétés anonymes. C'est le triomphe du capital et de sa démocratisation [202]. La nouvelle loi dirige l'épargne vers les grandes affaires et fait participer les actionnaires à l'entreprise, sans que leur responsabilité personnelle soit engagée. La nouvelle société par actions est caractérisée par la liberté de constitution, la responsabilité limitée des actionnaires et la séparation de la propriété de la direction. Son originalité consiste à créer un être nouveau, un être moral, dont la personnalité s'explique par l'existence d'une volonté ou d'un intérêt collectif. Naissant adulte, elle a la personnalité des êtres humains, un nom librement choisi, un domicile, le siège social, où se font les actes de sa vie interne ; une capacité, car elle peut posséder, aliéner, ester en justice. Elle a un caractère démocratique : ses actionnaires sont des co-contractants. Mais on ne peut comparer la société formée par une convention passée entre sept associés et celle qui s'adresse au public pour constituer son capital.

Une autre forme de la démocratisation en matière financière est la multiplication de l'obligation. En 1852, un ensemble législatif autorise l'ouverture de lignes ferrées nouvelles et la fusion des compagnies multiples en grandes compagnies. Les compagnies qui doivent se charger du premier établissement sont autorisées à émettre des obligations. En 1857, le marché est encombré de valeurs de moins en moins solides. La disproportion entre actions (1 189 millions) et obligations (1 790 millions) est excessive [203]. Les conventions de 1859 consacrent l'association de l'État et des compagnies, comme le prévoyait la loi de 1842. Le dividende ne peut dépasser le montant fixé. L'action est assimilée à l'obligation. Le revenu réservé « sert l'intérêt et l'amortissement des obligations émises pour construire l'ancien réseau ». L'excédent passe dans la caisse du nouveau réseau. En 1860, l'État décide la construction de nouvelles lignes et lance, à cet effet, des obligations trentenaires dans le public. Il demande 132 millions en 300 000 obligations. Les chemins de fer concédés en 1863 nécessitent de nouveaux capitaux. Les conventions de cette année-là bloquent les dividendes et donnent aux actions une valeur fixe. Les obligations se multiplient. Les compagnies, également : chemins de fer, navigation intérieure, navigation maritime, avec les Messageries Maritimes et la Compagnie Générale Transatlantique.

La réforme douanière de 1860 oblige l'industriel à adopter un outillage perfectionné, des procédés nouveaux. Les brevets d'invention passent du simple au double, de 1847 à 1862 (2 000) ; le nombre des machines à vapeur quintuple de 1850 à 1869 (5 322 à 26 221) ; leur puissance est treize fois plus forte : 26 000 ; 320 000 HP ; la consommation de la houille triple : 7 250 000 ; 21,5 millions de tonnes, mais sa production ne suit pas sur le même rythme et ne suffit qu'aux deux tiers de la consommation (4 430 000 ; 13 460 000 T). La production de la fonte croît de 50 % ; celle du fer, quadruple. L'usage de l'acier se développe, grâce au puddlage ; le coût de sa fabrication diminue, grâce au procédé Siemens et au four Martin (1847 : 12 700 T ; 1869 : 110 000 T). Le textile a un outillage mécanique perfectionné. En 1867, dans le coton, la filature dispose de 6 800 000 broches ; le tissage, de 80 000 métiers mécaniques et de 200 000 à bras. Dans la laine, la filature dispose de 1 720 000 broches. L'industrie linière compte 600 000 broches et 9 000 métiers mécaniques à tisser. L'amélioration des procédés de blanchiment et de teinture et la préparation de l'aniline, depuis 1856, révolutionnent l'industrie chimique.

Un petit nombre d'hommes qui se sont faits eux-mêmes, inaugure la formule des grands magasins qui peut se résumer en une politique des rendus et des prix marqués. C'est ainsi que sont créés d'abord *Le Bon Marché*, puis *Le Louvre*, *Le Printemps*, *La Samaritaine*, manifestation renouvelée, chez leurs fondateurs, du sens de l'épargne et d'une politique de gain, par une vente aux meilleurs prix et sans marchandage, par la présentation d'articles confectionnés, par le calcul des bénéfices, enfin par un effort constant pour s'étendre : la province est inondée par des catalogues qui flattent l'œil et attirent la clientèle ([204]).

Les enquêtes sur le commerce, qui s'étaient succédé depuis 1828, avaient permis de constater l'opposition formelle à la liberté des échanges. Les gros industriels, largement représentés à la Chambre, de 1815 à 1848, s'y étaient opposés. A l'abri de la protection, la routine connaissait son plein épanouissement. C'est la raison pour laquelle le traité franco-anglais signé pour dix ans en 1860 fut mal accueilli par les industriels ([205]). On en parla comme s'il s'agissait d'un désastre. On accusa les négociateurs d'avoir voulu donner à l'Angleterre le moyen d'absorber tout ce qui constituait la force des autres États. Le bruit se répandit de la nécessité de réduire les salaires. Certes, la liberté des échanges ne résout pas tous les problèmes. L'Angleterre s'en est bien aperçu après 1873. Mais, d'abord, cette libéralisation n'était pas totale. Puis il était des assouplissements qui s'imposaient depuis 1820, comme l'imposait la taxation des bestiaux et comme s'y étaient opposés les herbagers normands. Le développement des chemins de fer se heurtait aux prix du fer et des rails. 1860 inaugure un système de liberté modérée, qui constituait une phase intermédiaire entre la stricte protection et le libre échange. Ce changement de direction ne crée pas un état de crise dans l'industrie française. Le traité a stimulé l'industrie, accéléré sa modernisation et la sélection entre les entreprises. Les banquiers et les négociants des ports maritimes voulaient engager l'économie du pays dans une voie nouvelle. La lettre-programme du 5 janvier 1860, qui annonçait le traité du 23 entre la France et l'Angleterre, inaugure une politique de traités de commerce qui contribuera à atténuer certains éléments défavorables au régime. En tout cas, la superficie emblavée passe de 6 millions d'hectares, produisant 86 millions d'hectolitres, à 7 934 000 ha en produisant 108 millions, la production à l'hectare passant de 14,13 hl à 15,34 hl, tandis que la production du vin s'élève de 28 millions d'hectolitres à 52 millions en 1869 et à 78 millions en 1869.

On assiste à un mouvement de concentration industrielle, favorisé par le traité de 1860. Un grand nombre d'établissements textiles de petite envergure disparaissent. Les mieux situés ou les mieux pourvus survivent. Le machinisme se développe, même dans le lin. Les applications industrielles de la science, la liaison grandissante du laboratoire et de l'usine constituent le fait capital. Grâce aux inventions dans le domaine de la chimie et de l'électricité, les anciennes industries se modernisent ; de nouvelles naissent.

Mais, dans cette expansion, l'économie connaît toujours un caractère petit bourgeois, marqué par une certaine

hésitation dans la spéculation et un esprit d'entreprise
très éloigné de celui qui est constaté en Angleterre et surtout
aux États-Unis. Le milieu est moins aventureux et moins
industrialisé, en fin de compte. De ce fait, l'économie est
plus individuelle, mais aussi peut-être plus équilibrée. Il
n'y a aucune commune mesure entre l'économie de la France
et celle des États-Unis. Certes, jusqu'en 1850, c'est l'artisanat, le travail familial, le propriétaire individuel, en Amérique.
Mais l'observateur se trouve en présence d'une population
très hétérogène, blanche et noire, et, sur ce fondement, la
sédimentation d'une immigration considérable ; des conditions locales particulières, notamment la guerre de Sécession ;
des richesses minérales immenses ; de hauts tarifs permettant
de larges profits ; mais aussi le fait — essentiel — de la nouveauté du pays, de la liberté qui y règne et qui contribue à
rendre le capitaliste inventif, hardi, prêt aux risques, et de la
plus grande facilité qu'en Europe pour le travailleur d'abandonner les vieux ateliers pour les nouvelles usines. L'esprit
d'entreprise est favorisé par la présence d'hommes d'affaires
de très grande classe, adaptés aux grandes formes de l'économie, acier, conserves, pétrole, banque, capables de créer de
nouveaux marchés. Les petits manufacturiers eux-mêmes
sont à la fois ingénieurs, inventeurs et savants. Alors que
le manufacturier français a une conception étroite, ou en
reste, par exemple dans le textile, à un capitalisme familial,
et, pour tout dire, se lâche difficilement des deux mains, le
capitaliste américain après 1850, développe le machinisme
pour économiser une main-d'œuvre rare, sacrifie le côté
artistique de la production au volume, avec cette nuance
que si le produit européen de consommation — plus spécialement français — est plus beau, l'objet de production américain — la machine — surclasse le produit européen. Aussi
bien, n'étant pas tenu par une survivance corporative et
une tradition routinière, le capitaliste américain l'emporte
sur le français par un besoin de regarder devant lui et d'aller
de l'avant pour satisfaire à un énorme marché intérieur,
qu'aucun obstacle douanier ne limite, et qui offre une capacité de consommation unique.

La France a eu de grands hommes d'affaires, les Pereire,

les Talabot, les Boucicaut, les Schneider. Ils dépassent le cadre bourgeois. Ils ont le tempérament des grands chefs d'entreprises américains, sans que le marché français — trop étroit — ait pu leur permettre de donner toute leur mesure. Il faut noter encore des éléments qui limitent le développement économique français et éclairent le tempérament du bourgeois : la France ne manque pas de capitaux, mais leurs possesseurs hésitent à les confier à l'industrie. La petite industrie domine encore vers 1850. Le protectionnisme annihile tout esprit d'innovation, tout en élevant le prix de revient des produits fabriqués, le charbon, le fer, les machines, les matières premières coûtant très cher (206).

III. LA BOURGEOISIE ATTEINT SA MATURITÉ DANS UNE ÉCONOMIE CONCENTRÉE

La bourgeoisie qui s'est formée et consolidée au cours de la période 1815-1848, atteint une sorte de maturité sous Napoléon III. Dans le nord, ses origines sont diverses. Elle comprend des membres de souche rurale, entrepreneurs de tissage ruraux, marchands-fabricants, qui sont passés de la ferme à l'atelier et à la fabrique ; d'autres, d'origine petite commerçante, qui achètent les étoffes une fois tissées et les vendent ; de la teinturerie et du blanchiment également. A cette bourgeoisie correspond une industrie moyenne ou petite. Elle voit petit. Elle manque de moyens et d'audace. D'autres industriels viennent de négociants ou de commissionnaires qui ont acheté des manufactures, avec de très gros capitaux. Quelques-uns de ces chefs d'entreprises sont députés : certains sont partisans de l'Empire, se méfiant d'ailleurs de l'entourage de l'Empereur qu'ils considèrent comme formé d'aventuriers, mais heureux de la stabilité qui donne la prospérité. D'aucuns sont libéraux, hostiles à l'intervention du gouvernement : toute une partie du patriciat d'Alsace est plutôt tendu vers l'orléanisme et la république modérée. Le milieu alsacien est calviniste, mais d'un protestantisme réaliste, sorte de style de vie, de morale déiste, sans inquiétude, ni controverse (207). Les tisseurs du nord sont catholiques (208).

Tout tend au développement de l'entreprise. Tout ce qui n'a pas d'utilité dans la fabrication est sans intérêt. Il y a beaucoup d'inhumain chez ces fabricants : le mariage n'est qu'un accord dont le but final est l'utilité. Ce sont des milieux hermétiques, portant leurs regards du côté de la banque qui a du prestige. La solidarité familiale joue à fond. Les familles sont riches d'enfants, ce qui est capital dans une industrie à structure familiale. Le phénomène est identique dans la paysannerie. Par contre, le patronat est indifférent au salariat ; il n'est pas conscient de ses devoirs à l'égard de ceux qu'il emploie et qui contribuent à sa prospérité. Même là où le paternalisme patronal joue, comme en Alsace ou dans les Vosges, l'ouvrier est méfiant.

L'industriel est avant tout pragmatique ; il ne voit que les affaires. Il ignore la spéculation désintéressée. Seul, l'argent compte. Il a sa conscience de classe et son horizon est limité à la fabrique. Il ne calcule pas son prix de revient. Ce qui compte, c'est le résultat du bilan. Sa mentalité est spéculative : avoir du bénéfice. Ainsi se dégage sa doctrine protectionniste. Il est pour le laisser faire, à condition que la France soit ceinturée de droits et de taxes. La protection est un moyen de maintenir de gros bénéfices ; sans elle pas de progrès. Il se voit ruiné en 1860. En Alsace, il y a d'ailleurs divergence entre imprimeurs qui exportent et tisseurs qui sont protectionnistes. Pour faire adopter les mesures de protection qu'il souhaite, l'industriel dispose d'associations professionnelles qui font groupes de pression : le Comité des filateurs de Lille, créé en 1824, fixait les prix des filés pour les imposer aux petits fabricants et défendait à la fois les droits de la profession et la fixation des prix. En Alsace, le Comité des industriels de l'Est (1835) fusionne avec l'Association pour la défense du travail national, en 1847, très protectionniste, que préside Mimerel. Le Comité linier se constitue plus tard.

Après 1867, le marasme se prolonge. Délégués patronaux et ouvriers font chorus pour demander le retour à la protection. C'est un entente politique contre l'Empire. Il en est de même en Angleterre où l'on demande une modification du traité de 1860. Des deux côtés du Channel, on se rejette les causes du malaise. En fait, il s'agit d'une crise générale et non nationale. Mais on proteste contre 1860 : « La crise a pris naissance avec le traité de commerce dont les débats ont été si pénibles pour notre fabrique. Ses effets qui avaient disparu pendant la guerre des États-Unis devaient reparaître avec plus d'intensité à la fin de cette guerre. » On proteste, dans le secteur du tissage, contre les admissions temporaires, auxquelles étaient favorables les fabricants d'indienne de Mulhouse et de Normandie, car elles facilitaient l'impression des écrus.

L'enquête menée par le Comité consultatif des arts et manufactures, en février 1868, montre l'opposition entre tisseurs (protectionnistes) et indienneurs (libre-échangistes). Le ministre du commerce décida, par un décret du 17 décembre 1868, de réduire à quatre mois le délai de réexportation des tissus admis en franchise temporaire, après teinture ou impression. A la demande des tisseurs, le débat fut porté devant le Corps législatif. Les représentants de la fabrique montrèrent la situation sous un jour désastreux. Ils dénonçaient l'Angleterre comme la cause de la ruine de l'industrie cotonnière française, parce que faisant les prix. Le débat fut favorable aux indienneurs. Il était clair que le malaise tenait avant tout aux variations dans les prix du coton. La spéculation était déchaînée. Les prix de vente étaient bas par suite de la mévente et ne correspondaient pas aux prix élevés du coton en laine. La production, excédentaire, n'était pas proportionnelle à la consommation.

La crise est générale. Les grèves se multiplient. Les licenciements et le chômage sévissent. Les salaires sont réduits. La campagne contre la politique économique rapproche patrons et ouvriers. Les protestations se croisent ; les pétitions se multiplient. Ils dénoncent toujours le traité de 1860. Pourtant l'entente patrons-ouvriers n'est pas totale. Les membres de la Fédération ouvrière de l'arrondissement de Rouen, dans une *Opinion* d'octobre 1869, disaient : « Les corporations ouvrières organisées de l'arrondissement de Rouen déclarent laisser aux industriels de la circonscription le soin de protester à leurs risques et périls contre le maintien des traités de commerce, sachant que... les classes

ouvrières... ne feraient que faciliter l'établissement de monopoles nouveaux... » Dans l'est, s'était constitué le *Syndicat
des industries de cotonniers de l'Est* (mars 1869) purement
patronal et groupant filateurs, tisseurs, imprimeurs. Mais
les imprimeurs firent sécession (octobre 1869) pour former
le *Comité d'impression de l'Est*. Les conséquences sont
nettes : le gouvernement perd le soutien de la bourgeoisie
manufacturière.

Un décret du 9 janvier 1870, soutenu par Buffet, député
des Vosges, devenu ministre des Finances dans le cabinet
Ollivier, supprime les admissions temporaires et donne
satisfaction aux filateurs et tisseurs. Les ouvriers n'obtiennent aucune amélioration. Ils se révoltent en Normandie et
surtout en Alsace. Ils arrêtent le travail et veulent imposer
la journée de dix heures, une augmentation de 0,50 F, un
salaire quotidien de trois francs pour les manœuvres, la
remise aux ouvriers participants des caisses de secours, la
responsabilité du patron seul en cas d'accident, un métier ou
une machine par ouvrier. Les patrons acceptent la journée
de onze heures au salaire de douze. La grève et les troubles
étaient nés de la misère et des déceptions. Cette agitation
patronale et ouvrière contribue à la formation d'une conscience patronale par la formation des syndicats patronaux
à Mulhouse, en 1869. Les ouvriers s'agitent dans les grands
centres ; l'artisanat textile est fini. Les traités n'y étaient
pour rien, car l'Angleterre connaissait la même crise.

Mais le problème industriel a une autre face : le financement des fabriques [209]. Celles-ci étant des affaires de
famille, les dirigeants pratiquent l'autofinancement. Il y a des
concours étrangers : les capitaux des marchands, comme les
Saglio et les Ratisbonne, avant 1848. A partir de cette date,
le négoce textile alimente le capitalisme textile. La banque
bâloise joue son rôle à Mulhouse, après une éclipse de
vingt ans (1830-1850) ; il en est de même pour celles de Lyon
et du Nord. La banque fait des avances sur les marchandises
en stocks. Pour l'escompte et le recouvrement des effets de
commerce, il y a les escompteurs, distincts des banquiers.

Les fabricants ne veulent ni de l'intrusion de maisons
étrangères, ni de la création de comptoirs d'escompte. La

position change après 1848. Les comptoirs s'enracinent.
Certains disparaissent, la crise passée. Les plus importants
survivent. Après la loi du 10 juin 1853, qui appliquait aux
comptoirs le régime des sociétés anonymes (autorisation,
contrôle du conseil d'État), les uns deviennent anonymes ;
ils escomptent les effets de commerce, encaissent les effets,
ouvrent des comptes courants, paient tous mandats, émet-
tent des traites. Ils aident les opérations à court terme de
l'industrie (échéance maxima : 105 jours). Les autres se
transforment en sociétés de famille, avec le nom comme raison sociale. Il se crée de nombreuses banques locales. A
Roubaix, cinq établissements en quinze ans. A Lille, la
Caisse commerciale du Nord connaît un développement
considérable de 1849 à 1857 : le mouvement du portefeuille passe de 63 à 161 millions ; le *Comptoir d'escompte de
Sainte-Marie-aux-Mines*, de 5,6 millions en 1850 à 19
en 1864, avant de faire faillite en 1865 ; celui de Mulhouse,
entre 1860 et 1870, de 28,8 millions à 40,7. Les industries
textiles ont de plus en plus recours aux banques. Il y a
« alliance plus intime entre l'industrie et le crédit ». Après
1850, les bilans des sociétés sont crédités de dépôts en banque.
Le crédit pénètre les habitudes commerciales. La banque,
de familiale, devient anonyme. A ce point de vue, 1848
a marqué une cassure.

Les bourses de commerce ([210]), qui avaient été créées
avant 1848, subissent une évolution. La Bourse de Mulhouse avait été autorisée en 1828 ; l'entrepôt douanier, ouvert
en 1836. Les courtiers pratiquaient le courtage du coton
brut ou semi-ouvré, constataient les cours et les publiaient.
La Bourse se réunissait chaque mercredi et les cours étaient
publiés dans l'*Industriel alsacien*. A côté, il y avait des transactions directes entre fabricants, dans un café, sans courtiers, négligeant ainsi la Bourse. En 1853, le rôle de Mulhouse
dans la fixation des cours s'achève : on sait dans l'heure
les cours du Havre et ceux de la veille à Liverpool. Bourse
et courtiers n'ont plus de raison d'être. Il en est de même
pour les *Halles aux toiles et cotons* de Rouen ([211]) : les maisons rouennaises avaient leurs magasins en ville ; les tissus
provenant de tissage mécanique ne passaient pas par les

Halles ; c'est la décadence. Le mouvement, en nombre de pièces, de 1846 à 1870, passe de 181 400 à 23 692. Ces institutions périmées sont remplacées par des commissionnaires, intermédiaires entre le fabricant et la clientèle. Ils renseignent le fabricant sur l'écoulement éventuel des produits et la mode. L'achat se faisait de deux façons : achat ferme, commission (vente pour le fabricant avec commission pour l'intermédiaire). Il y a les maisons de commission de Paris et des maisons locales. Elles constituent l'aristocratie du commerce textile. Les maisons locales sont installées dans les grands centres : Arlès-Dufour (Lyon), Vaucher (Mulhouse), Siegfried (Le Havre). Elles sont maîtresses de la vente et imposent leurs conditions.

Les foires subissent une importante évolution. Il en était de locales, comme Guibray, Caen, Besançon, Dijon ; de nationale, comme Beaucaire. Celle-ci constituait le principal lieu de réunion des fabricants du textile. Les chefs y partaient avec une partie de leur personnel et des stocks. Ils y donnaient rendez-vous aux acheteurs du Midi, d'Espagne, d'Italie, d'Algérie. La belle époque est terminée vers 1850-1860. Elle est, en effet, abandonnée peu à peu, avec les communications plus faciles. Certaines maisons textiles organisent des entrepôts de vente. Des voyageurs y sont attachés. La manufacture de Logelbach a un dépôt à Lyon, dont le personnel se rend à Beaucaire ; à Toulouse, pour Bordeaux et Agen. Les fabricants consignent également des marchandises à un commerçant, qui verse une avance au fabricant sur la vente future. La consignation se pratique beaucoup dans les années 1830-1840. Après 1848, elle disparaît à l'intérieur pour n'être plus pratiquée qu'à l'étranger. Les dépôts disparaissent peu à peu après 1850-1860, sauf à Paris, où ne subsistent que des bureaux sans stocks, et dans les capitales d'Europe. Le voyageur de commerce cherche les commandes qui rythment la production. Les grands magasins s'adressent directement aux fabricants, supprimant les frais d'intermédiaires. Ils se débarrassent des stocks par les soldes : il s'agit de faire circuler le capital plusieurs fois par an. La production s'accroît d'une consommation élargie. La clientèle est tentée par les étalages des déballages.

Une dépendance de plus en plus marquée s'institue entre l'industrie et le commerce. Le commissionnaire qui dispose d'énormes capitaux devient le banquier de l'industrie textile. Le commerçant est le maître de la production et la dirige.

La loi du 4 juin 1858 sur les patentes porte le coup de grâce au métier à bras. Le tissage mécanique est plus avantageux pour le fabricant que le tissage à bras. La diminution de ce dernier se faisait lentement : la loi de 1858 et le traité de 1860, dit un industriel, lors de l'enquête de 1860, forcent les fabricants à hâter cette suppression. Car la loi de 1858 affranchit les ouvriers qui travaillent sans compagnon, ni apprenti, ni enseigne, ni boutique, pour leur compte, avec leurs propres matières premières, ce qui les éliminait. La loi du 2 juillet 1862 admit qu'ils ne seraient pas subordonnés à la condition de l'enseigne et de la boutique. Les tisserands à domicile étaient les premiers à supporter le chômage et la baisse des salaires. Seule, la région de Sainte-Marie fait exception.

La filature se développe après 1850, avec l'usage de la peigneuse mécanique de Heilman et celle de Hubur, adoptée en 1856, qui permettent des numéros élevés (70 et au-dessus), donc fins, et l'utilisation de cotons ordinaires. De même on utilise, après 1850, le métier à filer automatique : on en compte 150 000 dans les six départements de l'Est, en 1856. Le mouvement se généralise. En 1860, on compte 113 établissements, avec 1 509 000 broches. L'Est est le domaine de la grande entreprise et des établissements intégrés. Chaque firme accomplit le cycle complet des transformations du coton. Il est unique en France.

Chapitre II

La force de la démocratie et le recul de la grande bourgeoisie

Peut-on discerner l'attitude des classes bourgeoises en face du coup d'État ? Si l'on se place du côté du pouvoir, que note-t-on ? L'enquête prescrite aux préfets par le ministre de l'intérieur, Pinard, le 13 novembre 1868, à la suite de la publication de l'ouvrage de Tenot, *La province en 1851*, montre l'attitude des hommes d'ordre et des républicains. Il est notoire que dans plusieurs départements — Allier, Yonne, Basses-Alpes, Hérault, Gard, Pyrénées-Orientales — l'accent est mis sur l'influence des sociétés secrètes. Ici on promettait le partage des terres ; là, un réseau de sociétés secrètes était prêt à voter la « république sociale » ou à prendre les armes. En face des insurgés, les bourgeois semblent avoir contribué à disperser les bandes armées. « Beaucoup d'ouvriers et de paysans, écrit le préfet des Basses-Alpes, séduits autant par l'attrait du mystère que par l'espérance d'avantages matériels, dominés surtout par l'intimidation, étaient entrés dans cette association, dont la plupart des membres ignoraient le but et qui se cachait sous les noms séduisants de Société de secours mutuels et de fraternité... Il n'est point vrai, ainsi que le dit la brochure, pour donner à l'insurrection un caractère plus sérieux, que les chefs fussent partout des hommes de la bourgeoisie auxquels leur position indépendante et une éducation supérieure donnaient un ascendant considérable sur les masses. Si les noms de quelques jeunes hommes issus de familles bourgeoises, entraînés par l'effervescence de l'âge, figurent dans la liste du comité central, il faut bien reconnaître aussi qu'un des membres les plus actifs de ce comité, Pierre Ailaud, sortait de prison pour un délit de droit commun. » La restriction réduite à un individu porte témoignage au contraire pour le rôle actif de certains « hommes de la bourgeoisie ». Tous les rapports, à quelque degré que ce soit, insistent sur le but poursuivi. En face du parti de l'ordre, les partisans de la république « rouge » et du communisme, étaient groupés dans des « ventes ». En 1868, l'optique n'était pas exactement celle de 1851. Comme le dit Georges Bourgin, au moment où l'administration préfectorale rédige ses rapports, l'ombre de la Commune se profile déjà (²¹²).

La bourgeoisie s'est ralliée pour une bonne part au coup de force. Le plébiscite donna au coup d'envoi de la dictature une majorité écrasante dans le Nord, pour prendre un exemple. Certes, au moment de l'affaire, le sous-préfet de Valenciennes pouvait constater que la classe élevée hésitait. Les ingénieurs des ponts et chaussées, presque unanimes à refuser leur adhésion, estimaient que la nature de leurs fonctions les laissait étrangers à la politique. Ils s'abstenaient « sur l'appréciation d'une mesure purement politique qu'on force d'approuver le couteau sur la gorge. Le devoir était dangereux à remplir, et, pour ma part, j'en avais pesé toutes les conséquences, écrit de la Frémoire, ingénieur à Lille. Mais par-dessus tout, je mets ma conscience, la dignité et la considération qui ont toujours été le caractère de nos fonctions et que je déplorerais de lui voir enlever par des hommes imprudents et légers » (6 décembre 1851). Les magistrats, notamment ceux du parquet, résistent. Le procureur de Cambrai refuse de saisir un journal ; le procureur général de Douai, de faire incarcérer un journaliste. Les officiers d'artillerie sont les plus résistants. Le doyen du conseil de préfecture est révoqué ; il écrira au préfet, le 6 décembre : « De nos braves soldats vous faites des prétoriens ; de nos fonctionnaires, des esclaves. » Les personnes incriminées comprenaient des artisans, des journalistes, des ouvriers, un officier de santé, un agent voyer, un magistrat (²¹³).

Ouvrons *Mes souvenirs*, de Ch. Beslay, qui a toujours été comme un simple soldat dans « la grande armée de la démo-

cratie ». Ce républicain avancé est de bonne bourgeoisie bretonne. Son grand-père était notaire ; son père, secrétaire de
la Fédération bretonne, puis membre du Corps législatif,
député jusqu'en 1838, appartenait au monde du haut négoce
et de la banque. Lui-même a été député en 1830. Il écrit
sur la période de 1830-1848 : « La bourgeoisie avait mis sur
la société ses gros sacs d'écus, comme un couvercle de plomb,
absolument comme la Restauration avait placé ses vieux
parchemins. » Il y a, dit-il encore, dans la révolution de 1848
et dans l'organisation administrative du pays un élément
essentiel : le caractère particulier des diverses régions. Ce
futur communard répugne à la décision de Ledru-Rollin
de « plier sous une discipline uniforme toutes les régions de
la république ». Le ministre de l'intérieur de 1848 « avait
tort de confondre l'administration avec la politique, et au
point de vue de l'administration et des affaires, la Bretagne
est un pays à part, parlant une autre langue et qui demande
à être manié par un homme qui la connaisse à fond ». Ce
notable breton, national sous la Restauration, libéral sous
Louis-Philippe, républicain en 1848 et socialiste sous
Napoléon III, explique bien la désunion entre la bourgeoisie
et le peuple, qui tient aux idées et aux intérêts. Elle se
retrouve à Lyon en 1832, en 1848. Elle « ne cessera que le
jour où la république aura fait pour le peuple ce qu'elle a
déjà fait pour la bourgeoisie. » Car il y a deux politiques
bien tranchées : la république modérée, favorable à la bourgeoisie ; la république radicale, favorable aux travailleurs.
Après les journées de juin, « les conservateurs, transis de
peur, firent de la république le bouc émissaire de toutes les
infortunes publiques et privées. Les travailleurs qui sentaient que la défaite de l'insurrection était leur propre défaite,
prirent plus que jamais en haine la bourgeoisie, l'ensemble
et les chefs du gouvernement nouveau ». Et encore : « Qu'a
fait la bourgeoisie, sinon de se servir de la révolution. Tant
que ces révolutions lui ont été profitables, elle s'en est
glorifiée ; mais, dès que la révolution veut poursuivre
son cours pour émanciper les travailleurs, elle s'indigne
et proteste. »

Le 4 décembre 1851, Proudhon proteste contre l'événement et contre la démocratie, qui « ne veut pas abandonner ses routines ». Le 5, il compte sur la victoire. « C'est la bourgeoisie moyenne qui combat et qui résiste. » Il revient sur ses espoirs un peu plus tard, le même jour : « La patrie criait par la voix de ses représentants ; ni le peuple, ni la bourgeoisie n'ont répondu. Tout est calme, tout se soumet, tout court au-devant de la servitude. » Il ajoute, le 6 : « Tandis que les bourgeois laissaient faire et passer, les ouvriers applaudissaient, défaisaient les barricades, éclairaient les troupes. » Et d'expliquer : « la nouveauté du socialisme, que l'on craint encore plus que l'on n'aime la liberté, est ce qui a arrêté l'élan des bourgeois. » La constatation est de routine, en ce milieu du XIXᵉ siècle.

Quoi qu'il en soit, les saint-simoniens s'étaient réjouis de l'avènement du prince-président. Avec lui, une nouvelle bourgeoisie industrielle s'affirmait. La science tenait le pouvoir. Le Second Empire est le régime de l'ingénieur et du financier. L'industrie fait une poussée formidable. Dans quel but la bourgeoisie agit-elle ? Le bourgeois est dur sur le plan social. Avec lui, la démocratie sociale est ajournée. Le peuple est toujours misérable. On ne peut parler d'une conscience de classe chez les travailleurs [214]. Car ce qui importe, c'est la notion d'élite, de classe dirigeante. Le paternalisme persiste dans les rapports entre patrons et ouvriers. L'industriel Zuber préconise que, moyennant des institutions et des règlements, l'ouvrier soit forcé de se moraliser, de s'humaniser, en acquérant des propriétés, en faisant des économies, au lieu d'habitudes de dissipation, puis en instruisant ses enfants [215]. La charité resta la panacée bourgeoise.

Si la bourgeoisie a reçu une impulsion nouvelle du fait du saint-simonisme après 1852 et si l'individualisme économique a été efficace, le côté petit-bourgeois survit à côté de l'esprit saint-simonien, hardi et souvent téméraire. Le préfet Haussmann [216] le reprochait à Baroche, qui représentait à ses yeux le bourgeois, « imbu des idées étroites, routinières de la classe moyenne de Paris », pour tout dire, le conservatisme de la bourgeoisie française. Mais le problème capital-travail n'a pas été résolu. Les grandes sociétés se forment. Au développement énorme des villes répond la concentration des entreprises.

Peu à peu les obstacles se multiplient : difficultés économiques provoquées par la politique des traités de commerce, réveil politique, radicalisme petit bourgeois, aboutissant à une poussée réformiste depuis 1863.

I. LA RÉACTION CONTRE LES CONQUÊTES DE 1848

Un véritable raz de marée antidémocratique balaie la France au lendemain du 2 décembre 1851. Les mesures répressives se succèdent : état de siège, transportation à Cayenne et en Algérie, par simple mesure administrative, des individus affiliés aux sociétés secrètes ou placés sous la surveillance de la haute police, dissolution de la garde nationale, correctionnalisation des délits de presse, obligation de l'autorisation préalable et du cautionnement pour la presse, augmentation du droit de timbre, librairie soumise au brevet, publication des débats législatifs réduite à la reproduction des procès-verbaux ou des articles insérés au *Journal officiel*, surveillance étroite des clubs et des associations, suppression des symboles de la république sur les monuments publics.

Une constitution traduisait le coup d'État en termes nets ([217]). Le président a seul le pouvoir. Il exerce le gouvernement personnel pour dix ans. Il a tous les attributs de l'État. Il n'est responsable que devant le peuple. Il est le chef de l'État, comme dans l'article 14 de la Charte de 1814. La justice est rendue en son nom, comme dans la Charte. Il seul l'initiative des lois, les sanctionne, les promulgue. Il a le droit de dissoudre la représentation populaire. Le régime parlementaire est en sommeil. Le président est partout et son autorité s'étend à tous les problèmes qui peuvent se poser. Il tient tout dans sa main. La protection des assemblées est assurée par le président de la république et leur garde est placée sous les ordres du ministre de la guerre. Les ministres, qui ne sont pas pris dans le Corps législatif, ne sont responsables que devant le président. Ils ne sont pas solidaires entre eux.

Tout rappelle l'Empire. Le Sénat n'est pas différent de

celui de l'an XII. Il n'a pas de puissance législative. Il
n'émane pas du peuple : amiraux, cardinaux, maréchaux
sont membres de droit de l'assemblée ; les autres étant des
personnages illustres, choisis par le président. Les sénateurs
sont inamovibles. Le président nomme les sénateurs, leur
président et leur vice-président, convoque et proroge l'assemblée. Le Sénat défend la constitution et les libertés
publiques. Les députés sont élus au suffrage universel direct.
Le Corps législatif forme une assemblée nationale. Il peut
discuter et amender les projets présentés par le gouvernement. Ce n'est donc plus l'assemblée de « muets » de l'Empire.
Le président peut le proroger, l'ajourner, le dissoudre. Il
en nomme le président et les vice-présidents. Le conseil
d'État redevient un corps politique. Le chef de l'État nomme
les conseillers et les révoque. Le conseil soutient les projets
de lois devant le Sénat et le Corps législatif. La constitution
de 1852 inaugure un régime absolu, au profit du chef de
l'État. Elle est autoritaire et peu républicaine.

Il est vrai que, quelques semaines plus tard, un décret du
2 février 1852 accordait le suffrage universel, direct, secret,
et autorisait les candidatures multiples. Pour être électeur,
il suffisait d'être Français, d'avoir 21 ans, de jouir de ses
droits civils et politiques. C'était rétablir le droit de suffrage
dans les conditions les plus libérales. Des fonctions publiques
rétribuées étaient incompatibles avec le mandat législatif.
Mais les candidatures officielles allaient faire dévier les
principes. En juillet suivant, un sénatus-consulte organisait
la Haute Cour de justice dont les membres, ainsi que le
procureur général, étaient nommés par le chef de l'État.
Ses trente-six jurés étaient choisis parmi les membres des
conseils généraux tirés au sort dans chaque département.
Aucune affaire ne pouvait être soumise à la Haute Cour,
sans l'autorisation du Président de la république. Enfin, pour
parer à tout danger d'opposition, les membres de l'Université, jusque-là inamovibles, sauf jugement du Conseil supérieur, étaient nommés et révoqués par le pouvoir seul. Les
membres du Conseil supérieur furent choisis également par
le chef de l'État. Enfin, les préfets contrôlèrent les actes et
la conduite de tous les fonctionnaires. Émanation du pouvoir

central, ils s'adjugèrent une partie des attributions de ce pouvoir, qui les surveillait de très près.

Dès le début, Persigny ([218]) met en avant l'action officielle du gouvernement dans les élections. Car il appartient au gouvernement d'éclairer les électeurs, afin que le peuple sache discerner les amis et les ennemis de l'État récemment créé. Pour arrêter l'action des opposants, la police neutralise leurs amis, les poursuivant pour manœuvres électorales ou pour distribution d'imprimés.

Où allait-on ? Les élections de février 1852 avaient été favorables aux candidats du gouvernement. Le président pouvait déclarer qu'il avait replacé la pyramide sur sa base et qu'il maintiendrait la république, à moins que l'attitude des partis le force à établir un autre régime. C'était annoncer le nouvel Empire. Les trois seuls députés républicains qui ont refusé le serment politique sont considérés comme démissionnaires. Proudhon s'en gausse. Il les juge anachroniques. Les autres membres du Corps législatif, pour constituer une imposante majorité, n'en éprouvent pas moins une gêne à se sentir limités dans leurs pouvoirs et se demandent jusqu'où ira cette limitation. Montalembert se fit leur interprète, exposant leur misérable condition : au Sénat, les illustrations ; au Conseil d'État, les capacités, le Corps législatif n'étant qu'un conseil général, à la merci d'un conseil de préfecture, le conseil d'État.

Il est toujours facile de séduire la foule. Un mot suffit à la retourner. Sous la révolution de 1848, la propagande en faveur du prince Louis-Napoléon Bonaparte avait été menée de main de maître. L'année 1852 témoigne de cette habileté manœuvrière. Des pétitions sont suscitées, des vœux exprimés. Enfin, il y a une politique de voyage au cœur même de la résistance, scandé de cris favorables et de mesures, comme l'organisation de trains de plaisir, permettant la venue de vieux soldats sur le terrain des manifestations. Accueil sympathique, vibrant, enthousiaste, triomphal, pour aboutir au discours de Bordeaux où l'Empire est proclamé avant la reconnaissance officielle et le plébiscite du 1er décembre 1852. Certes, les abstentions sont nombreuses (2 062 798) mais les « non » ne sont que poussière (253 145) en face des

7 824 189 « oui ». Ainsi, se justifiait la prophétie de Jules
Grévy au moment de la discussion de la constitution de 1848
et des pouvoirs du président de la république.

II. LE BOURGEOIS ET L'ÉVENTAIL DES OPPOSITIONS

S'abstenir est un manque de courage dans les circonstances graves que la liberté traverse. Où sont les républicains ? Ils manquent de cohésion : il y a des républicains
d'avant 1848 et des républicains de fraîche date nouveaux
convertis aux idées démocratiques. Dans toutes les villes,
se maintiennent de forts groupes républicains. Mais la
géographie républicaine a des lacunes importantes. L'Est et
le Midi sont très sensibles à la propagande républicaine.
Les loges maçonniques se recrutent parmi les républicains.
Dans le Sud-ouest, les classes moyennes sont acquises à la
république.

La crise du 2 décembre rejette dans le silence ou la clan-
destinité les anciens qui se sentaient vaincus. Les jeunes
préféraient se rallier à l'action. Les déportés et ceux qui
étaient en prison conservaient la foi. Les exilés continuaient
à combattre l'Empire. Des nuances sérieuses séparent ces
républicains. Il y avait des bleus, des rouges, des montagnards, des partisans de la démocratie chrétienne. Les exilés
de décembre trouvaient en Belgique et en Suisse des socialistes étrangers qui avaient maintenu les traditions de Buonarroti et des *Saisons*. En Angleterre, à côté des partisans
de Ledru-Rollin, révolutionnaires par la tactique, mais
modérés par les idées sociales, vivaient des communistes,
résolus à l'action immédiate. Tous étaient d'accord pour
l'entente internationale des peuples. Ces exilés influaient
sur les républicains restés en France. Ils faisaient pénétrer
quantité de brochures racontant l'histoire des crimes du
coup d'État, qui étaient distribués dans les cafés. *Napoléon
le Petit* de Victor Hugo se trouvait partout. Arrêtée à Genève,
l'impression était reprise à Bruxelles. A Londres, deux sociétés, *La révolution* et la *Commune révolutionnaire* avaient une
grande activité. *La Lettre au peuple*, signée des noms de
F. Pyat, Boichot et Caussidière, était introduite dans les colis.

L'opposition monarchiste était divisée. Légitimistes et orléanistes n'arrivaient pas à s'entendre ; ils étaient d'accord pourtant, pour faire front à Napoléon III. En 1852, sur l'ordre de Chambord, les légitimistes durent abandonner toutes les charges qui impliquaient serment à la Constitution. Fonctions et mandats de ce fait furent livrés à l'Empire. De plus, Chambord parlait d'octroyer le régime représentatif. Les orléanistes n'avaient pas pardonné la confiscation des biens des princes d'Orléans et regrettaient le régime libéral de Juillet, comme l'attestent les *Mémoires* de Rémusat.

L'opposition libérale groupait légitimistes parlementaires, catholiques libéraux, républicains constitutionnels. Elle avait pour centre l'Institut : Berryer faisait allusion, en 1855, au « théâtre écroulé de ses labeurs », le Parlement, ayant à ses côtés Guizot et Montalembert, Salvandy, Villemain, Molé, Cousin, Pasquier. De Sacy, directeur des *Débats*, faisait l'éloge de la liberté de la presse. En 1856, de Broglie louait la monarchie de juillet : « L'histoire dira si les dix-huit ans de paix qu'il nous a donnés ont été achetés aux dépens de l'honneur et des intérêts du pays ; si sa sagesse n'est pas entrée pour quelque chose dans la prospérité dont nous moissonnons les fruits à pleines mains ; si l'armée qu'il a formée s'est montrée digne de la France, si ses fils se sont montrés dignes de cette armée. » Parlant de son prédécesseur, de Saint-Aulaire : « Il a vu tomber ce gouvernement qu'il avait honoré et servi dans la maturité de l'âge ; il a vu périr ses institutions généreuses, l'œuvre et l'orgueil de nos belles années. Moins heureux que Crassus et Agricola, il a vu le sanctuaire des lois assiégé, envahi à mains armées ; il a vu la guerre civile dévaster nos cités ; il a vu les premiers de l'État poursuivis, proscrits, fugitifs. Je m'arrête. Je n'aurais ni le droit, ni le dessein de continuer. Ce serait dépasser la mission qui m'est assignée. » Pour être brillante, cette opposition n'en était pas moins stérile et sans moyens d'action. Elle n'était que le regret d'un régime qui avait déçu la très grande majorité des Français et qui n'avait pas su évoluer avec le temps et les idées. Il ne s'agissait pas de retourner en arrière. La liberté à laquelle l'opposition libérale songeait était restreinte par mille obstacles. Qui avait oublié le cens et la minorité infime d'électeurs de la période de Juillet ? Ce n'était point de la démocratie. Mais, en face d'un régime qui réduisait à peu de chose la liberté, la réclamer même sous son aspect censitaire, c'était plus et mieux que la dictature. Celle-ci faisait lever des regrets sur le passé. Le Corps législatif prend conscience de plus en plus de son rôle et sa résistance s'affirme surtout en matière financière. En 1853, Montalembert attaque le budget où figure le produit de la confiscation des biens des Orléans. Sous la poussée des « budgétaires » les crédits supplémentaires sont soumis au Corps législatif dans les deux premiers mois qui suivent la fin de l'exercice ; les crédits extraordinaires dès la première session tenue après la date de leur engagement (loi des finances du 5 mai 1855). Tous les crédits portant ouverture de crédits supplémentaires et extraordinaires devaient être pris en Conseil d'État, précise le décret du 19 décembre 1856.

Le Corps législatif se recrute dans les classes dirigeantes. Aussi partage-t-il l'avis des grands propriétaires terriens et des industriels en faveur du protectionnisme. En 1855-56, des droits sont réduits par décrets : ils auraient été ratifiés par le Corps législatif. Baroche en défendit la ratification, le 16 avril 1856. Il l'obtint, après avoir dit : « Cette protection ne doit pas être aveugle, immuable ou excessive ; mais le principe doit être fermement maintenu. » En octobre 1856, le gouvernement dut s'engager à ne pas abroger les prohibitions, avant le 1ᵉʳ juillet 1861. Il y a plus. Un arrêt de la cour de cassation avait décidé que les bulletins électoraux, soumis à la loi du 27 juillet 1849, ne pouvaient être distribués qu'avec l'autorisation des préfets. Montalembert avait protesté et Morny avait répliqué que le Corps législatif n'avait pas le droit d'interpellation. Baroche crut devoir répondre : il soutenait l'arrêt de la cour, pour éviter, suivant la loi, que ne soient distribués « des circulaires et tous autres écrits se rattachant aux élections » ; mais il affirmait que la libre distribution était de droit commun et que le droit des préfets ne concernait que des cas exceptionnels, rares, qui risqueraient de faire scandale. Il ajoutait : « L'abus de ce droit est d'autant moins à craindre que le Corps législatif chargé de la vérifi-

cation des pouvoirs reste en définitive juge souverain de la
loyauté et de la validité de l'élection. » Ainsi, le Corps législatif était sorti de ses attributions législatives. Le Sénat sortait
de son rôle constitutionnel, ne se contentant pas d'examiner
si les lois votées étaient conformes à la constitution, mais les
discutant au fond. Le gouvernement crut devoir l'en blâmer.
Le Sénat riposta en annulant la loi du 17 juin 1856 concernant une taxe sur les chevaux et les voitures, dont le Corps
législatif n'avait pas fixé le montant.

C'était peu. Le parti démocratique rongeait son frein. Il
espérait remonter le courant à l'occasion de nouvelles élections. Le 28 mai 1857, le Corps législatif était dissous. La
campagne électorale s'ouvrit et la candidature officielle fut
à l'honneur. Pourtant les élections de 1857 marquaient un
recul de la politique impériale. Si, dans le Doubs, Montalembert fut battu, à Paris, cinq républicains avancés passè-
rent. Cavaignac mourait, le 28 octobre de la même année ;
Carnot et Goudchaux refusaient le serment. Il ne restait
plus qu'Émile Ollivier et Darimon à Paris et, en province,
Hénon [219]. Quatre mois plus tard, aux élections complémentaires de Paris, Jules Favre et Émile Picard triomphaient.
C'était le première protestation légale et parlementaire [220].
En six ans, le gouvernement avait vu les voix favorables
passer de 196 539 à 110 526, tandis que les abstentions, qui
s'élevaient à 95 636 en 1851, passaient à 145 170 en 1857.

Les dictatures ont tendance à favoriser les complots.
L'attentat d'Orsini est l'occasion de mesures restrictives
nouvelles contre la liberté. Le gouvernement prenait des
décisions contre les journaux, les lieux publics. La France
était divisée en cinq commandements militaires, Paris,
Nancy, Lyon, Toulouse, Tours. La loi de sûreté générale
était promulguée. Le gouvernement pouvait proscrire sans
jugement ses ennemis, en les expulsant, en les internant ou
en les déportant. Étaient passibles de ces mesures les citoyens
condamnés, internés, expulsés, transportés par mesure de
sûreté en 1848, 1849, 1851 ; les condamnés pour attentat
contre l'empereur ou sa famille, complot contre la sûreté de
l'État, emploi illégal de la force armée, pillages publics,
faux passeports, rébellion non armée par bandes, provoca-

tion des militaires à la désobéissance, fabrication ou détention d'armes, attaques contre les droits de l'empereur. Un
délit nouveau était créé : l'excitation à la haine et au mépris
du gouvernement de l'empereur. Pour compléter cet assor-
tissement de menaces, le général Espinasse, devenu ministre
de l'intérieur, disait : « Il est temps que les bons se rassurent
et que les méchants tremblent ». C'était établir une confusion des pouvoirs, l'administration s'arrogeant le pouvoir
judiciaire. En vain, le conseil d'État accepta de donner à la
loi un caractère transitoire, affirmant qu'aucune mesure ne
pourrait être prise sans le triple avis du préfet, du général
et du procureur général ; le rapporteur du projet assura que
la loi était faite pour les conspirateurs, les démagogues et
les coquins. Les républicains dénoncèrent le manque de
garantie, de témoins de la défense, de publicité, d'appel.
Baroche reconnaissait les anomalies du projet sans s'en soucier : « Faut-il, en présence d'un danger qu'on voit, dont on
croit apercevoir le remède, s'arrêter devant des hésitations de
juriste et des difficultés de procédure ? » Il défendit le droit
du gouvernement d'interner ou d'expulser, par décision
administrative, les anciens condamnés politiques : si les
mesures étaient privées des formes ordinairement suivies, elles
n'en « étaient pas moins indispensables et essentiellement
justes ». Il eut beau dire que le projet était dirigé contre les
socialistes, une vingtaine de conservateurs s'unirent aux
républicains pour voter contre le projet. Les orateurs officiels avaient pu railler « les scrupules des facultés de droit et
les traditions du Palais », cette alliance était un début pour
la reconquête des libertés publiques. La même année, à la
demande d'un député en faveur du vote du budget par chapitre, Baroche se montre intransigeant. « Nous n'avons pas
le droit de vous montrer ici que la constitution est bonne,
dit le ministre d'État ; elle est parce qu'elle est ; elle ne peut
être modifiée, interprétée d'une façon quelconque que par
des pouvoirs autres que celui devant lequel nous parlons. »
Mais la question est posée.

Entre 1856 et 1858, une opposition aux visages multiples
se noue, à la fois conservatrice, libérale, cléricale, protectionniste. Elle représente les intérêts d'une grande partie

des classes dirigeantes, en face de l'opposition républicaine
des cinq pour la reconquête des libertés politiques. Les commissions financières du Corps législatif ont entrepris la
reconstitution du régime constitutionnel, souterrainement.
Le Corps législatif tend à élargir ses prérogatives. Tout lui
est prétexte à interpellation : le vote annuel du contingent
militaire devient interpellation sur la politique italienne du
gouvernement. Baroche se dresse, hostile : le droit ne peut
exister que lorsque les ministres sont présents dans le Corps
législatif. Or la constitution interdit aux ministres d'intervenir dans les débats ; il s'y laisse entraîner et reconnaît que
c'est un précédent fâcheux.

Bien plus, l'opposition cléricale est très violente ([221]).
Elle fait savoir que son dévouement à l'Empire est conditionnel. Pour la première fois, la vie politique de la France est
dominée par le conflit entre cléricaux et démocrates anticléricaux. Les classes riches se déclarent en majorité pour
l'opposition cléricale ; le peuple contre le pouvoir temporel
du pape. Si le gouvernement eut une controverse courtoise
avec les démocrates, il se heurta violemment aux cléricaux.
Les journaux donnent-ils un reflet de la vie politique et de
ses nuances ? Les journaux progressistes parisiens avaient
91 992 abonnés ; les journaux légitimistes et ultramontains,
38 285 ; les journaux gouvernementaux, 52 832 ; les orléanistes, 36 379. La vie politique en est réveillée. Devant la
violente campagne menée par le clergé, Rouland recourt à
la suppression des traitements des prêtres hostiles. Comme
l'agitation se développe, surtout dans l'Ouest, le gouvernement invoque l'article 201 du Code pénal qui punit de trois
mois à deux ans de prison toute critique des ministres des
cultes dans l'exercice de leurs fonctions, et l'article 204 qui
prévoit le bannissement pour toute critique dans les instructions pastorales. L'agitation se calme rapidement, le clergé
se heurtant aux mesures prises et à l'indifférence des populations. Les élections de 1861 montrèrent à l'administration
qu'elle ne pouvait pas compter sur le clergé, mais que celui-
ci n'était pas en état d'imposer ses candidats.

Le gouvernement, en la personne de Baroche, manifeste
un esprit gallican. Il engage la lutte contre les congrégations

pour la défense du pouvoir civil. Il s'agit d'arrêter l'envahissement des écoles communales par les congrégations d'hommes (²²²). Il est interdit aux Frères d'enseigner le grec et le latin qui ne sont pas du primaire. Les congrégations ne reconnaissent d'autres chefs que ceux de Rome. Les congrégations non autorisées ne sont pas admises à fonder des établissements nouveaux. Le gouvernement les menace de ne plus les tolérer. Il menace également de dissolution les établissements congréganistes dont il avait à se plaindre au point de vue politique. Baroche, Walewski, Persigny, Rouland s'inquiètent du succès des écoles secondaires libres. Ils estiment que la liberté d'enseignement, créée en 1850, perpétue la diversité dans la jeunesse ; car, dans ces écoles, les familles n'acceptent ni 1789, ni l'Empire. Bien plus, les congrégations d'hommes visent à remplacer le clergé séculier qui est du pays, alors que le clergé régulier forme « une milice romaine, n'ayant ni patrie, ni personnalité, obéissant *perinde ac cadaver* au gouvernement absolu d'un étranger ». C'est la doctrine que soutiendront les hommes politiques en 1899 et qui conduira à la séparation de l'Église et de l'État. Le conflit se poursuit. Rouland défend l'enseignement de l'État, interdisant aux institutions libres de prendre le nom de collèges. Il oblige les municipalités à percevoir la rétribution scolaire à laquelle les Frères étaient hostiles. Il s'arrange pour que, en cas de déplacement d'instituteurs congréganistes, les conseils municipaux manifestent leurs désirs de laïciser leur personnel scolaire. Il est bien entendu que le droit de nomination appartenait au préfet et que les conseils n'avaient que voix consultative. Conséquence ? La reconnaissance légale annuelle qui s'étendait à plus de cent communautés de femmes depuis 1852 tombe à 52 seulement en 1861 ; à 6 en 1862 ; à 9 en 1863. Pour les legs, depuis 1841, seuls, en profitaient les établissements religieux. Les communes les acceptaient ; les établissements en bénéficiaient pleinement. En 1862, il est décidé que les communes auraient l'administration de ces biens, l'établissement religieux se contentant de vérifier l'affectation à des dépenses scolaires (avis du conseil d'État du 10 juin 1863). En somme, depuis 1840, la politique du gouvernement en matière religieuse se propose la ruine de l'influence politique et sociale du clergé. Elle combat le cléricalisme, sans vouloir être hostile à l'Église. Chez ces bourgeois, imprégnés de libéralisme et de gallicanisme, la primauté du pouvoir civil reste, traditionnellement, le principe essentiel du gouvernement. De son côté, le clergé ne pardonne pas au gouvernement la répression de l'agitation causée par la question romaine et sa nouvelle politique, d'autant plus que les crédits permettaient de récompenser ou de punir l'attitude politique du clergé.

Cette politique ecclésiastique du gouvernement est la manifestation de son émancipation à l'égard du pouvoir religieux. Au fur et à mesure que le gouvernement avait fait des concessions à l'Église, celle-ci avait tenté de prendre encore plus de puissance. Elle s'est efforcée de mettre la main sur l'instruction et, du fait de son influence sur la grande bourgeoisie, de faire un réseau de forces qui enserrerait le pouvoir civil. Nous retrouvons ici ce qui inspire la politique de Napoléon 1er et celle de Montlosier : défendre les libertés gallicanes, tolérer les congrégations non autorisées, à la condition qu'elles n'essaient pas d'empiéter sur la politique laïque du gouvernement ; réagir fortement dans le cas contraire. Qui pourrait oublier que la révolution de 1789 et celles qui ont eu lieu dans les autres pays de l'Europe n'ont été que les conséquences de cet effort de laïcisation entrepris par les gouvernements éclairés au xviiie siècle ? Le radicalisme anticlérical, qui se développe à partir de 1848 plus spécialement, n'est que la manifestation politique et doctrinale de cet état d'esprit. S'inspirant de Rousseau, la démocratie ne peut admettre que la religion soit autre chose que l'expression purement subjective d'un sentiment profond de l'âme. Aller plus loin, c'est attenter à la liberté individuelle acquise de force en 1789 et, par là, risquer de soulever les réactions brutales des responsables politiques du pays. La position du gouvernement ne change pas, quels que soient ses membres. Dans l'Ouest, l'épiscopat attaque le gouvernement, qui poursuit les curés hostiles. L'Académie se divise, alors que jusque-là libéraux catholiques et incroyants faisaient chorus contre le gouvernement. Lors de l'élection où Littré eut pour concurrent de Carné, les cléricaux votèrent pour celui-ci, les anticléricaux, pour celui-là.

En face de cette opposition cléricale, où le gouvernement semble prendre la défense de la liberté contre l'emprise de l'Église, des mesures plus libérales sont effectivement arrêtées sur le plan purement politique et financier. Fin 1861, le contrôle du Corps législatif est accru en matière financière : le budget de chaque ministère n'est plus voté en bloc, mais par sections. Le gouvernement ne peut plus engager de crédits supplémentaires et extraordinaires, sans l'autorisation de l'assemblée. Dans les cas imprévus, des décrets pris en conseil d'État procèdent à des virements au sein des sections votées par le Corps législatif. En 1863, la révision de la législation civile et criminelle est entreprise. On renonce à une répression trop sévère, pour se rabattre sur une législation plus modérée, mais strictement appliquée, donc efficace. On correctionnalise les crimes que le jury acquittait. On accélère l'instruction des flagrants délits pour abréger la détention préventive. Le code pénal interdisait les coalitions. Dans son discours du 5 novembre 1863, l'empereur juge que la loi en vigueur est désavouée par l'opinion. Une nouvelle législation décide que les atteintes à la liberté du travail seront sévèrement punies, mais que les coalitions sans violence seront libres. Les sénateurs conservateurs la combattent, lui cherchant, suivant la formule de Baroche, « une querelle d'inconstitutionnalité ».

Ainsi, le libéralisme bourgeois s'affirme sous cet aspect politique. Dans les années 1863-96, tout consistera à rendre plus efficace un régime libéral, dont le but serait le système parlementaire. Mais, dans un pays marqué par un gouvernement autoritaire, l'aspect social reste au second plan.

III. LE LIBÉRALISME BOURGEOIS : LES « LIBERTÉS NÉCESSAIRES »

Si Napoléon III a une vocation sociale indéniable, les classes bourgeoises, restées attachées à la liberté, cherchent avant tout à asseoir plus solidement les « libertés nécessaires ». Pourtant, le fantôme révolutionnaire hantait toujours leurs souvenirs. Comment défendre les droits de l'individu en

face d'une société harcelée par les conflits sociaux ? Les
émeutes et les « journées » ont laissé des stigmates indélébiles
dans leurs esprits. Les contradictions des classes bourgeoises
s'expliquent : libérales, elles s'inquiètent de concessions qui
risqueraient de ranimer la flamme révolutionnaire ; dési-
reuses de rétablir toutes les libertés publiques, par crainte
de les voir dégénérer, elles restent attachées à un gouvernement d'ordre ([223]).

Or la classe ouvrière prend de plus en plus conscience de
sa force et de son individualité. Dès le 7 juillet 1862, le
directeur du *Temps*, Nefftzer, ouvrait la campagne électorale, en mettant la lumière sur les élections prochaines qui
devaient marquer « la restauration des libertés publiques »
([224]). En 1863, les ouvriers veulent affirmer leurs droits politiques. Le 24 mai, un groupe de travailleurs annonce au
Temps son intention de présenter un des leurs aux élections.
Le 26, le journal publiait la profession de foi du candidat et
les réformes qu'il demandait : les coalitions libres et des
chambres syndicales élues au suffrage universel. Il disait
encore : « Il est temps que les travailleurs s'affirment ; car
nous ne sommes guère plus avancés qu'aux jours où il fallait
être censitaire pour participer aux choses de l'État. » Le
directeur du *Temps* ne le suit pas. A son avis, les candidatures strictement ouvrières ne sont pas indispensables dans
un pays démocratique. Il les condamne au nom de l'inexis-
tence des classes sociales depuis 1789. La classe ouvrière n'a
pas d'intérêt distinct de l'intérêt général. *Le Siècle*, de son
côté, craignait que cette candidature ouvrière ruine l'opposition. Les ouvriers ripostent qu'au ballotage, ils se ralli-
eront au candidat opposant le mieux placé au premier tour.
Ils représentent leur candidature comme « éminemment fraternelle vis-à-vis de la bourgeoisie démocratique ».

En effet, ce qui inquiétait le plus l'opposition, c'était la
candidature officielle. De Girardin avait dit que Paris devait
faire « acte de virilité politique et de dignité libérale ». Nefftzer riposte : « Nous nous emparons de ces mots, nous nous y
attachons et nous lui demandons, nous demandons aux électeurs, quelle virilité politique et quelle dignité libérale peut
déployer le suffrage universel, en manœuvrant comme un

régiment au commandement des candidats et des journaux, en votant sans discussion, sans possibilité d'examen, sur une liste unique, arrêtée en comité secret par une majorité de candidats, non motivée, mais imposée, ou qui du moins l'eût été complètement si les choses eussent tourné au gré du comité. Tout le monde considère que la discussion est l'âme du suffrage universel (²²⁵). » Les maires de la Charente-Inférieure avaient invité le préfet à « ne pas pas se mêler de ce qui ne le regardait pas ». « Je ne connais pas ces honorables fonctionnaires, ajoute Nefftzer ; je ne sais s'ils sont cléricaux ou démocrates, j'ignore jusqu'à leurs noms ; mais je dis qu'ils se sont placés dans la vérité de la situation et dans l'esprit de nos institutions ; je dis que la première règle, antérieure et surpérieure à toutes les autres, c'est de ne pas admettre de candidat officiel (²²⁶). »

Les ouvriers n'aboutissent pas : leur candidat Blanc obtient 342 voix contre 15 359 au vainqueur. Quelques jours plus tard, Tolain, ouvrier ciseleur, publie *Quelques vérités sur les élections de Paris*. Il affirme le droit du prolétariat d'avoir ses candidats comme le capital a les siens. « Il s'agit de réclamer l'égalité entre le travail et le capital. » Le socialisme de 1863 avait élagué « les exagérations, les utopies impraticables », pour dégager « les réformes pratiques en les contrôlant rigoureusement par les faits ». Enfin, le 17 février 1864, *l'Opinion nationale*, de Guéroult, publiait le *Manifeste des Soixante*. Le *Manifeste des Égaux* de 1797 annonçait que, seule, la propriété commune pourrait assurer aux hommes le bonheur commun ; le *Manifeste de la démocratie*, de Considérant (1847), dénonçait la nouvelle féodalité industrielle et financière, la libre concurrence et l'organisation des grands monopoles auxquels elle aboutissait et demandait le droit au travail et l'organisation de l'industrie sur la base de l'association du capital, du travail et du talent. Le *Manifeste des soixante* affirme hautement l'existence des classes sociales et revendique le droit des candidatures ouvrières. Car, disait-il, « si nous sommes d'accord en politique, le sommes-nous en économie sociale ?... Le suffrage universel nous a rendus majeurs politiquement, mais il nous reste encore à nous émanciper socialement... Droit politique égal implique

nécessairement un égal droit social... Nous marcherons à la
conquête de nos droits, pacifiquement, légalement, mais avec
énergie et persistance... La bourgeoisie, notre aînée en émancipation, sut, en 1789, absorber la noblesse et détruire d'injustes privilèges ; il s'agit pour nous, non de détruire les
droits dont jouissent justement les classes moyennes, mais
de conquérir la même liberté d'action ([227]). » Il réclamait
l'instruction primaire gratuite et obligatoire et la liberté du
travail et invitait la bourgeoisie à s'unir aux travailleurs pour
« le triomphe de la vraie démocratie ». L'heure des candidatures ouvrières n'a pas encore sonné. Tolain se présente, en
mars 1864, soutenu par les démocrates radicaux bon teint.
Il affirmait le principe de classe : « citoyens, vous trouvez que
cela est inopportun, nous attendrons. Nous y sommes habi-
tués. Nous attendons depuis le commencement du monde. »

   L'opposition inaugure une politique électorale qui devait
se révéler fructueuse après 1875 : liberté au premier tour ;
discipline au second. Bien entendu, il faut qu'il y ait un
second tour ! Les résultats favorables des élections de 1863
se traduisent dans les faits : Persigny quitte l'Intérieur. Le
Corps législatif se montre assez émancipé, lors de la vérifi-
cation des pouvoirs, où les abus nés de la candidature officielle sont stigmatisés. De grands discours rythment la discussion de l'adresse. Berryer dénonce la situation financière
et la politique d'emprunts du gouvernement. Thiers expose
le programme des « libertés nécessaires ». Il trace le tableau
des vicissitudes de la liberté au cours des siècles, pour en
arriver à déterminer ce qui, en fait de liberté, constitue le
nécessaire : liberté individuelle, de la presse, liberté de l'électeur et de l'élu, liberté pour la majorité de diriger la marche
du gouvernement. Le programme même du régime parlementaire.

   Alors que, cahin-caha, des mesures plus libérales sont
prises, la presse continue d'être surveillée et de faire l'objet
d' « avertissements », qui soulèvent la colère contre l'arbitraire officiel. Les « communiqués » se succèdent pour rétablir
la vérité officielle. Où est la liberté ? où est la démocratie ? La
presse reconnaît à l'administration et au gouvernement le
droit de redresser une erreur toujours possible ; non celui

d'imposer sa vérité. Dans ce mouvement de valse-hésitation qui est la marque de la période, on lit avec surprise, en la fin de l'année 1864, l'opinion de Persigny sur cette liberté, si ardemment souhaitée. « La liberté de la presse, écrit-il dans ses *Mémoires*, c'est le frein des abus du pouvoir, des ambitions contraires au bien public, toutes choses qu'un souverain a plus d'intérêt que personne à empêcher. C'est le mouvement des idées imprimé à tout l'organisme social et politique ; c'est, en un mot, pour la liberté moderne, ce que la vie ardente, passionnée, mais féconde du forum romain, était pour la liberté antique. » Pourtant il avait soumis la presse à un régime administratif. Car, a-t-il écrit encore, « on ne peut doter instantanément un État nouveau de tous les instruments de la liberté. Avant d'être un peuple libre, il faut être un peuple uni et tout ce qui retarde la fusion des partis dans la grande famille de l'État, retarde en même temps la jouissance de la liberté ». Le 2 novembre 1864, à de Girardin : « Assurément le jour où la presse pourra être libre comme en Angleterre, où cette liberté ne nuit à personne et sert à tout le monde, ce jour sera la fin de nos révolutions et le couronnement d'un état régulier... Je ne crois pas que l'opinion publique soit suffisamment préparée à accepter un régime qui d'avance inquiéterait tant d'intérêts... Mais je vous avoue que... je me sentirais bien peu disposé aujourd'hui à maintenir le régime actuel sans de sérieuses modifications. » A quoi Napoléon III répliquait, manifestant son mécontentement : « Si je ne veux rien changer au régime de la presse, pourquoi éveiller des espérances qui ne se réaliseront pas ([228]) ? »

Le discours de l'Empereur du 8 février 1865 annonce de nouvelles réformes libérales. Une première loi adoucit les rigueurs de la détention préventive. L'abolition de la contrainte par corps fut obtenue difficilement : les anciens chefs du parti de l'ordre n'en voulaient pas. Ils étaient libéraux en politique, conservateurs en matière sociale. A leur côté, figuraient les plus conservateurs de la minorité, représentant le mieux les classes possédantes, en particulier les chefs protectionnistes. La loi passa, le gouvernement ayant montré que la contrainte était appliquée « dans un intérêt privé pour faire

plaisir à tel ou tel ou pour venger son injure ». Ces mesures
permettaient au gouvernement de donner satisfaction au
sentiment de liberté, tout en maintenant le régime autoritaire. Car l'empereur annonçait une politique de statu quo :
« Maintenons avec fermeté les bases de la constitution ; oppo-
sons-nous aux tendances exagérées de ceux qui provoquent
des changements dans le seul but de saper ce que nous avons
fondé. L'utopie est au bien ce que l'illusion est à la vérité et
le progrès n'est point la réalisation d'une théorie plus ou
moins ingénieuse, mais l'application des résultats de l'expérience consacrée par le temps et acceptée par l'opinion publique. » A quoi la presse d'opposition répliquait : « Et d'abord
une observation nous frappe : ces réformes ont un caractère
accidentel, fortuit, arbitraire ; elles pourraient être ou ne pas
être... ; elles ont l'air de tomber du ciel au lieu de se détacher
de l'arbre comme des fruits mûrs, prévus et attendus. Ce
n'est pas ainsi, que les choses se passent dans les pays où
fleurit la liberté politique. Là, les réformes germent et s'élaborent au grand jour, dans le milieu lucide et fécond de
l'opinion publique ; elles mûrissent d'elles-mêmes et à leur
heure et la solution du moment est toujours la plus opportune
et la plus assurée de répondre aux vœux du pays et à l'état
de l'opinion. De ce concours de l'opinion, le gouvernement ne
ressent aucune gêne ; il y trouve, au contraire, une lumière
et un stimulant, et même il peut garder toute la plénitude de
son initiative ; il peut, en effet, s'il a du génie, devancer constamment l'opinion, et lui imposer son impulsion et son
ascendant ; ou s'il a simplement de la sagacité, démêler, à
tel moment qu'il voudra, les idées pratiques dégagées par
l'esprit public, s'en emparer et s'en faire honneur », suivant
les paroles du *Temps*, dans son numéro du 18 février 1865.

   La politique de l'empereur est oscillante. S'engagerait-il
résolument dans la voie des réformes libérales, il désarme-
rait définitivement les libéraux, car « ils se contenteraient,
comme le dit *le Temps*, de la moyenne des libertés qu'ils
voient fleurir sans encombre autour de nos frontières. Qu'on
leur donne la liberté de la presse et la liberté de réunion,
comme en Belgique, en Suisse, en Italie, et même dans le
Grand Duché de Bade, et ils n'auront plus grand-chose à

demander ». A la session de 1866, l'empereur annonce des réformes importantes et fait un parallèle avec les institutions des États-Unis, observant que les institutions françaises et américaines ont de nombreux points d'analogie. On est d'ailleurs loin du compte : en Amérique, le président n'a qu'un droit de veto suspensif limité ; les chefs des départements ministériels sont soumis à l'agrément du Sénat ; le Congrès a seul le droit de déclarer la guerre et de préparer l'armement de la nation ; les lois américaines garantissent les libertés de la presse, de réunion, d'association.

Le sénatus-consulte du 18 juillet 1866 accroît les prérogatives du Corps législatif. Ce dernier ne peut discuter de réformes susceptibles de modifier le pacte de 1852. Mais ses droits sont élargis en matière d'amendement. En même temps, les conseils généraux obtiennent le pouvoir de nommer les membres de leur bureau, de voter des centimes additionnels et de contracter des emprunts.

Dans une *Lettre* à Rouher du 19 janvier 1867, Napoléon III se rallie à diverses réformes : l'adresse serait remplacée par un droit d'interpellation ; chaque ministre participerait aux débats des assemblées et y défendrait le gouvernement. La liberté de la presse serait placée sous le contrôle des tribunaux correctionnels. La liberté de réunion était reconnue. Le ministre d'État survivait. Ces mesures étaient un acheminement vers la responsabilité ministérielle. La suppression de l'autorisation préalable dont la presse parle serait un retour vers la liberté. Les commentaires se pressent sous la plume des journalistes politiques. Ils discutent du cautionnement dont le doublement prévu serait un obstacle à la multiplication des journaux ; de l'allégement du droit de timbre, du jury juge naturel des délits de presse, du régime des annonces judiciaires, à réviser.

Toute amélioration s'accompagne d'une régression. De nouvelles mesures plus rigoureuses sont prises à l'égard des détenus politiques de Sainte-Pélagie. La perspective de « ne communiquer avec les parents et les amis que dans un parloir commun, c'est-à-dire sous les yeux de tout le monde », irrite les libéraux. La pratique des « communiqués » sévit toujours avec une fréquence redoutable. Tout est occasion de redresser des affirmations que le pouvoir juge erronées.

Le problème des rapports des classes bourgeoises et de la démocratie semble éclairé par l'attitude prise par les diverses fractions de la bourgeoisie et la classe ouvrière en face du problème social. Les dernières années du Second Empire à Lyon, par exemple, montre excellemment leur position respective. Dans ce centre révolutionnaire par excellence depuis 1831, les mesures impériales ne réussissent pas à détourner les ouvriers de la politique. Le régime des grands travaux, inauguré par le préfet Vaïsse, ne profite pas à l'ouvrier, mais au bourgeois. Les prix haussent. Les patrons diminuent les salaires et poussent les travailleurs « dans le guet-apens d'une grève dont (ils) devaient surtout tirer avantage ». Le conflit capital-travail s'exacerbe. Les sociétés de secours mutuels qui sont encouragées par le gouvernement, suscitent la crainte chez le bourgeois. Comme le constate le procureur général, dès juin 1852, « la trève de passion » qui suit les journées révolutionnaires n'empêche pas « la population ouvrière » de se sentir « reliée par des intérêts de classe ». Ce sont les mêmes constatations de 1853 à 1857 : les traditions socialistes se perpétuent ; elles se rattachent moins à une doctrine particulière qu'à la conviction d'une injustice sociale qui persiste. L'ouvrier, républicain et égalitaire, cherche le moyen de renverser le privilège bourgeois. Les élections de 1857 et le succès républicain inquiètent la bourgeoisie au point que le procureur général se fait l'écho de propositions portant restriction du système électoral. L'inimitié qui sépare prolétariat et classe bourgeoise apparaît très nettement. Si les candidats démocrates passent, ce n'est pas parce qu'on les connaît et qu'ils sont le résultat de coalitions ou de combinaisons, mais parce qu'ils « n'avaient absolument que la valeur d'une protestation ».

Pourtant, sous l'influence d'un grand bourgeois saint-simonien Arlès-Dufour, la classe ouvrière lyonnaise est autorisée à désigner ses délégués aux Expositions. En dépit du dévouement de l'ouvrier pour l'empereur, le parti républicain s'organise, composé de modérés appartenant à la bourgeoisie libérale, avocats, agents de change. Il a un journal, *le Progrès*, républicain, imprimé par un légitimiste et dirigé par des hommes s'accommodant de l'administration. Il contribue au réveil des masses.

Les élections de 1863 montrent bien l'union des libéraux, « républicains roses », plus soucieux de libertés parlementaires que d'une république sociale. Les ouvriers n'en sont pas pour autant rassurés ; car les candidats bourgeois modérés n'étaient-ils pas de l'autre côté de la barricade en 48-49 ? Les classes sociales se comptent : du côté du candidat officiel, la bourgeoisie, les fonctionnaires, les ruraux ; du côté de l'opposition, le petit commerce, la bourgeoisie moyenne et petite, les mécontents, les ouvriers. Le républicanisme pénètre les milieux de boutiquiers, de petits et de moyens industriels, qui souffrent des crises et sont les victimes de la concentration et du système des impôts. C'est que, comme on dit, « la misère ouvrière est à la base du marasme de la boutique ».

IV. OPPORTUNISME RÉPUBLICAIN DES LIBÉRAUX ET MISÈRE PROLÉTARIENNE

Les élections font éclater « l'antagonisme des classes », car « la plaie sociale n'est pas guérie ». Le républicanisme opportuniste des libéraux coïncidait mal avec la misère prolétarienne. Si bien que les contours politiques et sociaux des classes se précisent peu à peu : les uns veulent avant tout les libertés politiques ; les autres cherchent à imposer leurs propres candidats issus de leurs rangs, soutenus par le *Manifeste des Soixante*. Ainsi se dégage le conflit entre les deux fractions de l'opposition : ici, « les républicains trop pâles », trop « entachés de bourgeoisie » ; là, les radicaux. D'un côté, les ouvriers ; de l'autre, les bourgeois républicains ou libéraux, des boutiquiers et des chefs d'atelier appartenant à la maçonnerie. Dans un rapport politique et confidentiel de décembre 1867, on pouvait lire : « L'union entre les négociants et les ouvriers n'existe pas. Il n'y a aucune sympathie entre ces deux classes. » L'opposition prendra un caractère de plus en plus ouvrier et radical [229].

Le comité central démocratique qui réunit les bourgeois modérés désire « plus l'élargissement des libertés parlementaires que l'avènement d'une république à l'avenir plein de menaces socialistes ». Le comité central radical, dominé par la personnalité de Sébastien Commissaire, réunit des représentants de la tendance politique de 1849 à fondement montagnard. Mais leur programme a des points communs qui révèlent leur désir de satisfaire aux intérêts des bourgeois : liberté de l'industrie et abolition des monopoles, liberté politique, décentralisation administrative, séparation de l'Église et de l'État, instruction gratuite et obligatoire, nation armée, libertés municipales, en somme le programme de Belleville. A dire vrai, les uns et les autres n'ont pas une notion précise des questions sociales. Les bourgeois radicaux ne vont à la classe ouvrière que pour se faire élire. Leurs notions sur le problème social sont vagues et noyées dans un sentimentalisme suranné. Mais les ouvriers fascinés par les tirades des orateurs radicaux croient qu'ils leur apporteront la liberté politique qui entraînera la satisfaction de leurs revendications sociales [230].

Le *Manifeste des soixante* proclamait la divergence de vues entre les ouvriers et la bourgeoisie et protestait contre le fait de voir la classe ouvrière représentée par de grands propriétaires, des industriels, des commerçants, des journalistes, etc. Pourtant l'influence de Proudhon persiste même dans le *Manifeste*. Il est clair que la progression de la classe ouvrière est assujettie aux atermoiements de la classe bourgeoise. Aussi bien, en face de la poussée des prolétaires, le regroupement des forces républicaines bourgeoises s'opère. Les jeunes se séparent des quarante-huitards, pour former le gros des forces radicales de la république. Il y a tendance, au moment des élections, à voir exclure les notabilités locales trop inféodées aux idées bourgeoises, au profit des candidats de la classe ouvrière et de la petite bourgeoisie. Le pays se partage en prolétariat et petite bourgeoisie avec une partie de la paysannerie et bourgeois riches et modérés et orléanistes.

La crise de 1867 rapproche le prolétariat et la petite bourgeoisie. Mais les bourgeois modérés de la nuance Jules Favre ne veulent pas entendre parler des éléments avancés de la classe ouvrière. Pour être partisans de la république, ils n'en repoussent pas moins la république sociale et démocratique. D'ailleurs, le ralliement d'Émile Ollivier à l'Empire semble avoir suscité des protestations des républicains, moins pour s'être rapproché du gouvernement que pour s'être entendu avec les orléanistes. Les républicains radicaux sont hostiles à des mesures de violence ; ils préconisent la « persuasion pacifique ». Dans les années 1865-67, la bourgeoisie libérale n'était pas en mesure de jouer le rôle essentiel dans la révolution. Qu'il s'agisse des modérés ou des radicaux, ils étaient tous opposés à la voie révolutionnaire. Dans la défense des travailleurs, en 1868, Varlin, au cours d'un procès, dit notamment : « Que la bourgeoisie comprenne donc que, puisque ses aspirations ne sont pas assez vastes pour embrasser les besoins de l'époque, elle n'a qu'à se confondre dans la jeune classe qui apporte une régénération plus puissante : l'égalité et la solidarité par la liberté. »

Si la défense de la démocratie sociale n'est pas soutenue par la bourgeoisie, le problème se complique du fait que les collectivistes se heurtent aux proudhoniens et que nombre de républicains d'extrême gauche sont divisés en proudhoniens de gauche, blanquistes, communistes. En face des réunions publiques, au cours desquelles des agitateurs de talent se produisent, la bourgeoisie montre une hostilité grandissante. C'est que le socialisme — de Molinari le constate — ne cesse « de répandre dans les masses ses doctrines dissolvantes ». Le socialiste Lefrançais écrit dans son *Étude sur le mouvement communaliste à Paris en 1871*, parue à Neuchâtel : « Députés conservateurs et députés de l'opposition, bourgeois royalistes, libéraux et républicains, tous s'accordèrent à dépeindre les réunions publiques comme d'affreux repaires, dans lesquels les honnêtes gens qui s'y aventuraient couraient chaque soir le risque d'être égorgés, et à représenter ceux qui y prenaient la parole comme des bandits prêchant le massacre et le vol, au moins comme des gens suspects payés par la police. » Varlin n'écrivait-il pas dans *l'Égalité* du 13 février 1869 : « Nous ne nous attendions pas à mieux de la part de nos députés républicains... Lorsqu'il s'agit de leurs personnalités, lorsqu'il s'agit d'avoir la direction des affaires publiques, ils se font la guerre, mais

dès qu'il y a des socialistes à condamner, ils sont d'accord. »
Les procès faits aux orateurs se fondaient sur les « outrages
à la morale publique et aux bonnes mœurs », les « attaques
aux droits de la famille », « l'excitation à la haine et au mépris
des citoyens les uns contre les autres », « l'attaque au principe de la propriété ».

En tout cas, à observer la situation des partis en 1867, on
constate que la France politique se divise en deux grands
groupes : les républicains, démocrates, anticléricaux ; les
conservateurs, représentant les classes riches et le clergé.
Pour se garder des coups des républicains, le gouvernement
impérial recherche l'appui des conservateurs libéraux. Il
n'en reste pas moins que le pouvoir est toujours discrétionnaire et que l'aventure politique continue. La bataille des
« communiqués » se poursuit, car les ministres n'acceptent
pas la moindre critique. La publication des nouvelles est
entravée par les menaces du pouvoir, alors que la presse
étrangère est informée et les fait connaître avant la presse
française. Mais le gouvernement revendique le droit de
réponse. Une guerre froide se poursuit. Des incidents
s'étaient produits au cimetière Montparnasse. La presse qui
en a rendu compte se voit accusée de donner des renseignements faux. Le communiqué ajoute : La justice est saisie.
« Si la justice est saisie, dit le rédacteur du *Temps*, il nous
semble que l'administration n'a point qualité pour récuser,
à l'avance, les affirmations de témoins oculaires. » L'habitude de discuter les « communiqués » s'établit.

Le gouvernement songe à une presse bien à soi. Jusque-là,
il y avait *le Moniteur universel* et, depuis 1864, *le Petit Moniteur ou Moniteur du soir*, qui coûtaient cher, étaient dispensés des droits de timbre et de poste et donnaient certaines
annonces d'utilité publique. A l'expiration du contrat entre
les imprimeurs et le gouvernement, sont créés le *Journal
officiel de l'Empire français* et le *Petit journal officiel du soir*,
adressés gratuitement à toutes les communes.

Un nouveau projet sur la presse, ne prévoit ni autorisation
préalable, ni avertissements, ni tutelle officielle. Une simple
déclaration suffit. De préventif, le régime devient répressif.
Les amis de la dictature dénoncent « l'autorité malfaisante »

de la presse et ne veulent aucune concession. Ils interviennent avec force. « Ce qu'on appelle le gouvernement personnel, disait Granier de Cassagnac, je l'appelle, moi, le vrai gouvernement constitutionnel, celui que la nation a voulu et établi. » Le gouvernement, continuant d'appliquer la loi de 1852, poursuit les journaux qui ont commenté les débats législatifs. C'est « le procès des comptes rendus parasites, parallèles ou autres. »

Pourtant, sur ordre de Napoléon III, Rouher défend le projet : « Nous sommes assez forts pour concilier les besoins de la sécurité publique avec les progrès de la liberté. » En face des générations nouvelles qui demandaient une liberté plus étendue, il ne fallait pas arrêter, mais guider. L'ordre y pourvoirait. Votée le 9 mars 1868, par 222 voix contre 1, la loi mettait fin à la surveillance administrative, supprimait l'autorisation et l'avertissement, mais maintenait le cautionnement et le timbre et la correctionnalisation des délits de presse.

Napoléon III souhaitait un Empire démocratique qui rapprocherait la nation du souverain. Il songeait à une loi qui accorderait le droit de réunion, à condition d'en exclure les discussions politiques et religieuses, de faire déclarer la réunion par sept électeurs, trois jours à l'avance, d'organiser un bureau et d'admettre la présence d'un fonctionnaire public. Bien entendu, aucune association permanente n'était autorisée. La réunion politique ne l'était qu'en période d'élections législatives. Toute réunion publique, quel qu'en soit l'objet, pouvait être ajournée ou interdite, pour défendre l'ordre.

Ce projet soulève l'hostilité du Corps législatif, qui a le souvenir des clubs de 1848 et ne veut pas les voir revivre. Il estime la réforme inutile et dangereuse. La gauche ne lui est pas plus favorable ; elle la juge arbitraire. Où commenceraient les discussions politiques ou religieuses ? Elle ne comprenait pas qu'on accordât la liberté pour les élections législatives et qu'on fermât les lieux de réunion cinq jours avant les élections. Elle estimait trop long le délai de réflexion. Le droit que se réservait l'autorité d'ajourner ou d'interdire une réunion l'irritait. C'était détruire le peu de liberté accordée.

La loi est votée par 209 voix contre 22, le 25 mars 1868.

A la fin de l'année 1868, dans des réunions publiques, étudiants, ouvriers, bourgeois parlent démocratie ; mais l'auditoire rejette toute idée de religion. Les réunions s'amplifient. Des orateurs attaquent Dieu et Napoléon III, les libéraux, les hommes de 48, les opposants du Corps législatif eux-mêmes, Garnier-Pagès, Picard, Marie, les chefs de la démocratie bourgeoise, comme Favre. Ils dénoncent les grandes compagnies, les capitalistes. Ainsi se forment les chefs de la sédition future. L'*Histoire de Napoléon I*er, de Lanfray, montrant l'envers de l'Empire, parle de la liberté politique, suscitant un intérêt passionné chez le bourgeois démocrate, le professeur, le lettré. Le pouvoir est attaqué, bruyamment par les radicaux et les socialistes, avec mesure par les bourgeois. On entend Jules Favre, Jules Simon, Passy, Pelletan, Laboulaye, Léon Say, Saint-Marc Girardin parler de liberté. Beaucoup de jeunes bourgeois instruits, très libéraux et républicains même, se groupent autour d'E. Picard, qui vient de créer l'*Électeur libre*. D'autres, catholiques libéraux, ont un journal, *le Français*, qui a pour devise : Dieu, la Justice, la Liberté.

Le mouvement démocratique s'accompagne d'une agitation anticléricale, qui annonce l'avènement du radicalisme. La libre pensée s'exprime avec ostentation. On parle de morale indépendante pour écarter toute foi dogmatique. La Ligue de l'enseignement, étayée par la maçonnerie, développe l'idée laïque. A l'École de Médecine, des candidats soutiennent des thèses matérialistes. Au Sénat, Sainte-Beuve déclare : « le sens commun, c'est la tendance à réduire au maximum la croyance au surnaturel. » Et il parle d'un diocèse qui s'étendrait « par tout le monde », « celui de la libre pensée ».

Les élections de 1863 avaient marqué le triomphe de la démocratie politique. Le parti démocratique poursuivait la liberté et souhaitait un changement des institutions, non une révolution dans la société. Les bourgeois qui avaient été les vainqueurs, Favre, Picard, Simon, Garnier-Pagès, Marie, Pelletan étaient tous républicains, mais peu enclins aux questions sociales. De nouveaux éléments les renforcent, plus catégoriques, réclamant la séparation de l'Église et de l'État et la suppression du budget des cultes : Ferry, Gambetta. Ils s'écartent des vieux républicains. Rochefort crée *la Lanterne*.

Fin octobre 1868, le parti démocratique, sous l'inspiration de Delescluze, songe à une manifestation sur la tombe de Baudin. Il ouvre une souscription dans la presse démocratique : bourgeois et artisans mêlent leurs noms. Le gouvernement, brandissant la loi dite de sûreté générale du 27 février 1858, que tous les libéraux avaient combattue, engage des poursuites. Gambetta, défenseur de Delescluze, oppose Empire et République. On connaît sa péroraison : « Nous célébrerons, nous mettrons au rang des solennités de la France le 2 décembre, comme un anniversaire... Cet anniversaire dont vous n'avez pas voulu, nous le revendiquons pour nous ; nous le fêterons toujours, incessamment, chaque année ; ce sera l'anniversaire de nos morts jusqu'au jour où le pays, redevenu le maître, vous imposera la grande expiation nationale, au nom de la liberté, de l'égalité et de la fraternité. »

Le Corps législatif avait été dissous, le 27 avril 1869. La perspective de nouvelles élections fait revivre l'Union libérale composée de légitimistes libéraux (de Lary), d'orléanistes (Prévost-Paradol), de républicains modérés (E. Picard). Pour la première fois, le parti radical entre en scène : Gambetta, Ferry, Brisson, Hérold, Floquet, Laurier. Les électeurs sont convoqués — avec retard — pour le 29 novembre. Le bruit éventuel d'une émeute court : Prévost-Paradol distingue deux sortes de gouvernements : l'impérial et le républicain. Il ne se passe rien. La gauche se contente de dénoncer le gouvernement qui n'a pas respecté les règles constitutionnelles.

Le gouvernement oppose à la fausse démocratie des clubs la vraie, celle de l'empereur, positive par toutes les améliorations sociales réalisées (c'est pour l'ouvrier). Il présente sous un jour sombre, les excès des clubs, les sociétés secrètes (ceci pour les bourgeois). Un ouvrage, dû à Vitu, évoque le spectre rouge.

A la veille des élections de 1869, la situation politique se présente ainsi. Certains veulent le maintien de l'empire sans liberté : les césariens, les doctrinaires, les routiniers, qui sont opposés à tout changement. Pour eux, l'opposition ne s'adoucissait pas avec les concessions et les masses se désintéressaient de la liberté. A leur avis, la force du gouvernement était d'unir le gouvernement personnel et la démocratie césarienne. Ces résistants sont menés par Rouher, d'ailleurs « homme à sacrifier ses opinions à sa fortune ». Il y a ceux qui veulent la liberté sans l'empire, même au prix d'une révolution. Il y a enfin le parti de l'évolution, décidé à sauver l'empire au prix du sacrifice de la constitution autoritaire. Il semble bien que le remède naturel soit dans la diminution de la responsabilité du monarque et l'association de la nation et du gouvernement. Le fondement essentiel de cette association est la sincérité du suffrage universel. Comme l'écrit *Le Temps* du 8 mai 1869 : « Le suffrage universel est désormais pour la France, la loi des lois. Il est une sorte de constitution, vivante et progressive. Il règne ; il est le souverain principal ; avant tout, il doit être libre et sincère. Pour qu'il soit libre, il faut que la pression administrative soit évincée ; pour qu'il soit sincère, il faut que tous les partis, depuis les plus conservateurs jusqu'aux plus radicaux, figurent dans son expression, selon la proportion de leur force numérique. »

Le régime était usé. Mais Rouher se refusait à reconnaître que l'opinion renâclait à son maintien. « Le vice-empereur sans responsabilité » — le mot est d'Émile Ollivier — tout en affectant la soumission aux idées de réformes du maître, répugnait au contrôle parlementaire. Il disait en 1869 : « ce qu'il y a de vrai, c'est que la bourgeoisie des départements se dégoûte beaucoup, depuis quelques mois, de vos ardeurs libérales, parce qu'elle aperçoit derrière elles les passions révolutionnaires. Souvenez-vous de 1848. »

En vain, la section de publicité départementale du ministère de l'intérieur donne les directives aux préfets pour les élections de 1869 et atteint, par l'agence Havas, plus de 300 journaux provinciaux. Déjà, les villes étaient perdues. Le 27 juin, Persigny écrivait à l'empereur à propos de Baroche et de Rouher : « Tout le péril vient des deux hommes qui personnifient l'impopularité dont votre gouvernement est frappé aux yeux d'une partie du public, dont le public est fatigué, ennuyé et presque honteux ; de deux hommes qui sont les causes réelles de la démocratisation dont l'empire est affecté, qui représentent précisément le système mesquin, bourgeois, de petites roueries, de petits expédients sans foi, sans conviction, sans moralité, sans grandeur qui caractérisait le gouvernement de Louis-Philippe et que le public vient de condamner d'un bout de la France à l'autre. »

V. BOURGEOIS ET TIERS PARTI

Les opposants, les 116 du tiers parti et la gauche demandent une réforme immédiate des méthodes politiques. Un message impérial du 12 juillet 1869 annonçait l'élargissement du droit d'amendement, le vote du budget par chapitre, l'approbation des tarifs internationaux par le Corps législatif, l'extension de l'interpellation, l'accroissement des pouvoirs du Sénat. Le projet est soumis au Sénat, le 2 août. Le Corps législatif recouvre toutes les attributions du régime parlementaire. Il échappe à la tutelle du conseil d'État qui n'a plus qu'un rôle consultatif. Il élit son bureau, vote le budget dans tous ses détails, a le droit d'initiative et celui d'interpellation. Le Sénat délibère en public ; il a le droit d'interpellation ; il signale la loi à modifier et la renvoie au Corps législatif ; il peut s'opposer à sa promulgation. Les ministres peuvent être membres de l'une ou de l'autre assemblée. Responsables devant les Chambres, ils ne dépendent que de l'empereur qui préside leur conseil, où sont délibérées les affaires de l'État. Le sénatus-consulte du 6 septembre reproduit en gros le message de l'empereur. Mais ces réformes ne satisfont pas les libéraux qui demandent la responsabilité des ministres devant les chambres, suivant les normes du parlementarisme. Les deux centres — cent soixante-dix députés — réclament le régime parlementaire et un ministère homogène et responsable. Mais il manquait aux républicains un programme commun. Gambetta en avait un, très ouvert sur le politique et le social : suffrage universel, liberté, suppression des cumuls et des gros traitements, élection des fonctionnaires, suppression de l'armée permanente, abolition des monopoles. Il incarne la démocratie nouvelle, la démocratie radicale. Pour lui, la liberté n'est qu'un moyen.

Quels sont les résultats ? Les républicains bourgeois qui forment la gauche démocratique envoient à l'assemblée un groupe de trente représentants : E. Arago, Crémieux, Glais-Bizoin ; les partis extrêmes, une demi-douzaine : Raspail, Bancel, Ferry, Gambetta, Esquiros. Beaucoup de socialistes et de radicaux étaient parvenus à la limite de l'élection.

Émile Ollivier avait pris la tête du tiers parti, libéral et dynastique. « La France fermement attachée à la dynastie qui lui garantie l'ordre, ne l'est pas moins à la liberté qu'elle considère comme nécessaire à l'accomplissement de ses destinées. » Le tiers parti réunissait tous les hommes de bonne volonté, hommes de l'opposition et de la majorité. Mais il a des faiblesses dont l'essentielle est que, de droite, arrivent de nouveaux libéraux, d'anciens conservateurs convertis qui se proposent de prendre le pouvoir pour briser avec les anciens partis démocratiques, retourner au protectionnisme, entraver la réforme sociale. Ce qui domine chez les uns et les autres, c'est la pensée d'un retour au parlementarisme et à la souveraineté nationale.

La formation du nouveau parti était grave pour l'Empire. Car il devenait le centre de ralliement de l'opinion modérée. L'Empire pouvait résister à la violence ; il ne le pouvait pas aux manœuvres de ses soutiens. Ce parti a une force : formé de partisans de gouvernements fort divers, il n'a été vaincu ni en 1830, ni en 1848. Il a un mot d'ordre : la liberté. « Accordez la liberté, disait Ollivier, vous en êtes le maître et vous le pouvez sans faiblesse ; et demain, ce grand courant d'opinion qui roule sans cesse plus impétueux et menaçant, au lieu de vous engloutir, portera docilement votre fortune... Il assurera à la nation, à la démocratie, aux partis, les débouchés nécessaires, l'expansion libre de leur énergie, le légitime exercice de la liberté. Il assurera au prince, en revanche, la confiance, le respect et le concours des partis, de la démocratie, de la nation. » Ce parti libéral s'appuie sur la souveraineté nationale. Il ne s'agit pas tant pour lui de la part de souveraineté impartie à chaque individu que de la liberté, qui lui permet le développement de ses facultés et de sa vie, de la liberté politique avant tout. Par surcroît, cette souveraineté nationale doit être effective ; elle doit être une vérité.

C'est la liberté même qui assure l'ordre dans la nation. La vigueur du pouvoir s'allie parfaitement avec la liberté. Car le pouvoir est soumis à un contrôle supérieur. Le tiers parti se désintéresse de la forme du gouvernement. Ce qui l'intéresse avant tout, c'est la conciliation de la liberté et du pouvoir. L'Empire importe peu s'il marche franchement dans la voie libérale et restaure les libertés publiques, qui permettent à la nation d'exercer effectivement sa souveraineté et à l'individu de se défendre contre l'injustice et la violence. Il s'agit d'instaurer un très large suffrage électoral, la libre élection de la représentation nationale, une magistrature indépendante et une presse libre, le rétablissement de la responsabilité ministérielle et du régime parlementaire ; bref, il rappelle la monarchie de juillet, mais avec le suffrage universel. Ce régime doit développer les libertés individuelles, fondées sur la liberté des personnes et la liberté d'action, du commerce, du travail, des biens. Il doit accorder des libertés sociales, basées sur la décentralisation. L'État assure l'ordre, la justice et la défense du pays. L'union des énergies individuelles doit s'occuper du reste. Cette liberté a pour conséquence, la séparation de l'Église et de l'État, constituant une église libre dans un État libre. Les libertés sociales faciliteront le goût des libertés politiques.

Pourtant, l'opposition républicaine estime que si Ollivier a été le pionnier de l'opposition parlementaire, lui a frayé la voie et l'a implantée à la Chambre, il n'a fait que la moitié du chemin. Il aurait fallu supprimer la politique personnelle de Napoléon III. De plus, les circonstances ne s'y prêtaient pas. Ollivier avait devant les yeux l'exemple de Mirabeau et celui de Benjamin Constant. « Mais l'essai était d'autant plus hasardeux que le succès avait fait défaut à de tels devanciers et d'autant plus téméraire que M. Émile Ollivier n'était pas obligé de l'entreprendre. »

L'Empereur se décide à prendre des ministres dont les opinions correspondent aux réformes nouvelles. Le 29 novembre 1869, à l'ouverture de la session, il demandait au Corps législatif de le soutenir pour fonder la liberté dans l'ordre. Il entrait en rapport avec Émile Ollivier et l'invitait à lui présenter ses ministres. Ollivier manquait de points d'appui solides ([231]). La droite autoritaire comptait 80 membres ; le centre droit, 100 ; le centre gauche, 40 ; la gauche, 4. Il ne réussit pas à s'entendre sur une combinaison centre droit. Il tente une union des centres qui réussit. Il fait savoir à l'assemblée qu'il a besoin de sa confiance et qu'il quitterait le pouvoir le jour où la majorité actuelle deviendrait minorité. Car il voulait avoir un gouvernement national. Ainsi, il forme un cabinet parlementaire, ayant ses idées et non celles de l'Empereur. Partisans de la paix, il se propose de supprimer la loi de sûreté générale et la candidature officielle. Il refuse de subordonner l'administration à la politique. Il révoque le baron Haussmann, trop marqué comme autoritaire, et huit autres préfets. Ledru-Rollin est amnistié. Les rapports politiques des procureurs généraux sont supprimés. Ollivier forme de grandes commissions pour la réforme administrative, la décentralisation et la liberté de l'enseignement supérieur. Il ouvre une enquête sur la politique douanière. Au point de vue constitutionnel, il veut mettre les deux assemblées sur le même pied, enlever le pouvoir constituant au Sénat, modifier l'article 57 qui donnait à l'empereur le droit de nommer les maires. Il voit dans la constitution des dispositions qui ne peuvent être modifiées que par plébiscite ; d'autres, qui, perdant leur caractère constitutionnel, peuvent l'être par voie législative. Le sénatus-consulte du 20 avril 1870 reconnaissait au Sénat et au Corps législatif les mêmes droits d'initiative, d'amendement et d'interpellation. Ils partageaient le pouvoir législatif avec l'empereur. Celui-ci reste responsable devant le peuple. Les autoritaires grincent des dents, tandis que les républicains se montrent intransigeants, considérant Ollivier comme un transfuge. Pourtant le plébiscite approuve cette politique, avec ces distinctions qui font opposer Paris et les grandes villes aux campagnes et aux départements.

* *

L'étude d'un département comme le Loir-et-Cher ([232]) montre bien que l'Empire dut se tourner vers la grande bourgeoisie orléaniste dont le ralliement est immédiat. Elle

avait la pratique des affaires et la connaissance des intérêts
locaux. Elle avait la garantie de l'ordre. Le préfet pouvait
écrire le 3 mai 1856 : « La bourgeoisie tient d'autant plus au
gouvernement qu'elle a plus de garantie pour sa richesse
exposée et qu'elle espère plus de gain ; jamais elle ne se montra plus conservatrice qu'aujourd'hui. » De 1852 à 1869,
elle prend ses distances avec l'Empire. Elle demande que
« le pays soit associé de plus en plus à ses affaires et à ses
destinées, tout en acceptant franchement l'empire et les
principes d'ordre et d'autorité, sans lesquels la vie sociale
est paralysée ». Mais, devant la hardiesse de l'opposition
républicaine, elle craint un bouleversement politique qui
annoncerait un bouleversement social. Le notable paysan a
tendance à se rapprocher de la grande bourgeoisie, contre
une politique économique qu'il juge aventureuse. La petite
bourgeoisie propage l'idéologie républicaine. Certes, elle a
été décapitée par le coup d'état ; ses chefs sont rares ; ses
troupes elles-mêmes sont disséminées. Mais les condamnés
du coup de force qui rentraient, n'avaient rien abdiqué. Ils
étaient irréconciliables. Effacée malgré tout, la petite bourgeoisie ne reprend qu'avec l'empire libéral. Elle cherche à
profiter de la situation difficile des classes laborieuses [233]
du fait de la vie chère, pour mieux combattre pour la liberté.
Elle édulcore sa doctrine, met une sourdine à ses revendications sociales, pour mieux se rapprocher de l'opposition de
droite. Elle développe un programme politique, annonçant
les votes hostiles du plébiscite de 1870. C'est cette évolution
qui faisait écrire au procureur général, au lendemain du
coup de force de décembre, le 20 février 1852 : « Presque
toutes les localités privées de leurs meneurs et abandonnées
à elles-mêmes, ont retrouvé leurs bons instincts et écouté les
inspirations de la sagesse et de la raison. » Avec le maintien
de l'ordre, la bourgeoisie s'est ralliée ainsi qu'une partie de
l'aristocratie. Sous l'effet de la prospérité, une partie du
corps électoral s'est ralliée à son tour. Le paysan propriétaire est devenu conservateur. Le facteur économique a
rendu l'adhésion durable.

*

* *

En 1870, les irréconciliables et les autoritaires soutiennent que rien n'a changé. Pour les uns comme pour les autres, la dictature persiste, sous le masque du libéralisme. Pourtant, il est d'évidence, si on se dégage des gangues de l'esprit partisan, que l'Empire libéral est fondé sur la souveraineté nationale et que le Corps législatif échappe à la tutelle du chef de l'État. Le Sénat a pris l'allure d'une chambre de réflexion. La responsabilité ministérielle est en jeu. Certes, le plébiscite reste. Le réveil est enfin arrivé.

Mais il semble que les républicains sont avides d'une révolution, qui rétablira une république que les hommes de 48 n'avaient pas pu maintenir. Ont-ils appris ? Tous les Français sont-ils mûrs pour un nouveau régime républicain ? Le désastre de 1870 précipitera la chute de l'Empire. Mais il sera difficile de fonder la république, telle que l'avaient rêvée les opposants de l'empire. Les balbutiements de la période 1870-1878 le prouvent excellemment.

Chapitre III

Les classes bourgeoises en face de la démocratie dans les pays étrangers

I. L'ÉVOLUTION DÉMOCRATIQUE DE L'ANGLETERRE : LA RÉFORME ÉLECTORALE DE 1867

En Angleterre, la situation politique et sociale est assez instable. Dans l'espace de vingt années, le ministère a été renouvelé neuf fois. Les majorités sont infimes. La discipline est très aléatoire dans les partis. Les termes de qualification des partis le sont autant : on parle de parti conservateur-libéral et de libéral-conservateur. Certains estiment plus simple de dire parti whig plutôt que parti du progrès conservateur. Les protectionnistes surnomment volontiers conservatrices les associations pour le libre échange. L'allégeance à un parti n'a aucune influence sur l'appartenance à un cabinet. On voit Palmerston faire partie d'un cabinet où est entré Russell, avec lequel les rapports sont assez tendus. Il est vrai que la conjoncture politique est en pleine évolution et la distinction entre les partis, dépassée. D'un côté, les masses moyennes avaient obtenu l'électorat ; mais la plupart des électeurs appartenant à cette catégorie sociale choisissaient des représentants issus des classes supérieures. Palmerston et ses pairs craignaient l'entrée des représentants des travailleurs aux Communes. Ne risquait-elle par d'entraîner des discussions sans fin sur les salaires, les rapports entre le travail et le capital et le travail de nuit chez les boulangers ?

La classe laborieuse ne pouvait agir sur les débats parle-

mentaires qu'indirectement. Son opinion hésitait entre les
deux partis. Les conservateurs supportaient les mouvements
dirigés contre les manufacturiers. Mais s'allier au parti
conservateur, c'était s'effondrer sur la question du suffrage.
La classe laborieuse se méfiait des libres-échangistes de la
classe moyenne et ne voyait pas d'intérêt à les attirer vers le
programme des réformateurs de Manchester. Ses chefs la
dressaient contre l'aristocratie des moulins, les libres-échangistes au travail, les lois de l'argent. Les radicaux ne formaient
qu'une aile de faible envergure du parti libéral. La guerre de
Crimée élargit la brèche entre le radicalisme de la classe
moyenne et la classe ouvrière. La mauvaise administration
de la guerre discrédita le gouvernement aristocratique. La
montée des prix, due au conflit, et, par voie de conséquence,
le frein à l'amélioration des conditions de vie amenèrent un
renouveau de l'agitation pour un plus large droit de suffrage,
qui tombe avec le retour de la prospérité, pour reprendre
avec la mort de Palmerston.

Palmerston considérait le droit de vote comme une charge
reposant sur l'électeur dans l'intérêt du bien public et non
comme un droit que chaque citoyen pouvait réclamer. Il
estimait que fourrager dans un morceau de papier en regardant tout autour de soi si personne ne vous observe et le
glisser dans une urne, était une voie inconstitutionnelle et
indigne d'un Anglais loyal et honnête. Il ne se montrait pas
hostile à un plus large vote. A son avis, la revendication éma-
nait de personnes qui pensaient utiliser, à leur propre avantage, les classes inférieures qu'elles souhaitaient voir obtenir
la franchise. Il était persuadé qu'il y n'avait pas nécessité
d'aller plus loin et qu'on ne pouvait pas légiférer à perte de
vue. Le parti conservateur partageait son opinion. Dans une
correspondance qu'il échangea avec Gladstone, en 1864, il
exprimait la crainte de voir la classe la plus nombreuse sub-
merger les classes supérieures. « Le résultat ne serait pas
simplement d'élever le nombre, mais aussi le fait que leur
apport décourage les classes supérieures de voter ; et alors
ces travailleurs sont sous le contrôle des trade-unions qui
sont dirigées par un petit nombre d'agitateurs. » Le suffrage
universel l'effrayait. Il ne pouvait accepter qu'un homme

sain et non disqualifié ait le droit moral de voter. Les citoyens n'avaient d'autre droit que d'être bien gouvernés et sous de justes lois. Il appartenait aux partisans de la réforme de démontrer que les institutions actuelles ne remplissaient pas cette condition ([234]).

Pour Disraeli ([235]), tôt ou tard, la mesure devrait être prise. La difficulté était de savoir trouver une ligne que l'on ne dépasserait pas. Il persuada ses collègues d'accepter que le droit de suffrage des comtés soit ramené de £ 50 au chiffre des bourgs de £ 10, que soient créés des droits de suffrage spéciaux qui donneraient le droit de vote à la classe laborieuse supérieure et soient redistribués quinze sièges au profit de grandes villes non représentées et de comtés très peuplés, comme le West Riding, le Lancashire du sud, le Middlesex. En même temps, dans les bourgs, la mesure privait les tenanciers à 40 sh. de leur double vote dans les circonscriptions de comtés. Gladstone soutint le bill. Les radicaux lui firent opposition parce qu'il ne touchait pas aux bourgs et qu'il incluait peu de travailleurs. Les droits de vote spéciaux furent qualifiés de franchises de fantaisie. Le ministère fut battu, le 31 mars 1859. De nouvelles élections renforcèrent le parti conservateur, hostile à une extension de la franchise. Il en était de même d'une importante frange de soi-disant libéraux, qui n'osaient pas avouer leur hostilité à leurs commettants. La situation était assez complexe : certains pensaient que la question pourrait être reprise si le gouvernement était changé ; d'autres, s'il ne serait pas bon de sonder chaque parti pour connaître sa position, ou encore s'il ne faudrait pas faire tout d'abord une lecture du projet, quitte à y revenir à une autre session, après une période de réflexion pour les ministres.

Gladstone avait reçu l'éducation d'un fils de riche marchand. Il unissait un conservatisme solide à un égal désir de progrès. Il trouvait des raisons pour justifier le maintien d'anomalies. Jusqu'en 1859, il prit la défense des bourgs pourris qu'il considérait comme les pépinières des hommes d'État. Il n'aimait pas Disraeli qui, à ses yeux, n'avait aucun respect pour l'autorité en matière séculière et spirituelle. Il appartenait au nouveau conservatisme. Il venait de la classe marchande, avait dû lutter pour parvenir à sa position et n'avait pas derrière lui les traditions faciles de l'aristocratie foncière. Aussi s'appliqua-t-il à la politique avec autant d'attention que les marchands et les manufacturiers le faisaient pour leurs propres affaires ([236]).

Le chancelier de l'Échiquier, en introduisant le projet, fit remarquer, dans un discours sans passion, que les limbes des créations manquées étaient peuplées des squelettes des bills de réforme ; que le projet était limité au droit de franchise et la question de la redistribution des sièges, remise. La discussion tourna autour du droit de vote des bourgs à £6 ou à £7. Attaqué par Disraeli, Gladstone fit front : « Vous ne pouvez pas lutter contre l'avenir ; le temps est de notre côté ; les grandes forces sociales sont contre vous... Le drapeau que nous portons dans le combat, quoique à certain moment il flotte sur nos têtes tombantes, pourtant il flottera dans le haut du ciel et il sera porté par les mains fermes des peuples unis des trois royaumes, peut-être pas à une victoire facile, mais certaine et proche... » Mais le Parlement était favorable à Palmerston et l'heure de Gladstone n'avait pas encore sonné. Le projet de bill fut repoussé à une faible majorité. Des députés étaient passés à l'opposition au moment du vote. Bright confiait à Gladstone, le 24 juin 1866, qu'il y avait quelque chose de pire que la défaite, c'était un parti empoisonné et affaibli par la bassesse de quarante traîtres, les quarante voleurs comme il le disait encore dans la même lettre ([237]). La reine jugeait que l'opinion réagissait mal à la réforme. Au fond, il s'agissait de savoir si l'on ferait un nouveau Parlement ou un nouveau gouvernement. Gladstone se retira. Il fit observer à la reine que, de tous les échecs passés, ce n'était pas les ministres seuls, ni les chefs de partis, ni les partis qui sortaient discrédités, mais le gouvernement parlementaire et le parlement lui-même.

Les travailleurs digèrent mal le refus du bill. Ils considèrent Gladstone comme leur héros et comme l'homme d'État qui, le premier, s'est soucié des classes laborieuses. Quant à lui, il estime que le fait pour le gouvernement de résigner ses fonctions, est un pas important vers la solution heureuse de la question. « A l'heure de la défaite, j'ai le sentiment de la victoire. »

Après la mort de Palmerston, Russell ([238]) voulut donner son nom à un second bill de réforme électorale. L'opinion était favorable à un changement dans le droit de vote et à un regroupement des sièges. De fait, sur une population mâle de 5 millions de personnes, il n'y avait qu'un million de votants. Cinq adultes sur six et la plus grande partie de la classe laborieuse ne votaient pas. Si la population avait changé depuis 1832, il n'y avait pas eu de changement dans la distribution des sièges. La moitié de la population des bourgs d'Angleterre avait 34 sièges ; l'autre moitié, 300.

Le cabinet de Russell avait décidé de s'occuper tout d'abord du droit de vote. La question de la redistribution viendrait après. Il avait été suggéré que chaque votant municipal, c'est-à-dire chaque chef de famille contribuable obtiendrait le droit de vote au Parlement. Les difficultés ne manquèrent pas pour autant. Les uns trouvaient la concession trop large ; les autres, trop serrée. Des difficultés surgissaient à propos des chefs de famille qui s'arrangeaient avec leurs propriétaires pour le paiement des taxes. Mais cette pratique variait avec les régions. Étendre le droit de franchise aux chefs de famille payant une rente de £ 6, c'était ajouter 240 000 électeurs de la classe laborieuse et donner la majorité dans les circonscriptions urbaines aux votants de la classe ouvrière. Le limiter aux chefs de famille payant £ 7 de rentes, c'était borner l'augmentation à 144 000 citoyens. Étendre le droit de vote des comtés aux chefs de famille ou chefs de famille avec terre affermée de £ 14 à £ 50, c'était grossir le corps électoral de 170 000 votants appartenant surtout à la classe moyenne. On fixa les bases du bill de franchise à £ 7 dans les villes et à £ 14 dans les comtés.

Les conservateurs ne suivirent pas. Certains pensaient que la guerre de Sécession avait mis en lumière l'incapacité des gouvernements démocratiques à traiter avec justice les griefs des minorités. Ils repoussaient le droit pour tous individus d'avoir une part égale de pouvoir politique. Plus prudent, Disraeli parlait, à mots couverts, de la place des votants de la classe laborieuse dans la constitution.

La plus forte opposition venait des libéraux dissidents. En juin, un amendement proposait de prendre pour base de la franchise des bourgs la valeur imposable et non la rente annuelle d'une maison. Sur ce, le cabinet démissionna.

Pendant ce temps, des meetings organisés par les partisans de la réforme et les débats à la Chambre basse avaient provoqué une certaine agitation. Les chefs de la classe laborieuse réalisaient toute l'importance d'une représentation directe au Parlement. Avec la crise de 1866, l'agitation reprit contre un mauvais gouvernement aristocratique. La manifestation du 23 juillet devant les grilles de Hyde Park, les troubles éclatant près des demeures des classes les plus riches, convainquirent les conservateurs que la réforme ne pouvait plus être différée.

En février 1867, le discours de la reine parlait en termes généraux de la représentation du peuple. Six jours plus tard, Disraeli annonçait que le gouvernement avait l'intention d'accroître la représentation de la classe laborieuse, sans lui donner la majorité, car la constitution s'opposait à la prééminence d'une classe sur une autre. La pluralité des votes faciliterait l'établissement du droit de vote des bourgs. Les conservateurs craignaient toujours que la classe laborieuse ait la majorité dans les bourgs.

La procédure qui réalisa l'extension du droit de suffrage à de larges classes sociales, est à tous égards extraordinaire. La grande réforme est portée par un Parlement élu pour soutenir Palmerston, adversaire de la réforme ; soutenue par un ministre et un chef de l'opposition, qui n'ont ni l'un ni l'autre la pleine confiance de parti ; finalement entérinée par une chambre qui, une année plus tôt, avait rejeté une mesure qui admettait 400 000 votants nouveaux, alors que la mesure qu'elle consentait ajoutait près d'un million d'électeurs nouveaux au corps électoral.

En effet, après de longues négociations, Disraeli put annoncer que le droit de vote dans les bourgs serait étendu aux locataires imposés à £ 6 et celui des comtés aux locataires imposés à £ 20. Le vote plural était abandonné. 25 sièges furent alloués aux comtés ; 15, aux villes ; un troisième membre fut attribué à Liverpool, Manchester,

Birmingham et Leeds ; un membre, à l'Université de Londres. Dans les villes, les électeurs de la classe laborieuse étaient en majorité ; mais la plupart des nouveaux électeurs du pays venaient de la classe moyenne. Le résultat fut insignifiant pour les conservateurs. Les villes industrielles étaient déjà du côté libéral, tandis que les électeurs de la classe moyenne, dans les plus petits bourgs et les comtés, devenaient soupçonneux à l'égard des tendances radicales du parti libéral.

Le renversement opéré en 1867 est dû, semble-t-il, au fait que la marée de l'opinion publique s'était tout d'un coup transformée en une inondation. Émeutes à Hyde Park, processions dans les rues, meetings en plein air dans les grandes villes, le même processus se renouvelle, qu'il s'agisse de l'émancipation catholique, de la réforme de 1832, de la lutte contre les lois sur le blé ou de la réforme électorale de 1867.

Le mouvement vers le progrès démocratique a joué également en matière d'instruction [239]. Sur ce plan, la réforme était plus difficile qu'en matière industrielle. Si les découvertes donnaient des résultats immédiats, les valeurs intellectuelles ne s'exprimaient pas en langage commercial. Les fabricants ne voyaient pas les avantages d'une classe laborieuse éduquée. Pour eux, cette formation intellectuelle serait l'occasion de troubles accrus. La formation technique était assurée dans les ateliers et les fabriques. La formation élémentaire des classes sociales plus élevées n'était pas meilleure. La méthode mutuelle était la seule préconisée : elle avait pour elle la discipline, le sens des responsabilités, l'esprit corporatif dans les écoles des pauvres. Les méthodes appliquées étaient inspirées, indirectement par J.-J. Rousseau et directement par Edgeworth, dans son *Practical education* (1798, réimprimé en 1822). Les partis se refusaient à admettre le caractère gratuit, universel, laïque et obligatoire de l'éducation. Une éducation gratuite impliquait un contrôle de l'État, impensable dans un pays où l'établissement de la liberté religieuse était récent. Ni l'Écosse, ni l'Angleterre, encore moins l'Irlande, ne réclamaient des écoles laïques. La force des intérêts investis était aussi puissante que celle de l'habitude. L'éducation primaire anglaise était aux mains de sociétés religieuses. Le premier niveau était constitué, à l'origine, par les écoles du dimanche, où les enfants apprenaient à lire la Bible. On les étendit, par crainte des dangers d'une population citadine illettrée, par charité pure, et pour remonter la misère et l'ignorance, mais aussi par jalousie entre les écoles de l'Église établie et les écoles non-conformistes. Personne ne voulait abandonner le terrain. Deux sociétés religieuses étaient particulièrement importantes en 1815 : la Société nationale pour la promotion de l'éducation des pauvres dans les principes de l'Église établie et la Société pour l'école britannique et étrangère, la première enseignant la liturgie et le catéchisme de l'Église établie, la seconde, renforçant la lecture de la Bible, mais excluant tout enseignement religieux particulier. Ces sociétés donnaient un enseignement rudimentaire à des milliers d'enfants qui, sans elles, seraient restés parfaitement illettrés. Leur action était limitée à leurs moyens et aux subventions dont elles bénéficiaient. Elles étaient tournées avant tout vers la formation religieuse.

En 1820, Brougham avait proposé une loi sur l'éducation qui exigeait de tous les maîtres leur appartenance à l'Église d'Angleterre, le contrôle par le clergé du plan d'enseignement dans les écoles et la limitation de l'enseignement religieux à la Bible, sans user du catéchisme de quelques sectes que ce soit. Personne ne voulut accepter un tel compromis. Le projet fut rejeté. La rivalité des sociétés à enseignement religieux particulier barra la voie jusqu'en 1833. A cette date, elles se partagèrent une subvention de l'État qui leur permit de construire des écoles, de préférence dans les grandes villes. La subvention ne fut valable que dans la mesure où les contributions volontaires représentaient la moitié de la construction de l'école. Après 1833, la subvention de l'État fut étendue à l'Écosse, à charge de construire de nouvelles écoles. Le nombre des enfants doubla entre 1830 et 1834 ; celui des écoles et des maîtres était encore insuffisant. En 1833, dans le secteur de Manchester, sur 12 117 enfants, 252 suivaient les écoles quotidiennes ; 4 680, les écoles du dimanche. Des enquêtes postérieures montrèrent qu'un tiers des enfants de Manchester et la moitié de ceux de Liverpool n'en fréquentaient aucune. Les Lords ne semblent pas favorables à la création d'un Bureau de l'éducation. Pourtant un comité spécial du conseil privé fut chargé d'administrer les subventions accordées par les Communes. Il proposa d'établir des écoles normales et une école modèle, dans lesquelles l'enseignement religieux général serait donné sous l'autorité de l'État et l'enseignement religieux particulier, par des ministres du culte. Il se heurta à l'opposition de l'Église établie. Le plan échoua.

Des inspecteurs visitèrent les écoles qui recevaient les secours de l'État. Ils ne donnaient de subventions qu'à celles qui disposaient de contributions volontaires. Ils s'employèrent à obtenir des contrats garantissant la liberté des parents en ce qui concerne l'instruction doctrinale, particulièrement là où il n'y avait qu'une école. Mais les demandes d'écoles laïques étaient rares. Les partis politiques, alarmés par le développement de l'irréligion, jugeaient que toute instruction devait être soumise à l'influence de la religion.

En 1846, le comité proposa un nouveau système de formation. Plus de moniteurs. Les élèves-maîtres seraient mis en apprentissage pendant cinq ans dans des écoles recommandées par les inspecteurs. Ils pouvaient fréquenter un collège de formation. Munis d'un certificat délivré par cet établissement, ils recevaient du gouvernement un supplément à leur salaire ordinaire. La subvention de l'État s'élevait alors à £ 100 000. L'opinion acceptait le fait de l'aide de l'État, mais encore l'idée d'un service d'instruction d'État. D'un autre côté, les sociétés manquaient de fonds. La question religieuse arrêtait tout, beaucoup de contribuables se refusant à payer des taxes qui iraient à des écoles où l'enseignement religieux particulier ne serait pas le leur.

En 1853, le Parlement repoussait un projet de loi qui donnait aux villes de plus de 5 000 habitants pouvoir de lever des taxes pour l'instruction. Cette prise de position n'empêcha pas le comité de donner des fonds aux écoles dans les districts ruraux, à condition qu'une certaine somme soit levée localement. Cette mesure s'étendit aux villes,

trois ans plus tard. En 1856, un département de l'éducation
était institué. Le vice-président du comité du conseil privé
pour l'éducation fut en réalité le ministre de l'éducation. En
1858, un nouveau pas. Devant le coût croissant de l'instruction et le malaise provenant d'un contrôle bureaucratique
toujours plus lourd, une enquête fut ouverte. Une commission fut chargée de faire le point sur la situation de l'instruction et de rechercher les mesures nécessaires à l'extension
d'une instruction élémentaire bon marché et solide pour
toutes les classes du peuple. Le jugement des commissaires
sur l'enseignement était nettement pessimiste. Les enfants
quittaient l'école à l'âge de 13 ans. Dans les classes les plus
pauvres, un sur vingt recevait une sorte d'instruction, passé
cet âge. Les commissaires trouvèrent les écoles subvention-
nées par l'État et visitées par les inspecteurs du gouvernement plus efficaces que les écoles privées. Le coût de l'instruction dans les écoles inspectées revenait de 28 à 30 sh.
par élève, à quoi s'ajoutaient 4 sh. 6 d., représentant la formation des maîtres et les dépenses d'administration de
l'État. Les parents payaient moins d'un tiers et l'État contri-
buait pour plus de la moitié, le reste étant amorti par des
subventions ou des emprunts. Les commissaires n'étaient pas
partisans de rendre l'instruction obligatoire ni d'élever l'âge
limite de la scolarité. Ils proposaient d'établir des bureaux
d'éducation élus dans les comtés et les bourgs de plus de
40 000 habitants. Ces bureaux lèveraient les taxes, examine-
raient les enfants et verseraient des fonds d'après les résultats de ces tests. Ils ne s'occuperaient, ni de la nomination
des maîtres, ni de la gestion des écoles. Le chef du département de l'éducation ne retint que le principe du paiement
d'après les résultats : il l'appliqua de façon étroite, mécanique.
La situation des plus mauvaises écoles fut élevée et donna
de médiocres maîtres. Les comités administrant les écoles
y trouvèrent un encouragement à une plus grande efficacité.
Mais le système manquait de souplesse. Il négligeait les
élèves assurés de passer leurs examens et il concentrait trop
d'attention sur le travail élémentaire. C'est que le ministre
Lowe considérait le paiement par les résultats comme une
fin en soi et, pendant deux décades au moins, après les

années qu'il passe à la tête de l'éducation, l'autorité centrale renforça ce système mortel [240].

Un système national d'éducation s'impose de plus en plus. Avec les guerres qui s'échelonnent entre 1860 et 1870, la conviction s'établit qu'une nation, bien pourvue en matière d'instruction, donne de bien meilleurs soldats qu'une rivale qui l'est moins : le nord des États-Unis bat le sud ; la Prusse, l'Autriche. De plus, la réforme électorale de 1867 faisait de l'éducation des masses un problème urgent. Sous la poussée de la Ligue pour l'éducation nationale, fondée à Birmingham en 1869, l'agitation radicale exige que le gouvernement se débarrasse du principe religieux particulier. Elle se heurte à l'Union pour l'éducation nationale. Le gouvernement, adoptant une politique de compromis, se propose la création d'un nombre suffisant d'écoles ouvertes à l'inspection d'État et accordant une complète liberté religieuse. Les écoles à principe religieux particulier étaient maintenues partout où elles travaillaient bien. Des bureaux scolaires, élus localement, avaient pouvoir pour lever des taxes, construire des écoles, les pourvoir en maîtres ; ils insistaient pour la présence dans ces écoles des enfants qui n'étaient pas éduqués par d'autres moyens. L'instruction religieuse excluait tout catéchisme ou formulaire distinctif de quelque dénomination particulière. Le bill, voté, le 9 août 1870, fut limité aux enfants de moins de treize ans. Les ministres du culte étaient tenus en dehors des écoles d'État. Suivant la formule de Disraeli, la loi établissait une nouvelle classe sacerdotale de maîtres d'écoles qui avaient le devoir d'interpréter la Bible de n'importe quelle manière que ce soit, pourvu que leur interprétation ne soit pas celle de quelque formulaire d'église existant. Les *Board Schools* disposaient de plus de ressources que les écoles volontaires. Elles marquaient le premier pas vers l'obligation. Il n'y avait plus de régions d'Angleterre où il n'y ait pas d'écoles ; les enfants, malgré la pauvreté de leurs parents, recevaient une éducation suffisante.

L'instruction secondaire était réservée aux classes moyennes et supérieures. Elle comprenait trois types : les écoles de grammaire, les écoles privées et les écoles publiques. La

distinction entre écoles de grammaire et écoles publiques
s'était développée au XVIIIe siècle. Les écoles publiques
étaient simplement des écoles de grammaire qui avaient
échappé à la décadence générale des fondements de l'instruction, avaient accru leur état-major et pris des pensionnaires. Les écoles de grammaire avaient des statuts anciens,
qui étaient un obstacle à leur développement. Jusqu'à l'acte
de 1840, les tribunaux pouvaient changer les statuts d'une
école. Leur décadence était due au changement dans les
habitudes sociales. Au XVIIIe siècle, les fils de négociants
allaient à Eton et à Winchester. Les cent années suivantes
apportèrent une plus stricte ségrégation des classes sociales.
Le changement n'était pas dû seulement à une exclusive
sociale, mais aussi au plus grand soin avec lequel les enfants
étaient élevés. Les écoles privées furent le résultat des mêmes
raisons. Plusieurs furent fondées par des réformateurs peu
satisfaits des écoles publiques et de grammaire. Elles
étaient plus ouvertes aux choses modernes. On imagina
des salles de classe séparées. Elles tendirent vers des méthodes mécaniques d'enseignement.

Les écoles publiques, rigoureusement classiques et lin-
guistiques, faisaient surtout appel à la mémoire. La discipline y était maintenue par la terreur. Les révoltes y étaient
fréquentes. Il n'y avait aucune sympathie entre maîtres et
élèves. La réforme de ces écoles fut due à quelques pédagogues de qualité, comme M. Arnold (²⁴¹) et S. Butler,
qui s'efforcèrent de développer les enseignements touchant
à la vie, d'encourager les jeux, d'élever la moralité, de
donner un aspect agréable aux classes, de diviser la journée
en deux, le matin consacré aux mathématiques, aux classiques, à la langue anglaise, à l'histoire et à la géographie ;
l'après-midi, aux sujets à option, dessin, tour, menuiserie.

Deux enquêtes furent menées, en 1861 et en 1864. La
deuxième souligna le besoin d'écoles secondaires. Une
centaine de villes de 5 000 habitants ou plus n'avaient pas
d'écoles de grammaire dotées. Le nombre des écoles publiques augmenta, entre 1841 et 1865. Leurs élèves sortaient
d'une classe sociale supérieure à celle fréquentant les écoles
de grammaire. Certains, comme le pasteur Woodard, se

proposèrent d'élever l'instruction des enfants de la classe moyenne. Le pays serait divisé en cinq circonscriptions ; dans chacune, trois écoles, variant suivant les droits d'écolage et le type d'instruction fourni. Il s'agissait de réconcilier les classes moyennes avec l'Église et d'écraser le radicalisme.

L'acte de 1869 n'alla pas au-delà de la désignation de trois commissions pour reviser les statuts des écoles de grammaire. Il n'y eut aucun changement dans le fondement « classe » de l'instruction secondaire. Même s'ils avaient désapprouvé la séparation des enfants selon le statut social de leurs parents, ils n'auraient pas changé un système qui faisait corps avec la vie anglaise. Les distinctions de classe existaient en dehors des écoles ; celles-ci ne firent rien pour les brasser ; au cours du temps, elles contribuèrent à intensifier les distinctions. On pourrait dire que les écoles publiques rendirent un certain service, en mêlant la vieille aristocratie avec la nouvelle classe moyenne professionnelle ; mais aussi qu'elles séparèrent ces deux classes de la classe pauvre. Ainsi, bien avant la réforme des écoles de grammaire et avant que les ressources de l'État soient utilisées pour procurer une bonne éducation secondaire aux enfants des familles pauvres, les classes les plus riches du pays étaient devenues attachées à ces écoles, familières avec la ségrégation de leur propre classe dans ces écoles et habituées à un certain mode de vie, à telle enseigne que les enfants de la classe pauvre, pour le mieux ou pour le pire, n'avaient aucun avantage à apprendre.

La question religieuse ne se posait pas pour la réforme de l'enseignement secondaire. Les chefs de file réformistes donnaient à leurs écoles un type d'enseignement religieux qui était désiré par la plupart des Anglais des classes moyennes et supérieures. Par contre, la réforme des universités était peu dégagée de la controverse religieuse et politique. Oxford et Cambridge étaient gouvernés par des chefs de maisons qui ne souhaitaient pas de changement. Les « tuteurs » avaient peu de part dans la direction des affaires des collèges et ils étaient écrasés par les grosses classes d'une sorte élémentaire. Ils n'étaient pas encouragés à rester dans l'université, depuis qu'ils ne pouvaient plus occuper leurs places, une fois mariés. Les rapports entre les collèges et l'université étaient peu satisfaisants. Les universités étaient pauvres ; plusieurs collèges étaient riches et contribuaient peu aux études supérieures. On abusait du droit d'y réserver les places à des personnes nées dans des localités particulières ou à des parents du fondateur. Le problème religieux était aussi étroit qu'était insuffisante l'instruction. A Oxford, personne ne pouvait être immatriculé sans souscrire aux 39 articles. A Cambridge, les non-conformistes pouvaient devenir membres de l'Université ; ils n'avaient pas accès aux places et aux degrés universitaires. Le mouvement pour la réforme de l'université faisait partie d'une plus large attaque contre l'Église établie. Il était soutenu par les adversaires de « l'établissement » et par les ennemis de la religion. En 1834, on tenta de séculariser l'université ; le projet échoua devant la chambre haute.

Quelques années plus tard, deux commissions furent chargées de faire un rapport sur la situation à Oxford et à Cambridge. Elles furent mal reçues. Celle qui s'occupait d'Oxford désapprouva la règle exigeant la souscription aux 39 articles ; celle enquêtant sur Cambridge suggéra « que l'Université devait ouvrir les avantages de son système d'éducation aussi largement que l'État avait ouvert les avenues aux droits civils et aux honneurs ». Les actes de 1854 et de 1856 qui incorporaient les principales propositions des commissaires libérèrent les immatriculations des épreuves religieuses à Oxford et l'admission aux degrés dans n'importe quelle université, excepté à la faculté de théologie. Des bills furent introduits annuellement, à partir de 1863. En 1871, « la citadelle était prise ».

Pendant ce temps, les universités élargissaient leur champ d'études : Cambridge inaugurait des concours en sciences morales et naturelles ; Oxford fondait des écoles de science naturelle, de droit et d'histoire et construisait des laboratoires, entre 1855 et 1860. Cambridge devient un centre de recherches, grâce aux donations du duc de Devonshire, en 1871. L'Université de Londres, sans esprit de secte religieuse, d'inspiration benthamienne, s'était ouverte en 1828. Une partie de l'opinion s'inquiétait de voir l'université se développer suivant une ligne laïque. King's College fut créé comme institution rivale, sur des principes anglicans. En 1836, les deux collèges furent incorporés à l'université de Londres et la fondation laïque prit le nom de University College. En 1858, les examens de l'université furent ouverts à tous ceux qui désiraient s'y présenter. Pourtant, pendant plusieurs années encore, l'université de Londres n'eut pas la place prééminente que sa position et ses ressources lui assignaient dans la vie intellectuelle nationale.

En 1827, la Société pour la diffusion des connaissances utiles avait été créée. Elle publiait des brochures d'information à bon marché. La *Penny Encyclopaedia* se propose de donner aux travailleurs une idée générale des principes fondamentaux concernant les outils et les machines. Elle constitue le premier pas vers une formation technique moderne. Peu d'années plus tard, de nouveaux manuels de travail, comme le *Popular Educator*, de Cassel, satisfont à des demandes nouvelles. Leur succès est d'autant plus considérable que les travailleurs n'ont pas accès aux bibliothèques. Le premier acte concernant les bibliothèques publiques, date de 1850. Les seuls ouvrages sérieux, qui avaient une diffusion comparable à celle de ces petits livres d'information, étaient révolutionnaires et de caractère anticlérical. Un Institut de mécanique fut ouvert à Londres, en 1826. En moins de vingt-cinq ans, il y en eut 610 groupant 102 050 membres. Malheureusement, l'élément appartenant à la classe des travailleurs déclina bientôt, malgré un nouveau départ, avec le Collège du peuple, à Sheffield. Les méthodes d'enseignement ne furent pas toujours bonnes ; les cours, sans attrait pour des ouvriers d'usines fatigués, après une longue journée de travail.

D'autres essais furent tentés pour satisfaire à la demande de la classe laborieuse. L'échec du chartisme et la brèche ouverte entre l'Église établie et les mouvements populaires attirèrent certains pédagogues qui estimaient que le mouvement chartiste n'était pas déraisonnable. Ils se mirent à faire des chartistes des chrétiens et à transformer les chrétiens en réformateurs sociaux. En 1854, ils établirent le Working Men's College, à Londres, évitant les erreurs des Instituts.

Ils n'essayèrent pas seulement d'informer, mais aussi d'éduquer leurs étudiants. Ces « socialistes chrétiens » publiaient des brochures, comme *Politics for the people*. Au moment du choléra, ils enseignèrent les éléments de l'hygiène et de la physiologie.

L'éducation des filles était fort en retard. Elle était superficielle, là où elle existait. On n'y enseignait, ni les mathématiques, ni les classiques. Le niveau était assez bas. Les filles n'avaient pas de jeux et ne prenaient d'autre exercice que la promenade d'une heure dans un « crocodile ». Les écoles de filles bon marché étaient de pauvres imitations des écoles distinguées. Pourtant, sous l'influence des socialistes chrétiens, en 1847, l'Association de bienfaisance des institutrices essaya de faire démarrer un plan de formation, tandis qu'une des dames d'honneur de la reine, Miss Murray, recueillait les fonds pour un collège de femmes, le Queen's College qui fut établi à Londres. Les collèges progressèrent si bien que l'admission des femmes aux examens de l'Université se posa. Après deux échecs, en 1856 et en 1862, Cambridge accepta la candidature des femmes aux examens locaux, en 1868. L'enseignement féminin se développe : le collège Bedford, destiné aux jeunes filles est ouvert. Des cours sont institués dans les grandes villes.

La formation technique fut l'objet de demandes successives. L'école de dessin, créée en 1837 par le Board of Trade, n'obtint aucun succès. L'enseignement, trop théorique, avait peu de rapport avec l'industrie et les manufactures. La Société royale des arts édifia un plan pour l'exposition de 1851. Les bénéfices de l'entreprise furent employés à acheter un terrain en vue d'édifier un établissement pour la diffusion de la connaissance de la science et de l'art parmi toutes les classes sociales. Le site fut utilisé seulement pour un musée et comme centre du département de la nouvelle science du Board of Trade. A la même époque, l'École royale des mines et de la science appliquée aux arts était fondée. En 1853, une brochure, *Industrial education on the continent*, montrait la supériorité technique de l'Allemagne, en matière d'instruction. Les chambres de commerce étaient consultées sur les besoins de l'enseignement technique. Nottingham avait une école d'art dont les tarifs excluaient les élèves appartenant aux classes les plus pauvres. L'exposition de Paris en 1867 montra aux manufacturiers de Leeds que leurs concurrents du continent étaient fort en avance sur les produits anglais.

Le libéralisme tenta également un mouvement dans l'Église. Un petit groupe, dirigé par Maurice et Charles Kingsley, était plus social qu'intellectuel. Les chrétiens socialistes voulaient montrer aux ministres du culte que le christianisme n'est pas simplement une suite de propositions intellectuelles, mais un chemin de vie. Ce renouveau du sens de la responsabilité collective pour le bien-être de leurs compatriotes, contrebalançait l'accent exagéré mis sur les questions de doctrine et d'étiquette résultant du mouvement d'Oxford. Les nouvelles de Ch. Kingsley atteignaient des personnes qui n'avaient pas été touchées par le haut anglicanisme, tandis que Maurice faisait l'impossible pour préparer l'opinion laïque à une revision de la doctrine dans un sens libéral. Mais les protestations soulevées par les *Essays and Reviews*, en 1860, montrèrent que le libéralisme n'était pas suivi largement dans le clergé anglican. Les problèmes posé dans l'ouvrage mirent en lumière le contraste entre l'intolérance et l'obscurantisme d'une grande partie de l'opinion religieuse et les méthodes de l'investigation scientique. L'attitude de l'Église à l'égard de la critique de la Bible parut fermer la porte à tout espoir de réconciliation entre la science et la religion. La littérature d'imagination de l'époque est remplie de ce conflit. Pourtant, les théories de Darwin firent leur chemin. La *Primitive Culture* de Tylor étendit la méthode à la science de l'anthropologie (1871), donnant naissance à une nouvelle école que les hommes instruits ne purent plus ignorer et que des appels à l'autorité traditionnelle ne purent pas supprimer.

Comment se présente la situation sociale ? Entre 1860 et 1870, qu'il s'agisse de salaires ou des conditions de travail, les jours noirs du temps du chartisme sont loin. Il y avait encore des griefs profondément enracinés. Les unions de métiers étaient encore regardées comme de dangereuses combinaisons conduites par des agitateurs et comme une menace pour l'ordre public et la liberté. Elles-mêmes étaient sur leur garde contre les agents marrons de leur propre classe et les ruses des capitalistes. L'adoucissement des mœurs, dû au progrès des conditions de vie, et le développement de l'instruction avaient affecté les idées de la classe laborieuse. Elle conservait la grève comme une arme en réserve. L'échec du chartisme n'avait pas tourné la classe ouvrière vers une théorie plus consistante et plus développée d'antagonisme de classes et de pensée révolutionnaire.

Chose curieuse, si la pensée de la démocratie révolutionnaire s'est élaborée en Angleterre, si l'Association internationale des travailleurs a été fondée à Londres, en 1864, les principales figures de l'Association étaient celles d'exilés. Les écrits révolutionnaires avaient peu d'influence sur les chefs des trade-unions. Pour prendre part aux meetings et aux discussions, ils connaissaient mal les conditions du travail sur le continent et leur collaboration ne recueillait pas une sympathie générale. Le conseil des métiers de Londres refusa d'utiliser l'Association comme agence de communication avec les sociétés de métiers des autres pays. Les unions rejetaient tout terrorisme, d'ailleurs soutenues par des hommes qui n'appartenaient pas à la classe ouvrière.

A partir de 1850, le capital et le travail élargissent et perfectionnent leurs organisations rivales, suivant des schémas modernes. A plusieurs reprises, une vieille firme de famille est remplacée par une compagnie à responsabilité limitée, avec un état-major de directeurs salariés. Les exigences de la nouvelle période font engager un important personnel professionnel. En même temps, l'initiative individuelle tend au collectivisme et aux entreprises municipales, ou d'État. Les compagnies de chemins de fer, quoique privées, mais établies pour les bénéfices des actionnaires, sont tout à fait différentes des vieilles affaires de famille. Elles existent en vertu d'actes du Parlement qui leur confèrent des pouvoirs et des privilèges, en retour du contrôle de l'État. Les grandes villes s'occupent d'éclairage, de moyens de circulation ou d'autres services.

Le développement de la société à responsabilité limitée et le commerce municipal entraînent de sérieuses conséquences. L'importance prise par un capital impersonnel accroît le nombre et l'importance des actionnaires comme classe, élément représentatif de la richesse irresponsable, détachée de la terre et des obligations du propriétaire et presque également de la gestion responsable de l'affaire. Ainsi, se constitue une classe confortable, vivant sur ses revenus, grâce aux affaires faites par l'industrialisation et la commercialisation du monde où se répandent les capitaux britanniques.

Les actionnaires n'ont aucune notion de la vie, de la pensée ou des besoins des travailleurs employés par la société dans laquelle ils ont des intérêts. Leur influence sur les rapports entre le capital et le travail n'est pas bonne. L'administrateur salarié, agissant pour le compte de la société, est en rapport beaucoup plus direct, sans avoir vraiment une connaissance personnelle et familière des travailleurs, comme l'avait l'employeur, à l'époque où l'entreprise était une affaire de famille. A vrai dire, les dimensions des opérations et le nombre des travailleurs ne permettaient plus de telles relations personnelles. Heureusement, le développement des trade-unions, au moins dans les métiers spécialisés, permettait aux travailleurs de rencontrer sur un pied d'égalité les administrateurs de la société qui les employait. La grève et le lock-out donnaient plus de compréhension aux uns et aux autres. Si l'on peut constater une moins mauvaise répartition du revenu national entre les classes, la distinction entre le travail et le capital, comme la ségrégation entre employeur et employé, vont croissant. L'influence du fabianisme prend de plus en plus de corps. En 1867, dans l'affaire des chaudronniers, les juges décident que les unions, étant une gêne pour le commerce, sont des associations illégales. Par contre, la réforme du droit de suffrage, la même année, accorde aux travailleurs la franchise parlementaire et leur permet de donner plus de poids à leurs griefs, en faisant pression sur les hommes politiques. En conséquence, l'acte de Gladstone de 1871 rend aux unions le droit d'exister.

Disraeli disait que l'Angleterre était divisée en deux pays, le riche et le pauvre. Certainement, la révolution industrielle avait accru la disparité entre les très riches et les très pauvres. Les grandes villes se divisèrent géographiquement ; les habitants se répartirent en divers quartiers sociaux. Les changements industriels accrurent le nombre des membres des classes moyennes, se différenciant par la richesse et par le confort. Ils élevèrent le niveau de vie des membres des classes laborieuses les mieux placés, celui des ingénieurs bien plus que celui des travailleurs non qualifiés et des habitants des taudis. En fait, il y a bien plus de deux nations.

L'amélioration du sort des salariés dans les années 50-60 était due à la prospérité de l'Angleterre, devenue l'atelier du monde, à la législation du Parlement et à l'action des unions pour faire monter les salaires et cesser divers abus, notamment le système des paiements en marchandises. Le trade-unionisme était particulièrement fort dans l'aristocratie des travailleurs, chez les ingénieurs et les ouvriers des métiers qualifiés.

A cette période appartient le développement du mouvement coopératif qui a tant fait pour freiner l'exploitation du consommateur par le détaillant et entraîner les classes laborieuses dans le self-government et la conduite des affaires. Il eut pour point de départ l'entreprise de deux douzaines de chartistes et d'owénistes qui ouvrirent, en 1844, à Toad Lane, le dépôt des pionniers de Rochdale. La règle était la vente des marchandises au prix du marché, suivie de la répartition du profit restant entre les membres, proportionnellement à leurs achats. Le succès de ce mouvement fut aidé, dans les années 50, par le zèle des sécularistes dirigés par Holyoake, élève d'Owen et des chrétiens socialistes (²⁴²). Les boutiquiers voulurent le briser. Ils ne réussirent qu'à le renforcer. Le mouvement coopératif n'eut pas une simple valeur financière ; il donna aux travailleurs le sentiment qu'ils avaient un intérêt dans le pays. Il leur fit prendre des habitudes d'aide mutuelle. Il les conduisit dans des sociétés qui encourageaient leur désir d'instruction et de progrès personnel. Cette influence morale et intellectuelle a opéré une révolution bénéfique parmi des dizaines de milliers de familles de travailleurs et contribué fortement à la transformation sociale de l'Angleterre.

Dans les années 60-70, l'aristocratie rurale régente encore les régions rurales et domine la société de Londres. De son côté, l'homme d'affaires individualiste prospère, avec les vertus du bourgeois qui se suffit à lui-même. Ces classes sociales se maintiennent sur la scène au-delà de l'époque des Palmerston et des Peel. La discussion devient libre sur les mœurs et les croyances religieuses. Stuart Mill prêche la révolte contre les conventions, dans *The Liberty* (1859). Ce ne sont plus les aristocrates et les boutiquiers qui dominent, mais les hommes sortis des universités ; les lecteurs de Mill, Darwin, Huxley, Matthew Arnold, George Eliot, Browning, les intellectuels barbus, dont Du Maurier a retracé la vie de famille dans *Punch*.

La démocratie, le collectivisme, la bureaucratie constituent les thèmes essentiels de la poussée radicale, dont l'Acte de réforme de 1867 forme la toile de fond. Avec le développement de l'instruction des femmes, la fondation de collèges féminins à Oxford et à Cambridge, la création progressive de collèges féminins, l'acte sur la propriété des femmes mariées les libéra, si elles avaient de l'argent en propre, de la servitude économique envers leurs époux. Partout, dans toutes les classes, on soutient l'égalité des sexes, qui aboutit à une campagne pour le droit de suffrage en faveur des femmes.

II. L'EUROPE CENTRALE ET ORIENTALE ET LA DÉMOCRATIE

Les révolutions de 1848 ont pour premier résultat d'introduire un droit de suffrage plus ouvert dans un certain nombre de pays. Au fur et à mesure que l'observateur se dirige vers l'est de l'Europe, la structure sociale se modifie. La bourgeoisie, qui constitue le fondement de la société française, s'amenuise. Certes, elle dispose de pivots importants dans les pays rhénans, à Francfort-sur-le-Main ; mais le fossé se creuse de plus en plus entre l'aristocratie foncière et la paysannerie, pour en arriver en Russie à un pourcentage de l'ordre de 90 % pour la paysannerie. C'est dire assez que les classes moyennes en sont réduites à un rapport insignifiant, réduisant le pouvoir politique en même temps que l'influence. D'ailleurs, il est bien difficile de retrouver dans les pays non français une forme structurale sociale qui coïncide. Les origines, l'évolution des nations, tout contribue à cette différenciation. L'élément urbain prend une allure raciale ou confessionnelle. Dans les pays slaves, le juif est l'intermédiaire entre le noble et l'artisan. Dans les pays germaniques, il s'adonne aux petits commerces et forme une classe moyenne, séparée des autres classes par un mode de vie qui se confond avec la pratique d'une religion.

Or, la bourgeoisie a été, de tout temps, le représentant le plus important de l'évolution sociale. Elle est à l'opposé de la paysannerie. Elle prétend au général ; la paysannerie, au particulier. Elle est arrivée à posséder la puissance matérielle et morale. Le XIXe siècle a un caractère bourgeois. Sous les coutumes bourgeoises, contrairement à celles du paysan qui sont de couleurs fortes, c'est le mesquin, le prosaïque. Bourgeois se confond avec le plat, le simple. Pour un paysan, un repas bourgeois signifie un repas modeste.

La forme de l'État constitutionnel est avant tout l'œuvre de la bourgeoisie. Pendant que les hommes du *Vorparlament* se préparaient dans l'église St-Paul, les partisans se battaient dans les rues de Francfort autour de deux bannières. Sur l'une figurait : « République » ; sur l'autre : « Parlement ». Ainsi, étaient posés les deux problèmes, à savoir si le peuple se décidait pour la république ou pour le parlement. Cette plaisante opposition avait une signification plus profonde. Sous le Parlement, on imaginait l'ordre constitutionnel des affaires publiques, en rapport avec les circonstances juridiques du moment et dans l'esprit d'une bourgeoisie libre ; sous la république, le fait sauveur de la démocratie sociale. Le bourgeois voyait dans le mot « Parlement » la vie constitutionnelle de la nation représentant la garantie la meilleure de son hégémonie.

A. *La force des éléments traditionalistes en Autriche-Hongrie :*
   bourgeoisie et faux libéralisme.

En Autriche-Hongrie, la question politique et sociale se
complique de la présence de races différentes. Dans la lutte,
se trouvent côte à côte aristocrates et bourgeois, libéraux.
Le débat constitutionnel se colore, pour les centralistes
autrichiens, de la crainte de la dissolution de la monarchie :
en 1848, le problème de l'État unitaire — *Gesamtstaat* —
s'était posé, mettant en présence les diverses thèses sur un
État supranational. Le compromis de 1867 avait entraîné
la coupure, créant ([243]) une « union monarchique » qui possé-
dait la souveraineté. Les fédéralistes souhaitaient voir
étendre aux pays de la couronne de Bohême le régime du
compromis.

Du côté hongrois, un mouvement radical d'indépendance,
s'inspirant de 1848, s'efforçait de créer un centralisme politique, essentiellement magyar, qui ne réussit d'ailleurs pas.
La politique magyare était soutenue par l'aristocratie, la
gentry ou noblesse moyenne, une bourgeoisie ambitieuse,
mais peu considérable. Elles tenaient le Parlement. Le droit
de vote, fondé sur la propriété privée, favorisait les agrariens.
Le pouvoir de l'aristocratie y était encore plus prééminent
qu'en Autriche, du point de vue social et économique.

La grande noblesse de la monarchie, non seulement exploite les plus grands domaines, mais elle occupe les plus
hauts postes de l'État et de la cour, l'administration et l'armée étant réservées à la noblesse moyenne. En 1878, le
prince héritier Rodolphe ([244]) accusera la noblesse de négliger le service de l'État, incapable d'ailleurs de servir dans
l'armée : la défaite de Koeniggraetz (Sadowa) était de sa faute.
Elle ne formait que d'excellents cavaliers. Les jeunes nobles,
fuyaient l'armée, parce que les autres classes y étaient sur
le même pied qu'eux et que leur paresse ne leur permettait
pas de passer des examens. Il en était de même dans l'administration, où la noblesse manquait d'expérience, et dans la
vie constitutionnelle, parce qu'elle méprisait les institutions
constitutionnelles et n'y avait, de surcroît, aucune aptitude.
La noblesse ne pensait qu'à s'amuser. Son éducation par les

Jésuites la tournait vers le passé et lui donnait l'horreur des institutions légales et de tout progrès culturel. Elle ne briguait que le service diplomatique, qui excluait les classes bourgeoises.

L'aristocratie, fermée aux intérêts réels de l'État, infecte les autres classes sociales de son idéologie. En effet, il manque à la société autrichienne une conscience de classe moyenne. « L'homme commence au baron », dit-on volontiers. Les plus hauts fonctionnaires, après un certain temps de service, sont anoblis. Certes, ils n'ont pas le même prestige social ; on peut constater que les éléments les plus ambitieux tombent dans une sorte de vassellage moral à l'égard des classes féodales.

La position prise par la grande noblesse a isolé l'empereur des classes moyennes ou du peuple, auxquels la cour ne reconnut jamais des droits égaux. François-Joseph était tenu à l'écart des courants modernes d'idées. Il manquait aussi une classe bourgeoise moyenne, forte de sa dignité, alors qu'il y avait une classe noble moyenne, une *gentry*, qui représentait les idées d'indépendance nationale.

Pourtant il se dessina un mouvement pour la formation progressive d'une démocratie et une participation plus large aux affaires de l'État, qui allait de front avec le problème de l'égalité des droits entre les diverses nationalités. Un conflit s'élève entre les libéraux allemands et les chrétiens sociaux ou socio-démocrates, unis aux nationalités pour combattre le droit de vote.

En Hongrie, le vieux système féodal s'étend comme une pieuvre sur tout le pays et empêche tout effort démocratique. La démocratie, plus qu'une forme politique, est surtout un sentiment et une attitude psychologique. Ce sentiment ne pouvait se former, en présence des châteaux des magnats, des représentants de l'Église riche et de l'administration corrompue. Le domaine des Schönborn, d'une superficie de 340 000 acres, englobait 200 villages et deux circonscriptions électorales complètement sous son contrôle. Il comprenait une immense forêt pour la chasse et le gibier causait des dégâts considérables dans les cultures. Mais à qui se plaindre ?

Dans ces régions où les classes bourgeoises allemandes seules ont une certaine influence, mais où, dans les petites villes et les villages, le petit marchand est dominé par le seigneur, quel progrès démocratique pouvait être accompli ? En Galicie, les membres les plus hauts de l'aristocratie ont le monopole de l'alcool, dont ils afferment le droit à l'aubergiste juif. Le juif est l'entrepreneur ; sur lui retombe l'odieux de l'exploitation. En fait, l'usurier juif et l'aristocrate polonais ont la même responsabilité dans l'empoisonnement du peuple galicien par l'alcool.

N'oublions pas l'Église catholique : son caractère féodal est semblable à celui des nobles laïques. Il s'y ajoute la force de la culture spirituelle et d'une autorité métaphysique. Les collèges de Jésuites, où fréquentent les classes aristocratiques et riches, forment des hommes à caractère peu ouvert aux problèmes démocratiques. L'Église ne favorisait pas les diversités nationales. Elle inclinait vers une politique slave, d'autant plus que les Allemands lui étaient moins soumis. L'opposition entre l'Autriche catholique et la Prusse protestante compliquait encore la situation. Il y avait aussi une différence entre le clergé allemand et le clergé slave. Les éléments allemands tenaient le pouvoir ; solidement conservateurs, ils défendaient les anciens privilèges. Le clergé slave partageait l'enthousiasme de ceux qui combattaient pour un plus juste compromis ; il était nationaliste, impatiemment. Il en était de même en Hongrie, avec les prêtres catholiques ou grecs unis. D'ailleurs la tendance slavophile du clergé catholique s'affirmera, à la fin du XIXe siècle, lorsque les nationalistes allemands inaugureront le mouvement « Los von Rom », par lequel ils inviteront les Allemands d'Autriche à se rallier au protestantisme. Il y a là, entre parenthèses, un exemple de la politique de la Prusse, qui ne voulait pas d'une « Grande Allemagne », où l'Autriche serait à égalité avec elle, à plus forte raison d'une Autriche qui présiderait ce grand État, mais qui était prête à l'absorber. Il y a une pérennité prussienne que les circonstances peuvent ralentir, mais qui persiste, pour se réaliser le moment venu. Le caractère démagogique de la doctrine « Los von Rom » ne réussit pas à prendre racine dans les masses. Pourtant de

60 à 70 000 Allemands d'Autriche se firent protestants ou vieux catholiques.

Le pouvoir de l'aristocratie tient encore à ses privilèges politiques dans les diètes provinciales. Le système électoral y était fondé sur les quatre curies, composées de groupements aux intérêts bien définis : grands propriétaires fonciers, chambres de commerce, municipalités des villes, communes rurales. L'élément bourgeois libéral en bénéficiait ; car le droit de vote était basé sur un cens de dix florins jusqu'en 1882 et de cinq à partir de cette date ([245]).

Le développement du capitalisme est dû à la classe bourgeoise allemande. Il s'étend à Vienne et dans les régions industrielles de Bohême, les régions agricoles étant comme des colonies. Ce capitalisme, qui emprunte souvent ses couleurs au judaïsme, a été une force dans l'unification de l'empire, dans l'unité économique en particulier. Elle n'a pas triomphé des particularismes. Dans aucun des États de la monarchie ne s'est élevée une classe vraiment consciente d'elle-même, capable de diriger l'évolution de l'État. L'organisation féodale du pays pesait trop lourdement sur la classe moyenne, pour que celle-ci fût l'élément majeur de l'émancipation politique.

Le libéralisme, dans la monarchie danubienne, était une plante artificielle, introduite en 1848 par la noblesse révolutionnaire et les intellectuels. Il se bornait à des formules extérieures. Il n'a jamais pris contact avec les forces populaires, ni marqué un sens réel des intérêts des masses. Par contre, il a été marqué par le désir de contrôler financièrement l'État. Mais le fait est que, depuis l'ère constitutionnelle, le capitalisme juif se développe, venant de l'ouest où prospère un capitalisme national, pour exploiter les ressources des jeunes États. Aussi un mouvement antisémite naît-il sous la bannière du nationalisme allemand et du socialisme chrétien. Tout le système capitaliste est dénoncé démagogiquement, comme étant le crime du libéralisme juif. Il arriva que le haut-bourgeois germano-juif fut éliminé par une coalition clérico-féodale. Ainsi le capitalisme a tendance à fomenter des luttes nationales et raciales. Il en est de même en Autriche et en Hongrie, avec cette différence que l'antisémitisme est moins fort dans ce dernier pays. A vrai dire, le juif s'est adapté aux nouveaux États et s'est germanisé, comme les Allemands et les Slaves magyarisés, exacerbant les nationalismes et soutenant l'intolérance.

Le problème politique se complique encore. Ce qui caractérise les luttes nationales, c'est que, pour chaque nationalité, la lutte prend une couleur politique particulière, suivant la classe qui est en jeu. Pour la noblesse, la lutte entre les couronnes a pour but de maintenir les privilèges particuliers du pays auquel elle appartient, sous leur hégémonie politique. Pour les classes bourgeoises, il s'agit, avant tout, d'une plus large participation à l'administration et d'avantages économiques ; dans les nations de second rang, de combattre la primauté de la bureaucratie et de la bourgeoisie allemandes. Pour la petite bourgeoisie, c'est la lutte pour le chaland, pour la boutique, pour l'auberge. Une fois le droit de vote étendu, des cercles plus larges d'artisans et de commerçants eurent accès à la vie politique et les luttes nationales prirent un tour démagogique plus aigu. Des associations se formèrent qui, sous le couvert de la défense des positions nationales, poursuivaient des buts plus positifs, aux yeux des chefs de la petite bourgeoisie. L'attitude des aristocrates et des bourgeois touche peu les travailleurs, qui les accusent de pousser aux luttes nationales pour détourner les masses des revendications économiques et sociales. Dans cette conjoncture, le point de vue allemand est antidémocratique. Car si la démocratie l'emportait, l'émancipation des Slaves ne pourrait s'accorder avec la direction des Allemands. Chaque élargissement du droit de vote contribue à slaviser l'Autriche.

Le problème est également économique et douanier. Dans les vingt années qui précèdent la révolution de 1848, l'opposition libérale hongroise demande, avant tout, une union douanière. Mais, à la veille et au début de la révolution, elle revendique la complète indépendance économique de la Hongrie. En 1850, après sa victoire sur la révolution, l'empereur accorde l'union douanière que confirme le compromis de 1867, pour évincer toutes tendances particularistes. En somme, c'est un moyen d'unir économiquement, par la force, les divers territoires nationaux.

Mais, étant donné un développement industriel médiocre, de surcroît dispersé, il n'y avait pas une véritable interdépendance entre les régions industrielles et agricoles. Sans oublier les difficultés de communications. Les chemins de fer étaient sous des contrôles différents, suivant les États. Mais la direction de la navigation sur le Danube dépendait uniquement de Vienne. Chaque État favorisait sa propre économie. En fait, il n'y a pas de commerce libre à l'intérieur de la monarchie, sur le territoire de l'union douanière. Pourtant, le développement industriel des diverses régions après 1850 a facilité le trafic des marchandises. Il n'en resta pas moins un sérieux décalage entre les régions industrielles et celles qui ne l'étaient pas, jusqu'en 1890 environ. Le libre échange ne s'imposait pas entre les divers pays.

Dans ce domaine encore, le rôle de l'aristocratie est de freiner tout progrès. Elle est favorable aux tarifs qui permettent de vendre les grains à un taux beaucoup plus élevé que ceux du marché mondial. Les forces de conservation ne poussent pas au progrès agricole. Partout, les sociétés agricoles, qui sont sous la coupe des grands propriétaires fonciers, le combattent. Le gouvernement est soumis à leurs directives. Aucun effort n'est tenté pour accroître la production. Cette politique aboutit à l'importation des grains, alors que la monarchie était un pays d'exportation. Les moulins peuvent importer sans droits des grains, à condition d'en exporter la farine. La réglementation sur la mouture permettait de vendre au dehors les farines les plus fines ; les autres se vendaient à des prix plus bas à l'intérieur. La suppression de cette réglementation en 1901 devait contribuer à la hausse du prix du pain.

Au point de vue industriel, le territoire le plus développé est occupé par les Austro-Allemands : les Alpes, les parties allemandes de la Moravie, de la Silésie, le pays tchèque. La Hongrie, les territoires slaves tchéco-moraves en sont les colonies agricoles. Ils achètent leurs produits aux régions industrielles. Quand les régions agricoles commencent à s'industrialiser à leur tour, les banques austro-allemandes fournissent, dans une large mesure, les capitaux nécessaires à l'industrie nouvelle. Les capitalistes austro-allemands en tirent des profits considérables. Ils possèdent les matériels industriels, les mines, les fabriques ; en tout cas, ils les contrôlent. Ainsi, il y a une prépondérance bancaire autrichienne, quelques grosses banques contrôlant les établissements plus petits et les entreprises industrielles. Les grosses banques hongroises utilisent les capitaux autrichiens. Le groupe viennois de Rothschild contrôle plusieurs des établissements de crédit hongrois les plus considérables. Le capital viennois tient, pour une large part, l'économie de la monarchie, notamment les chemins de fer. Le système électoral de corruption et le vote ouvert dans les territoires hongrois permettent d'exercer, par l'intermédiaire des petites banques, une pression économique sur les masses de paysans endettés et de petits bourgeois.

A étudier la question de près, on en arrive à cette conclusion que les petits bourgeois et les travailleurs de Hongrie et des pays slaves soutenaient les mouvements nationaux : chez eux, la nationalité l'emporte sur le problème démocratique. Toute tentative pour développer les droits politiques, élever le niveau culturel des masses et mettre à l'épreuve les conditions économiques devaient avoir des conséquences nationales. Le sentiment national grandit avec le pouvoir politique et économique.

Pourtant, si le mouvement démocratique a été plus lent qu'il ne l'a été en Allemagne, il a été soutenu par divers groupements [246]. La première association de culture ouvrière, fondée en 1867, se constitue à Vienne. Ce mouvement aboutira, avec le Dr Viktor Adler, au parti social-démocrate qui poussait au suffrage universel (1890). Une question importante se pose : quelles ont été les relations des mouvements ouvriers avec la petite bourgeoisie ? Les historiens tchèques ne sont pas d'accord sur ce point. Z. Solle [247] soutient que la petite bourgeoisie, qu'elle soit tchèque ou allemande, a toujours eu une action négative. Il va plus loin : le contact avec la petite bourgeoisie diminue la force du mouvement ouvrier. Contre quoi s'élève M. Reiman [248] : l'aile jeune tchèque de la bourgeoisie, soutient-il, a eu une influence considérable sur le mouvement ouvrier, précisé-

ment à un moment où des changements démocratiques se
produisaient en Autriche. En tout cas, la première association culturelle ouvrière de Liberec est créée en 1863, avec
l'aide de la bourgeoisie libérale. Ne voit-on pas, à la suite de
la législation de 1867 qui rétablit les libertés essentielles,
réunion, association, presse, ouvriers et petits bourgeois
tchèques se réunir dans les manifestations de masse, les
tabors, qui se déroulent dans les années 1868-1870 ? Des
journaux rédigés pour les ouvriers, comme *Delnicke Listy*
(la presse ouvrière), sont placés sous l'influence des petits
bourgeois. De 1867 à 1872, la petite bourgeoisie domine
dans les cercles culturels de Liberec et de Karlin, tendus
plus vers le coopératisme que vers le socialisme. Pourtant
des mouvements de grèves se produisent, notamment en
1870. Le mouvement ouvrier va prendre une direction ouvrière, que renforcera l'explosion de la Commune de Paris.

Un autre parti démocratique de nuance chrétienne combat
le capitalisme libéral et la lutte des classes et retient l'adhésion de la classe moyenne, de la petite bourgeoisie et de la
paysannerie. Le parti chrétien-social, d'abord municipal
et viennois, s'étend à tout l'Empire. Il réclame le suffrage
universel et se propose un but supranational. Dans son esprit, la monarchie, pour ne pas périr, devrait déplacer son
centre de gravité politique vers les masses et intéresser aux
questions essentielles de larges couches de population. Antilibéral et antisémite, il devient allemand. Schönerer dirige
un mouvement national-radical, antijuif et antiromain :
le programme de Linz, en 1881, sera marqué par un nationalisme économique et fanatique.

B. *Réaction, déséquilibre social et démocratie en Russie.*

A l'est, en dépit du projet de charte constitutionnelle,
élaboré en 1820 par Novolisev, qui s'inspirait des constitutions, française de l'an VIII et polonaise de 1815 ([249]), les
principes démocratiques ne manifestent aucune force. Custine le constatait en 1839 ([250]) : « Les grands princes russes
forcés de pressurer leurs peuples au profit des Tartares,
traînés souvent eux-mêmes en esclavage jusqu'au fond de

l'Asie, mandés à la Horde pour un caprice, ne régnant qu'à condition qu'ils serviraient d'instruments dociles à l'oppression, détrônés dès qu'ils cessaient d'obéir, instruits au despotisme par la servitude, ont familiarisé leurs peuples avec la violence de la conquête qu'ils subissaient personnellement... Or cet établissement au despotisme à l'orientale et cet asservissement progressif du peuple russe, tout cela se passait à l'époque où les rois de l'occident et leurs grands vassaux luttaient de générosité pour affranchir les populations,... au moment où l'esclavage s'abolissait dans le reste de l'Europe. »

La politique du tsar Nicolas Ier est toute de réaction. N'admettant aucune limite au pouvoir de l'État, ni à l'autorité sociale de la noblesse, il veut une monarchie absolue étayée par une noblesse foncière. Se méfiant du conseil d'empire qu'il ne tient pas au courant de la situation exacte du pays, notamment en matière financière, il lui préfère des comités secrets qu'il a bien en main et auxquels il conserve un caractère de mystère. Il donne de plus en plus de pouvoir à sa chancellerie personnelle, aux dépens des ministres. Composée de six sections, elle exerce effectivement un véritable ministère, échappe à la surveillance du tsar et ralentit l'action gouvernementale.

En province, l'administration est bureaucratique et sous la tutelle de l'administration centrale. Elle est d'autant plus lente dans son fonctionnement qu'elle est submergée par la paperasserie venue du pouvoir central. Les abus sont constants. L'arbitraire personnel règne. Les administrateurs locaux n'ont aucun rapport avec les particuliers. C'est le règne des chefs de bureau — le mot est de Nicolas Ier. Nulle part on ne constate de progrès. Tout est noyé dans un formalisme et une sorte de mécanisation qui bloquent tout élan. Les ministères sont écrasés sous la masse des dossiers, dont la liquidation se heurte à l'arbitraire des bureaucrates. Il n'est pas davantage question d'une codification, qui eût permis de faire progresser la législation. *Le Corps des lois russes*, publié en 1833, fait le point en matière de législation antérieure ; il n'amorce aucune réforme.

Le despotisme russe a des couleurs asiatiques. Le souve-

rain a tout pouvoir jusqu'à nier l'évidence. Ce mélange
d'Europe et d'Asie explique la difficulté à hiérarchiser la
société. D'un côté, un groupe social sur lequel le prince
compte ; de l'autre, une masse inculte, qui s'ignore et qui
ignore sa force latente, en attendant qu'elle renverse tout,
quand « le géant endormi se lèvera ».

La conception nationale de la Russie n'est pas une. Deux
tendances doctrinales se dessinent. L'esprit vieux-russe avait
manifesté contre les réformes théologiques du patriarche
Nicon. L'esprit traditionnel s'était levé contre les hérésies
semées par l'antéchrist. Il continuait à survivre chez les
marchands qui sont de la secte des Vieux Croyants, alors que
la noblesse subit l'influence de l'Occident. Celle du mysticisme slave, dans sa forme messianique, n'est pas négligea-
ble. Oursine, dans son *Traité de la psychologie de la race
slave* ([251]), écrit : « C'est la foi en un grand avenir pour le
peuple, fondée non pas sur les aptitudes intellectuelles, ni
sur la supériorité culturelle de la race, mais sur le sentiment, et, comme conséquence, la faculté de saisir et de se
laisser entraîner par des idéaux religieux et sociaux, trait
commun au tempérament polonais comme au tempérament
russe. »

Sous l'influence de Schelling et de Hegel — comme en
Allemagne —, l'idée nationale connaît une vive renaissance
avec le romantisme. Les slavophiles veulent défendre la
pensée russe et réagir contre les innovations occidentales. Ils
soutiennent la thèse de la nationalité, avec la science qui
doit puiser à la source nationale ; ils reprochent aux hautes
classes d'avoir séparé la science de la vie. « Dans les basses
classes est une vie qui ne s'élève jamais jusqu'à la conscience.»
Or, la civilisation doit être le partage du peuple tout entier.
Il en est de même de l'art, qui doit être social et moral et le
reflet de son milieu. « L'icône est l'expression du sentiment
de la communauté et non de l'individu ; elle exige dans l'artiste une pleine communion, non pas avec la dogmatique de
l'Église, mais avec tout son organisme vivant et artistique,
tel que les siècles l'ont transmis à la communauté chrétienne. »
La littérature populaire est le reflet de la vie profonde du
peuple. Elle n'est pas l'expression de l'égoïsme. Khomia-

kov ([252]) et Kireïevski ([253]) sont fidèles aux vieilles traditions. Le premier voit dans l'opéra de Glinka, *La vie pour le tsar*, la réalisation de cet art spécifiquement russe, car, en lui, « s'affirme cette force profonde, indestructible, qui ne se traduit point par des accès momentanés ou par les élans qui entraînent l'individu à se distinguer par des exploits personnels, mais qui meut et anime le grand corps social, se transmet à chaque membre en particulier, et le rend capable de tous les actes d'héroïsme nécessaires pour lutter et pour souffrir ». Enfin les mœurs sont à la base de la vie nationale quotidienne : le *byt*. Les slavophiles admirent la conception russe de la société : une conception familiale et patriarcale, fondée sur le *mir*. C'est dans l'esprit communautaire qu'ils trouvent la solution du conflit social. Le *mir* est le soutien moral de sa vie. Il personnifie sa conscience. La majorité n'est que l'expression d'une supériorité matérielle. Le *mir*, l'esprit communautaire, est l'expression de l'unité morale. Là, les personnes privées perdent leur individualité indocile et la communauté ressort au premier plan comme personne morale. Il ne s'agit pas de ne conserver que les racines et de ne rêver qu'au passé. On ne doit pourtant pas laisser de côté la vie historique. Des réformes certes, mais qui tiennent compte de l'apport du passé.

Pour les slavophiles, le moment est venu de revenir à la vraie vie nationale. Précisément, l'Europe a été ébranlée par les événements de 1848 : elle a perdu toute sève vitale ; cette sève desséchée n'est autre que « la foi dans laquelle vivaient la société et les gens qui la composaient ; la mort intérieure des hommes s'exprime par les mouvements convulsifs des organismes sociaux, car l'homme est une noble créature ; il ne peut pas et il ne doit pas vivre sans foi. » L'orthodoxie seule a compris le véritable christianisme. Le latinisme a sacrifié l'unité intérieure à l'unité extérieure ; le protestantisme, la véritable liberté à l'idée de liberté extérieure. L'humanité n'a pas vraiment compris le christianisme primitif. Elle ne peut le comprendre que « dans l'identité de l'unité et de la liberté manifestée dans la loi de l'amour mutuel. Telle est l'orthodoxie ». Or l'orthodoxie n'est autre que la Russie, qui a reçu le christianisme dans sa pureté. Contrairement aux peuples européens, dominés par la rationalisme, les calculs matériels et les éternelles conventions, la Russie, « n'est pas une création conventionnelle, mais le résultat d'un développement organique et vivant ; elle n'a pas été construite ; elle a poussé ».

Nous trouvons un écho de ces tendances dans les écrits de Tioutcheff ([254]), diplomate fortement européanisé, qui, dans un mémoire intitulé « La Russie et la révolution » ([255]), écrivait : « L'Occident s'en va, tout croule, tout s'abîme dans la conflagration générale, l'Europe de Charlemagne aussi bien que l'Europe des traités de 1815, la papauté de Rome et toutes les royautés de l'Occident, le catholicisme et le protestantisme, la foi depuis longtemps perdue et la raison réduite à l'absurde. Au-dessus de cet immence naufrage, apparaît, comme une arche sainte, l'empire russe, plus immense encore. » De son côté, le P. Gagarine écrivait : « Le fantôme qui exerce le plus de séduction ou plutôt de fascination sur ce parti (le vieux parti moscovite qui n'est autre que le groupe slavophile), c'est la triple unité religieuse, politique et nationale, dont il voudrait assurer le triomphe en donnant à chacune de ces unités la même extension pour les identifier toutes les trois entre elles... A l'intérieur, il s'agit de faire régner la plus complète uniformité religieuse, politique et nationale... A l'extérieur, de fondre tous les chrétiens orientaux de quelque nation qu'ils soient, tous les slaves à quelque Église qu'ils appartiennent, dans une grande unité politique, dans un grand empire slave et orthodoxe. » Il ajoutait que, le moment venu, « pour se débarrasser de l'autocratie on trouvera dans le principe de la nationalité des doctrines politiques très radicales, très républicaines, très communistes ». En ce qui concerne l'orthodoxie, il signalait que « ce qu'on aime en elle dans le sein du parti, c'est l'identification de la religion avec les intérêts politiques et les passions nationales. Ces étranges chrétiens se préoccupent avant tout de la prépondérance que leur Église pourrait exercer dans le monde... » Il disait encore, et ceci est significatif : « Si vous comparez le vieux parti moscovite avec la Jeune Italie, vous serez frappé de la ressemblance... Je doute seulement que les révolutionnaires de l'Occident et les révolutionnaires eux-mêmes aient jamais proposé quelque chose de mieux combiné pour agir sur les masses que le panslavisme [256]. »

Socialement parlant, les slavophiles placent la liberté à la base, car elle est indispensable à la dignité humaine. Ils combattent le servage et réclament l'affranchissement des paysans. Mais il ne s'agit pas de leur donner la liberté sans droit à la terre. « L'unique solution, c'est le rachat simultané et obligatoire des terres par l'État, pour les distribuer ensuite aux paysans. Il y faudra 850 millions de roubles, mais on peut trouver cette somme. Libérer les paysans en en faisant des prolétaires serait aussi opposé au bien de la Russie qu'aux exigences de la philanthropie chrétienne [257]. »

Aux yeux de Khomiakov, le *mir* « est pour le paysan russe, comme la personnification de sa conscience sociale, devant laquelle il se redresse moralement ; il soutient en lui le sentiment de la liberté, la conscience de la dignité morale et tous les nobles mouvements dont nous attendons la renaissance ». La vie communautaire est la caractéristique de la Russie. La base russe, c'est le Kremlin, Kiev, la solitude de Sarov, la vie populaire avec ses chansons et ses rites et surtout la commune rurale ; l'obchtchina est l'unique institution civile qui ait survécu à la vieille Russie. Tout un monde de vie sociale et politique peut en sortir ». Il opposait association et commune russe, la première étant toute extérieure ; la seconde n'ayant de sens que dans l'unité intérieure de l'amour. Il voyait dans le principe communautaire la solution de la question sociale, le moyen d'écarter la lutte entre le travail et le capital, en supprimant l'élément essentiel de la lutte, l'égoïsme personnel. Le rôle du gouvernement est de défendre la vie intérieure sociale, les coutumes, les mœurs, la paix. La puissance de l'État est le moyen d'atteindre la justice et la liberté intérieures. Pierre le Grand a bousculé la vie russe. Plus se prolonge son influence, plus les gens se détachent du sol national russe, plus s'ébranlent les fondements de la terre russe, plus menaçantes sont les tentatives révolutionnaires qui finalement détruiront la Russie ». Le système oppressif du gouvernement, l'écrasement de toutes les forces morales, l'étouffement de l'opinion publique ont détruit la confiance et répandu le mensonge et la défiance.

Il faut « donner au pays la liberté de la vie et de l'esprit...,
libérer la parole orale et écrite », rétablir l'alliance entre le
gouvernement et le peuple. « Au gouvernement la liberté
illimitée de gouverner qui lui appartient ; au peuple, la
pleine liberté de la vie extérieure et intérieure, sous la protection du gouvernement ; au gouvernement, le droit à
l'action et, par conséquent, à la loi ; au peuple, le droit à
l'opinion et, par conséquent, à la parole ».

Les slavophiles repoussent le rationalisme et les institutions. Ils sont hostiles au conventionnel. Ils sont pour la vie,
pour la coutume, contre la formule, pour la parole libre :
« Quand, par la grâce d'une censure trop sévère, toute la
littérature se trouve inondée par les expressions d'une basse
flatterie et d'une hypocrisie manifeste sous le rapport politique et religieux, la parole loyale se tait pour ne pas se mêler
à ce chœur répugnant, ou ne pas devenir un objet de soup-
çons à cause de sa tranchante droiture ; les meilleurs ouvriers
se retirent de l'ouvrage, tout le champ de l'action est abandonné aux âmes vénales ; la corruption de l'esprit, ouverte
ou plus ou moins cachée, pénètre dans toutes les productions
de la littérature ; la vie intellectuelle se dessèche dans ses
plus nobles sources et peu à peu la société voit croître cette
indifférence pour la vérité et le bien moral qui suffit pour
infecter une génération entière et plusieurs des suivantes. »
De telles déclarations faisaient traiter les slavophiles de
libéraux et de démocrates.

Leur conception de la Russie en fait une nation placée
hors du circuit de l'Europe. « Ne cédez pas, dit Khomiakov,
à la tentation d'être des Européens... Cherchez le nom d'hommes et, encore plus, celui de chrétiens. » Que les Russes restent en dehors de la maladie européenne. Que la Russie soit
« vraiment russe, vivant dans l'esprit d'une Russie autonome ».
Ainsi estiment-ils que l'Europe occidentale a atteint le terme
de son développement ; la culture occidentale est unilatérale
et toute extérieure ; l'État en est réduit à une organisation
purement formelle et juridique. La Russie est fondée sur
l'union volontaire du pouvoir et du peuple.

Partant des mêmes prémisses, Fichte et Hegel, les occi-
dentalistes aboutissent à des conclusions opposées. Pour

eux, il ne doit pas y avoir de différences entre la Russie et les puissances occidentales. Seulement, ils la jugent très en retard par rapport à l'occident. Partisans de la laïcisation et de l'individu, ils critiquent l'ordre social et politique russe. S'inspirant du libéralisme occidental, de Proudhon et de Fourier (²⁵⁸) auxquels ils s'efforcent de rallier toute la jeunesse, ils combattent le programme gouvernemental. Herzen (²⁵⁹), Bielinski (²⁶⁰), Granovsky s'en font les propagandistes. Des cercles se forment ; la police les poursuit. Leurs membres, des intellectuels, sont déportés en Sibérie et condamnés aux travaux forcés. Une véritable terreur plane sur la production littéraire et sur les journaux. Les censeurs eux-mêmes sont condamnés. La réaction triomphe, au moment même où les idées libérales et révolutionnaires se lancent à l'assaut des pays de l'occident et préparent le siège des États de l'est. Car le tsar veut maintenir l'ordre social. Il balance entre la réaction et l'esprit de réforme, sans parvenir à prendre nettement parti. Il conserve à la noblesse sa position. Or que représente-t-elle par rapport au reste de la population ? Un peu moins de 1%. Elle seule possède tous les droits civiques. Pour répondre partiellement à son vœu, le tsar rend plus difficile l'anoblissement. Ne décide-t-il pas, en 1845, que c'est le premier rang d'officier supérieur et non celui d'officier subalterne, comme le prévoyait la Table des rangs de Pierre Iᵉʳ, la cinquième classe dans le civil, et non plus la huitième, qui conféreront la noblesse héréditaire ? Il autorise l'établissement de sortes de majorats, ou propriétés inaliénables, pour éviter la dispersion des biens immobiliers nobles, sans parvenir à donner une activité plus grande aux assemblées de la noblesse. D'ailleurs, les propriétaires, même les plus riches, n'apprécient pas beaucoup un système qui impose des conditions de terres et de paysans trop élevées.

Les paysans auraient eu besoin d'être émancipés. Or le seigneur a un pouvoir absolu, en tout cas, arbitraire sur ses serfs. Il fixe, comme il l'entend, ses redevances et ses corvées. Il est libre de les faire travailler, où il veut, de les marier, de les dépouiller de leurs biens, de les punir, de les vendre aux enchères. Le travail agricole est fondé sur le travail forcé, en

dehors de toute question d'humanité. Il fait obstacle à l'essor
économique du pays. En fait, le système coûte plus au seigneur que s'il employait des travailleurs libres. Il gère ses
terres de façon irrationnelle, s'endettant de plus en plus et
s'hypothéquant. De leur côté, les paysans serfs estiment que
la terre qu'ils cultivent est à eux. A plusieurs reprises, ils se
soulèvent pour obtenir leur émancipation. Le tsar ne veut
pas dépouiller les nobles de leurs droits, mais il reconnaît la
nécessité de ne libérer les serfs qu'en leur donnant des
terres.

Le statut des 19 février-3 mars 1861 libérait le paysan.
Il ne satisfaisait ni à ses vœux, ni à ceux des partisans d'une
évolution économique de la Russie. Slavophiles, occidenta-
listes, socialistes avaient applaudi au projet du tsar Alexan-
dre II. La réalité est toute autre. Le paysan obtient moins de
terre qu'il n'en occupait ; le noble, plus qu'il n'était prévu.
Les serfs domestiques sont émancipés de droit, sans aucune
indemnité. Les autres serfs « n'obtiennent pas le rachat
immédiat et obligatoire des terres, mais seulement la faculté
de les racheter, après entente avec les propriétaires dans
un délai de vingt ans ». S'ils sont personnellement libres, ils
doivent verser une redevance pour la parcelle qu'ils reçoivent. La commune rurale groupe les paysans qui appartenaient au même propriétaire et au même village. Les paysans restent soumis à la caution solidaire pour le paiement de
leurs impôts. Cette solution contribue à produire une tension
entre le noble et le paysan, le premier poussant à la solution
du rachat, le second freinant. Le noble est endetté ; une fois
le rachat accordé, il recommence à s'endetter. Il doit donner
en location ses domaines au paysan qui cherche un supplément de terre ; il lui en vend. Mais le paysan reste avec des
parcelles d'une superficie insuffisante, des impôts considérables, des fermages élevés.

La paysannerie est sortie de la terre pour s'adonner à
l'industrie textile. En grande majorité servile, elle a été autorisée par ses maîtres à créer des ateliers où travaillaient
ensemble hommes libres et serfs. Disposant peu à peu de
larges moyens financiers, les paysans se rachètent et deviennent des bourgeois. Le mouvement de libération s'est mani-

festé avec une force particulière, à partir des années 1820. La paysannerie servile est à l'origine de la bourgeoisie industrielle. De leur côté, les membres de la secte des Vieux Croyants forment l'élite de la classe industrielle, grâce à leur ténacité et à leurs efforts. Les entrepreneurs profitent des difficultés de communications et de la protection des grands propriétaires fonciers pour se créer des monopoles. Les bourgeois sont répartis dans trois guildes, suivant leur fortune. Ils sont peu nombreux. Sur une population de 65 millions d'habitants, vers le milieu du XIXe siècle, les trois guildes comptent 130 000 membres : 1 800 pour la première ; 5 000 pour la seconde ; au total 30 000 en comprenant les familles. Les cent mille restant forment la troisième guilde : ils peuvent à peine être considérés comme des bourgeois.

Situation paradoxale qui justifie le jugement de Joseph de Maistre estimant que Pierre Ier avait poussé trop vite le peuple russe, et du mauvais côté. Une nation est servile pour la majeure partie et la partie servile forme le point de départ d'une bourgeoisie industrielle. Un peuple en servitude s'écoule vers la vie libre, tout en restant attaché aux grands propriétaires. Il y a là un illogisme marqué. Parti de la noblesse libérale, l'esprit de révolution a atteint cette bourgeoisie encore reliée à la paysannerie par tant de liens ; il va contaminer les campagnes. Il n'y a pas de véritables classes moyennes, de bourgeoisie à l'occidentale, mais des lambeaux de classes intermédiaires. L'intelligentzia va d'un grand seigneur au professeur, à l'instituteur, fils de paysan. Elle est comme une confrérie ; elle n'est pas une classe.

La contexture des classes urbaines se modifie. Une nouvelle catégorie, les bourgeois honoraires, se voit accorder les privilèges jusque là réservés aux membres des guildes : exemption de l'impôt personnel, de la levée des recrues, des châtiments corporels. Les enfants des titulaires de la noblesse personnelle, ceux des acclésiastiques ayant achevé leurs études, les conseillers du commerce et des manufactures, les commerçants remplissant des conditions de présence dans la première guilde, de décoration ou de grade civil à titre honorifique, les savants et les artistes diplômés obtiennent cette qualité à titre héréditaire ; les enfants des ecclésiastiques n'ayant pas achevé leurs études et les personnes ayant rempli des fonctions qui ne conféraient pas la noblesse, à titre personnel.

L'éventail de la représentation des classes sociales dans l'administration locale est ouvert avec la création des *zemstvo*, en 1864. Le système électoral est fonction de l'importance des intérêts économiques de chacun. Tous les propriétaires de terres sont rangés dans la première catégorie : grands propriétaires ayant le cens électoral représentant cinquante parcelles paysannes, en moyenne de 250 à 300 déciatines, petits propriétaires ayant le douzième du cens minimum et représentés par des délégués électoraux désignés dans des assemblées primaires ; possesseurs d'immeubles évalués à 15 000 roubles au moins. Les citadins font partie de la deuxième catégorie : marchands patentés, industriels, propriétaires d'immeubles dans les villes. Leur cens est inférieur à celui des propriétaires fonciers. Les paysans font partie de la troisième catégorie où l'élection des délégués a lieu à trois degrés. Les zemstvo se réunissent au district. Aucun groupe social ne possède la majorité absolue. Mais la noblesse exerce sa tutelle, car le maréchal de la noblesse du district préside. Le zemstvo de gouvernement s'occupe des affaires de tout le gouvernement. Il est formé de représentants des zemstvo de district, élus par ceux-ci. Les sessions sont courtes. Les délégations permanentes de gouvernement ou de district nommées pour trois ans exécutent les décisions. Les zemstvo ont des attributions économiques. Leurs délibérations n'ont pas force exécutoire. Leur politique s'est heurtée à l'opposition du gouvernement qui a voulu endiguer leur esprit d'indépendance. Mais elle a été soutenue par les intellectuels. Elle s'est efforcée de développer l'instruction primaire. L'instituteur devient un agent important de la lutte contre l'analphabétisme et, partant, de l'esprit démocratique. Les écoles primaires sont gratuites. Le zemstvo est une école de civisme où se rencontre paysans et grands propriétaires et qui contribue à la formation d'administrateurs. Avant tout, l'organisation de l'autonomie régionale est le signe précurseur d'une prochaine représentation nationale, la Douma d'empire.

Dans le même temps, l'administration des villes est réfor-

mée sur le principe de la participation de toutes les catégories sociales et d'après un cens électoral. Tous les habitants
des villes, âgés de 25 ans, patentés, industriels, possesseurs
de biens immobiliers, sont électeurs, divisés et répartis en
trois collèges électoraux, le premier comptant les gros propriétaires et les gros bourgeois ; le second, les propriétaires
moyens ; le troisième, tous les autres. Chaque collège envoie
le même nombre de représentants à la douma municipale,
élue pour quatre ans et élisant à son tour son bureau, présidé
par le maire. Celui-ci est élu par la douma, sauf à Moscou et
à Saint-Pétersbourg. Les doumas municipales peuvent être
convoquées à n'importe quel moment. Elles peuvent élire
des commissions spéciales pour s'occuper d'une branche
particulière de l'administration urbaine. Elles disposent de
ressources assez minces, car la plus grande partie du budget
municipal doit couvrir les dépenses de l'administration de
l'État. L'administration centrale ratifie en particulier les
mesures financières. Mais, du fait de l'organisation en trois
collèges, l'administration des doumas est aux mains de la
haute bourgeoisie qui exerce une prépondérance excessive.
Pourtant, elles ont contribué à éveiller la vie municipale, à
développer les écoles, le service hospitalier et sanitaire et
à former une classe d'administrateurs compétents. Il y a là
une forme de démocratisation de la région qui annonce très
modestement le mouvement qui va se précipiter dans les
dernières années du XIXe siècle et triompher au début du XXe.

Sur le plan universitaire, la poussée de la démocratie
s'est exercée avec beaucoup de difficultés. Car, qu'il s'agisse
du recrutement des maîtres ou de celui des étudiants, les
portes des Facultés restaient à peine entrouvertes. Les
Universités contribuent difficilement à la diffusion des
idées nouvelles, les dirigeants tels qu'Ouvarov, ministre
de l'instruction publique, voyant dans l'enseignement
supérieur l'occasion de soutenir la foi orthodoxe, l'autocratie
et l'idée nationale, c'est-à-dire l'ordre social tel qu'il existait. Dans les années trente, le gouvernement pèse lourdement dans la nomination des recteurs et des professeurs.
Les universités perdent le droit de nommer leurs professeurs
titulaires. Leur enseignement ne semble pouvoir être donné

qu'à des étudiants de la noblesse, appelés plus tard à servir l'État. Les jeunes gens des classes inférieures sont écartés ; leur désir de s'instruire est freiné. Des mesures sont prises pour les empêcher d'y accéder : les droits universitaires sont relevés ; les fils de commerçants et de petits bourgeois doivent être autorisés par la corporation dont leurs parents font partie. Les portes de l'université sont fermées aux affranchis. Cette politique d'exclusive se précise encore après 1848. Le numerus clausus est adopté pour les facultés, autres que la théologie et la médecine. Le ministre peut présenter au décanat des candidats qui ne sont pas forcément des professeurs. Les cours sont surveillés de près. Les professeurs doivent faire approuver des résumés détaillés de leurs enseignements. Recteurs et doyens doivent se rendre compte si des théories, inconciliables avec l'orthodoxie, le régime politique et l'esprit des institutions, ne s'y sont pas glissées. Des matières sont considérées comme subversives : le droit constitutionnel, la philosophie, l'économie politique, la science financière, les sciences historiques et, pour rendre la situation plus dangereuse, tout développement tendant à renverser les rapports existants entre les diverses classes sociales et toute tentative pour faire participer les classes inférieures à la propriété publique et privée. Malgré tout, la poussée des classes moyennes se fait plus forte et plus dure. Des jeunes gens appartenant aux classes inférieures de la bourgeoisie, fils de petits bourgeois, de marchands, d'ecclésiastiques, grossissent les effectifs de l'Université et pèsent sur son esprit et sa conception de la vie politique et sociale.

Le triomphe du radicalisme
1871-1914

Chapitre premier

La IIIᵉ république et la prise de position politique du petit bourgeois

I. L'INTERMÈDE COMMUNALISTE :
LES FORCES BOURGEOISES ET DÉMOCRATIQUES FACE A FACE

La défaite des armes, la chute de l'empire, la fièvre obsidionale qui s'est emparé des Parisiens, engendrent un mouvement politique et social qui va faire s'affronter deux groupes de forces : d'un côté, le gouvernement grand bourgeois de Versailles ; de l'autre, les partisans d'une administration communale fondée sur les franchises municipales à l'abri des interventions du pouvoir central (²⁶¹).

En janvier 1871, les bataillons des gardes nationaux se fédèrent ; leur fédération est basée sur le principe électif et l'autonomie des groupes. Un organe exécutif est établi : le Comité central. Formé de petits et de moyens bourgeois, il est favorable au principe ouvrant la voie à la décentralisation. Il s'y joint des éléments de l'Association internationale des travailleurs et des délégués des nouveaux bataillons. Ainsi, le Comité central est sous l'influence de Proudhon et de l'Internationale ouvrière. N'ayant aucune intention révolutionnaire, expression des suffrages de deux cent quinze bataillons de la garde nationale, il n'a d'autre but que de préparer les élections municipales et d'établir un pouvoir légal à l'Hôtel de ville. Il représente la population petite bourgeoise et prolétarienne de Paris, qui se propose la démocratie républicaine et l'autonomie municipale. Il siège à l'Hôtel de ville ; il a l'initiative des élections muni-

cipales ; il lève l'état de siège ; il abolit les conseils de
guerre et il accorde l'amnistie pour les crimes et les délits
politiques. D'un autre côté, le Comité central de la Corderie
du Temple est formé de personnalités appartenant au parti
révolutionnaire, qui a organisé dans chaque arrondissement
un comité de vigilance pour stimuler les municipalités
légales et l'œuvre de la défense nationale ([262]). Il se distingue
totalement du premier comité central.

Quel but poursuit ce dernier ? Si tout le monde réclame
des franchises municipales, tous ne donnent pas le même
sens à ces deux mots. Les petits et les moyens bourgeois
envisagent des réformes administratives et politiques du
droit communal ; les extrémistes, un nouveau droit communal
fondé sur des principes nouveaux. Il en résulte que le conseil
communal, élu régulièrement le 26 mars et composé de
représentants de classes sociales et de doctrines politiques
très différentes, se heurtera à de très grandes difficultés.
Dans leur diversité, ses membres font la Commune. Dans
les clubs, deux conceptions se pressent sur les lèvres des
orateurs : pour les uns, la commune doit agir révolutionnairement et envoyer dans les départements des commissaires extraordinaires pour stimuler leur élan. Le souvenir
des événements de la Grande Révolution est puissant ;
certains même songent à rétablir le régime de la terreur et
de la guillotine. Pour les autres, il s'agit de mener le combat
pour l'humanité tout entière et d'établir la constitution de « la
république universelle, démocratique et sociale ». Pour y parvenir, le club de Montmartre, démocrate socialiste, composé
de proudhoniens et d'internationalistes, demande l'équivalence des fonctions ou collectivisme et le retour au calendrier
républicain. Il considère les comités de vigilance comme les
modèles des communes futures, le comité central républicain
des vingt arrondissements en constituant la fédération. La
fédération des communes nouvelles aurait pour organe
exécutif la Commune de Paris, gouvernement municipal
composé de délégués des communes fédérées, comme le
comité central constituait le pouvoir exécutif de la Fédération
des bataillons de la garde nationale.

Commune révolutionnaire ? Commune sociale ? Tel est

le dilemme. Deux groupes sont organisés : l'un réunit les blanquistes qui veulent l'action révolutionnaire, la prise de pouvoir politique par un coup de force ([263]), et les jacobins, des bourgeois, ennemis de la bourgeoisie ; l'autre est composé de fédéralistes, partisans d'une commune sociale. La petite bourgeoisie s'y intègre, dans la mesure où elle espère conquérir les franchises municipales et dégager la municipalité parisienne de la tutelle du gouvernement. *L'Union centrale républicaine, l'Équilibre républicain* rassemblent médecins, journalistes, désireux d'obtenir l'autonomie de Paris et la fédération des communes. La *Ligue d'union républicaine des droits de Paris, la Conciliation par l'action, l'Équilibre européen, l'Alliance républicaine*, associations bourgeoises, d'esprit conciliateur, revendiquent la décentralisation politique et administrative, l'affranchissement des communes, se contentent d'une république une et indivisible.

Le comité central avait invité les électeurs à élire des « hommes du peuple ». Le 28 mars, les élections voient passer des représentants des trois groupes, divisés au point de vue politique : une quinzaine de modérés, bourgeois moyens, conservateurs, qui démissionnent dès les premières séances de la Commune, estimant leur mandat purement municipal et non d'abolition des lois et d'affranchissement de toutes les communes de France ; les ultras révolutionnaires, comprenant une douzaine de blanquistes et une quarantaine de jacobins ([264]) ; les socialistes internationalistes, dont dix-sept membres de l'Internationale, des militants saint-simoniens, fouriéristes et surtout proudhoniens. Un seul marxiste : Frankel ([265]).

La composition politique de la Commune a son importance pour l'histoire en général ; elle en a encore davantage pour notre propos. Il y avait les révolutionnaires purs, blanquistes et jacobins ; et les fédéralistes proudhoniens et internationalistes. Ces deux courants se combattront tout le temps de la Commune, car le courant jacobin se rattachait toujours à la petite bourgeoisie qui défendait les franchises municipales. Au communisme autoritaire représenté dans la majorité londonienne de l'Internationale s'opposait

la thèse des Jurassiens, antiétatistes, fédéralistes, anarchistes.
D'un côté, Marx ; de l'autre, Bakounine. Les internationalistes de la Commune penchent pour la doctrine jurassienne.
En fin de compte, la Commune se présentait ainsi : une majorité de partisans d'une commune dictatoriale, jacobins et
blanquistes, qui regardaient vers 1792-93, et une minorité
socialiste, de tendance fédéraliste, qui s'inspire de la doctrine
de Bakounine. En face de partisans de l'action immédiate,
les théoriciens. Un texte de G. Gille ([266]) rappelle celui de
Garnier-Pagès à propos de la révolution de 1848 : « On y
trouvait des bourgeois, des professeurs, des artistes, des
journalistes, des employés, des ouvriers, des bohèmes.
D'autre part, on y remarquait des républicains radicaux, des
blanquistes purs, des blanquistes dissidents, des membres
de l'Internationale, des révolutionnaires sans doctrine précise.
En fait, deux tendances allaient bientôt s'affronter au sein
de la Commune : l'une jacobine, centraliste et autoritaire ;
l'autre, fédéraliste et relativement modérée ; la première
s'inspirant de 93 et prête à imposer à la France la dictature
de Paris ; la seconde se réclamant à la fois de Proudhon
et du mouvement communal du xiie siècle, avant tout
soucieuse d'affirmer l'autonomie municipale dans une république décentralisée. »

Les jacobins sont de véritables bourgeois de race et de
tendance. Comme le dit Tersen, aucun ne se rend compte
qu'ils ne sont plus en 93, en 94, mais en 1871 et que la situation
n'est plus la même. Les délégués de la Commune doivent
résoudre un problème parisien, et Paris est de tout temps
« la succursale du gouvernement ».

Socialement, les chefs de la Commune forment deux groupes, les professions libérales et les intellectuels, les professions manuelles et les ouvriers. Les premiers appartiennent
à la petite et à la moyenne bourgeoisie ; les seconds sont
des autodidactes. La Commune n'est pas un mouvement
prolétarien. La majorité n'appartient pas à la classe ouvrière.
Marx a tenté de faire croire que, seule, la classe ouvrière
dirigeait le mouvement, en vertu du principe que la classe
bourgeoise était en train de disparaître et que la classe
prolétarienne représentait, seule, l'avenir. Certes, la classe

ouvrière a eu une grande part à la lutte ; à la Commune, elle était en minorité : 25 ([267]).

Pour les uns, dit Arnould ([268]), la Commune est l'application du principe antigouvernemental, la guerre à l'État unitaire, centralisateur, le triomphe du principe de l'autonomie des groupes fédérés, le gouvernement du peuple par le peuple. Elle implique une vaste révolution sociale et politique et la fin de tout pouvoir en dehors du peuple. Pour les autres, elle annonce la dictature au nom du peuple, le pouvoir aux mains de quelques-uns, des hommes nouveaux, le renversement des institutions, les franchises municipales, sans tenir compte des transformations économiques. D'autres diront que le mot de « Commune » représentait, pour les uns, les franchises municipales ; pour les autres, la dictature de 93 s'appesantissant sur toute la France ; pour les internationalistes, la révolution au profit de la classe ouvrière.

Parmi les neuf commissions instituées par la Commune, la commission du travail, industrie, échange, a un rôle essentiel : préparer les voies aux transformations sociales profondes ; égaliser le travail et les salaires ; faire de Paris une grande commune économique. Ses membres sont fédéralistes. Le conseil général de la Commune est chargé de faire exécuter les décrets de la Commune et les arrêtés des commissions. Mais, devant les difficultés d'exécution des décisions, est créé un comité de salut public, véritable pouvoir exécutif, où dominent les tendances jacobines et blanquistes au détriment des fédéralistes. La Commune veut être convention, comité de salut public et tribunal suprême. Elle ne s'occupe pas des réformes municipales, qui auraient donné satisfaction aux classes moyennes éprises de décentralisation politique et administrative.

La Déclaration de la Commune au peuple français du 19 avril est l'affirmation que la révolution communale, commencée par l'initiative populaire du 18 mars, inaugure une ère nouvelle de politique expérimentale, positive, scientifique et qu'elle marque « la fin du vieux monde gouvernemental et clérical, du militarisme, du fonctionnarisme, de l'exploitation, de l'agiotage, des monopoles, des privilèges, auxquels le prolétariat doit son servage, la patrie ses malheurs et ses désastres ». Elle n'en est pas moins l'aboutissement d'un compromis : les jacobins ont fait des concessions aux internationalistes. Appartenant à la classe bourgeoise, ils voyaient dans un gouvernement communal, l'occasion favorable pour obtenir les franchises municipales dans les limites d'une république une et indivisible. Ils voulaient un État fort, alors que les blanquistes et les internationalistes étaient les adversaires de l'État. Ils étaient dépassés par les idées de révolution sociale et économique des fédéralistes et hostiles à celles de Babeuf auxquelles se ralliaient les blanquistes. Ils étaient partisans d'un comité de salut public qui, pour les fédéralistes, signifiait la terreur organisée. La menace d'une politique robespierriste frappa à mort le régime communaliste. Les fédéralistes se méfiaient des jacobins, parce que c'étaient des bourgeois, des bourgeois démocrates certes, mais des bourgeois. Ils craignaient que la révolution sociale ne leur échappe. Pourtant blanquistes et jacobins se rapprochèrent pour former un gouvernement centralisé avec un comité de salut public. Donnant la priorité au politique, la minorité jacobine voulait instaurer un pouvoir fort et imposer son programme à la France. On ne travaillerait à l'édification d'un nouvel ordre social qu'une fois la victoire obtenue. Alors seulement on affranchirait le quatrième État.

L'opposition est encore entre le petit bourgeois parisien et le gouvernement de Versailles. Le premier espère tirer profit des élections et de la Commune qui en est issue, étant bien précisé que le gouvernement de la France ne sortirait pas de la Commune. La suppression des octrois et l'exclusion du pouvoir central dans les affaires municipales entraîneraient un nouvel essor économique de la capitale. Comme la *Ligue d'union républicaine des droits de Paris* le soutient, il ne s'agit ni de fédérer des communes, ni de s'imposer au reste de la France, mais de rendre aux municipalités leur indépendance. Le second juge incompatible la coexistence de Paris, siège du gouvernement et fondement des franchises. Il ne veut pas d'un État mosaïque. Il s'élève contre la formation d'une « multitude de petits peuples et de petits souverains ; l'absence de toute nation et de tout

gouvernement central ». Une commission de conciliation
souhaitait faire de Paris un département spécial, le conseil
municipal devenant le conseil général du département, les
communes suburbaines se fédérant avec Paris, siège de
la Fédération. En dépit de l'équilibre républicain qu'on
invoquait, l'accord ne pouvait se faire entre la tradition
montagnarde et jacobine de 1848, le mutuellisme de Proudhon et le collectivisme de l'Internationale. Au fond, la
révolution communaliste de 1871 demande que soit constituée
la république bourgeoise de 93. Pour les Jacobins, comme
pour les petits bourgeois, les libertés locales correspondraient
à une autonomie municipale, c'est-à-dire à une souveraineté
administrative, dans le cadre d'une république une et
indivisible. Pour les proudhoniens et les collectivistes, il
s'agit de constituer une série de communes souveraines et
dispersées, sans aucun rapport avec l'unité de la république ;
de sauver la révolution économique et sociale, comme les
bourgeois de 93 avaient sauvé la révolution politique. En
fait, comme l'explique Petit-Dutaillis [269], les membres de
la Commune de 1871 ne s'entendirent pas sur le fait de créer
un gouvernement plébéien et de réduire à l'impuissance les
classes bourgeoises réputées responsables des malheurs
de la nation. Comme l'explique le proudhonien L. X. de
Ricard, dans le *Journal officiel de la Commune* du 7 avril 1871,
la France avait détourné le mouvement communal du moyen
âge au profit du pouvoir royal et, la révolution faite en 1789,
la bourgeoisie victorieuse s'était engagée plus avant dans le
principe romain de l'unité et l'a fait triompher avec Bonaparte. Le reflux ne se produit pas.

Dans sa courte durée, la Commune a ouvert la voie aux
réforme profondes de la IIIᵉ république en matière d'enseignement primaire. L'*Éducation nouvelle* groupant parents,
professeurs et instituteurs, réclamait une réforme radicale
de l'enseignement basée sur la laïcisation, l'obligation et la
gratuité, avec apprentissage « de la vie privée, de la vie professionnelle et de la vie politique et sociale ». Considérant
l'instruction comme « un service public de premier ordre »,
elle demandait que les établissements scolaires soient ouverts
à tous les enfants, quelles que soient les opinions et les

croyances de chacun. Laissée à l'initiative des familles, l'instruction religieuse devait être supprimée dans toutes les écoles entretenues par l'impôt. Objets du culte, images religieuses, prières, dogmes enseignés en commun, rien de ce qui est réservé à la conscience individuelle ne devait y être admis. Aucune question religieuse ne devait figurer dans les examens publics, notamment dans les brevets de capacité. Les corporations enseignantes ne pouvaient être autorisées que comme établissements privés ou libres. Deux autres groupements, la *Société des amis de l'enseignement* et la *Commune sociale de Paris* mènent la lutte pour la réforme de l'enseignement. Un arrêté du 28 avril 1871 affirme la nécessité d'organiser l'enseignement primaire et professionnel sur un modèle uniforme dans les arrondissements de Paris et « de hâter la transformation de l'enseignement religieux en enseignement laïque ». Bon nombre de communalistes ne sont pas seulement partisans de laïcité ; ils sont avant tout antireligieux. Ils sont soutenus par des journaux antireligieux, *la Libre Pensée, la Pensée nouvelle, l'Athée, l'Horizon, l'Excommunié.* Les biens des congrégations religieuses sont nationalisés. Les hommes de Versailles, considérés comme les ennemis du peuple, sont pourchassés, comme les prêtres et les représentants de l'Église, professeurs et instituteurs. Les locaux des établissements libres sont occupés par les gardes ; beaucoup d'ecclésiastiques sont arrêtés ou consignés dans des locaux fermés. Il en est de même pour les protestants. Ordre est donné de supprimer crucifix, madones, comme offensant la liberté de conscience. Les inspecteurs et inspectrices primaires sont révoqués. Leur tâche est confiée à des membres de la commission de l'enseignement. L'école doit être un terrain neutre. L'enfant doit y apprendre que « toute conception philosophique doit subir l'examen de la raison et de la science ». La Commune ne prétend froisser aucune foi religieuse ; la conscience de l'enfant ne doit pas être violentée par des affirmations impossibles à contrôler. Mais elle est prise entre deux décisions : laïciser les écoles et ne pas les priver de trop de maîtres. Elle a fait appel aux professeurs de langues vivantes, de sciences, de dessin, d'histoire ; aux ouvriers de plus de 40 ans, désireux d'être « maîtres d'apprentissage ».

L'enseignement professionnel l'emporte sur tous les autres, aux yeux de la sous-commission d'organisation de l'enseignement. Une première école professionnelle de garçons est ouverte dans un ancien établissement de jésuites ; une école professionnelle d'art industriel pour les filles est créée avec des cours d'enseignement général complémentaire, des enseignements de dessin, de modelage, de sculpture sur bois et sur ivoire et les applications de l'art du dessin à l'industrie.

Les budgets de l'École des Beaux-Arts, de l'École de Rome et de l'École d'Athènes, de la section des beaux-arts de l'Institut sont supprimés, au nom de l'indépendance de la pensée. « Toute direction officielle imprimée au jugements de l'élève est fatale et condamnée... L'enseignement gratuit à tous les degrés, le plus élevé de tous ces enseignement ayant pour limites le point où l'enseignement sort du domaine des faits acquis pour entrer dans celui des doctrines autoritaires. » En deux mots, la Commune doit à l'élève l'outillage ; l'artiste, l'œuvre. La liberté et la responsabilité sont les deux principes dominants de la politique scolaire de la commission.

L'historien souscrit volontiers au jugement d'Amédée Dunois ([270]) : « Les communards n'en sont pas moins entrés bien avant la démocratie bourgeoise dans la voie d'une réorganisation complète de l'enseignement du peuple », comme à celui de Dommanget ([271]) qui lui fait écho : « En période calme, la démocratie bourgeoise devait mettre dix ans avant de proclamer la laïcité de l'enseignement. Elle attendit trente-trois ans pour interdire l'enseignement aux congréganistes de tout ordre et de toute nature, tout au moins sur le papier... Au milieu du tumulte et de la poudre, la Commune a trouvé le moyen de fixer la quadruple base de l'enseignement populaire : obligation, gratuité, laïcité, instruction professionnelle. Elle a fait mieux : elle s'est employée à transformer tout de suite ces principes en réalités vivantes. »

II. LES FORCES BOURGEOISES EN PRÉSENCE
AU LENDEMAIN DE LA COMMUNE ([272])

La Commune écrasée, la question de la république se pose. Le pacte de Bordeaux l'ajourne. Thiers penche vers elle : « elle est dans vos mains, dit-il, elle sera le prix de votre sagesse. » Il reprend l'idée dans le *Journal officiel*. Mais laquelle ? Une république fondée sur le crédit, le maintien de l'ordre et l'exécution des lois. Si paradoxal que cela puisse paraître, la Commune a stoppé le mouvement social, par sa défaite même.

Les gros industriels et les gros négociants, bourgeois de tradition orléaniste, ont une double inclination : vers le conservatisme social et le libéralisme, l'ordre moral aussi, d'une part ; de l'autre, vers le rétablissement du régime parlementaire, pour la prérogative de l'assemblée au détriment du prince, quel qu'il soit. Ils se rallient à Thiers. Certes, pour représenter la grande bourgeoisie, il reste un parvenu, mais il a écrasé l'insurrection parisienne. Les républicains, de leur côté, se disent conservateurs, car ils veulent maintenir l'ordre établi.

L'influence des notables sur les électeurs s'amenuise, tandis que les contours des partis se précisent : les royalistes purs ou chevau-légers forment la droite modérée légitimiste, mais tricolore ; le centre droit groupe les orléanistes parlementaires, peu enclins à la démocratie. A l'opposé, les rouges ou radicaux composent l'Union républicaine, ralliée au programme de Belleville ; les modérés thiéristes, la gauche républicaine ; le centre gauche est plus conservateur, mais thiériste et attaché à la république. Sur la gauche, des escarmouches sur le caractère de l'instruction primaire : obligation, gratuité, laïcité, disent les avancés ; obligation, répond le ministère. Rien, dit la commission de l'assemblée. Effectivement, c'est rien. Au début de 1872, un galop d'essai vers la protection est neutralisé par l'assemblée, où libre-échangistes et représentants des grands intérêts font échec à des droits sur les importations de matières premières.

Dans cette conjoncture exceptionnelle, l'assemblée légifère sur l'organisation des communes, Paris ayant un régime spécial, et sur les conseils généraux, dont les attributions se gonflent. L'évolution vers le régime républicain se poursuit à petits pas. Thiers, chef du pouvoir exécutif, devient président de la république : ses pouvoirs dureront aussi longtemps — en principe — que ceux de l'assemblée, en vertu de la « constitution Rivet » qui maintient à l'assemblée le droit d'user du pouvoir constituant et, par conséquent, conserve à la loi un caractère provisoire. L'assemblée vote la taxe de 3 % sur le revenu des valeurs mobilières en excluant la rente et les emprunts d'États étrangers ; une loi militaire, qui impose le service personnel avec tirage au sort, comportant — mesure bourgeoise — l'admission des jeunes gens instruits à un engagement conditionnel d'un an et dispensant du service soutiens de famille, professeurs, ecclésiastiques.

La hiérarchie des classes sociales est bousculée : avec la loi municipale, le pouvoir tombe aux mains du paysan. Aura-t-on une « rurocratie » ? Refusant d'obéir aux influences d'autrefois, il devient radical. L'ombre des redevances féodales le poursuivant, il se détache du notable, grand propriétaire foncier. A quoi s'ajoute une philosophie antiradicale négative de Dieu, qui semble s'être emparée de la nation et inquiète royalistes et conservateurs sociaux.

L'aristocratie de naissance et les grands intérêts entrent en conflit : A. de Broglie contre Thiers. Le premier l'emporte dans une première étape. La Commission des Trente, que Thiers a fait nommer, devient le bélier qui va ruiner l'édifice thiériste et grand bourgeois : le président de la république ne peut plus prendre la parole devant l'assemblée [273]. La présidence de l'assemblée passe du républicain Grévy au royaliste Buffet. Fait plus grave encore : Rémusat, candidat de Thiers, des républicains modérés et des orléanistes, est battu par Barodet, représentant des radicaux et des ouvriers, à une élection partielle à Paris (avril 1873) [274]. Broglie qui a monté la conjuration contre Thiers demande « une politique résolument conservatrice ». Pour effrayer les conservateurs sociaux, il réclame un « ordre moral », qui étoufferait les doctrines radicales. Thiers démissionne. Mac-Mahon est élu président de la république. Broglie

constitue le nouveau ministère. Le 24 mai, les notables
ont été vaincus par les ducs ([275]).

Le mouvement politique a un double aspect. Les pouvoirs
du président de la République se rétrécissent. Il avait perdu
le droit de parole devant l'assemblée ; en mai 1873, il perd
la présidence du conseil. Il n'est plus le chef du gouvernement. Broglie établit l'ordre moral et, fidèle au système
parlementaire cher aux orléanistes, il affirme la souveraineté
de l'assemblée. D'un autre côté, le cléricalisme donne à la
majorité son unité, comme le refus du socialisme par la
plus grande partie de la petite et de la moyenne bourgeoisie
forge une certaine unité aux républicains.

Le pays réel est très loin de la majorité de l'assemblée ;
il est peu religieux, nettement positiviste. C'est le cas pour
la bourgeoisie et plus spécialement pour des intellectuels
tels que Littré et même des savants peu enclins à la démocratie, comme Renan et Taine. Signe des temps qui annonce
des jours difficiles et des luttes pénibles, les manifestations
cléricales de masses se multiplient, tandis que, sous l'influence des loges, l'anticléricalisme se déchaîne. Le radicalisme
fait un bond en avant, soutenu par les milieux protestants.
Les intellectuels, voyant dans la religion réformée une religion de droit naturel, s'inspirent de *l'Enseignement du peuple*
de Quinet.

Dans ce contexte de division, l'intransigeance de Chambord
ouvre la porte à la république. Pourtant, le gouvernement
espère encore, en lanternant, voir se réaliser, grâce à lui,
le rêve de restauration. Les députés fixent la durée de la
présidence de la république à sept ans, sous les protestations
des républicains, qui réclament une constitution définitive
et sont battus. En attendant, la loi du 20 janvier 1874 confie
la nomination des maires au pouvoir central, suscitant un vif
mécontentement, car de nombreux maires républicains
doivent céder leurs postes à des partisans de l'ordre moral.

Un projet de loi électorale, établi par la commission des
Trente, fixe l'âge électoral à 25 ans et se rallie au scrutin
d'arrondissement plus favorable à l'influence des notables.
Un projet de loi municipale, présenté par la commission
de décentralisation, adjoint aux conseillers élus les contri-

buables les plus imposés ; l'un et l'autre marquent un recul
sur la voie démocratique. Battu sur la priorité accordée à
l'un des projets, Broglie démissionne (16 mai 1874). Le
général de Cissey lui succède.

Les institutions politiques se dégagent peu à peu : suffrage
universel, solidarité ministérielle collective, président irresponsable, prédominance du législatif. La machine continue
à tourner. Si la loi électorale municipale finit par accorder
le droit de vote à 21 ans, la question du régime se pose toujours. Elle n'est pas encore mûre. Puis, mono ou bicamé-
risme ?

Le 29 janvier 1875, Henri Wallon présente un nouvel
amendement qui est voté à une voix de majorité : « Le président de la république est élu à la majorité absolue des suffrages par le Sénat et par la Chambre des députés réunis en
Assemblée nationale. Il est nommé pour sept ans ; il est
rééligible. (²⁷⁶) » D'un coup, le régime républicain et les
deux chambres sont reconnus. Le 1ᵉʳ février, nouvel appoint :
la Chambre peut être dissoute par le président de la république sur avis conforme du Sénat. Le président est irresponsable. Les ministres sont solidairement responsables.
Les deux chambres peuvent réviser les lois constitutionnelles.
« Ce n'est point encore la république de nos rêves, écrivait
un rédacteur de *la Démocratie de Franche-Comté*. Mais
n'oublions pas que la république est essentiellement per-
fectible. Il en sera d'elle comme du couteau légendaire de
Jeannot. Quand nous aurons changé le manche et changé
la lame, nous finirons bien par avoir un bon couteau. »
Et le 7, du même : « Il se peut que nous soyons encore
condamnés à un purgatoire plus ou moins long ; il est même
probable que nous aurons encore plus d'une rude épreuve
avant d'entrer dans la Terre promise. Mais n'est-ce donc
rien que d'avoir sauvé le principe ? N'est-ce rien que pouvoir
marcher d'un pas aussi confiant vers le but cherché (²⁷⁷) ? »

Mais le Sénat ? La querelle se prolonge entre la droite
et la gauche. Grâce à d'Audiffret-Pasquier et à Casimir-
Perier, deux notables, l'accord des deux centres se fait
sur un compromis, où se retrouve encore la plume de
Wallon. Le Sénat compte 300 membres, dont 225 élus pour

neuf ans par un collège formé de députés, de conseillers
généraux et d'arrondissements, de délégués des conseils
municipaux ; 75 à vie, désignés par l'assemblée, puis, au
fur et à mesure des vacances, par le Sénat. L'éligibilité à
40 ans. Un corps électoral de 42 000 électeurs. Pas de notabilités désignées comme telles. Comme base, le vote populaire indirect, donnant la prépondérance aux campagnes.
Au grand conseil de notables de Broglie, le compromis
substitue le grand conseil de la classe moyenne (23 février
1875).

La constitution de 1875 — si on peut ainsi désigner cette
gerbe de textes votés les uns après les autres, en ordre
dispersé — était faite. Elle devait durer. Compromis entre
des tendances diverses, elle est avant tout parlementaire.
La majorité avait un lien commun : elle était attachée aux
libertés publiques et hostile au régime personnel. Fait
digne d'attention : ces constituants, par la souveraineté
qu'ils ont exercée, ont donné au parlementarisme français
sa force. Ils ont rétabli un corps intermédiaire comme le
Sénat ; rendu vie au Conseil d'État.

Un autre problème se pose. Dans les élections futures, qui
vaincra, du notable ou du bourgeois, petit et moyen ? Les
partis manquent de consistance : deux groupes restent en
présence : les conservateurs (grands propriétaires, clergé
catholique) et les républicains soutenus par la maçonnerie,
la Ligue de l'enseignement, la bourgeoisie protestante.

Chaque période a — pourrait-on dire — son indicatif.
Sous la monarchie parlementaire et le Second Empire,
la liberté, mot magique jamais invoqué en vain, mis en avant
par tous les partis, s'adaptant à toutes les doctrines, permettant au candidat à la députation de se faire élire et au pauvre
diable, naïf, qui croit à la valeur des mots, de se faire tuer.
Le mot « conservateur » est le signe de ralliement des
bourgeois. Il est péjoratif pour la gauche. Mais elle l'invoque quand il s'agit de rassurer les timorés. Gambetta
n'y manque pas [278]. Il lance un morceau de bravoure sur
ce thème, le 18 janvier 1876, faisant songer à cette définition
du programme du parti conservateur anglais : défendre et
conserver les réformes obtenues par les libéraux.

Dans le grand mouvement électoral qui aboutit à la formation du Sénat et de la Chambre des députés, les craintes
des républicains vont aux résultats du suffrage universel.
Les divers points des professions de foi se répètent. A l'idée
d'ordre s'oppose celle de tolérance, de libéralisme, avec, ici
et là, quelques revendications marginales d'inspiration
socialiste : impôt progressif sur le capital, rachat de la
Banque de France, des mines, des chemins de fer. Certains
demandent une réorganisation démocratique et sociale.
Les républicains l'emportent : notables et hommes nouveaux
de la moyenne et de la petite bourgeoisie. Le gouvernement
tombe.

C'est l'instant où le passé bascule. A la France de la veille
que dirigeaient les notables depuis soixante ans, va succéder
la France de la petite et de la moyenne bourgeoisie, où la
loi du nombre s'impose. Le roi de France apparaît comme le
roi des nobles et des prêtres. « C'est précisément, je crois,
cette perspective de vivre sous l'éteignoir du cléricalisme
qui inspire au peuple français, imprégné de l'esprit de Voltaire, la répugnance qu'il éprouve pour le parti légitimiste »,
écrit une fois de plus le rédacteur de *la Démocratie de
Franche-Comté*, le 15 août 1875. Sans doute, les décisions
nourries de monarchie absolue prises par le concile du
Vatican ont-elles raidi les animosités et tendu les oppositions
du bourgeois voltairien. Les « nouvelles couches » s'émanci-
pent et montent : on verra le fils d'un gros marchand de
vins, Viette, ancien rédacteur de *la Démocratie*, devenir
ministre de l'agriculture et des travaux publics (²⁷⁹).

Débouchant d'un long couloir de ténèbres et d'indéci-
sions, la France aborde à un rivage ensoleillé. Après le
duc de Broglie, héritier de longs siècles d'honneurs et de
prestige, Gambetta, exalté, enthousiaste, fort de toute la
vigueur et de tout l'appétit qui animent cette petite bourgeoisie d'où il est issu. A l'esprit d'ordre, de conservatisme et
d'austérité, celui de liberté, dans l'élan immodéré des foules.
En janvier 1876, vainqueurs, les républicains reçoivent les
pouvoirs de l'assemblée nationale, solennellement. Ils se
heurtent à l'Élysée, au Sénat, aux grands services de l'État,
qui leur sont hostiles. Ils confèrent le gouvernement à Du-

faure, bourgeois libéral, catholique, du centre gauche. Avec
lui, il y a bien 98 radicaux sur les 340 républicains élus. Nous
ne baignons pas pour autant dans un climat radical. Il parle
des « saintes lois de la religion, de la morale, de la famille »
et de la « propriété inviolable ». Situation confuse : le président freine ; l'assemblée hésite pour la nomination des
maires. Jules Simon succèdent à Dufaure. Les hauts fonctionnaires, préfets, procureurs généraux, valsent. Des projets de réformes fiscales sont agités. Le problème religieux
reste au premier plan, même s'il s'agit de la question romaine
qui a le don de braquer la droite et la gauche, les catholiques
fidèles au pape et les incroyant partisans de l'Italie nouvelle.
L'ultramontanisme excite les esprits. L'épiscopat s'agite.
La lutte contre le cléricalisme persiste. Gambetta accuse les
catholiques d'antipatriotisme et proclame : « Le cléricalisme,
voilà l'ennemi. » Mais à l'heure même où il lance ce mot
d'ordre qui devrait renverser J. Simon, les républicains se
liguent contre lui et maintiennent J. Simon, qui d'ailleurs
doit passer sous leurs fourches caudines.

Les séances des conseils municipaux deviennent publiques,
inquiétant la droite qui redoute le retour des clubs, tandis
que les républicains en tirent grand espoir. La loi sur la
presse, votée sous Dufaure, est abrogée. Le 16 mai, Mac-
Mahon écrit à J. Simon pour lui reprocher son manque de
réaction en face des attaques anticléricales de Gambetta
à la tribune, se demandant « s'il a conservé à la Chambre
l'influence nécessaire pour faire prévaloir ses vues ». Simon
démissionne. A la Chambre, menacée de dissolution,
Gambetta lance : « La dissolution, c'est la guerre. » Broglie
devient président du conseil. La lutte reprend entre bourgeois et aristocrates. La Chambre est dissoute [280].

Face à face, deux parlementarismes : celui des petits
et des moyens bourgeois ; celui des grands bourgeois,
des prêtres, des nobles, des classes dirigeantes. Brochant
sur le tout, le pouvoir agite, sans succès, le spectre des
partageux, tandis que Gambetta, toujours lui, insiste pour
que le président se soumette ou se démette. Les républicains sont unis, quelle que soit la fraction bourgeoise d'où
ils sortent. Un but unique : se faire réélire. Une pensée

originelle commune : conserver les conquêtes de la révolution. De grands bourgeois les soutiennent. Sur ces entre-
faites, Thiers meurt (3 septembre 1877). Ses funérailles
portent témoignage de la force républicaine ([281]).

Les élections législatives font revenir à la Chambre
315 républicains. Broglie est renversé. « Vous êtes un aristocrate, lui lance Gambetta, un ennemi du peuple. » Devant
la confusion politique et l'impossibilité de gouverner, le
11 décembre, Mac-Mahon songe à démissionner pour ne
pas sortir de la légalité. Il ne part pas tout de suite. Il
appelle Dufaure au gouvernement, s'engage plus avant, en
signant un texte qui lui est imposé et qui porte atteinte à
ses attributions et à celles de ses successeurs. « La constitution de 1875 a fondé une république parlementaire en
établissant mon irresponsabilité, tandis qu'elle a institué
la responsabilité solidaire et individuelle des ministres.
Ainsi sont déterminés nos devoirs et nos droits respectifs :
l'indépendance des ministres est la condition de leur
responsabilité. Les principes tirés de la constitution sont
ceux de mon gouvernement. » La France, petite et moyenne
bourgeoise, s'est engagée dans la voie républicaine.

Aux élections partielles du Sénat, les maires échappent
aux notables. Les républicains, appartenant à la petite
et à la moyenne bourgeoisie, font de la propagande auprès
des électeurs sénatoriaux au nom de la république conservatrice et de la paix. Se refusant à de nouvelles révocations,
Mac-Mahon démissionne (29 janvier 1878). Grévy lui
succède. Gambetta obtient la présidence de la Chambre.
Maîtres du pouvoir, les bourgeois vont accomplir « la révolution des emplois ». Les places vont être prises par de nouveaux notables.

En 1879, les conservateurs ne tiennent plus le Parlement. Ils tiennent encore l'armée, l'administration, la magistrature, les finances qui ont toujours subi l'influence
des classes dirigeantes et sont hostiles au régime républicain.
S'y joignent le clergé et la haute finance, soucieux d'enrayer
le mouvement qui entraîne la démocratie de plus en plus
vers la gauche. Pour résoudre le problème politique, il
est nécessaire d'épurer le personnel, de donner à l'instruc-

tion primaire son caractère laïque, gratuit et obligatoire, de faire la réforme fiscale, d'obtenir l'impôt sur le revenu et le rachat des chemins de fer. La lutte est ouverte pour la laïcisation et la mise en forme légale des congrégations non autorisées. En 1880, le gouvernement cherche à faire entrer les congrégations dans le droit commun. Il commence à faire un départ entre les associations qui augmentent la force de l'individu et les congrégations qui l'anéantissent [282]. Les ruraux sont assez indifférents aux influences religieuses et politiques. La bourgeoisie rurale, formée des maîtres fermiers, est très indépendante d'esprit.

Dans *la Paix sociale après le désastre*, Le Play estime que les formes politiques que la France a connues depuis 89, sont également impuissantes. Il souhaite « la restauration spontanée d'une classe supérieure », qui réunirait à la fois l'esprit révolutionnaire et le progrès. L'idée d'un parti conservateur se poursuit, sans que, pour autant, le légitimisme adopte un visage un. Même dans les régions où les conditions sont favorables à ce principe, comme dans l'Ouest, la presse légitimiste est peu développée ; elle pénètre peu chez l'ouvrier, sans être particulièrement soutenue par les industriels et les commerçants. La presse conservatrice l'emporte, imprégnée souvent de tendances bonapartistes, dans l'Aisne, les Bouches-du-Rhône, la Charente, la Dordogne, le Lot-et-Garonne, l'Oise, la Seine-Inférieure. La presse bonapartiste tente de regrouper les conservateurs. Légitimistes et bonapartistes s'efforcent de mordre sur la presse conservatrice, en 1874. En général, cette presse ne marque pas d'intentions politiques. Elle est prudente. Elle défend l'ordre. Elle cherche à créer un climat de conservatisme social. Mais la tendance reste à un régime parlementaire et à la république : une république modérée ou thiériste. Les progrès de la presse républicaine ne signifient pas uniquement ceux de la démocratie, mais ceux du conservatisme. Que nous offre la statistique des journaux de province entre 1871 et 1873 ? Soixante et un journaux de conservatisme clérical, quatre-vingt-deux bonapartistes et monarchistes, soixante-quinze républicains thiéristes, cinquante-neuf radicaux. En somme, une nette progression républicaine thiériste ou modérée, plus affirmée dans les pays industriels que dans les villes de commerce. Le républicanisme modéré paraît seul capable d'influencer la gauche radicale. Le gouvernement de l'ordre moral frappe plusieurs journaux radicaux : seize d'entre eux disparaissent de 1873 à 1874 ; deux seulement naissent.

Les républicains sont divisés en modérés et radicaux. Ceux-ci se retrouvent dans l'*Alliance républicaine*, qui se développe depuis Lyon dans tout le Sud-est; pas tous. Dans le Midi, ils veulent former une *Fédération radicale*, qui se propose d'extirper « les abus qui rongent le corps social ». Des journaux, qui arborent la manchette « *le Radical* », sont les organes du parti républicain avancé. Le radicalisme progresse, même dans les campagnes. Le paysan se fera radical pour échapper à la révolution sociale. Comme Gambetta annonce la naissance d'une nouvelle couche sociale, la droite accable celui qui pour elle, n'est que « l'obscur cabotin d'estaminet », le « vulgaire plagiaire » de 93 qui « prépare la guerre civile ». Il faut empêcher « l'avènement de l'ignorance et la proscription de la richesse ». Les forces conservatrices se liguent contre le radicalisme, « l'adversaire de tous les partis respectables ». Elles l'accusent de vouloir mettre en avant « cette fameuse théorie de la souveraineté du nombre, la plus dangereuse et la plus révolutionnaire qui soit au monde, la doctrine de 1793 ». D'Audiffret-Pasquier dit encore : « l'œuvre du parti radical est d'attaquer la famille, la propriété, la patrie et la religion. » Incontestablement, le mot « radical » effraie. En mars 1873, le comité qui soutient Barodet à l'élection partielle du 27 avril, à Paris, s'appelle « le Congrès républicain démocratique », pour ne pas dire « radical » et ne pas inquiéter les modérés. La candidature est soutenue par la petite bourgeoisie, petits boutiquiers, commerçants. Une fois de plus, les républicains sont divisés, comme l'est la presse républicaine : sur 200 journaux républicains de province, 112 sont pour Rémusat, candidat des républicains modérés, 64 pour le candidat radical Barodet. La bataille se poursuit à coups de placards, et Barodet passe.

Dans la peur du radicalisme, domine la crainte d'un

retour de la Commune, c'est-à-dire, comme le disait *le Figaro*, « vol, pillage, assassinat des otages, destruction, anéantissement ». La presse modérée crie : « Du jour que la république deviendra radicale,... elle sera perdue. » La Bourse baisse ; les chroniques financières dans la presse bourgeoise sont défaitistes et se lamentent pour le crédit de la France et le crédit privé [283]. Volontairement, on confond suffrage universel et radicalisme. On fait peser sur les bons bourgeois et les riches boutiquiers la menace de la spoliation et de l'impôt progressif. La politique républicaine modérée, soutiennent les monarchistes, conduisait à la fosse en train omnibus ; le radicalisme, en express. On présente le pays, qui descend « jusque dans les bas-fonds de la société pour aboutir à l'avènement successif des nouvelles couches [284] ». On attaque Thiers, pour abattre le radicalisme. Thiers parti, « l'ordre moral » est institué par de Broglie, qui frappe la presse radicale : seize journaux en province, dont quinze au Sud d'une ligne Nantes-Belfort.

La république votée, les radicaux irréductibles ayant cédé, Gambetta s'efforce de soutenir la cohésion des républicains, dont la victoire dépend de l'alliance de la bourgeoisie et du prolétariat : ne poursuivre que la solution des questions mûres pour couper court à la domination cléricale.

En attendant, l'assemblée fait voter le scrutin d'arrondissement et choisit pour sénateurs inamovibles des adversaires du gouvernement. Gambetta défend le Sénat, élu au suffrage restreint. Il fait des concessions, s'écartant du radicalisme qui demande les grandes et fécondes réformes. Aux élections, sur 360 républicains, une soixantaine de radicaux passe. Avec les trois cents restants, qui forment la gauche, se crée la *Gauche républicaine*. Gambetta reconstitue l'*Union républicaine*. D'ailleurs, tous les groupes républicains se rapprochent contre Broglie : les 363 demandent la dissolution qui devient effective. La campagne électorale est claire : elle est menée pour les conservateurs ou pour le radicalisme. Les républicains, regroupés, triomphent. A l'assemblée, les républicains ne sont plus 363, mais 318. Les cinquante-quatre députés d'extrême-gauche s'y retrouvent. Au Sénat, le tiers est renouvelé. Les républicains y gagnent 48 sièges ; ils en obtiennent 66 sur les 82 à pourvoir.

Une minorité d'intransigeants persiste : deux douzaines environ. Clemenceau qui en prend la tête, combat la majorité formée par « l'éternelle race bourgeoise de 1830, docteurs en demi-mesures, que le mouvement efface et que les idées inquiètent ». Dans l'élan démocratique, fougueux, où les réformes se pressent, une doctrine, que deux principes dominent : la laïcité et la lutte contre l'Église inaugurée par l'exclusion du clergé séculier et des congrégations de l'enseignement public et privé, que la Chambre repoussera par 365 voix contre 79, le 9 juillet 1879 ; la séparation de l'Église et de l'État ; la destruction de la puissance financière des congrégations, le droit pour le gouvernement de créer des écoles, même si les communes ne le veulent pas. Clemenceau veut toutes les libertés, un enseignement sécularisé, la réforme de l'impôt. Il s'élève contre l'opportunisme de Gambetta. Ferry pourra parler de « cette légèreté brouillonne, de cette impatience démagogique, de cette complète et naïve absence de moralité politique », qui n'a d'autre but que « de monter à l'assaut du pouvoir, en écartant successivement tout ce qui n'est pas de la secte ou qui ne tremble pas devant elle ». D'ailleurs, le heurt des radicaux et des socialistes bouleverse l'échiquier radical.

Divisés en une extrême-gauche, doctrinale, et une gauche radicale, les radicaux se rapprochent contre Jules Ferry. Ils prétendent être des « républicains entiers ». Pour Jules Ferry, le péril est à gauche, chez les radicaux intransigeants, pour qui « la république, c'est l'agitation perpétuelle, la mutation inusable ». Si bien que lorsqu'il y aura concentration républicaine, il s'agira de la conjonction des centres, non des radicaux.

Il règne un certain confusionisme républicain. Le radicalisme séduit et les républicains modérés essaient d'attirer à eux quelques-uns de ses éléments. Les socialistes sont réticents à l'égard des radicaux qui ne sont que des bourgeois. « Que les bourgeois même radicaux restent avec les bourgeois, lance Guesde ; le prolétariat s'affranchira

lui-même révolutionnairement. » Et d'accuser les radicaux
de jouer « de petites comédies parlementaires ». Il y a du
vrai. Les radicaux sont intransigeants en ce qui concerne
la propriété privée et se parent à gauche contre les « partageux ». Mais, dans leurs comités électoraux, ils se combattent et ne trouvent pas l'unanimité sur la révision incondi-
tionnelle, la séparation des églises et de l'État ou la réforme
fiscale. Bref, au premier tour, le 5 octobre 1885, 176 conservateurs sont élus contre 127 républicains. La discipline
républicaine joue au deuxième tour. En 1887, les radicaux
repoussent les adjectifs « progressif » et « unique ». Le radicalisme tiendra le gouvernement avec Floquet, qui n'a
pas de modérés.

III. BOURGEOISIE ET SYNDICALISME [285]

Le mouvement syndical débute dans les faits, en 1848.
Les bourgeois de février ont reconnu la liberté d'association ;
d'abord suspendue, elle a été supprimée en 1852. Le délit
de coalition disparaît avec la loi du 25 mai 1864. Les associations professionnelles sont tolérées par la circulaire ministérielle du 30 mars 1868. La période de l'ordre moral voit
arrêter le mouvement syndical professionnel (1870-1878).
La loi du 21 mars 1884 donne un statut légal et de liberté
aux syndicats. Par un système qui tient de la douche écos-
saise, les syndicats professionnels peuvent se constituer
en toute liberté. Mais le mouvement syndical n'aura pas
de rôle d'équilibre avec le capitalisme. Élément révolutionnaire, le syndicat ne représentera pas la classe ouvrière,
mais son aile marchante. L'extrémisme y triomphe. En
tout cas, avec la loi de 1884, l'article 415 du code pénal
est abrogé. Les syndicats sont licites et peuvent se grouper
en unions, fédérations, confédérations. L'État ne contrôle
pas leur activité et ne peut les dissoudre par voie administrative. Les membres de la profession peuvent y adhérer.
    A l'origine, les syndicats défendent les intérêts écono-
miques, commerciaux, industriels, agricoles. Ce sont des
groupements privés, qui, peu à peu, vont contribuer à faire
la loi de la profession ; ils en seront les groupements repré-

sentatifs. En 1876, un journaliste, Barberet, soutenu par des radicaux groupés à *la Tribune* de Trébois, poursuit un but réaliste. Aux utopies bourgeoises, il oppose tout un programme : limitation du travail féminin à huit heures, organisation des retraites ouvrières par les chambres syndicales, enseignement professionnel gratuit, liberté et personnalité civile des syndicats, conseils des prud'hommes. Pas de grève. C'est se dresser contre les collectivistes qui politisent le mouvement. Le congrès de Paris (1876), strictement ouvrier, n'admet le bourgeois qu'à grand-peine. Il se propose d'être autonome à l'égard de l'État et des partis politiques.

Le syndicalisme réformiste était trop philosophique, car d'inspiration positiviste. En tant qu'issu du radicalisme, il avait peu de doctrine. De plus, le régime du Second Empire l'a empêché de se développer en toute liberté. Les milieux modérés n'avaient pas le sens des questions sociales. Le paternalisme patronal nuisait au mouvement syndical. La démocratie doit parer les coups venus de la droite et de la gauche. Pour le syndicalisme révolutionnaire, deux classes s'opposent : les capitalistes, les maîtres ; les prolétaires, les asservis. Les travailleurs créent des richesses que les gros accaparent à leur profit. L'État maintient l'ordre au bénéfice de ces derniers. Aussi, les travailleurs se groupent-ils pour lutter contre leurs adversaires.

Georges Sorel distingue socialistes bourgeois et syndicalistes. La pensée des premiers est dominée par « les préjugés étatistes de la bourgeoisie ». Il prend à son compte le jugement de Proudhon contre la démocratie. Pour l'un comme pour l'autre, la souveraineté du peuple, l'unité et l'indivisibilité de la république sont des « mots vides de sens, propres seulement à servir de masques à la plus effroyable tyrannie »... « Le suffrage universel est l'étranglement de la conscience publique, le suicide de la souveraineté du peuple, l'apostasie de la révolution. » La démocratie « ne comporte point d'organisation, au sens scientifique de ce terme, attendu qu'elle est seulement dirigée par des instincts de destruction » (286). D'ailleurs, constate-t-il, « les administrations ne cessent de se corrompre au fur et à mesure que la politique devient plus démocratique ». La démocratie se raccroche « avec l'énergie du désespoir à la théorie des capacités et s'efforce d'utiliser le respect superstitieux que le peuple a instinctivement pour la science ». Sorel condamne les intellectuels, dont la véritable vocation est l'exploitation de la politique. Ralliés aux formes traditionnelles de l'État, ils ont un idéal réactionnaire. Il condamne également le système majoritaire : « Le gouvernement par l'ensemble des citoyens n'a jamais été qu'une fiction ; mais cette fiction était le dernier mot de la science démocratique. Jamais on n'a essayé de justifier ce singulier paradoxe d'après lequel le vote d'une majorité chaotique fait apparaître ce que Rousseau appelle la volonté générale qui ne peut errer. » Il supporte mal l'État dominé par des factions politiques qui « y exercent leur petite industrie déprédatrice ». Pour lui, le gouvernement doit être dirigé « par les groupes professionnels sélectionnés ». Seule, l'action syndicaliste est capable de faire triompher la cause prolétarienne. Les syndicats devraient obtenir l'administration des bureaux de placement, pour l'autorité qu'ils en auraient sur les travailleurs du métier, et surtout par le « lambeau » de pouvoir qu'ils auraient arraché à l'autorité politique. Ils lutteront contre les administrations. « Ils arriveront ainsi à enlever aux formes antiques, conservées par les démocrates, tout ce qu'ils ont de vie et ne leur laisseront que les fonctions rebutantes de guet et de répression. » Il ne s'agit pas de « s'affubler des dépouilles bourgeoises », mais de « vider l'organisme politique bourgeois de toute vie » et de « faire passer tout ce qu'il contenait d'utile dans un organisme politique prolétarien, créé au fur et à mesure du développement du prolétariat ». Sorel combat la coopération et l'idée mutualiste par crainte de la « lèpre de paix sociale » qui ruine la lutte des classes. Les coopératives engendrent un personnel petit bourgeois, animé d'un « esprit de sacristain ». Pour y échapper, les syndicats doivent être inspirés par un esprit plus socialiste. Ils ne se laisseront plus mener par des gens apportant dans le prolétariat les mœurs de la politique démocratique ». Car il faut donner aux sociétés coopératives « une raison d'être socialiste » ([287]). Ainsi les syndicalistes révolutionnaires répugnent au régime démocratique. Car la démocratie, mélangeant les classes, empêche de lutter contre les classes privilégiées sur le plan électoral et parlementaire. Les partis politiques groupent des éléments divers, sans unité profonde, venus de toutes les couches sociales et représentant une sorte de compromis entre des intérêts antagonistes. Les révolutions auxquelles ils songent, ne peuvent être faites que par des minorités agissantes. Ils sont antiétatistes, parce que l'État est le défenseur des privilèges de la bourgeoisie. Ils ne veulent pas de la puissance politique et souhaitent la remplacer par l'organisation économique. Ils repoussent les députés qui représentent, de façon plus ou moins fidèle, leurs intérêts. Les lois, même quand elles sont favorables au prolétariat, sont en général atténuées par les éléments bourgeois. Les patrons qui sont des bourgeois font retomber sur les salariés le poids des lois sociales. Les syndicalistes ne veulent pas des avis du Conseil supérieur du travail qui groupe des patrons et des ouvriers et se propose de faire la paix sociale au lieu de pousser à la lutte des classes. Pour se défendre, ils ne voient que la violence, parce que « le facteur le plus déterminant de la politique sociale, c'est la poltronnerie du gouvernement ». Antiétatistes, ils sont aussi antipatriotes. L'idée de patrie est intimement liée à celle de la propriété et de « l'idéologie bourgeoise ». « Rien n'est plus absurde qu'un patriote sans patrimoine », disait Pouget, dans *les Bases du syndicalisme*. Le prolétaire n'a pas le temps de s'intéresser aux traditions intellectuelles et sentimentales qui représentent la patrie ; sans compter que, quelle que soit la nationalité, la science et l'art sont du domaine commun de l'humanité.

C'en est fait de la période des patries et des nations. On est entré dans celle des classes. Le capitalisme est international ; tous les travailleurs, sans distinction de nationalité, doivent s'entendre pour écraser le riche. Plus de guerre nationale ; la guerre des classes, la guerre sociale. La patrie exige une armée qui ne sert qu'à défendre l'ordre bourgeois. Les ouvriers n'en ont que faire. Ils y retrouvent les disciplines qui soumettent le soldat au sous-officier et à l'officier, comme le travailleur est soumis au contremaître et au patron. Contre la guerre nationale, ils doivent proclamer la grève générale contre le capitalisme.

Le syndicat compte avant tout. Par son action, réformiste et révolutionnaire, la condition de l'ouvrier s'améliorera. Il est la conséquence de l'évolution historique. Il groupe des intérêts communs. La somme des libertés de chacun vient accroître dans le syndicat la liberté du groupement collectif. Le syndicat rejette les intérêts bourgeois qui pénètrent dans les partis politiques. Dans le syndicat, seuls comptent les dynamiques, ceux qui font de l'action le but même de leur activité. Défendant la cause de tous les travailleurs, il doit avoir le commandement de leur troupe. Une aristocratie nouvelle surgit de cette action. Le syndicalisme révolutionnaire oppose au droit démocratique, « expression des majorités inconscientes qui font bloc pour étouffer les minorités conscientes », le droit syndical qui affirme l'autonomie de l'individu. Les bourses du travail ([288]), la Confédération générale du travail, les syndicats en sont les organes. Ce syndicalisme est réformiste, en ce sens qu'il ne néglige pas l'effort du moment. Car « la révolution est une œuvre de tous les instants, d'aujourd'hui comme de demain ; elle est une action continuelle, une bataille de tous les jours sans trêve ni répit contre les forces d'oppression et d'exploitation », comme le dit encore Pouget, dans le *Parti du travail*.

Les réformes partielles n'empêchent pas le salariat, ni l'exploitation de l'homme. Il faut donc poursuivre « l'œuvre d'émancipation intégrale ». Pour faire triompher la révolution, il n'y a que le moyen d'ordre purement économique, la suspension totale du travail, la grève générale. Il faut que la classe ouvrière se dresse tout entière contre la classe bourgeoise. Sur le champ de bataille économique, les deux classes se font face et se livrent la bataille décisive, « la bataille napoléonienne qui écrase définitivement l'adversaire ». Alors « la classe ouvrière souveraine dicte le droit à la classe capitaliste vaincue. » Sa victoire entraîne la fin des privilèges économiques et des institutions politiques, l'avènement de tous comme producteurs, le fédéralisme économique, les associations ouvrières organisant la production et la répartition des produits. Le syndicalisme révolutionnaire a une vision sociale schématisée. Il ne voit pas les intermédiaires, ni les classes moyennes. Passera-t-il outre à leur force ? Il ne saisit pas que le prolétariat doit faire pression sur l'État, du dedans ; pas davantage que l'action se déroule dans un cadre national. Les différents régimes ne sont pas également tyranniques. Les conflits entre les peuples ne sont pas périmés pour toujours. Les peuples luttent entre eux, comme luttent entre elles les classes sociales. La division de l'humanité entre nations s'impose encore. On le verra bien en 1914.

La politique des partis s'impose aux syndicats, aussi divisés que les partis. Pour Gambetta, le peuple, c'est le monde des artisans et des propriétaires paysans, auxquels s'ajoute la nouvelle couche sociale bourgeoise, avocats, avoués, médecins, pharmaciens, vétérinaires, marchands, fidèle aux règles du droit civil. Pourtant les militants du mouvement syndical comptent des bourgeois : Fernand Pelloutier, qui avait des liens légitimistes, libéraux et socialistes, est l'inspirateur des bourses du travail, qui se constituent en fédération en 1892 ; Pouget, fils d'un notaire de Rodez, voit dans la démocratie la forme hypocrite donnée par la bourgeoisie à la conservation de ses privilèges. L'égalité politique est une mystification ; car prolétaires et bourgeois ne sont pas égaux. La démocratie énerve la classe ouvrière. Pelloutier et Pouget repoussent l'État qui, défendant les bourgeois et faisant des lois à leur usage, ne peut avoir qu'un libéralisme de classe, cette classe étant la bourgeoise ([289]). Il y a donc une double suspicion : à l'égard de la bourgeoisie, quelque intention qu'elle manifeste ; à l'égard de la démocratie qui semblait être le but poursuivi dans l'égalité et qui n'est que le masque de la liberté imaginé par le bourgeois. Ce qui complique encore le problème. Quel nimbe d'ironie entoure la bourgeoisie ! Révolutionnaire et réactionnaire, à la pointe de la libération des esprits, mais, au XIXe siècle, teintée de pharisianisme, admirée dans son comportement aventureux, mais honnie dans son paternalisme, avec un caractère froid et guindé qui lui tient lieu trop souvent de sens social, elle apparaît truffée d'insensibilité et d'incompréhension. Le bourgeois peut bien voter des lois ouvrières, il est noyé d'hostilité. Car l'intervention de l'État bourgeois, qu'il soit celui des notables ou celui des radicaux, n'est qu'une forme de sa mainmise sur la classe ouvrière.

La grande bourgeoisie cherche, avant tout, à se défendre socialement ([290]). Pourtant, il est de grands bourgeois libres penseurs qui soutiennent les partis de gauche. Les protestants sont laïques et font figure d'hommes de gauche, sans être des démocrates. La bourgeoisie moyenne compte davantage. Composée de chefs d'entreprises, propriétaires, magistrats, médecins, professeurs, rentiers, elle est la « force montante. » Beaucoup de postes importants vont à de jeunes bourgeois moyens qui se révèlent des administrateurs de valeur.

Tant que l'ordre moral a duré et que Mac-Mahon a occupé la présidence de l'État, le mouvement démocratique a été freiné. Avec l'arrivée de Jules Grévy, la république est vraiment instaurée. Chastenet ([291]) dit très justement que le choix de Waddington constituait « un précédent fâcheux ». « Contrairement à un principe essentiel du véritable régime parlementaire, commente-t-il, il sera désormais admis en France que le chef du gouvernement puisse ne pas être l'homme le plus en vue, le leader de la majorité. Dès lors, tous les députés et sénateurs un peu notables pourront, s'ils ont su se constituer une clientèle, même restreinte, caresser l'espoir d'accéder à la présidence du conseil. De là, des rivalités, des compétitions, un émiettement des groupes et une chronique instabilité ministérielle. Grévy y trouvera son avantage, mais le jeu normal de l'institution parlementaire sera, en France, définitivement faussé. »

IV. LES DIRECTIVES RÉPUBLICAINES
POUR LE PROGRÈS DE LA DÉMOCRATIE :
LA RUPTURE AVEC LES FORCES SPIRITUELLES DU PASSÉ

L'avènement de la république est le point de départ de nombreuses mutations. L'expérience déplorable de 1848 a porté témoignage qu'un régime neuf a besoin de soutiens neufs ; que toute autre procédure est néfaste et que, le ver étant dans le fruit, on peut être assuré que le régime est d'entrée condamné. Aussi bien, en 1879, mutations, révocations, mises à la retraite bouleversent les états-majors et les personnels administratifs, judiciaires, militaires, financiers.

Dès lors, les heurts commencent, les opportunistes, prudents, s'opposant aux radicaux, impatients. Pourtant, la machine est mise en mouvement : la plupart des condamnés de la Commune sont amnistiés. La démocratie fait un grand pas dans la poursuite de la laïcisation de l'État et des individus. Jules Ferry, étant ministre de l'instruction publique, l'enseignement est refaçonné à sa manière, qui est d'inspiration anticléricale. Ce qui fera dire à un député de la droite, Keller : « Le grand cheval de bataille pour éviter les réformes sociales, c'est la guerre au cléricalisme. » Formule de combat qui n'est pas tellement éloignée de la réalité.

Jules Ferry [292] est un bourgeois républicain, imprégné du positivisme d'Auguste Comte. Il s'inspire du *Cours de philosophie positive* et du *Discours sur l'ensemble de l'enseignement*, y puisant l'idée de « nécessité d'un pouvoir spirituel autonome », d' « universalité de l'enseignement dispensé », du « caractère scientifique et encyclopédique de cet enseignement. » Il y a chez lui la poursuite de l'unité spirituelle de la nation, la laïcité permettant d'y atteindre, en éliminant la religion chrétienne, en déchristianisant la France, disent ses adversaires, qu'il s'agisse de Mgr Freppel ou de Jules Simon, qui ajoutait : « oui ou non, l'État a-t-il pour mission de créer l'unité morale de la nation ? Le gouvernement républicain marche-t-il sur les brisées des gouvernements qui se crurent chargés du soin des âmes ? Tout est là. Ballotté de la violence à la faiblesse et de la faiblesse aux révolutions, abandonnera-t-il la formule dont se réclament ses origines : la liberté. » C'était bien l'avis de F. Buisson, qui faisait remonter à Condorcet l'idée de laïcité chez Jules Ferry, tandis qu'A. Bayet y découvrait l'amour de la liberté et du progrès spirituel, à moins qu'à l'instar de M. Reclus, Ferry ait vu dans la raison le secret de la promotion humaine et du bonheur sur terre. L'association de la science et de la démocratie s'impose à tous les citoyens qui doivent être égaux en matière d'éducation, pour qu'une véritable élite puisse se dégager de la masse. Démocrate, Ferry ne voyait que l'État chargé de l'éducation ; un seul remède, l'école unique où tous se formeraient dans un esprit démocratique commun. Positiviste et rationaliste, ce bourgeois se propose avant tout l'unité nationale qui ne peut plus être assurée par l'Église. Dans un *Discours sur l'égalité d'éducation*, du 10 avril 1870, il constatait : le caractère public des fonctions judiciaires a détruit les privilèges du sol en matière de justice. Le suffrage universel s'est substitué au suffrage censitaire. L'égalité de l'éducation est indispensable à la démocratie. Car, dans son esprit, elle doit permettre de créer entre les classes sociales « cet esprit d'ensemble et cette confraternité d'idées qui font la force des vraies démocraties ». L'Église était l'âme de l'ancien régime ; la science doit être l'inspiratrice de la démocratie. L'égalité de l'éducation doit contribuer à l'organisation de la société républicaine, égalitaire et démocratique. On a laïcisé l'état-civil et la fonction publique ; il doit en être de même pour l'enseignement. Public, il ne peut être congréganiste, parce qu'il dépendrait d'une autorité étrangère ; le pouvoir civil ne peut être subordonné à l'Église. On a sécularisé la vie quotidienne au nom de l'égalité et de la liberté des consciences. Laïque, il contribuera à la défense de la république. Mais laïcité ne signifie pas monopole. La concurrence est nécessaire à l'Université ; elle est indispensable pour sauvegarder les droits du père de famille. Mais les grades doivent être conférés par l'État, comme les écoles seront inspectées par lui. La collation des grades permet de vérifier le niveau des études, d'en maintenir l'unité et de surveiller l'accès aux fonctions publiques. Ferry condamne toute religion d'État ; mais il réprouve l'irréligion de la part de l'État. L'enseignement de la morale ne doit pas être confessionnel ; la morale est une ; les systèmes philosophiques et théologiques, divers. La réforme scolaire doit porter sur l'exercice du jugement, au lieu de celui de la mémoire. Car, le jugement favorise le libre examen. Enfin, seule, l'égalité dans l'enseignement qui rapproche enfants riches et enfants pauvres ouvrira la voie à une société démocratique idéale, fondée sur une hiérarchie librement acceptée. Ainsi Ferry s'oppose aux théoriciens révolutionnaires qui voient dans l'éducation la préparation à la révolution sociale ; il y discerne, au contraire, un élément essentiel de stabilité sociale.

En somme, Jules Ferry pense que l'évolution de la religion se fera dans un esprit positif, remplaçant l'esprit théologique. Il n'a pas une passion antireligieuse. Il ne confond pas religion et cléricalisme. Le clergé est subversif de l'ordre social et républicain, parce qu'il soutient l'ancien régime et l'esprit royaliste. Il faut le neutraliser en réformant l'enseignement. A l'ordre républicain nouveau doit correspondre un esprit nouveau dans l'enseignement, pour appuyer la transformation de la civilisation de théologique en scientifique et industrielle. Mais la concurrence idéologique doit persister ; la liberté d'enseignement doit être la conséquence de la liberté de conscience. Ne nous y trompons pas. Dans son esprit, la concurrence tournera fatalement à la confusion de l'école confessionnelle et à la ruine de l'Église, justifiant ainsi son but de séparer l'État de l'Église. Par cette éviction même, il tend au monopole universitaire. A vrai dire, il est pris entre les deux bras de l'étau, votant la liberté de l'enseignement supérieur et revendiquant pour l'État la collation des grades.

La réforme de l'enseignement est sur la sellette. En 1875, le débat sur la liberté de l'enseignement avait été rouvert. Elle était réalisée dans le primaire (juin 1833) et dans le secondaire (mars 1850). Le parti catholique veut l'obtenir pour le supérieur. La discussion est vive entre les hommes de gauche et les laïques et les représentants de l'Église. La loi du 12 juillet 1875 donna la collation des grades à des jurys mixtes, présidés par des professeurs des Facultés d'État. Cette législation nouvelle entraîne la fondation de Facultés libres à Angers, Lille, Lyon, Paris, Toulouse.

Le 15 mars 1879, la république triomphant, deux projets de loi sont déposés sur le bureau de la Chambre : il s'agit d'éliminer les représentants du clergé et des grands corps de l'État du Conseil supérieur de l'instruction publique et des conseils académiques, pour n'y voir figurer que des universitaires ; de supprimer les jurys mixtes, la collation des grades revenant aux seules Facultés d'État.

La querelle sur les congrégations renaît. L'article 7 écarte de la direction ou de l'enseignement de n'importe quel établissement public et privé les membres des congrégations non autorisées. C'est porter la main sur cinq cents congrégations et vingt mille religieux, notamment jésuites, dominicains, maristes. Combattu par le Comité de défense religieuse que dirige Ch. Chesnelong et la presse de droite, soutenu par la Ligue de l'enseignement, Jules Ferry fait un pas de plus en avant, quand il propose de supprimer la lettre d'obédience qui permet à un ecclésiastique d'enseigner, sans titre, sur simple autorisation de son évêque. Par voie d'incidence, la création d'écoles normales est prévue dans chaque département. La discussion se place sur le terrain républicain. Les jésuites servent de paravent aux adversaires de la république. La droite attaque « le nouveau Néron », le « Dioclétien », la « préfiguration de l'antéchrist ». Elle a à ses côtés Jules Simon, spiritualiste et libéral, qui, rapporteur du projet au Sénat, exclut l' « article 7 » de l'adoption. Le gouvernement, non content d'être attaqué par le centre gauche que Jules Simon tient, l'est aussi par les extrémistes radicaux qui jugent sa politique d'épuration insuffisant. Il démissionne. Freycinet succède à Waddington. Ferry lui survit. Le débat reprend au Sénat, le 25 février 1880. La haute assemblée adopte le projet, à l'exception de l'article 7. Alors, faisant état des textes de l'Empire et de la Monarchie relatifs aux congrégations non autorisées, le gouvernement publie deux décrets ; l'un enjoignait aux Jésuites de se disperser dans les trois mois ; l'autre, aux autres congrégations non autorisées de se mettre en règle. Les congrégations ne bougent pas. Les Jésuites sont expulsés de la rue de Sèvres ; mais le gouvernement négocie avec Rome. Il tombe d'ailleurs, le 19 septembre 1880. Un nouveau gouvernement, présidé par Jules Ferry, poussait l'application des décrets, pour finir par laisser se reconstituer les congrégations d'hommes dispersées, celles de femmes n'ayant pas été inquiétées. Mais la coupure persiste : d'un côté, la gauche et l'extrême gauche ; de l'autre, les républicains catholiques et modérés. Les républicains au pouvoir souhaitaient substituer l'enseignement laïque à l'enseignement congréganiste et séparer le clergé séculier — français — des associations religieuses de caractère international, qui constituaient une sorte d'État dans l'État.

Ferry crée des lycées de jeunes filles. Il s'attache surtout à la réforme de l'enseignement primaire, qu'il veut laïque, obligatoire, gratuit. Quatre personnalités laïques, d'origine bourgeoise, l'assistent dans son entreprise : le député Paul Bert, le directeur de l'enseignement primaire F. Buisson, l'inspecteur général Jules Steeg, le directeur de l'école normale d'institutrices de Sèvres, Félix Pécaut.

Quelle est la situation du primaire en 1880 ? 17% des conscrits ne savent ni lire, ni écrire. 600 000 enfants ne fréquentent pas l'école; les maîtres sont d'un niveau intellectuel très inégal. L'enseignement par les religieux est très important : 47 000 sur un total de 110 000; 16 000 religieuses pour les filles sur 19 000; 3 400 Frères.

Avec les élections de 1881, la poussée de la gauche se précise. Le parti radical-socialiste fixe son programme, qui est net : suppression du Sénat, séparation des Églises et de l'État, confiscation des biens des congrégations, élection des magistrats, milices nationales, autonomie municipale, impôt progressif, limitation de la journée du travail, retraite des vieux travailleurs, rachat des chemins de fer et des mines, rétablissement du divorce, reconnaissance du droit syndical. Pour le moment, la lutte est circonscrite au terrain constitutionnel et religieux. Aux élections, les républicains enlèvent 467 sièges sur 557. Les partisans de Gambetta triomphent. La réforme scolaire encadre cette manifestation électorale : la gratuité est votée le 16 juin 1881 ; l'obligation, le 29 mars 1882.

Arrivé au pouvoir, Gambetta a des projets qui ne manquent pas de hardiesse, diminution de la durée du service militaire, réforme de la magistrature, impôt général sur le revenu, caisse d'assurance pour les invalides du travail, crédit mobilier agricole, rachat des chemins de fer concédés, reconnaissance du droit syndical. Pour y parvenir, il faut substituer le scrutin de liste majoritaire au scrutin d'arrondissement et avoir une Chambre unie et bien en main. En attendant, il se forme une gauche radicale qui accueille des membres de l'Union républicaine et de l'extrême-gauche : ce ne sont pas des intransigeants, mais des gouvernementaux.

Les mesures prises par Gambetta irritent l'extrême-

gauche. Pelletan l'accuse d'avoir voulu former un parti
whig et rompre avec l'aile gauche. Gouvernement et radicaux se heurtent à la question constitutionnelle. Les radicaux
réclament la suppression du Sénat, au nom du monocamé-
risme d'inspiration jacobine. Le gouvernement estime une
chambre haute indispensable à la démocratie. Il souhaite
une révision partielle qui substituerait, par voie d'extinction,
75 sénateurs élus pour neuf ans par les deux chambres aux
75 sénateurs inamovibles. Le scrutin soulève des tempêtes.
La majorité vote la révision illimitée, entraînant la chute de
Gambetta. Freycinet, qui lui succède, n'est pas un réformiste.
Il enterre révision, scrutin de liste, réformes financières et
sociales et obtient un vote favorable. Les radicaux le ménagent, par opposition à l'opportunisme de Gambetta. Au-
dessus de tout, ils font de la politique. Or « les intérêts »
sont au pouvoir, avec Léon Say, qui représente la haute
banque, les établissements de crédit, les chemins de fer,
les mines. Le cabinet de Freycinet est rassurant pour les
grands bourgeois et les hommes d'argent.

Dans cette ambiance, un événement financier qui, par
certain côté, rejoint la politique. Chirac écrit : « les possédants catholiques, expulsés de la majorité, ne pouvaient
plus combattre sur le terrain politique... Ils s'étaient réfugiés
dans les congrégations financières. » L'*Union générale* ([293]),
fondée par Bontoux, réunit « les mécontents du catholicisme, de l'armée, de la magistrature et des vieux possédants ». Elle fait appel aux milieux catholiques conservateurs
et monarchistes pour grouper les forces financières des
catholiques, et lutter contre les grandes forces du capital
associées aux israélites et aux protestants ». Son capital, d'un
montant de 25 millions, est souscrit par toutes les catégories de bourgeois, des nobles et des prêtres. *Le Temps* du
8 février 1882 écrit : « D'un côté, l'on trouve des noms historiques, des représentants des classes dirigeantes, toute une
aristocratie qui, fascinée par des espérances où des intérêts
pécuniaires, semblaient se confondre avec des visées politiques et religieuses, s'est lancée aveuglément dans une aventure financière plus compromettante pour elle que la tentative malheureuse du 16 mai ; de l'autre, on a vu des mar-

chands, ouvriers, employés, prêtres de campagne, vieilles
demoiselles, rentières, paysans, séduits et rassurés par ces
hauts exemples. » On retrouve les caractéristiques des établissements de dépôts. Toute la hiérarchie a souscrit, sans
compter le secrétaire du pape ; toutes les paroisses de Lyon,
des chanoines, des pères supérieurs, des pensionnats, des
maîtres de l'enseignement libre, des missionnaires, des
sœurs. Mais aussi des notables et des hobereaux royalistes,
des provinciaux, des officiers monarchistes, de hauts fonctionnaires et des magistrats légitimistes révoqués ; des
bourgeois, banquiers, notaires, négociants, industriels,
maîtres de forges, filateurs, médecins, avocats, fonctionnaires, ingénieurs, rentiers, veuves, paysans aisés, employés,
des ouvriers, des cultivateurs, des domestiques. *La Bourse
lyonnaise* écrivait, le 16 octobre 1881 : « Tout Lyon est à
l'*Union générale*, marchands de soie, fabricants d'étoffes,
industriels, commerçants, merciers, épiciers, charcutiers,
rentiers, concierges, cordonniers. » *Le Figaro*, en janvier
1882, montre les ouvriers vendant leurs métiers ; les canuts
devenant coulissiers ; des commerçants abandonnant leurs
affaires pour spéculer, des cochers se transformant en
courtiers marrons.

Ainsi l'*Union générale*, avec sa nombreuse et diverse
clientèle, offre bien les caractéristiques des établissements
financiers de la période. Si les dépôts sont fournis avant
tout par les classes aisées, les petits et moyens créanciers
ne manquent pas. Le crédit est bourgeois. Par rapport au
montant des créances, les petits créanciers représentaient
16,7 % ; les moyens, 51,3 % ; les gros, 32 %. *L'Union*
est soutenue par les agents de change et les banquiers privés.
En 1881, le nombre des petits spéculateurs se multiplient.
La poussée de spéculation atteint son paroxysme. En 1882,
les cours s'effondrent.Les capitaux manquaient, parce
qu'immobilisés au maximum. *L'Union générale* est ruinée.
On parle de « conspiration germano-judaïque ». Il n'est pas
douteux que quelques banquiers ont adopté une méthode
d'attente ou de restriction, au moment même où commerçants
et industriels multipliaient leurs appels au crédit. La question a un tour politique. En renversant Bontoux n'attei-

gnait-on pas le centre droit ? Car Bontoux et Gambetta
sont liés. Le centre gauche renverse ce dernier pour ruiner
ses projets financiers. Les économistes libéraux, Leroy-
Beaulieu, Neymarck, Léon Say accusaient Gambetta de
socialisme d'État. L'idée de rachat des chemins de fer inquiétait, comme la conversion du 5 %, les traités de commerce,
la perspective d'un nouvel emprunt. Gambetta est tombé
sur le scrutin de liste. Les intérêts qui se cachaient derrière
cette façade étaient ailleurs. En novembre 1881, Gambetta
avait parlé de faire cesser la dictature capitaliste sur les
chemins de fer, d'écarter « l'oligarchie de riches », d'imposer la suprématie de l'État aux grands intérêts. Il y a désaccord entre le ministère et la grande bourgeoisie d'affaires
et la finance centre gauche qui craignent la conversion,
l'impôt proportionnel sur le revenu, le déficit. Hostiles
aux nouveautés financières et partisans de la restriction des
appels au crédit, elles se méfient des « nouvelles couches »,
peu orthodoxes en matière financière. Si elles parlent de
liberté, c'est de la liberté du capitalisme, pour diriger la
politique financière selon ses vues. Elles voulaient renverser
Gambetta. Les preuves matérielles font défaut, dit M. Bouvier. C'est vraisemblable. On a noté la hâte du parquet à
faire déclarer la faillite et le désir du nouveau gouvernement,
sinon « d'assassiner », tout au moins de se débarrasser rapidement de Bontoux et de l'*Union*. La conjoncture justifie
le krach. Peut-on négliger — en de si nombreuses circonstances — les imbrications tortueuses de la politique et de
la finance, aussi bien sur le plan intérieur qu'en politique
étrangère ? Car 1882, c'est, à n'en pas douter, la spéculation
effrénée. La poussée anticléricale de Jules Ferry — dont
le frère était d'ailleurs directeur de banque — ne se combine-
t-elle avec les inquiétudes de la haute banque et des grandes
compagnies menacées par les projets de conversion de
rentes et le rachat des chemins de fer amorcé par Gambetta ?
Le krach a été un des éléments du marché. Si le gouvernement n'a pas tenté de sauver l'*Union* avec son grand nombre
de petits déposants ruinés, alors que la pratique va se réaliser pour le *Comptoir d'escompte*, n'est-ce pas parce que
Rothschild souhaitait sa ruine et que, politiquement par-

lant, à une époque d'anticléricalisme, on se désintéressait d'une clientèle en majorité catholique ? Grévy ne déclare-t-il pas que le gouvernement ne pouvait intervenir dans les désastres particuliers ? Il s'agit de savoir lequel. En tout cas, les circonstances ne manquent pas de jeter un voile trouble sur un événement financier qui ruina un nombre important de petits bourgeois. Peut-être avaient-ils eu le tort de nager à contre-courant, à une époque où l'anticléricalisme faisait florès. En tout cas, la chute de Gambetta permet le triomphe de la classe bourgeoise vivant de gros revenus et de solides dividendes. Léon Say, qui est en relations étroites avec Rothschild, ne fait rien pour aider l'aventureuse et « bien pensante maison » [294]. Le refus de secours et ses conséquences dramatiques expliquent-ils le succès proche du boulangisme et la poussée vigoureuse d'un mouvement antisémite ? Autant de points d'interrogation.

Jules Ferry poursuit la politique de Gambetta. Les radicaux qui demandent la révision illimitée l'attaquent sans succès. La loi constitutionnelle, votée le 14 août 1884, décide : en cas de dissolution de la Chambre, les nouvelles élections auront lieu dans les deux mois. Les membres des familles ayant régné sur la France sont inéligibles à la présidence. Le mode d'élection des sénateurs ne sera plus inscrit dans la constitution. Le 9 décembre, une nouvelle loi prévoit la suppression des sénateurs inamovibles. Résultat : lors du renouvellement du tiers sortant, en janvier 1885, 67 républicains sur 87 sont élus, au détriment des monarchistes.

Ferry met l'accent sur la laïcisation. Le divorce est rétabli (27 juillet 1884) ; la laïcisation du personnel enseignant, poursuivie ; une caisse des écoles, constituée. Il est hostile à la séparation de l'Église et de l'État. Sans porter un coup à la séparation des pouvoirs, en décidant l'élection des magistrats, la loi du 30 août 1884 supprime des centaines de sièges. Le gouvernement obtient, pour trois mois, le droit de mettre à la retraite d'office les magistrats assis, ouvrant la voie à l'épuration. L'armée et la marine ne sont pas touchées. Les radicaux protestent en vain contre les conventions conclues par le gouvernement avec les compagnies

de chemins de fer. Aux mains de la haute banque protestante et juive, elles constituent une aristocratie de l'argent.
Pour éviter le rachat, la haute bourgeoisie est prête à collaborer largement à la construction des lignes prévues par
Freycinet ; la presse, richement dotée, la soutient. Elle
trouve appui auprès des deux anciens ministres de Gambetta,
Raynal et M. Rouvier, grâce au baron de Reinach. L'État
renonce au rachat. Les compagnies construisent à leurs
frais 8 360 km de voies ferrées nouvelles, l'État garantissant les emprunts souscrits et les dividendes. Constatation
notable ! Les financiers n'agiront plus de front, comme un
Casimir-Perier ou un Léon Say ; mais, par personne interposée, parlementaires, journalistes, contribuant à ruiner
l'idéal de netteté des premiers temps de la république, pour
aboutir à l'affaire Wilson et à Panama.

A la veille du mouvement boulangiste, la république a
déjà acquis certains contours fondamentaux et permanents.
Elle est libérale et individualiste. Son régime est parlementaire. Démocratie politique, elle est basée sur la souveraineté du peuple et le suffrage universel. Tous les citoyens
sont égaux devant la loi. Défenseur de la liberté individuelle
et de toutes les libertés publiques, le régime républicain,
depuis le 16 mai, est devenu celui des petites gens, de la
petite et moyenne bourgeoisie. Les notables sont dépassés.

La république est laïque. Elle s'inspire du gallicanisme,
de la Raison et de l'Être suprême. Elle n'admet qu'une religion, la laïcité, de plus en plus agressive depuis 1848-50,
exaltation de la liberté de conscience. La république transforme la constitution monarchique de 1875 en une institution républicaine, qui se confond avec le régime parlementaire ([295]).

La poussée radicale s'accentue aux élections municipales de mai 1884. Elle inquiète les modérés qui font des
concessions sur l'étiquette, en pratiquant la discipline républicaine, et même se parent du terme de « radical ». C'est
du confusionisme politique. Les radicaux s'entendent mal
avec les socialistes, qui repoussent tout ce qui est bourgeois.
Les amnistiés de la Commune vont de l'anarchisme au
socialisme humanitaire et au marxisme. Il y a la Fédération

des travailleurs socialistes de France, avec Guesde, de tendance collectiviste ; le Comité central révolutionnaire avec
Vaillant, blanquiste ; les possibilistes de Brousse, qui triomphe au congrès de Saint-Étienne (1882), tandis que Guesde,
en minorité, fonde le Parti ouvrier français. Anarchistes et
socialistes déploient des efforts parallèles. La bourgeoisie
au pouvoir ne fait rien pour tenter de résoudre la question
sociale. Gambetta disparu, la pratique des mesquineries
de personnes s'implante ; les grandes questions dégénèrent
et s'affaiblissent derrière l'opposition stérile de la droite
et les rivalités des petits groupes d'esprit petit bourgeois,
que rapprochera, à chaque occasion, l'anticléricalisme,
cheval de bataille et tarte à la crème d'un régime s'égarant
dans de petites querelles, pour laisser de côté les problèmes
essentiels qui se posent à un grand pays, en particulier la
question sociale. Le catholicisme social qui prend pied avec
de Mun, la Tour du Pin, ne saurait trouver audience dans
les milieux gouvernementaux anticléricaux. Les jeunes
bourgeois vont à l'œuvre des cercles ouvriers. La jeunesse
intellectuelle se sépare, par l'esprit et la conception de la
vie, de la majorité républicaine des deux assemblées.

La France des années 80 marque le règne de la bourgeoisie libérale qui était le but des positivistes au pouvoir. La
constitution leur convient. Ils veulent créer un enseignement
fondé sur la raison. Ils s'opposent à l'accession des couches
nouvelles et répugnent à un système fiscal démocratique qui
entamerait leurs fortunes. Le refus des opportunistes d'aller
plus avant dans le progrès démocratique irrite le sentiment
républicain. Ce qui les affaiblit doublement, c'est le fait
de défendre les intérêts et de soutenir une politique anticléricale. L'opportunisme va à l'encontre des sentiments
républicains et religieux et craint la guerre qui nuit aux
affaires. Or, l'opinion des villes est revancharde ; les campagnes, hostiles à la politique coloniale. Mainteneurs
des intérêts matériels, les opportunistes se heurtent, en
1881, à la dépression mondiale, à la crise économique qu'elle
déclenche, à la chute de la valeur de la terre et à une crise
boursière consécutive au krach de l'*Union générale*, qui a
atteint les rentiers, les cultivateurs, les prêtres, les petits

possédants, tandis que le commerce de détail est touché
par l'expansion des grands magasins. Là-dessus, se gref-
fent deux éléments, l'un que définit Gabriel Hanotaux,
l'*invidia democratica*, l'autre, la succession des ministères
faibles et rapidement discrédités qui marque la tendance
de la III⁰ République à l'instabilité gouvernementale. Les
élections de 1885 voient le succès des conservateurs, qui
sont des royalistes, les conservateurs authentiques étant les
opportunistes. Les radicaux sont considérés comme des
jacobins et des théoriciens, moins préoccupés de social que
de politique, inquiétant à la fois le paysan et le bourgeois.
A vrai dire, en 1885, le pays légal n'exprimait pas la pensée
profonde de l'opinion publique réelle.

V. UN NOUVEL INTERMÈDE : LE BOULANGISME (²⁹⁶)

Survient un temps pour rien, le boulangisme, qui manque
mener la république à l'abîme et dont le trait essentiel est
d'avoir évolué d'un camp à l'autre, dans la contradiction
politique.

Dans ce climat d'indécision et sans doute de son fait,
le régime oscille sur ses bases. Il est mal soutenu, se sent
menacé et esquive mal la bourrasque qui l'assaille. Le général
Boulanger demande « une assemblée constituante qui donnera au peuple, dans la république, la large part qu'il doit
occuper, qu'on lui a toujours promise et dont on l'éloigne
systématiquement ». Floquet, président du conseil, partisan
de la révision, la fait ajourner par la Chambre « jusqu'à ce
qu'elle ne soit plus un piège tendu par les monarchistes, ou
le manteau troué de la dictature ». Le parti radical avortait
devant « le péril césarien ». Le paradoxe politique triomphe.
Tirard est renversé par la droite et 132 républicains qui
avaient déclaré l'urgence de la révision ; la nouvelle majorité renverse Floquet et l'ajourne *sine die*!

Le général Boulanger, ministre de la guerre dans le cabinet Freycinet, originellement est poussé par les radicaux
que domine Clemenceau, pour républicaniser l'armée.
Hostile à tous les conservateurs sociaux, partisan d'un service militaire obligatoire pour tous, ce général jacobin « fait

peur à Bismarck ». Il tombe avec le cabinet. Les radicaux
demandent son maintien, tandis que les opportunistes se
rapprochent des monarchistes, suivant un mouvement oscillatoire qui les fait pencher tantôt à droite, tantôt à gauche,
pour sauvegarder leurs intérêts. L'opinion, hostile aux chambres qui représentent le gouvernement, se tourne vers
Boulanger. Mais ce dernier se brouille avec Clemenceau.
Le scandale des décorations éclate. Boulanger regarde vers
la droite. Sa popularité se confond avec l'antiparlementa-
risme. Beaucoup de citoyens — qu'il s'agisse de Barrès ou du
radical Laisant — sont dégoûtés de bavards qui ne font
aucune réforme fondamentale. Boulanger devient le héros
populaire tant souhaité. C'est « le général nettoyage ». Écarté
de l'armée par le pouvoir, il se présente à toutes les élections
partielles avec son programme républicain : dissolution, révision, constituante, soutenu à la fois par la droite et des dissidents radicaux. En 1889, les conservateurs et les ouvriers
républicains et socialistes pour la plupart votent pour lui.
Triomphateur du jour, il ne se décide pas à marcher sur
l'Élysée, laissant fuir l'occasion. Il la perd tout à fait, pour
avoir parlé de rompre « avec l'héritage jacobin de la république actuelle », dans un discours prononcé à Tours, le 16
mars 1889, qui le rendit suspect aux petits bourgeois anticléricaux et aux ouvriers. Depuis janvier, le Parlement tra-
vaillait contre lui, en votant le scrutin d'arrondissement qui
mettait l'élu sous la coupe des influences locales et en interdisant les candidatures multiples. La collusion de Boulanger
avec les conservateurs achève de ruiner sa cause.

Le boulangisme n'avait pas d'assises doctrinales. Ballotté
au milieu de philosophies jacobine, blanquiste, bonapartiste, royaliste, dont aucune ne le retenait et dont il était
impuissant à tirer la synthèse, Boulanger ne pouvait gagner
qu'en prenant l'offensive et en renversant à son profit toute
discipline et toute autorité. Il ne le fit pas. Brave au feu,
médiocre dans l'action politique, ce soldat ne sut pas se
dégager de la gangue militaire qui l'étouffait. Rassembleur
d'hommes il n'agit pas. Le boulangisme met en lumière
la tradition autoritaire, persistante en France, à toutes les
époques, qui explique que les partis autoritaires, bonapar-

tistes, radicaux d'extrême-gauche, royalistes orléanistes
se soient ralliés à Boulanger. Les opportunistes, les possibilistes, la gauche radicale lui ont été hostiles.

Au sortir du boulangisme, le parlementarisme n'est pas
populaire. Mais, avec le scrutin d'arrondissement, le député
devient le commissionnaire de ses électeurs. Les radicaux
abandonnent le culte de la revanche que les royalistes recueillent. Ce qui aboutit au nationalisme barrésien. Le Sénat
est accepté. Les républicains se rassemblent autour de la
constitution de 1875 et conservent « cette monarchie parlementaire dépourvue de monarque ». Les socialistes recueillent la doctrine de la démocratie politique, y ajoutent la
démocratie sociale et regroupent les ouvriers déçus.

Le boulangisme entraîne un glissement d'un parti à
à l'autre. Les royalistes votent pour les successeurs des opportunistes ; les petits bourgeois et les petits agriculteurs, pour
les radicaux ; les ouvriers, pour les socialistes. Paris se divise :
le centre est nationaliste ; la périphérie, socialiste. Boulanger
consolide plus la république que ne le firent Gambetta et
Ferry, comme le scrutin d'arrondissement devait donner
sa force au parti radical et, dans chaque circonscription,
à des comités locaux agissants. Il sera aidé dans sa manœuvre
par sa position marginale, entre l'extrême-gauche socialiste
et, à droite, les modérés et les conservateurs.

1889 marque le triomphe de la république des républicains. Aux élections de septembre-octobre, ils obtiennent
366 sièges contre 210 à l'opposition. Les opportunistes —
les triomphateurs — deviennent des républicains de gouvernement. Freycinet prend le pouvoir pour la quatrième
fois. Il rassure les défenseurs de la laïcité et les soutiens des
intérêts économiques. Les protectionnistes n'avaient jamais renoncé à jeter le libre échange par dessus bord. La
bourgeoisie industrielle, représentée plus spécialement
par les industriels du nord, de l'est et de Normandie,
intervient pour empêcher le renouvellement de plusieurs
traités de commerce. Le système douanier de 1881, qui repose sur le régime des tarifs conventionnels, est vivement
critiqué. La tendance de plusieurs États au protectionnisme
entraînait une rupture d'équilibre à notre détriment.

Tirant profit du traité de Francfort (art. 11), l'Allemagne
avait le régime de la nation la plus favorisée. Une coalition
des intérêts protectionnistes se forge. Les agriculteurs se
rapprochent des industriels, grâce au député Méline et à
la Société des agriculteurs qui groupe les gros propriétaires.
Les droits sur les produits métallurgiques, les fils de coton,
la laine cardée sont augmentés en 1881 ; sur les sucres de
betterave d'origine étrangère et sur le blé importé, en 1885
et en 1887. En 1890, le gouvernement marque son intention
de dénoncer tous les traités de commerce qui lient la France
jusqu'au 1er février 1892. Cette attitude de libération aboutit à la loi du 11 janvier 1892, qui transforme de fond en
comble le système douanier et impose une protection renforcée. Le système comporte un tarif général applicable
aux États qui n'ont pas signé de conventions avec la France ;
un tarif minimum pour les autres. Le tarif est prohibitif
pour les importations : environ 80 %. Le tarif minimum
reste très élevé : une vingtaine d'États en bénéficient. Le
marché intérieur est réservé aux produits nationaux, les
importations ne portant que sur les matières premières.
Le nouveau régime profite aux industriels et aux gros
propriétaires fonciers. Il contribue à la hausse des prix.
La France traverse une ère de nationalisme économique,
comme l'Allemagne (1879), la Russie (1882), l'Autriche,
l'Italie (1887), les États-Unis (1890), placés sous la présidence de McKinley, « l'ange gardien des industries du
pays », fils et petits-fils d'industriels du fer.

En 1889, le régime républicain paraît bien établi. L'Exposition universelle, la Galerie des machines et la Tour Eiffel
donnent au pays une auréole brillante et un prestige incom-
parable. Pourtant, si nous pénétrons plus avant dans la
réalité française, nous constatons que, dès 1887, Jules Ferry
dénonçait l'anarchie parlementaire menaçante : « Le vrai
danger est en nous-mêmes,... dans l'impuissance à former
un parti de gouvernement ou l'empressement à le détruire
quand il est formé, dans l'esprit de division, de discorde, un
esprit brouillon qui méconnaît les conditions essentielles
de tout gouvernement dans un grand et vieux pays comme
le nôtre... L'amnésie gouvernementale, sous la république,

ne profiterait à aucune des fractions du parti républicain ;
elle les compromettrait toutes en bloc. » Il en arrive, en
1891, à dénoncer « la cohue parlementaire » et « l'incompétence des assemblées ». Il ne veut pas plus d'un projet
d'enseignement réduit à rien par le parlement, que de la
tutelle d'un congrès d'instituteurs sur le ministère de
l'instruction publique. Il faut lire ses *Lettres* : « Le sens gouvernemental est-il à jamais retranché de notre parti, ou est-ce
le courage qui manque ? Tout ce qu'il y a d'esprit de révolte,
d'orgueil envieux, de prétentions à gouverner l'État dans la
minorité brouillonne et tapageuse d'une corporation honnête et modeste, éclate dans le tumulte et, ce qui est plus
grave, apparaît dans les résolutions. De la pédagogie, l'on
n'a cure ; on ne dit qu'un mot pour la forme... Si Spuller
laisse se constituer cette coalition de fonctionnaires, outrage
vivant aux lois de l'État, à l'autorité centrale, au pouvoir
républicain, il n'y a plus de ministère de l'instruction publique, il n'y a plus d'inspecteurs, il n'y a plus de préfets ;
il reste une formidable association, recevant de Paris son
mot d'ordre et préparant, pour le compte du radicalisme
parisien, les élections de 1889... Le mal n'est pas dans les
congrès ; il est dans la faiblesse du gouvernement. » Et encore : « La démocratie n'est en elle-même qu'une forme de
gouvernement astreinte aux mêmes devoirs, à tenir et à
remplir les mêmes fonctions que tous les autres gouvernements. Aux yeux d'un trop grand nombre de nos radicaux,
tout ce qui donne au régime démocratique figure de gouvernement est à rejeter comme suspect de monarchie et la
république leur apparaît comme le minimum d'action
gouvernementale... Entre un pays qui veut qu'on le gouverne
et un parti qui semble n'avoir d'autre goût, ni d'autres
règles que de désarmer le pouvoir, le malentendu est profond ; il peut devenir désastreux. »

Waldeck-Rousseau parlait dans le même sens [297] : « Nous
avons pour le pouvoir exécutif une sorte d'aversion originelle,
lançait-il à Clemenceau ; nous traînons après nous comme
un legs de servitude, tout un cortège de préjugés et de pré-
ventions contre lui... Nous avons pendant si longtemps
vécu dans l'opposition qu'il semble que nous ne nous soyons

pas aperçu de ce fait, qui a sa valeur pourtant, que, en 1791, le pouvoir exécutif s'appelait Louis XVI et qu'il s'appelle aujourd'hui le président de la république... Et quant à cette autre question de savoir si une démocratie comme la nôtre, progressive, puissante, expansive, doit être représentée par un pouvoir débile, suspect, sans cesse menacé, que le pays nous juge. »

Ferry et Waldeck-Rousseau étaient hostiles à la confusion de l'exécutif et du législatif au profit du Parlement. Pour Waldeck-Rousseau, la liberté « est la force légale mise au service des jugements d'un peuple libre ». D'ailleurs, il pensait que l'État n'avait pas de compétence économique ; elle était du domaine de l'initiative privée. Tel était bien l'avis de Casimir-Perier. Quand il démissionne de président de la république, il constate qu'il n'y a pas parallélisme entre sa responsabilité morale et ses pouvoirs. Même les républicains peu enclins au régime présidentiel souhaitaient un gouvernement parlementaire fort ([298]). Mais les idées du gouvernement présidentiel ne se développent pas. L'on en revient à celles émises par Jules Ferry, en 1865 : « Si nous rêvons pour notre patrie à des destinées plus hautes, souscrivons tous à cette formule : la France a besoin d'un gouvernement faible. » Nous étions alors sous le Second Empire. C'était le temps des « libertés nécessaires » proclamées par Thiers et Ferry n'avait pas encore fait l'expérience du pouvoir ! En 1913, à l'idée de renforcer les pouvoirs du président de la république, Gaston Doumergue, qui devait passer outre à ses propres paroles vingt ans plus tard, peut écrire : « En exaltant le rôle du président de la république, c'est le parlement qu'on veut amoindrir, c'est le régime parlementaire qu'on cherche à battre en brèche, c'est le pays qu'on essaie de dépouiller insensiblement de sa souveraineté. » La réforme s'imposera de plus en plus, jusqu'en 1940 ([299]).

L'instabilité ministérielle va devenir chronique, l'esprit d'initiative, baisser par rapport aux autres États, la dénatalité, devenir inquiétante, un idéal commun, manquer, les Français, se diviser en matière religieuse et se désintéresser de façon déplorable des questions sociales et des solutions nécessaires.

Chapitre II

Le radicalisme
et la démocratie chrétienne

I. LE RADICALISME A UNE VISION POLITIQUE
DE LA VIE NATIONALE

Avec l'avènement du parti radical, à la fin du XIXe siècle, nous sommes loin de l'époque des sociétés secrètes et des grands banquets démocratiques présidés par Ledru-Rollin, ce riche bourgeois qui inaugura la prise de possession du ministère de l'intérieur par les radicaux. La caractéristique essentielle du radical est le creux de la pensée, une sorte de ronronnement, dans lequel sont malaxés les grands mots du jacobinisme révolutionnaire, du « bourgeoisisme » et de « la déclamation démocratique » (³⁰⁰). Il a d'ailleurs évolué dans ses buts. Daniel Halévy en marque le rythme : avant 1889, révision, abolition du président, assemblée unique, communes autonomes, fonctionnaires pécuniairement responsables, juges élus. 1889 marque le début d'un nouvel âge : la course aux places. Le radicalisme abandonne Paris pour la province, où les comités peuvent s'épanouir à l'aise. Les nouveaux notables trônent, sans envergure. Les petits intérêts se satisfont, grâce à une bénéfique utilisation de l'État, le tout teinté fortement de maçonnerie, qui forge les espérances de la classe moyenne, paix, bonheur matériel, progrès, et soutenu par la Ligue de l'enseignement.

Après 1889, le mouvement réformiste piétine. Le courant n'est pas au politique, mais à l'économique et au social. L'esprit d'offensive — faible en principe — est encore obscurci par les forces de conservation. « Nous ne renonçons à aucune réforme, lance Lockroy, le 17 novembre 1889 ; mais nous ne les demandons pas toutes à la fois. » L'appel et le recul ! Les radicaux se heurtent à la grande bourgeoisie modérée, qui se refuse à toute concession. Le centre cherche un point d'entente. Ne pourrait-on pas rallier les républicains sur quelques questions qui ne divisent pas trop ? Lesquelles ? La révision constitutionnelle ? Le radical Leydet propose la création d'un groupe « réformiste ». Le radical Léon Bourgeois préconise les réformes qui peuvent rallier une majorité et formule « une politique républicaine d'union et de progrès ». Des mots sonores. La république est fondée. Mais les Français ergotent sur ses fondements. Floquet repousse toute politique d'abnégation. Goblet dénonce l'impuissance d'une manière républicaine. Les hommes politiques se gargarisent de « formules ambiguës ». Or, les problèmes réels sont là : la crise sociale, exaltée par la fusillade de Fourmies (1er mai 1890), qui émeut la classe ouvrière et une partie des bourgeois. Mais il y a un cheval de bataille que monte allègrement le petit bourgeois radical. Admirable persistance à écraser l'infâme. Le radical réclame bruyamment la laïcisation de l'État et la séparation de l'Église et de l'État pour la défense supérieure de l'autorité civile, précisément au moment où le pape Léon XIII soutient le ralliement des catholiques à la république. Il condamne le renouvellement du privilège de la Banque de France qui livrerait le crédit de la France « à une poignée de financiers ».

La république se débat dans la nuit et la confusion. Elle perd de sa grandeur avec le scandale de Panama. La nationalisation de la Banque de France et des chemins de fer échoue (16 février 1893). Si l'alliance radicalo-socialiste ne se fait pas, quelques projets de réforme retrouvent vie provisoirement : la révision de la constitution, la réduction de la journée de travail à huit heures, le vote d'une loi sur les associations, prélude à la séparation de l'Église et de l'État, la création d'un impôt direct sur le revenu et sur le capital. Le propos n'est pas nouveau. C'est un des éléments essentiels dans la fondation de la démocratie sociale. Dès le 11 décembre 1876, la question était posée. A la Chambre,

M. Rouvier avait proposé un impôt de superposition sur le revenu qu'il empruntait à l'Angleterre. La grande bourgeoisie veille. Léon Say, alors ministre des finances ([301]), combat l'impôt sur le capital. Fidèle aux principes du libéralisme, il voit en lui un impôt sur les frais généraux qui pèserait « bien plus lourdement sur les petits industriels que sur les gros, car chez le grand industriel, les frais généraux se répartissent sur un chiffre d'affaires bien plus considérable ». Et sur l'income-tax : c'est « une machine très puissante pour extraire de l'argent. C'est un expédient... C'est un outil dont on ne se sert pas quand on en a d'autres à son service ». Léon Say revient sur l'impôt sur le revenu, le 22 février 1887, à propos de la discussion du budget général de 1887. Le ministre des finances, Dauphin, estimant injuste la base du système financier, avait demandé de nouvelles ressources à l'impôt direct. Léon Say reconnaît que certains impôts de consommation sont trop lourds pour les pauvres. Mais tous les impôts indirects « ne produisent pas sur la condition économique des masses le même effet que les impôts de consommation ». Comme la commission des finances, il rejette l'impôt sur le revenu et l'article 51 du projet du gouvernement qui le préconisait. « L'impôt général sur le revenu qui frappe les personnes est un impôt qu'on n'a jamais pu établir que par les moyens les plus arbitraires. Tant au point de vue financier qu'au point de vue politique, il faut l'écarter résolument. » Il y revient un moment plus tard. « Mais qu'il s'agisse d'un impôt sur le revenu, avec ou sans superposition, c'est là un impôt très mauvais, très difficile, sinon impossible, au point de vue politique comme au point de vue financier, à introduire dans notre pays. » Il s'élève contre les recherches inquisitoriales. Pour réagir en 1791 contre les abus et les procédés du XVIIIe siècle, il avait été décidé que « s'il y avait deux sortes de revenus auxquelles on devait s'adresser, le revenu foncier et le revenu mobilier, on ne devait s'y adresser qu'à raison de leurs manifestations extérieures ». Dans la querelle qui oppose les partisans de l'impôt sur le revenu et les partisans des impôts fondés sur les signes extérieurs, Léon Say est de ces derniers. Il s'élève contre les investigations et l'obligation de fournir des déclarations. La fraude compenserait ce qu'il peut y avoir d'incomplet dans le système des présomptions. En 1791, la présomption cessait d'être applicable au fonctionnaire dont on connaissait le traitement. « Par ces exceptions, on a dénaturé le principe de la première tentative d'impôt assis sur les signes extérieurs du revenu mobilier. » Le législateur de 1791 ne superposait pas l'impôt sur les revenus mobiliers à l'impôt sur le revenu foncier. Ce dernier était déduit de la cote obtenue par le calcul du revenu présumé. « Or voyez ce qui arriverait si l'on établissait un impôt sur le revenu présumé, s'ajoutant aux impôts qui existent chez nous sur diverses sources de produit. On a calculé, je suppose, le revenu présumé d'un propriétaire qui vit uniquement du produit de ses fermages. Il continuera à payer l'impôt foncier sur ses terres et puis, en outre, il paiera sur son revenu. » C'est ce qui est arrivé ; le contribuable du xxe siècle a fini par payer l'impôt sur ses impôts, l'État se refusant à en déduire le montant du revenu du citoyen. La question se pose de savoir si c'est là une application des vrais principes de la démocratie moderne.

Léon Say s'élevait contre un impôt de quotité, antidémocratique. La répartition est une protection pour les petits contribuables. « C'est par la fixation du contingent qu'on a pu corriger ce qu'il y avait d'inexact dans le coefficient de proportionnalité. » Revenant en arrière dans l'histoire de la monarchie de juillet, il posait la question de savoir pourquoi le recensement avait bouleversé les populations. «Parce que, répondait-il, les populations se sont imaginé qu'elles allaient subir la quotité au lieu de la répartition et que le nombre des contribuables serait augmenté en même temps que le montant de leur cote personnelle. En effet, toutes les fois qu'on voudra inscrire sur les rôles de nouveaux contribuables, on frappera les faibles et les petits, ce qui est absolument contraire aux principes démocratiques que l'on prétend défendre.» La réalité était bien différente en 1840. En fait, de nombreux contribuables avaient échappé à l'impôt et rien ne dit que ce fût précisément les plus pauvres. Il s'agissait de citoyens qui avaient eu l'habileté et le temps de se préparer à cette fraude. De plus, comme le montant des cotes personnelles ne fut pas augmenté, la répartition de l'impôt sur un plus grand nombre de têtes contribua à diminuer la part de chacun.

Un effort est fait pour grouper un centre gauche radicalisant (Ch. Dupuy) et les ralliés contre le parti radical-socialiste, annoncé par Pelletan, dans *la Justice* du 17 mars 1892, et dont le programme se présente ainsi : pas d'alliance avec les ralliés, révision constitutionnelle, impôt sur le capital et sur le revenu, justice gratuite, loi sur les associations. La campagne électorale, en août 1893, est dominée par la bataille livrée par Clemenceau à Draguignan et à Salernes : aux jeunes modérés, espoir de la bourgeoisie bien pensante, qui ne songent qu'à « rassurer le monde des affaires », il oppose à Salernes « les masses profondes des campagnes aussi bien que des villes, accrues par la culture, par une organisation puissante... Si l'on prépare les solutions progressives, il est temps de commencer [302]. » La discipline républicaine ne joue pas et Clemenceau est battu.

La Chambre de 1893 est républicaine. La droite est réduite à néant. Les 120 radicaux sont des politiques. Ils exercent des professions libérales pour 75% d'entre eux contre 57,5 en 1889. Ils repoussent les avances des modérés ; ils ne veulent ni de la féodalité financière, ni de la féodalité industrielle. Mais il semble que le vieux radicalisme parlementaire, qui cherche la main des socialistes, soit trop débile en face de « la portion la plus influente de la bourgeoisie » et de « la portion la plus militante du peuple ». Les radicaux politiques « veulent le gouvernement de tous par tous et pour tous, exclusivement républicain, essentiellement démocratique, absolument opposé à toute violence et à toute violation des lois, résolument opposé à tout abaissement de la dignité humaine, à tout asservissement de la personne humaine », suivant les propos tenus par Léon Bourgeois à Châlons-sur-Marne, le 22 novembre 1893.

Mais la bourgeoisie d'affaires est au gouvernement avec Casimir-Perier, qui remplace Dupuy, mais qui est renversé par les radicaux soutenus par des républicains de gouvernement peu favorables à l'appui persistant des ralliés. Une fois de plus, un programme de réformes est dressé — pour rien. Les jeunes s'impatientent et créent le *Comité central d'action républicaine*, extra-parlementaire, qui se propose la propagande et la formation de comités locaux. Les radicaux restent divisés, même après la relance de l'*Association pour la réforme républicaine*. Pourtant une fusion est décidée pour devenir le *Comité d'action pour les réformes républicaines*. Les radicaux intransigeants forment le groupe radical-socialiste (1895) ; les autres radicaux, la gauche progressiste.

Le cabinet Léon Bourgeois est radical et, en majorité, libre penseur. Huit ministres sont maçons. Dans sa déclaration, Bourgeois annonce un effort « limité » : pas de douzièmes provisoires, impôt progressif sur les successions, impôt général sur le revenu, retraite des travailleurs, loi sur la liberté d'association, défense de l'agriculture. Les modérés s'alarment pour sa politique sociale. Ils l'attaquent : *la Franche-Comté* lui trouve « un cachet d'invraisemblable bouffonnerie » ; *la Dépêche*, de Lille, le juge « une chose hybride, une maison mal construite, à la merci du premier coup de vent et dont l'aspect ridicule... déconcerte les plus malicieux ». Ils voient dans le radicalisme une surenchère électorale et l'accusent d'être « prisonnier du parti révolutionnaire ». L'annonce du dépôt d'un projet de loi d'impôt sur le revenu personnel et progressif suscite leurs alarmes contre l'inquisition dans les fortunes, celles du Sénat, sauf la gauche démocratique, qui, accusé par les députés de porter « atteinte au libre jeu des institutions », affirme son droit de contrôle. A la Chambre, l'opposition se développe contre le gouvernement radical. La majorité de la commission du budget est hostile à l'impôt sur le revenu, qu'elle juge comme « quelque chose d'antifrançais, de contraire aux mœurs et au génie de la nation ». Les modérés s'inquiètent du collectivisme, dont ils croient voir poindre le spectre. Léon Say dénonce dans la progressivité de l'impôt « l'instrument le plus puissant de destruction... Dans une politique de bataille comme celle que prétend inaugurer le chef des radicaux-socialistes, le progressif fera merveille, comme on a dit jadis des fusils Chassepot. C'est dans la politique de la main fermée, du coup de poing qu'on charge les agents du fisc d'asséner sur le crâne des contribuables ([303]). »

La lutte est ouverte entre l'emprise croissante de l'État et la politique du laisser faire. Les libéraux de la fin du XIXe siè-cle s'élevaient contre le « socialisme bourgeois » ou d'État, qui « considère l'État comme devant être la providence des malheureux, la providence des faibles et même dans bien des cas, de ceux dont les affaires sont dérangées… L'État est pour le socialiste d'État un être personnel, un grand seigneur, le plus grand des seigneurs, un riche colossal, ayant la plus grosse fortune du monde à dépenser… Au fond, ce qui dis-tingue le socialiste d'État du libéral, c'est qu'il recule aussi loin qu'il le peut la limite des attributions de l'État, tandis que le libéral cherche à le rapprocher… Le laisser faire, faire passer est pour lui le comble de l'abomination [304]. » L. Say définit l'État industriel, qui « n'est cependant encore qu'un patron, un grand patron si l'on veut, mais un patron payant un salaire à ses ouvriers et les assujettissant à la discipline patronale. Il est en conséquence incapable de progrès socialiste en rai-son de l'impossibilité où il se trouve de s'affranchir de l'orga-nisation bourgeoise, comme disent les socialistes, du patronat et du salariat… Cependant, c'est un commencement de natio-nalisation qui habitue les esprits à une nationalisation plus complète ». Il défend enfin la république modérée, libérale, bourgeoise, telle qu'il la conçoit [305]. « Je suis très sévère pour la bourgeoisie de 1830, qui a fait siennes une partie de ces idées surannées (d'ancien régime). Oui, c'était une bour-goisie qui a souvent sacrifié pour se défendre, et parfois contrairement à ses véritables intérêts, ce qui était juste. Elle a eu le tort de ne pas savoir se défendre et d'être ce qu'on a appelé jadis une « plaine » ; or je n'ai jamais aimé la « plaine ». Je voudrais que la bourgeoisie eût, aujourd'hui, assez de ressort pour se mettre résolument à l'œuvre, pour ne défen-dre que ce qui est juste, et pour écarter ce qui est faux. Oui, cette bourgeoisie qui se recrute dans ce qui n'est pas encore la bourgeoisie, cette bourgeoisie qui est l'ouvrier d'hier et qui souvent redevient l'ouvrier du lendemain, cette bourgeoi-sie qui est mobile, qui est là où est l'activité et l'énergie de la France, vous en aurez toujours besoin ; vous serez obligés, je ne dis pas de traiter avec elle, mais de la respecter, car elle vous sera utile comme à tout le reste de la France. » Le cabinet Bourgeois se retire, provoquant l'indignation des radicaux intransigeants, car il ouvre la voie aux modérés, avec Méline. Ils veulent se définir, sans vouloir rompre les ponts avec les socialistes, mais sans faire le jeu de la révolution sociale. Les radicaux modérés anticollectivistes s'inquiètent du discours de Saint-Mandé, le 30 mai 1896, dans lequel Millerand parle de « l'approbation sociale » et du désir de conquérir les « pouvoirs publics ». Cette position révolutionnaire va entraîner leur triomphe, tandis que M. Sembat écrit : « C'est fini, maintenant, l'éternel espoir de la bourgeoisie. » Les conservateurs ne s'en plaignent pas : la situation est nette. Les radicaux regardent vers les socialistes, quoique collectivistes et parce que, aussi, collectivistes parlementaires, comme l'écrit Clemenceau dans *la Justice* du 26 juin 1896. Cette allusion au collectivisme parlementaire fait songer, de façon irrépressible, au jugement de Georges Sorel, dans ses *Réflexions sur la violence* : « Aujourd'hui les socialistes parlementaires ne songent plus à l'insurrection ; s'ils en parlent encore parfois, c'est pour se donner un air d'importance ; ils enseignent que le bulletin de vote a remplacé le fusil... Le socialiste parlementaire parle autant de langages qu'il a d'espèces de clientèles. Il s'adresse aux ouvriers, aux petits patrons, aux paysans, en dépit d'Engels ; il s'occupe des fermiers ; tantôt il est patriote, tantôt il déclame contre l'armée. Aucune contradiction ne l'arrête ... »

Les réformes envisagées ne font qu'apparaître sur le fond de toile politique, pour disparaître peu après, le moment opportun étant passé. Révision, impôt sur le revenu, programme social, l'un trop technique, l'autre moins urgent, le troisième trop réservé, portant la division, le manque de netteté dans les positions prises. Un seul point de ralliement : la lutte contre le cléricalisme. Par ce biais, le parti radical, petit bourgeois, est le parti jacobin. Défenseur de l'État laïque, il est bien dans la tradition du siècle des lumières, où la lutte menée contre la compagnie de Jésus — simple symbole — est la manifestation spectaculaire du combat pour la laïcisation de l'État. Le jeu est double, en quelque sorte : les radicaux luttent contre les modérés, émanation des intérêts financiers et du cléricalisme et dénoncent

« l'Internationale noire », à la suite de Bernard, député du Doubs. L'action laïque est soutenue par les forces maçonniques et menée dans tout le pays par le Comité d'action pour les réformes républicaines. La propagande des loges, passées de l'opportunisme au radicalisme, tout en ralliant encore bien des modérés, fait corps avec celle des radicaux. Daniel Halévy a daté cette mutation : vers 1895. Délaissant l'opportunisme et jugeant le socialisme « trop peuple », elle se tourne vers la classe moyenne qui, rurale ou commerçante ou simplement citadine, met ses espoirs dans le progrès, l'égalité, le bonheur matériel, la paix [306]. La maçonnerie l'a marqué profondément sur le plan, culturel, personnel et politique. Certains radicaux ont pu soutenir qu'elle devait « être l'école normale de la république ». Pour d'autres, elle devait recruter « les cadres de l'armée républicaine ». L'une et l'autre se penchent sur les mêmes problèmes, celui de la représentation proportionnelle en particulier, sans qu'on puisse en déduire une tutelle totale de la maçonnerie sur le parti radical [307]. Il n'en reste pas moins que l'influence a été profonde, tant au point de vue de la doctrine que de l'orientation politique et de la puissance [308].

Aux élections de 1898, 290 sièges vont aux modérés contre 250 à la gauche. Le jeu radical reprend avec une proposition de réduction du service militaire à deux ans, un débat sur l'abrogation de la loi Falloux, une proposition de rétablissement du monopole universitaire. Mais la division règne dans le camp radical d'où les députés radicaux nationalistes et antisémites sont exclus. Certes les républicains se rapprochent sur un manifeste, marquant le désir d'union contre « les ennemis de la liberté, la réaction cléricale et la démagogie césarienne. » Mais le projet gouvernemental qui propose d'attribuer à la cour de cassation, toutes chambres réunies, les décisions relatives à une demande de révision de l'affaire Dreyfus, ne rallie que 200 radicaux faisant partie de la minorité. L'agitation créée par l'Affaire semble mettre en danger la situation de la République. Il s'agit de faire l'unité du parti socialiste pour la sauver. Les chefs des fractions socialistes s'en inquiètent, craignant de faire le jeu des socialistes marginaux, tels que Viviani, Jaurès ou Millerand.

Pourtant, le danger semblait grandir encore : la Ligue des patriotes revit. On parle de coup d'état, devant le rassemblement de troupes à Paris. Les socialistes forment un comité de vigilance devenu comité d'entente socialiste (octobre 1898). Ils sont prêts à soutenir la bourgeoisie pour la défense de la République. Millerand l'affirme. Il rallie à l'idée de révision des progressistes et des modérés. Or le gouvernement avait déposé un projet de loi dite de dessaisissement de la chambre criminelle au profit de la cour de cassation siégeant toutes chambres réunies. Les révisionnistes le condamnent ; le projet passe. Ils y voient un nouvel assaut contre la république. Millerand fait appel à tous les républicains : « Devant le péril commun, nous ne demandons à personne son nom de baptême, ni s'il est modéré, radical ou socialiste. Vous êtes républicains, cela suffit ; donnez-vous la main, camarades ; et en avant pour la République ([309]). » Mais la cour de cassation avait cassé l'arrêt condamnant Dreyfus, tandis que les révisionnistes triomphaient avec l'élection de Loubet à la présidence de la République, le 19 février 1899. L'élection fait l'union. Elle se défait sur les questions sociales. Avec le cabinet Waldeck-Rousseau, un gouvernement de combat, le parti radical s'organise ; il groupe les radicaux des pays industriels du nord, hostiles aux grands patrons et inquiets de l'agitation ouvrière, les paysans de l'ouest qui le sont aux châtelains et aux prêtres et les radicaux du sud. Sa position est complexe : partisan des libertés municipales, anticlérical par goût, il craint d'effrayer la bourgeoisie et d'être débordé sur sa gauche. Qui la caractérise ? La fidélité à la république, l'anticléricalisme, le sens de l'humain, la haine des « blancs ». Les radicaux sont des « bleus », plus ou moins jacobins, un grand nombre s'arrêtant à 1789.

En tout cas, les citoyens se comptent. Les professionnels conservateurs et les dirigeants de la grande industrie s'unissent dans le Comité national du commerce et de l'industrie. Institué en 1898, le Comité républicain du commerce et de l'industrie est présidé par Mascuraud et rallié à l'idée démocratique. Composé de radicaux appartenant au monde de la politique et des affaires, lié à la maçonnerie, il se propose de grouper les petites et les moyennes

entreprises et de les défendre devant les milieux gouvernementaux, de présenter ses vues sur les moyens d'accroître
la prospérité de l'industrie, du commerce et de l'agriculture
français. Il devait avoir une influence politique considérable ([310]). Les radicaux, petits et moyens bourgeois, se
retrouvent dans des « sociétés de pensée » ([311]) : Ligue de
l'enseignement, dont on hésite à affirmer qu'elle était un
moyen de pression maçonnique sur le parti radical ou un
instrument de propagande du parti ([312]) et la Ligue des droits
de l'homme, révisionniste au moment de l'affaire Dreyfus,
ayant pour but de « combattre l'illégalité, l'arbitraire et
l'intolérance », fortement imprégnée de radicalisme dès ses
débuts et se confondant avec la précédente dans son orientation et ses dirigeants ([313]). Le comité d'entente philosophique, d'inspiration maçonnique, pour la défaite des cléricaux et des césariens, deviendra, peu après, la Fédération
radicale-socialiste qui se propose d'être le centre des groupements locaux et départementaux et qui poursuivra une
œuvre d'unification des forces démocratiques du radicalisme contre les radicaux modérés attirés par les modérés
progressistes. En 1900, la Ligue d'action républicaine réunit les républicains de toutes nuances contre les nationalistes
et les factieux, jésuites, assomptionnistes et « autres congrégations milliardaires », dirigées de Rome.

II. L'OFFENSIVE ANTICLÉRICALE

Il s'agit d'assurer la suprématie du pouvoir civil et de la
démocratie. Un problème essentiel : le statut des congrégations.

L'article 291 du code pénal interdisait les associations
de plus de vingt personnes. L'heure n'est plus à la tolérance.
En novembre 1899, le gouvernement pousse son offensive.
Son projet reconnaît la liberté d'association, mais déclare
nuls les contrats d'association passés en vue d'un objet
illicite, contraire à l'ordre public ou aux bonnes mœurs.
Les associations, dont les membres vivaient en commun,
c'est-à-dire les congrégations religieuses, étaient illicites.
Par leurs vœux de célibat, de chasteté, de pauvreté, leurs

membres avaient renoncé à des droits. Pourtant, certaines congrégations pouvaient être autorisées par l'État. Dans l'esprit de Waldeck-Rousseau, il ne s'agit pas de rompre les liens de l'Église et de l'État, ni de supprimer toutes les congrégations, mais d'interdire les plus remuantes et de soumettre les autres à la tutelle de l'État. Au socialiste Zévaès qui propose la suppression de toutes les congrégations, il réplique : « 70 000 personnes, vieillards, infirmes, enfants, sont assistées par les congrégations autorisées ; un gouvernement prévoyant ne doit pas perdre de vue cette situation. » L'interdiction d'enseigner est décidée pour chaque membre, pris individuellement, d'une congrégation déjà dissoute. L'autorisation sera donnée par la voie législative. Juridiquement, comme l'a écrit Duguit, le texte faisait fi de l'égalité devant la loi, et faisait dépendre l'existence des congrégations d'un vote politique, non d'un décret pris en conseil d'État.

Dans ses *Souvenirs*, Robert David rappelle la définition que donnait de la république Lamartine dans le *Conseiller du peuple*, en 1849 : « Le seul moyen de fonder une république durable en France... c'est qu'elle appartienne à tout le monde et non à quelques-uns, à la nation et non à un parti ; c'est que cette république soit la grande communauté des droits, des intérêts et des opinions de tous ceux qui ont le pied sur le sol de la patrie... Si elle est un monopole, c'est-à-dire la propriété particulière de quelques-uns au préjudice de tous, cela s'appelle un privilège. Tout privilège pour se défendre a besoin de constituer autour de lui une tyrannie. La république, si vous en faites ce privilège d'opinion, serait donc une tyrannie de quelques-uns contre tous au lieu d'être la liberté. » Le gouvernement a d'ailleurs un double visage : Il y a deux Waldeck-Rousseau : à la Chambre, vitupérant les jésuites, « ces hommes qui ont traversé les siècles, contemplant avec le même dédain et le même mépris, les monarchies et les républiques, parce que les uns et les autres de ces gouvernements synthétisaient à leurs yeux l'État et qu'ils ont refusé de demander à une époque, quelle qu'elle soit, l'autorisation de vivre » ; au Sénat, reconnaissant aussi les services rendus par les congrégations. Il y aura aussi, le

Combes, terriblement hostile à l'Église et à Rome, ne voyant la morale que dans les loges, et le Combes, considérant l'idée religieuse, « comme une des forces morales les plus puissantes de l'humanité ». Et peut-être est-ce le vrai Combes, refoulé de l'Église, mais conservant au fond de lui-même le regret de n'avoir pas pu persister dans la voie qu'il avait suivie dans sa jeunesse. Il faut lire à ce propos les pages qu'il a consacrées dans ses *Mémoires* à ce « coin retiré » de ses idées, comme il disait : « J'ai été toute ma vie un spiritualiste fervent, qui a essayé sans succès de plier son intelligence à la dogmatique de l'Église catholique. Dès l'aurore de ma vie intellectuelle, j'ai sucé le spiritualisme à l'école de nos philosophes éclectiques... J'ai lu avec avidité extrême, autant vaut dire que j'ai dévoré les leçons de Cousin et de Jouffroy, en même temps que Michelet et Edgar Quinet m'initiaient à l'étude des lois morales qui régissent la marche de l'humanité et à la recherche des causes. C'est à Edgar Quinet que j'ai emprunté le rayon d'espérance qui voltige tristement en une courte inscription sur la plaque noire du caveau funèbre où je veux dormir mon dernier sommeil en compagnie des êtres que j'ai tant aimés. « Aimons-nous dans la mort comme dans la vie. Notre cœur nous dit qu'il n'y a pas de séparation éternelle. Nous nous quittons dans l'incertitude, nous nous retrouverons dans la vérité... » Que de fois... n'ai-je pas gémi sur le sort pitoyable de notre jeunesse, demeurée sans boussole, après la perte de sa foi première, pour l'orientation morale de sa vie ([314]). »

Le problème n'est pas simplement et strictement clérical. Il est celui des grosses fortunes, des grandes situations économiques, des organisations solides qui se retrouvent dans les Ligues (Patrie, patriotes, antisémite), les Comités (Action libérale populaire). Mais il faut nuancer : car il y a de grands bourgeois anticléricaux qui rejoignent dans les comités l'ouvrier, le petit bourgeois, et ces nouveaux notables, que sont le médecin de campagne, le juge de paix, l'instituteur, le petit propriétaire, le boutiquier, qui tirent influence du scrutin d'arrondissement.

Avril 1902. Les candidats ministériels triomphent aux élections législatives. Waldeck-Rousseau vient de remporter

une éclatante victoire. Il est malade. Il se retire.
Émile Combes lui succède. Il faut lire le portrait qu'en
fait D. Halévy ([315]) : « Homme de grand esprit, et croyant
à l'esprit, Waldeck mésestimait, comme il arrive souvent,
la valeur sociale et la force de la médiocrité. » Et la suite.
Il semble bien que le cabinet présidé par Combes ait eu
pour mission essentielle l'exécution des prescriptions de la
loi sur les associations. Président de la Gauche démocratique
au Sénat, Combes avait été président de la commission séna-
toriale chargée de rapporter la loi. Il entreprenait « une
réforme religieuse des plus délicates » qu'il était « décidé à
conduire jusqu'à ses conséquences extrêmes » ([316]). Il
applique la loi de 1901 à l'encontre de son esprit. Le gouvernement radical avait rédigé 54 projets concernant
54 congrégations d'hommes. C'était, en effet, une œuvre de
juridiction, d'après la loi. Chaque cas devait faire l'objet
d'un examen particulier et complet. C'était traduire fidèle-
ment la pensée de Waldeck-Rousseau. Mais c'était ralentir
l'heure de la décision législative. En 1901, certains députés
avaient, pour y parer, demandé que l'on procédât par décrets.
La Chambre avait tenu à statuer elle-même. En 1903, la
commission de la Chambre veut une solution rapide et
radicale. Il s'agissait de supprimer immédiatement le plus
grand nombre possible de congrégations. Le 14 janvier 1903,
elle fait connaître, qu'en accord avec le gouvernement,
elle avait décidé de rejeter toutes les demandes d'autorisation, sans avoir examiné les dossiers, de faire de tous les
dossiers un seul projet, dont chaque article concernerait
une demande d'autorisation et d'inviter la Chambre à
refuser toute discussion des articles, leur rédaction ayant
été faite dans une forme « approbative ». Combes accepte.

Au Sénat Waldeck-Rousseau proteste : « La loi de 1901
étant une loi de procédure, en même temps qu'une loi de
principe, ce serait la méconnaître que d'opposer à une
demande une sorte de question préalable... Le Parlement,
constitué juge de l'opportunité des autorisations, reste donc
en présence de questions de fait et, comme on dit au Palais,
« d'espèces ». Si on se place à ce point de vue, l'examen des
demandes soumises au Sénat permet d'apprécier l'utilité

des congrégations intéressées et c'est parce qu'elles sont
en état de réaliser le but éminemment utile qu'elles poursuivent que le Sénat n'hésitera sans doute pas à leur donner
l'autorisation. » Il lui était apparu, comme l'écrivait Réal
dans *la Petite Gironde*, que « les congrégations s'étaient
mises en règle avec la loi lorsqu'elles avaient demandé
l'autorisation. Celles qui refusaient de se soumettre à cette
obligation se mettaient elles-mêmes hors la loi. Le gouvernement n'avait qu'à prononcer leur dissolution et à leur
appliquer dans toute leur rigueur les pénalités encourues.
Nous étions débarrassés, aux applaudissements presque
unanimes de la nation, des jésuites, des assomptionnistes
et autres militants du cléricalisme, des « moines ligueurs
et des moines d'affaires ». Quant aux congrégations qui se
soumettaient en demandant l'autorisation, le gouvernement
étudierait minutieusement leurs dossiers par questions
« d'espèces »... Cette procédure... présentait des avantages
multiples. Elle n'encombrait pas le travail parlementaire
d'une question irritante et absorbante. Elle offrait toute
garantie aux légitimes exigences de l'esprit laïque. Elle
nous permettait enfin de prendre les mesures de précaution nécessaires pour combler les lacunes laissées dans
certains services d'instruction ou d'assistance par la dissolution des congrégations enseignantes ou hospitalières. Le
gouvernement actuel... s'est cru obligé d'appliquer dare-
dare, sans souffler, la loi, aux congrégations, à toutes les
congrégations. Il les a divisées en trois catégories : les
congrégations hospitalières, auxquelles il n'entend pas
toucher pour le moment ; les congrégations enseignantes
et les congrégations prédicantes qui, sauf quelques rares
exceptions, sont vouées à une exécution sommaire. La
commission de la Chambre va plus loin : elle propose de
rejeter en bloc, et par une sorte de question préalable,
toutes les demandes qui lui sont soumises... M. Clemenceau est plus franc et plus logique, lorsqu'il réclame l'interdiction pure et simple de toutes les congrégations sur le
territoire de la république ([317]). » Combes estimait que les
ordres religieux étaient inaptes « à donner un enseignement
compatible avec les idées modernes ». « Revendiquer net-

tement pour les congrégations le droit d'enseigner, écrit-il dans ses *Mémoires* ([318]), c'était aller à l'encontre du sentiment le plus vif du parti républicain, tellement effrayé des résultats produits par l'enseignement congréganiste depuis cinquante ans, qu'il paraissait disposé, s'il le fallait pour les arrêter, à aller jusqu'au monopole de l'enseignement. »

Au nom de quel principe les bourgeois formant le bloc républicain se dressent-ils contre la politique des religieux ? Barthou l'explique avec des arguments qui sont, les uns de conception de la vie, les autres, de ragot. D'un côté, ne pas voir des hommes se lier par des vœux perpétuels et abdiquer la personnalité humaine ; empêcher la constitution de biens de mainmorte ; ne pas laisser accomplir aux congrégations hospitalières « un devoir qui appartient à la démocratie ; ne pas reconnaître la liberté d'enseignement qui n'est pas un droit naturel, surtout à des religieux « qui dépendent d'un chef étranger » ; ne pas reconnaître le droit d'enseigner aux congrégations non autorisées ; c'est le heurt, comme le dit Barthou, « entre la doctrine laïque et la doctrine de l'enseignement religieux ». De l'autre, les miracles de Saint Antoine pour dénoncer le mélange de commerce et d'assistance charitable. En attendant, il était prêt à voter l'autorisation des congrégations hospitalières. Pour les enseignantes, il les rejetait toutes : « Il y aurait une duperie véritablement excessive à favoriser, par une autorisation complaisante, des établissements hostiles à la société moderne, à la liberté et à la république. » A quoi le progressiste Aynard répliquait : « De l'évolution politique dont M. Barthou nous a donné le brillant spectacle, je n'ai rien à dire. Elle est légitime, et je me rappelle simplement la parole du cardinal de Retz : il faut souvent changer d'opinion pour pouvoir toujours rester de son parti. » Reprenant l'argument de la gauche, Massé disait, le 16 mars 1903 : « Vous direz, par vote, si vous voulez que la France n'ait que le rôle effacé des nations où la congrégation a établi son empire, ou si, au contraire, vous voulez qu'elle continue à rayonner sur le monde et à répandre les idées de liberté, de justice sociale et de progrès. »

Plusieurs députés, Roch, Renault, Morlière demandent en vain l'application de la loi de 1901. « La minorité a des droits que l'on a toujours respectés... Il ne s'agit pas de l'intérêt que chacun de nous peut avoir pour telle ou telle congrégation ; il s'agit de respect de principes essentiels du régime parlementaire. » Combes vitupère l'enseignement congréganiste, « instrument de contre-révolution », qui creuse un fossé entre les classes populaires et la bourgeoisie. Ribot dénonce la sujétion de Combes à la partie la plus violente de la majorité et reproche au gouvernement de justifier, « dans le présent et dans le passé, toutes les confiscations du droit de toutes les tyrannies ».

Par 300 voix contre 257, la Chambre décide de ne pas discuter les articles concernant les congrégations enseignantes. D'un côté, les socialistes, radicaux-socialistes et radicaux, et la majeure partie de l'Union démocratique ; de l'autre, les progressistes, les ralliés, la droite, les nationalistes et quelques dissidents du « bloc » (18 mars 1903). Jaurès applaudit, dans *la Petite république*, un « ministère qui offrait le plus de garanties à la majorité républicaine ». Au Sénat, Waldeck-Rousseau, dans un très beau discours, montre l'impatience du gouvernement et de la majorité à vouloir tout détruire, tout reprendre, tout compliquer. Retenons cette phrase dont la philosophie politique mérite réflexion : La loi de 1901 « a produit des résultats et tout le monde le reconnaîtrait si nous avions la notion du temps et si nous perdions l'habitude de croire, nous, les incrédules, que, par la vertu d'un texte législatif, on transforme ou on supprime soudain tout un passé, tout un présent, toute une époque, la vitesse et la force acquise, et jusqu'aux états d'esprit les plus anciens et les plus invétérés ». Les voix du Sénat se répartirent ainsi : 147 voix pour l'interdiction de toutes les congrégations autorisées ou non (gauche démocratique, union républicaine, un radical indépendant, quatre ministres) ; 136 contre (union républicaine, gauche républicaine et centre gauche, droite) (20 novembre 1903) La loi d'ensemble est votée par 197 voix contre 44.

Résultats ? Plus de 3 000 écoles primaires libres tenues par des congréganistes qui bénéficient d'une reconnaissance ancienne, sont fermées. Toutes les demandes d'autorisation présentées par les congrégations sont rejetées : les prédicantes sont aussitôt fermées ; les enseignantes obtiennent un délai jusqu'à la fin de l'année. Les établissements scolaires se ferment pour se rouvrir clandestinement, soit que le personnel se laïcise ou se sécularise, soit que l'établissement se camoufle sous la forme juridique d'une société immobilière. La question congréganiste se complique d'un problème d'enseignement et de monopole d'enseignement, qui impose au gouvernement un programme très large de constructions scolaires. Waldeck-Rousseau analyse très justement les difficultés auxquelles il se heurte, quand il déclare à la tribune du Sénat, le 27 juin 1903 : « Les difficultés incontestables auxquelles on se heurte aujourd'hui tiennent à cette circonstance unique que l'on a voulu obtenir de la loi de 1901 des résultats pour lesquels elle n'était pas préparée, que l'on a voulu notamment, d'une façon indirecte, trouver dans une loi sur le contrat d'associations la solution de quelques-uns des plus redoutables problèmes qui sont du domaine exclusif de l'enseignement, et qu'une loi d'association n'avait pas à trancher. » En condamnant la transformation d'une loi de contrôle en une loi d'exclusion, Waldeck-Rousseau est bien dans la tradition légaliste et bourgeoise française depuis le xviiie siècle, quand il dit encore, exposant le but de sa loi : « restaurer dans leur plénitude les prérogatives nécessaires de l'État et fonder une société civile assez forte, pour qu'elle pût se montrer respectueuse de tous les droits de la conscience ».

Du débat passionné soulevé par l'application de la loi de 1901, deux ordres de choses se détachent. Le siècle s'était écoulé sans que les gouvernements successifs se soient décidés à prendre une mesure définitive à l'égard des congrégations religieuses non autorisées. Ils ont tergiversé, fermé les yeux. De la grande politique : celle de l'autruche. L'alliance du trône et de l'autel pesait lourdement sur l'Église, qui passait pour soutenir la contre-révolution, d'autant plus que le gros des forces cléricales était fait de monarchistes ou de républicains fraîchement ralliés. Dans cette poussée républicaine vers l'avènement de la démo-

cratie, la lutte anticléricale apparaissait, comme le disait
de Pressensé, député socialiste du Rhône et protestant,
comme un élément essentiel de l'achèvement de la révolution sociale. C'était bien la pensée profonde de Combes :
« la charité n'est que le paravent de la propagande cléricale...
Il faut mettre définitivement un frein à l'esprit de réaction ».
Hostile à l'enseignement congréganiste, il veut retirer le
droit d'enseigner à toutes les congrégations, réservant la
question de l'enseignement au clergé séculier jusqu'au
jour où le Parlement aurait statué sur la séparation. Le pays,
dans son ensemble, va à gauche, dans l'indécision : dix-sept
conseils généraux votent la confiance au gouvernement ;
dix-sept protestent contre l'enlèvement des emblèmes
religieux des prétoires ; les villes — à l'exception de Paris
où les ministériels remportent des succès aux municipales —
font en partie défection. Plusieurs des membres de la majorité s'en détachent, déclarant comme Millerand, que la
guerre aux congrégations ne peut être le but unique du
gouvernement républicain.

Les membres du bloc républicain ; alliance démocratique,
groupe radical, groupe radical-socialiste, socialistes français, formaient la Délégation des gauches : elle domine
l'assemblée. Mais la Délégation s'effrite sous l'effet de
l'esprit combiste et devant l'attitude des ministres de la
Marine et de la Guerre, Pelletan et le général André, qui
mettent en péril la discipline, sous le prétexte de démocratiser la marine et l'armée. Car Pelletan reçoit les ouvriers
des ports de guerre, mais ferme sa porte aux amiraux. André
inaugure un système de délation et de fiches occultes pour
mieux surveiller les officiers cléricaux ou soupçonnés de
l'être [319]. Millerand accuse : « Vous avez ressuscité, en
le rapetissant à votre taille, le régime des suspects. » Combes
ayant imaginé dans les communes le système des délégués
pour avoir des renseignements politiques, Millerand le
fustige : « Jamais un ministre de l'Empire, sous le sommeil
léthargique de nos libertés, n'aurait osé s'abaisser à ces
pratiques abjectes. » L'Alliance démocratique abandonne
la coalition combiste devant le scandale des fiches, influen-
cée sans doute par le refus du ministre de la Marine Pelle-

tan de confier aux entreprises privées les fournitures de
la marine. Sa presse, soutenue par les gros capitalistes, suit
et passe à droite.

Le séjour du président de la république à Rome, négligeant de rendre visite au pape, la protestation du nonce
apostolique contre ce manque de courtoisie — le concordat
était toujours en vigueur —, le rappel de l'ambassadeur de
France auprès du Saint-Siège, l'affaire des évêques de Laval
et de Dijon, devaient entraîner le départ du nonce, pour
aboutir à sa conclusion logique, la séparation. Les *Mémoires*
de Combes montrent de façon éclatante la procédure que
ce « théologien égaré dans la politique » employa, une sorte
de conspiration savamment montée et qui, soixante ans
étant passés, ne laisse pas d'évoquer étonnamment les
complots sournois que Combes reprochait aux « milices »
du pape. Mais Briand, rapporteur de la loi de séparation,
disait que, dans une démocratie où tout se fait au suffrage
universel, un culte officiel n'est pas dans la logique. Il
faut libérer l'État et accorder à l'Église la pleine liberté
de s'organiser, de se développer selon ses propres moyens,
dans le respect des lois et de l'ordre public. Les Églises
catholique, protestante, israélite sont libres. La loi du 9 décembre 1905 supprime le budget des cultes et la nomination des évêques par le gouvernement.

III. A LA RECHERCHE D'UNE ÉDUCATION DÉMOCRATIQUE

Une démocratie ne peut être réellement fondée si elle
ne repose sur une éducation nationale. Ferry — un bourgeois — avait posé les bases d'un enseignement primaire
obligatoire, laïque et gratuit. L'enseignement secondaire,
fondé sur une conception bourgeoise, ne laisse que peu fil-
trer d'éléments d'une origine sociale paysanne ou ouvrière.
Or, une république démocratique ne se conçoit pas sans une
large ouverture sur les jeunes éléments, issus de la paysannerie et du prolétariat, particulièrement aptes à acquérir les
connaissances nécessaires à l'exercice des professions libérales et du pouvoir politique.

Les intellectuels bourgeois se sont intéressés à la solution de problèmes qui, seule, pouvait assurer le succès durable et la stabilité du régime républicain. Doit-on conserver l'Université napoléonienne traditionnelle ? Quel doit être le rôle de l'État ? Ne faut-il pas réformer les programmes et, reprenant la pensée des hommes de la Révolution, songer avant tout à préparer l'enfant à son rôle de citoyen ? Ne faut-il pas donner à l'instruction publique une contexture vraiment nationale, en l'ouvrant le plus largement possible sur toutes les classes sociales ?

Les contemporains admettent difficilement qu'un fils de paysan ou d'ouvrier soit assis sur le même banc qu'un fils de bourgeois et que ce dernier ne se destine pas à une carrière libérale ; un père de famille, que son fils soit inapte à suivre la voie suivie par des générations et se tourne vers une profession manuelle et technique.

Ceci posé, tout n'est que tiraillement. Taine condamne l'université ([320]). Antiétatique et antinapoléonien, affirmant que les idées du XVIIIe siècle et les institutions qui en découlaient n'avaient aucun succès, il vitupère un régime antinaturel et antisocial, l'internat, le personnel enseignant qui ne songe qu'à l'avancement, la rigidité du système, entreprise d'État et « prolongement local d'une œuvre centrale », le baccalauréat qui oblige le candidat à se soumettre à une culture forcée et dont les programmes ne sont pas adaptés « aux facultés natives de la majorité humaine ». En philosophie, les élèves ingurgitent une pâtée métaphysique, aussi lourde que la scolastique du XIVe siècle, horriblement indigeste et malsaine pour ces estomacs novices ».

Beaucoup souhaiteraient un programme unique et ininterrompu, avec un enseignement élémentaire égal pour tous, de six à treize ans, prenant fin sur le certificat d'études primaires, exigé pour entrer dans le second degré où se retrouverait la même unité de programme. A partir de la seconde, une double ouverture : un enseignement classique préparant aux professions libérales ; un enseignement professionnel, aux métiers. Les deux dernières années seraient couronnées par deux enseignements fondamentaux, la philosophie et la littérature française qui pourraient être assortis d'enseignements spéciaux : langue ancienne ou vivante, économie politique et sociale, mathématiques spéciales, et, pour les futurs médecins, vétérinaires, pharmaciens, l'ensemble des sciences naturelles. Tous les deux ans, les élèves passeraient un certificat d'études primaires, indispensables pour monter d'une division à une autre. Le baccalauréat s'ouvrirait sur trois options, lettres, sciences physiques et mathématiques, sciences naturelles. Rendu plus difficile, il permettrait de supprimer la plupart des concours d'entrée aux grandes écoles, à l'exception de Normale supérieure et de Polytechnique. L'option déciderait de l'avenir.

D'autres demandent que l'enseignement spécial soit fondu dans l'enseignement secondaire classique, avec équivalence des examens et des droits : recrutement uniforme, identité des grades pour les maîtres. L'enseignement technique manque d'assises pour ne pas savoir à quel ministère se rallier suivant son origine ; ils le souhaitent cohérent et d'État, avec trois sections, industrielle, commerciale, agricole. L'État servirait de trait d'union entre tous les intérêts, à la fois guide, tuteur et bailleur de fonds. C'est bien ce qu'avançait, en 1883, l'inspecteur général Jacquemart, quand il disait : « Relever l'apprentissage en France par tous les moyens possibles, et parmi ces moyens, je place au premier rang un enseignement technique, théorique et pratique, intelligemment appliqué aux divers besoins. » La structure des établissements scolaires devait être transformée : il serait bon de les aérer et de leur substituer des cités scolaires formées d'installations communes, de pavillons groupant une dizaine de pensionnaires autour d'un professeur vivant en famille, des habitations de l'administration, en un mot, former des « Étons démocratiques », où l'enseignement serait gratuit.

Il est vrai que la république issue de la défaite est bourgeoise et que le bourgeois voit les problèmes sous un angle partisan et personnel, sans donner aux grands mots de la révolution qu'il arbore, l'application rationnelle qui s'impose. Les réformes réalisées entre 1876 et 1888 sont insuffisantes. Les enfants ont le cerveau vide. Raoul Frary, dans *la Question du latin*, écrit, en 1886 : « Je comprends toutes

les cultures, excepté celle du bois mort! » Les maîtres
rabâchent ; les programmes sont surchargés. Pas de cohésion, ni de passerelle entre les trois enseignements. Une aristocratie et une plèbe. Le premier degré ne conduit pas au
second. Deux enseignements primaires coexistent, celui
des lycées et celui des écoles communales ; celui des riches
et celui des pauvres ; celui qui se paie et celui qui ne se
paie pas. L'université est un corps fermé. Ses conseils sont
imperméables aux influences extérieures. Il serait nécessaire de les ouvrir aux pères de famille, aux représentants
des arts, de l'industrie, du commerce, de l'armée, du clergé,
étrangers aux préjugés universitaires, d'affranchir l'instituteur de la politique, de l'enlever au préfet, de lui réserver un
avancement régulier.

Convaincus de la nécessité d'un État éducateur, les partisans de l'université souhaitent des réformes profondes,
centrées sur la transformation sociale qui se poursuit et
sur l'avenir. L'État a pour tâche d'inculquer aux enfants des
connaissances désintéressées, de leur inspirer des sentiments qui leur soient communs, afin de leur former une même
âme. Il faut aller au delà de l'éducation particulariste et utilitaire de la famille et de l'enseignement libre, qui tend à
laisser subsister les vieux préjugés de castes et de classes,
perpétuant deux groupes de Français qui ne se comprennent
pas.

Faut-il rendre l'enseignement secondaire pratique, utilitaire, s'interroge-t-on ? Il semble que les auteurs n'arrivent
pas à se défaire de la hantise de l'enseignement secondaire.
Tous s'interrogent sur le malaise qui le frappe, y apportant
des solutions variées. L'enseignement utilitaire présuppose
une volonté d'agir, un goût inné de l'aventure. La culture
libérale a pour vocation une unité nouvelle de sentiments et
d'idées pour compenser la poussée irrépressible du déra-
cinement qui est la marque de l'époque. L'enseignement
secondaire public a pour rôle de développer la volonté. Son
affaiblissement ne tient pas tant aux programmes d'études
qu'à des habitudes, à des traditions, à une centralisation
rigide, qui a donné aux Français le goût du travail régulier,
de l'épargne, de l'ambition modeste, de la sécurité.

L'enseignement libéral n'exerce-t-il pas une action plus forte par les réflexions d'ordre moral et social qu'il inspire, grâce à la littérature ancienne, par le sentiment de la nature que la littérature éveille ? L'instruction, avant tout éducative, doit donner une culture morale, être généreuse et désintéressée, tendre à corriger les manifestations de l'utilitarisme, le danger du formalisme, le mécanisme sans vie de la grammaire des langues anciennes qui risque d'étouffer la signification et la beauté des textes antiques. Il s'agit de distinguer les enseignements professionnels et spéciaux de la culture désintéressée, des principes abstraits de devoir, caractéristique de l'enseignement secondaire ([321]).

En démocratie, tout est fonction de la volonté générale qui a pour but la satisfaction des intérêts généraux, communs à tous les citoyens. Mais les principes démocratiques sont faussés par l'anarchie et l'apathie. Pour y parer, une élite intellectuelle est nécessaire ; c'est le rôle des classes moyennes, en contact avec le peuple et l'élite sociale. Ayant reçu une excellente culture, elles peuvent exercer une influence morale, sans que pour autant elles soient nanties de pouvoirs politiques. Or, les classes moyennes se forment dans l'enseignement secondaire. La démocratie, soutenue par elles, ne pourra prospérer que si le secondaire est bien organisé. C'est dire le rôle social, provisoire d'ailleurs, en attendant que, la société moderne formée, la démocratie puisse s'en passer.

Malheureusement, les classes moyennes, travaillées par l'égoïsme, ont perdu la notion de l'idéal démocratique. En dehors de l'école primaire, elles n'ont jamais été à l'avant-garde des problèmes sociaux. Marquées par l'avilissement résultant des luttes de partis, se désintéressant de la chose publique, dominées par l'intérêt particulier, elles sont indifférentes à la vie sociale. L'homme de la profession efface le citoyen. La chose publique reste aux mains de quelques politiciens professionnels, qui brouillent la vie nationale.

Pour lutter contre l'indifférence et remplir le même devoir social, les membres des classes moyennes devraient recevoir le même enseignement. Or l'enseignement classique et l'enseignement moderne sont opposés l'un à l'autre, le

premier fondé sur la raison et la résistance à l'égoïsme et
aux intérêts matériels ; le second, sur les intérêts pratiques
et matériels, tous les deux sans homogénéité. L'enseignement secondaire doit être un, s'adresser à l'entendement,
être social, libéral. Ses connaissances doivent avoir, une
valeur morale et un rôle éducatif. Il doit susciter l'énergie,
stimuler la volonté, imposer au savoir une hiérarchie et
offrir une doctrine de vie. Éloigné du droit divin, il ne
s'agit pas davantage de dispenser une philosophie d'État, ni
d'imposer des opinions établies. Son rôle est d'armer l'élève
contre l'erreur ; de créer chez lui l'habitude de décomposer
les questions, de lui donner des connaissances morales et
une culture générale qui en fera un citoyen libre. Bref,
donner un enseignement approfondi qui offre une règle de
conduite par la morale, enseigne les lettres par la discipline
qu'elles imposent à l'esprit, développe la science des sociétés — instruction civique, science politique, économie
politique — et l'histoire qui doit éveiller le sentiment de la
complexité des institutions et l'idée de la formation de la
conscience moderne, promeut les sciences et les langues
anciennes plus proches de notre tempérament national, plus
humaines et plus générales que les modernes, supérieures
enfin comme gymnastique intellectuelle.

La crise est une question de doctrine. A la philosophie de
la liberté s'oppose celle de la nécessité et de l'utilité. Précisément à propos de ce caractère utilitaire, un savant républicain conteste à l'enseignement secondaire, — au nom
de l'idéal démocratique et par esprit d'opposition à tout
ce qui est scolastique — son régime actuel ([322]). A un enseignement un, il oppose une formule bipartite. L'État français,
dit Berthelot, par la majorité de l'opinion, est tenu d'assurer
« un caractère national, moderne et républicain » à l'enseignement secondaire public. Incontestablement, les élèves
n'ont pas pour seul mobile la recherche d'une culture intellectuelle. Ils poursuivent un but pratique et professionnel.
La préparation à l'ensemble des professions libérales et aux
grandes écoles explique la surcharge des programmes,
aggravée par les prétentions des spécialistes. « Les mobiles
les plus élevés de l'intelligence » sont négligés au profit d'un

encyclopédisme déplorable. Les candidats aux concours perdent toute individualité pour ne faire jouer que le mécanisme de la préparation. Sans doute, la culture classique a longtemps constitué une partie de la force morale des peuples. Tôt dans le temps, au nom de la théorie du progrès et de l'évolution indéfinie de l'esprit humain, des protestations se sont élevées contre l'esprit de la Renaissance. Il ne s'agissait, en fait, que d'un glissement. La culture littéraire restait le fondement essentiel de la civilisation, mais une culture française et moderne.

Dans cette querelle des anciens et des modernes, que devenait la culture scientifique ? Quel sort était fait à la destination professionnelle du secondaire ? Dès avant 1789, certains réagissaient contre un enseignement trop uniforme. Condorcet ne souhaitait-il pas un enseignement général et un enseignement spécial qui ne ferait pas jouer de rôle essentiel aux littératures anciennes et aux lettres françaises ? Dans la première moitié du XIXe siècle, des institutions privées ne donnent-elles pas un enseignement de français, de langues vivantes, d'histoire, de mathématiques ? La « bifurcation » de Fortoul est éphémère. En manière de réaction, Victor Duruy offre aux usagers l'enseignement spécial qui donne à l'élève une préparation scientifique et littéraire forte, tournée vers la pratique, avant l'apprentissage des affaires. Mais un parallélisme de plus en plus net s'établit entre les enseignements classique et spécial. Et de proposer un double enseignement : sans exclusive. L'enseignement scientifique, essentiellement, serait complété par un enseignement littéraire sans langues anciennes ; l'enseignement littéraire, essentiellement, par un enseignement scientifique subordonné.

Les penseurs de la pédagogie, liant plus étroitement encore le politique et le social, ne voit le problème de l'école qu'en fonction de la démocratie et de son implantation. Dans ce contexte, ils écartent l'enseignement congréganiste qui se conforme à un dogme. L'enseignement public doit avoir la doctrine démocratique pour toile de fond. Dans un État démocratique, la direction de l'éducation doit appartenir à l'État, dont la fin essentielle est la formation du citoyen ; le but, le salut commun de la cité, dans le respect des libertés individuelles. La doctrine pédagogique de la démocratie doit avoir pour souci « l'accord des intelligences », « l'harmonie des volontés ».

L'école de Le Play voyait dans la famille le prototype de l'État. Aux « prétendus droits des parents » et à leur tutelle « autoritaire », Duprat ([323]) oppose « les droits réels de l'enfant », issus des obligations sociales que l'enfant, devenu citoyen, aura à assumer, et la tutelle de la société, représentée par le gouvernement. L'enseignement libre ou confessionnel est « une protestation contre la volonté générale en matière d'éducation ». Il n'est tolérable que dans la mesure où il n'est pas pernicieux à l'éducation sociale et constitue un complément à l'action éducative publique, sous condition du contrôle de l'État. Il n'en reconnaît la valeur que dans les cours professionnels et les universités populaires, où il supplée à l'action de l'État. Dans une véritable démocratie, l'État doit avoir la direction, le contrôle, l'organisation de l'œuvre de formation intellectuelle. On ne saurait admettre une école libre, là où il y a une école publique.

La formation des maîtres est à repenser, comme l'esprit qui préside à l'agrégation, qui ne laisse paraître qu'une « monomanie érudite », « parodie de la vraie science », aboutissant à « une uniforme médiocrité chez les élèves ». Les maîtres doivent être des missionnaires, dont l'esprit ne serait pas desséché par les concours ; mais ruissellerait de fraîcheur d'âme, de conviction profonde ; des apôtres, animés par l'enthousiasme du découvreur ; en un mot, des hommes ayant une valeur morale et le sens de la réalité sociale, capables d'un « effort modéré, mais continu ».

La question n'est pas de savoir si la formation de l'esprit est une fin en soi ou un moyen pour exercer une activité industrielle ou commerciale. La fin de l'éducation, c'est la vie de l'esprit. Sans doute, il faut préparer l'enfant au travail manuel, à la fonction industrielle ou commerciale, à l'activité technique ; lui donner un enseignement scientifique, technologique, de langues vivantes, sans que, pour autant, cette éducation soit purement technique. L'éducation sociale doit se superposer à la science utile.

La conception moderne est aussi condamnable que la conception classique. L'une ne voit qu'une tradition « surannée »; l'autre, qu'une préoccupation « grossière ». L'instruction doit offrir des avantages à la vie matérielle et sociale et à celle de l'esprit. L'enfant s'éveillerait à la vie intellectuelle avec un enseignement primaire, un pour tous, qui le conduirait jusqu'à 14-15 ans et qui comporterait d'abord la leçon de choses, l'observation simple et empirique, puis la raison des phénomènes, les mathématiques, les sciences physiques, chimiques et biologiques. Vers l'âge de 14 ans, l'enfant aborderait les sciences sociales, les institutions présentes, rattachées au passé par l'histoire, l'histoire des idées, la psychologie. Parvenu à ce palier, l'enfant verrait deux voies s'ouvrir devant lui : pour le futur ouvrier, l'école professionnelle avec un ou deux ans de théorie suivi d'un apprentissage pratique ; pour les professions libérales, un cycle de deux ou trois années, avec français, langues anciennes et modernes, sciences. Cet enseignement secondaire préparerait exclusivement à l'enseignement supérieur. Une éducation morale formulerait quelques vérités évidentes, dégagerait la générosité, l'amour du vrai, la sympathie, éveillerait la conscience sociale, ferait sa part aux exercices physiques qui développent la volonté, le courage et l'adresse, la soumission à des règles communes, le goût de l'action sociale ; car « une jeunesse qui ne joue pas est une jeunesse qui s'ennuie et qui est prête à verser dans la mélancolie ou la débauche ».

Comme on le voit, tous les penseurs réformateurs mettent en avant la formation morale de l'enfant. A l'école, antichambre de la vie civique, il commence à faire l'apprentissage de la liberté, respectant les droits des autres, acquérant le sentiment de la justice et de l'équité, apprenant à être bon et sensible, cultivant les arts et les sports. Ces réformes permettraient de former une bourgeoisie démocratique, réunion de citoyens venus d'en haut et d'en bas. Si la classe moyenne veut survivre aux dangers dont la menace pèse sur l'évolution sociale, elle devra se réformer et s'éduquer. Pour diriger dans la voie du progrès et du mieux-être l'armée de la démocratie, privée des barrières que lui opposait naguère la foi religieuse et politique, des chefs sont nécessaires, ne tenant leur autorité que du mérite et de la valeur professionnelle. Il appartient à un enseignement secondaire refondu et élargi de les préparer à cette tâche.

IV. LA CONTRE-OFFENSIVE
DÉMOCRATIQUE CHRÉTIENNE ([324])

Dans une conjoncture que, seul, l'anticléricalisme éclaire d'une lueur d'ailleurs douteuse, un mouvement démocrate chrétien est amorcé, depuis les années 1890. L'industriel Harmel substitue au régime du patronage celui de l'association. Ouvriers et ouvrières, choisis par leurs camarades, discutent avec les patrons de toutes les questions professionnelles. Des cercles chrétiens d'études sociales s'ouvrent. Les animateurs ? Des bourgeois : H. Lorin, ancien élève de Polytechnique ; P. Lapeyre, ancien secrétaire de Louis Veuillot ; G. Goyau, ancien élève de l'École Normale, ancien membre de l'École française de Rome ; des prêtres, l'abbé Lemire, député d'Hazebrouck en 1893. Les démocrates chrétiens considèrent la démocratie comme conforme à l'Évangile. Ils se proposent une réforme totale de la société sous ses divers aspects, privé, professionnel, international. Leurs buts essentiels : abroger la loi sur le divorce, lutter contre l'immoralité, réglementer le travail des enfants à l'usine, supprimer les écoles sans Dieu et les taudis, créer des syndicats, élever les travailleurs à la coparticipation à la propriété de l'entreprise, faire abandonner par l'État sa politique anticléricale. Ils veulent former un parti, ni politique, ni strictement confessionnel, mais social, faisant appel à tous les honnêtes gens et groupant le plus grand nombre de travailleurs, comme d'autres avaient réussi à le faire en Allemagne, en Suisse, en Belgique, en Italie. Parti de Reims, le mouvement s'étend à la région du Nord, à Paris, aux Ardennes, au Centre, à Nantes, à Lyon, à Montpellier. De nombreux ecclésiastiques, nettement progressistes, sont décidés à soutenir les revendications légitimes du peuple. Ils se heurtent à une partie de l'épiscopat qui s'émeut. Les démocrates chrétiens sont dénoncés comme révolutionnaires et socialistes. Pourtant, en 1901, le pape Léon XIII définit la démocratie chrétienne comme une bienfaisante action chrétienne en faveur du peuple, un effort pour rendre possible à l'ouvrier la vertu et la religion. Il conjure les prêtres d'aller au peuple.

Parallèlement, vers la même époque, Marc Sangnier, élève du collège Stanislas, fonde le *Sillon* ([325]). Fils de grand bourgeois, il désire prendre contact avec la classe ouvrière, éduquer et christianiser la démocratie, faire prendre au peuple des villes et des campagnes conscience de ses responsabilités civiques. Il veut constituer une élite, recrutée parmi les plus fortes personnalités des professions libérales et manuelles, et capable d'inspirer à la masse le sens du devoir. Acceptant la discipline de l'Église, Sangnier et ses amis proclament volontiers leur esprit républicain. Partout, ils ouvrent des cercles d'études sociales, des salles de travail où se recrutent étudiants, ouvriers et employés, des instituts populaires, dans un but d'éducation démocratique. Convaincus que le régime capitaliste et le prolétariat disparaîtront, ils fondent l'Office social du *Sillon* pour favoriser la connaissance des questions sociales et encourager le développement des coopératives de consommation.

Sous l'influence de Marc Sangnier — un fascinateur d'âmes, a-t-on dit de lui — des groupes se forment en province, dans les universités, les casernes, le monde ouvrier. Cinq ans plus tard, le *Sillon* était condamné (25 août 1910). Le pape Pie X estimait que ces jeunes gens « n'étaient pas assez armés de science historique, de saine philosophie et de saine théologie ». Il leur reprochait de vouloir sortir des cadres imposés par l'Église et placer l'autorité publique dans le peuple. Il condamnait, somme toute, leur modernisme social. Il les accusait de vouloir inféoder le catholicisme à une forme de gouvernement, la démocratie, et de faire un plus grand Sillon, accueillant à tous les ouvriers de toutes les religions et de toutes les sectes.

Marc Sangnier s'incline devant la révolte du clerc contre l'intrusion des laïques. Il songe à créer un nouveau parti. Il fonde tout d'abord une ligue politique et économique, *la Jeune république*, pour une action sociale et une république qui n'ait pas rompu avec les traditions démocratique, pratique et idéaliste.

Le mouvement démocratique chrétien de Sangnier se dresse en face du radicalisme petit bourgeois. Cette tradition catholique se retrouvera, plus tard, chez les démocrates populaires, catholiques, acquis au progrès social, antiréactionnaires et partisans de la paix internationale, hostiles au laïcisme républicain, parce qu'il tend à donner à l'État une doctrine irréligieuse et antichrétienne.

Un autre aspect du mouvement minoritaire démocrate et chrétien s'exprime dans la tendance à l'action, dont des philosophes contemporains comme Maurice Blondel ([326]), ont dressé la théorie qu'Agathon (A. de Tarde et H. Massis) a signalé dans une enquête, qui est le signe même de la jeunesse bourgeoise ([327]). Cette jeunesse, dont les observateurs ont étudié surtout les manifestations parisiennes, est optimiste, offensive, décidée. Divisée certes ; d'inspiration positiviste dans la mesure où elle est socialiste, mais aussi mystique, bergsonienne par l'élan vital qui l'anime, religieuse, reflétant ainsi l'effort accompli par l'autorité diocésaine pour la regrouper dans les cercles d'études où se retrouvent mêlés étudiants, ouvriers, paysans ; maurassienne et antibergsonienne, parce que monarchiste avec les camelots du roi. Jeunes gens pour une bonne part nationalistes ou patriotes, que la guerre n'effraie pas. Elle « est surtout à leurs yeux l'occasion des plus nobles vertus humaines, de celles qui mettent le plus haut l'énergie, la maîtrise de soi, le sacrifice à une cause qui nous dépasse ». Peut-être, dans la mesure où elle était religieuse, la jeunesse bourgeoise pensait-elle, avec Albert de Mun, que la guerre est un châtiment qu'un peuple fait subir à un autre pour le punir d'avoir offensé Dieu. Pour rétablir l'équilibre moral du monde, il faut des saignées périodiques. La France est tombée bas. Seule, une guerre glorieuse lui permettra de se relever devant Dieu. Cette jeunesse, par certains côtés, rejoint de Maistre.

V. LE RADICALISME PETIT BOURGEOIS TRIOMPHANT
ET LES GROS INTÉRÊTS PRIVILÉGIÉS

Combes est tombé. Un des maîtres de l'affairisme, Maurice Rouvier, membre de l'Alliance démocratique, lui succède. Pour conserver les voix radicales, il reprend la politique anticléricale, qui aboutit à la séparation.

Sur ce fond de toile anticlérical, les « voleries » des liquidateurs et le milliard des congrégations réduit à quelques dizaines de millions, le désir d'établir le monopole de l'université, de forger une doctrine d'État en matière scolaire et d'interdire l'accès des fonctions publiques à quiconque n'aura pas trois ans de stage scolaire dans un établissement d'État. On chercherait en vain la démocratie dans cette république, où fonctionnaires et officiers sont mis sur fiches, où chacun espionne n'importe qui. Hanté par la phobie des robes noires et des surplis, le parti radical se réjouit de l'affaiblissement militaire du pays, de la désunion de l'armée, de l'incurie des arsenaux, à l'heure même où Guillaume II montre les dents et va intervenir dans nos affaires intérieures, en exigeant la démission de Delcassé. Il est devenu le parti le plus puissant, dans les années 1902-1905. D'une pensée flottante, d'un horizon sans perspective, il est l'idéal du petit bourgeois pour qui combattre l'Église, c'est faire preuve de largeur de vue, gonflé par « l'envie démocratique ». Il proclame, avec Steeg, son but qui est de fonder une république laïque, fraternelle, solidaire et centralisée. Il désire, comme le dit Herriot, un régime « où chaque citoyen, quelle que fût son origine, pourrait prétendre aux divers avantages sociaux, sans autre titre que son travail et son mérite ». Hostile à « l'individualisme cupide », qui « soumet la liberté et la justice à la dictature des puissances d'argent », « nous ne voulons pas davantage, affirme encore Steeg, d'une organisation rigide et tyrannique où, sous couleur d'égalité, nous assisterions à la neutralisation des initiatives et à la restriction de l'effort humain ». Dominés par une idée d'avenir, de progrès et de confiance, « les radicaux-socialistes, disait F. Buisson, sont un parti bourgeois qui a l'âme d'un parti peuple... Ce sont des républicains trop épris de socialisme pour pouvoir s'enfermer dans les questions politiques et des socialistes trop épris de la république pour se confiner dans le problème social ». Des principes fondés sur la raison : « Nous ne nous soucions pas, dira encore Steeg, de discuter des dogmes ou de persécuter ceux qui les propagent. Notre anticléricalisme a un caractère positif ; il affirme pratiquement notre idéal de libre examen, de dignité intellectuelle et morale. » Car il cherche « la grandeur de la patrie dans la tolérance mutuelle, le respect réciproque de la pensée de chacun ». Opposé aux excès du régime capitaliste, il estime que l'État a le devoir de favoriser, autant qu'il le peut, la production et la circulation des richesses, de se préoccuper des rapports du capital et du travail. Hostile à la lutte des classes, il s'élève, avec Sarraut, « contre la notion d'un intérêt primordial de prolétaires, distinct et différent de l'intérêt général de la nation ». Par contre les inégalités et les injustices doivent être redressées par « la constante amélioration matérielle et morale du sort du travailleur, par le développement intégral d'une éducation scientifique et technique généralisée, par l'accession facilitée de tous à la propriété ». Il ne voit de remède aux inégalités que dans l'association des individus et celle des groupements humains, la progressivité de l'impôt et l'impôt sur le revenu. Les fonctionnaires doivent « un dévouement absolu aux intérêts du pays et aux institutions républicaines ».

En face de ce très puissant parti radical, les gros bourgeois de l'Alliance démocratique renforcent leur position financière privilégiée, en obtenant d'importantes commandes sur le marché privé et dans le secteur public, tandis que la satisfaction des revendications sociales est ajournée. La petite et la moyenne bourgeoisies étaient étouffées sous le protectionnisme écrasant des gros intérêts, freinant l'esprit d'entreprise et décevant le prolétariat.

Le conflit religieux persiste. Caillaux insiste sur la nécessité de l'anticléricalisme, quand il dit : « C'est allègrement que les républicains de gauche ont apposé leur signature au pied de la loi qui libère en même temps les Églises et l'État laïque. Devant les électeurs, ils revendiqueront la pleine responsabilité de leur vote avec la joyeuse fierté du

devoir accompli. » L'Action libérale réplique. La situation
d'ailleurs ne manque pas de piquant. Le monde des affaires
est divisé sur la question. Il n'est uni que sur le plan de sa
défense contre le prolétariat. Les attaches familiales entre
progressistes de droite et membres du bloc de gauche et
membres de l'Alliance démocratique sont solides. Les uns
et les autres se retrouvent autour des tables des conseils
d'administration des grandes entreprises industrielles et
financières. Les grands vainqueurs des élections de 1906
sont les candidats que patronne l'Alliance, radicaux indépendants ou républicains de gauche, tous soumis, ayant des
liens avec les grandes affaires. Cette entente se prolonge
au-delà de la campagne électorale. Les grands bourgeois,
anciens notables ou nouvelles couches, deviennent les
maîtres de concessions de toutes sortes. Le Comité des
Forges, le Comité des Houillères, l'Union des industries,
le Consortium des banques, les rassemblent dans leurs
états-majors.

Le pays est politiquement anesthésié. Les masses séduites
par le vote de la loi sur l'assistance aux vieillards, la réduction
du service militaire à deux ans et la suppression du sursis
aux étudiants ont assuré la victoire radicale en 1906. Elles
ne pensent pas. On pense pour elles. On les guide. L'instituteur inspire une démagogie spirituelle, qui atteint l'homme
dans ses instincts de bonheur et de matérialité. Les prédic-
tions radicales peuvent bien ne pas se réaliser, les événements
les infirmer, « nous nous consolerions éventuellement en
songeant qu'ils ont eu tort » [328].

Dans un État affaibli, les fonctionnaires demandent la
plénitude du droit syndical, le droit de s'affilier à la C. G. T.
et de participer aux grèves ouvrières. Clemenceau s'y
oppose. Les instituteurs passent outre. Clemenceau révoque
le signataire de la décision. Les radicaux s'irritent : on a osé
toucher aux leurs. Clemenceau les attaque si vivement qu'ils
votent comme il l'entend et vainc la grève des postiers
en 1909. Puis, se ravisant, craignant que sa politique fasse
le jeu de la droite et contribue à faire se détacher de la république les petits fonctionnaires, — ces petits bourgeois étant
les plus fermes soutiens de la démocratie, — jugeant qu'il

a « déçu les espérances de la république, aggravé les malentendus entre ses diverses fractions et usé de méthodes « contraires aux traditions du parti », les radicaux le renversent (20 juillet 1909).

Les élections de 1910 donnent une majorité radicalo-socialiste de 252 députés. Avec elle, commence la dégradation du régime parlementaire. Les députés se servent : au moment de partir, ils augmentent leur indemnité. La nouvelle Chambre accorde une retraite aux députés malchanceux. La camaraderie se fortifie, avec le tutoiement. Les nouveaux notables s'installent dans le confort. Les comités se déploient à l'échelon national. « Les parlementaires opprimés par des clientèles identiques, des difficultés analogues et une égale impopularité, sentent le besoin de serrer les coudes et de faire face à l'ennemi commun, qui est l'électeur. » La grande politique ne les retient pas.

En 1910, où en est la démocratie ? Jusqu'où les classes bourgeoises ont-elles poussé son épanouissement ? A quoi ont abouti quarante années de luttes politiques ? Doit-on penser, avec Elie Halévy ([329]), que la Chambre est sans âme ? Que, les députés qui pensent et voient clairement le problème posé par la France ne sont qu'une minorité ? Peut-on admettre que l'ignorance, l'inaptitude et l'incapacité croissaient avec la complexité grandissante des problèmes démocratiques ? Sans doute, l'Assemblée, où siégeaient des représentants de toutes les classes sociales, les catégories professionnelles étant les plus nombreuses, était incapable d'étudier des problèmes souvent difficiles. Mais les questions internes avaient le pas sur celles qui dominaient la vie de la nation. Elle en arrivait à former une entité à part, ayant rompu tout contact avec le reste du pays pour satisfaire à ce besoin maladif qui représentait, par exemple, la lutte prolongée contre le danger clérical ([330]). Elle mijotait, rejetant tout ce qui n'était pas le problème choisi et s'y attardait par une sorte de nonchalance. Ainsi ceux qui ne nourrissaient pas un amour profond pour la république, comme ceux qui auraient souhaité trouver dans le labyrinthe politique le fil conducteur vers la démocratie politique et sociale, disaient volontiers que la démocratie parlementaire française n'était que le gouvernement des orateurs, donnant des discours à la fois flamboyants et vagues, où l'intérêt privé primait les grands intérêts de la démocratie. Comme l'écrit John Cairns, les députés professionnellement unis, idéologiquement divisés, étaient orientés au point de vue interne.

Caillaux reprend le thème de l'impôt sur le revenu et proclame que « le petit et le moyen commerce, la petite et la moyenne industrie n'ont pas de suffisantes facilités de crédit à long terme ». Les grands intérêts menacés ne respirent qu'après sa démission (9 janvier 1912). Poincaré arrive au pouvoir. Il a une grande situation d'avocat d'affaires. En 1906, il a pris position contre l'impôt sur le revenu. L'Alliance le couvre. Pris entre la droite et les radicaux, il ne se compromet pas avec la droite cléricale et écarte l'impôt sur le revenu. Il se propose de supprimer le scrutin d'arrondissement, de briser l'alliance radicalo-socialiste et la république des comités, de faire la réforme électorale, en établissant la représentation proportionnelle, qui donnerait aux minorités le droit d'être représentées. Il préconise « une rénovation de certaines mœurs électorales et administratives et un changement profond dans les habitudes ». Il souhaite substituer la région au département.

Son élection à la présidence de la république entraîne la grande presse, qui salue en lui le grand patriote et demande la loi de trois ans. Les grands intérêts sont au pouvoir ; les fournitures de matériel de guerre répondent à leurs vœux. L'extrême-gauche y voit une mesure pour étouffer le prolétariat. Briand, qui avait pris le pouvoir, tombe. Barthou lui succède. Les socialistes vitupèrent « les requins de l'industrie militaire et de la finance ». Il est évident que les établissements métallurgiques travaillant pour la défense nationale ont un surcroît de commandes, sans vouloir d'ailleurs en contrepartie prendre la charge des dépenses supplémentaires. Les trois ans sont votés. Le cabinet Barthou se contente d'amorcer une campagne pour un nouvel emprunt. Caillaux, rentré en scène, reprend son projet d'impôt sur le revenu. Sa position est sans confort. Le parti radical est travaillé. Beaucoup de membres de la classe moyenne qu'il voulait attirer à lui étaient attachés aux traditions morales et rejoignaient les conservateurs. Une partie de ses membres vont à l'Alliance, l'autre, de gauche, aux socialistes. Le gouvernement jette du lest au point de vue religieux, lance son projet d'emprunt, annonçant qu'il sera exempt d'impôt, démissionne.

Nouveau chef du gouvernement, Doumergue confie les finances à Caillaux et annonce son intention de faire aboutir l'impôt sur le revenu. Faisant front, les grands capitalistes ouvrent une campagne contre Caillaux, le « ploutocrate démagogue » et constituent un grand comité, la Fédération des gauches. Mais, aux élections, la Fédération est battue ; l'Alliance, vaincue. Ribot garde le pouvoir une journée ; son successeur, Viviani, déclare qu'il maintiendra les trois ans et les projets d'armement et qu'il sollicitera le vote de l'impôt sur le revenu, satisfaisant à la fois aux vœux de la droite et aux revendications de la gauche. La démocratie sociale faisait un pas en avant.

***

Un tour d'horizon régional montrerait de façon plus précise peut-être le comportement des classes bourgeoises en face de la démocratie montante. Deux exemples suffiront.

L'Ardèche connaît un mouvement pendulaire ([331]). Aux élections du 8 février 1871, la gauche a deux élus, dans le pays protestant ; la droite, six. Les élections sont tournées vers le passé. Le notable domine. La situation se renverse en 1876. L'opposition bonapartiste, royaliste ou catholique s'abstient largement. Les forces républicaines gagnent dans six circonscriptions sur huit : deux votent encore à droite. En 1877, la gauche l'emporte à peine (42 % des inscrits) sur la droite (41 %). Quatre ans plus tard, elle domine nettement avec 47 % ; la droite, découragée (19 %) ; les abstentions, considérables (34 %). Mais elle se divise si bien qu'en 1885, la droite fait passer toute la liste (41), contre 35 % aux opportunistes et 2 % aux radicaux. En 1886, c'est au tour de la gauche de l'emporter : 42 % contre 40 %. Ce succès persiste en 1888 : Boulanger n'obtient que 24 % des voix des inscrits, les républicains, 38 %. Il y a 38 % d'abstentions. Boulanger a eu l'élément catholique montagnard ; une partie de la droite modérée n'a pas voté. L'élément radical plébiscitaire n'a pas joué. L'évolution vers la république est faible. En 1889, le département est divisé en deux parties égales. En 1893, la droite, maîtresse de choisir le candidat de la gauche, contribue à le faire passer. Cette année-là, les droites se présentent comme modérées ou ralliées ; le député conservateur soutient la politique du ministère Méline. Les républicains se divisent et la gauche la plus marquée l'emporte. La république est rejetée vers les extrêmes qui recourent à la droite pour ruiner le centre. Les élections de 1902 ramènent les proportions de 1885 : droite, 39 % ; gauche, 37 %. Mais, pour les candidats républicains, il y a un glissement du modéré vers le radical. En 1905, un fils de boulanger, radical, l'emporte sur deux bourgeois authentiques, un médecin et un industriel. Il passe avec les voix réactionnaires, alors qu'il se réclame du radicalisme et du combisme. Le fond de la campagne n'est pas la lutte religieuse, mais la défense des petits. La séparation réalisée, les positions anciennes se retrouvent sur le terrain religieux : gauche, 41 % ; droite, 36 %. Une fois de plus, la situation de 1885. Aux élections de 1910, la « réaction » arbitre. Une poussée socialiste se dessine dans le bas pays, accentuant le caractère extrême du mouvement de gauche. En 1914, les chiffres égalisés par la gauche sont gonflés des suffrages de la droite. Les militants de droite soutiennent les républicains les plus violents. La république n'a pas réussi à absorber les « réactionnaires » et à en faire des conservateurs. La passion politique l'a emporté sur la raison.

En somme, il n'est pas tant question de programme et de réalisations que de principes. Pour la droite, l'ennemi, c'est le républicain laïque, issu de 1789 ; pour le républicain, il s'agit de voter le plus à gauche. Le protestant bourgeois qui est à gauche, se rappelle qu'il est bourgeois avec l'impôt sur le revenu. L'homme de droite vote pour le socialiste, à condition qu'il n'y ait ni révolution, ni suppression de la propriété. Le recrutement du personnel politique est en général bourgeois : grands propriétaires, industriels, avocats,

médecins, riches cultivateurs ; rarement du petit peuple.
Dans l'ensemble, la moyenne et la petite bourgeoisie fait
le jeu.

Au lendemain de la Commune, le département du Loir-
et-Cher ([332]) était très divisé. La droite demande la liberté,
l'ordre dans les finances, la justice dans les impôts, une répartition équitable des produits du travail, le respect de la
propriété individuelle ; la gauche, l'impôt direct progressif,
une Église libre dans un État laïque et souverain, les retraites
ouvrières. L'opposition la plus nette se situe sur le terrain
religieux. Les commerçants de détail et les artisans groupent
les trois quarts du total des patentés. La petite bourgeoisie
l'emporte. Mais le petit bourgeois franchit difficilement
les étapes qui, partant du conseil municipal, aboutissent
au Sénat.

La bourgeoisie a la puissance politique. Sans négliger
l'opposition de générations à l'intérieur de la bourgeoisie
républicaine, les républicains modérés tiennent les postes
de sénateurs, de 1879 à 1914. Les plus jeunes ne se contentent
pas de la mise en application de la constitution ; ils veulent
un ensemble de réformes démocratiques. De tendance radicale, ils ont vocation de s'allier à gauche. Tous les bourgeois
ont un double ennemi : l'aristocratie monarchiste et le prolétaire socialiste. Dans son ensemble, l'aristocratie est en
déclin, à l'exception de quelques puissantes familles. Conséquence du morcellement successoral : la grande propriété
de 100 ha recule de 15 % en un siècle. La grande bourgeoisie
n'y a pas échappé. Le socialisme signifie nationalisation de
la propriété et collectivisation. Pour le jeu républicain, le
bourgeois dénonce le danger réactionnaire, le cléricalisme.
En est-il besoin, les républicains posent des limites qu'ils ne
peuvent dépasser, les opportunistes du côté de la droite ;
les radicaux, du côté du socialisme ; les uns et les autres
étant des « républicains de gouvernement ». Cette bourgeoisie, riche et avide de stabilité politique et sociale, forme le
personnel politique.

La grande bourgeoisie d'affaires réunit une soixantaine de
membres répartis entre la banque et le haut commerce. Les
professions industrielles comptent mille six cent quinze

patentés, sans grande envergure industrielle. Notaires, huissiers, avocats, architectes, médecins, vétérinaires forment le groupe des trois cents patentés des professions libérales. La bourgeoisie républicaine ne jouit pas d'un monopole. En lutte avec les aristocrates et les grands bourgeois monarchistes et avec le parti socialiste dirigé par une partie de la petite bourgeoisie, elle doit compter avec les « ralliés », recrutés dans les professions libérales, la grande bourgeoisie et quelques aristocrates. Mais ralliés et aristocrates monarchistes se heurtent, les premiers, opposant, à la politique du pire des monarchistes, celle du moindre mal. Peu à peu, les uns et les autres invoqueront la république. Les professions de foi monarchistes disparaissent à partir de 1902. La droite ne joue qu'un rôle accessoire aux côtés des républicains modérés, pour faire obstacle au socialisme. Les classes bourgeoises — il est vrai — ont beau jeu en face d'une classe ouvrière, peu ouverte au socialisme, et de socialistes divisés. Le socialisme s'éveille tard à la lutte, dans les années 1906-1908, sans que l'alliance avec les radicaux se réalise partout, tant s'en faut.

Politiquement, les modérés sont satisfaits. Ils se recrutent parmi les bourgeois qui faisaient de l'opposition sous Louis-Philippe et qui avaient fait connaître la république en 1848. Membres des professions libérales, ils ont été évincés sous le Second Empire par la grande bourgeoisie, à son tour écartée au profit de la bourgeoisie des professions libérales et des propriétaires fonciers, après 1870. Bref, chassé-croisé entre les classes bourgeoises, mais toujours classes bourgeoises. Partisans de l'ordre et de la stabilité, elles ne voient que les problèmes politiques.

Évincée de la magistrature, l'aristocratie se rapproche de la grande bourgeoisie ; au point de vue économique et social, des satisfaits, qui sont conservateurs. Au point de vue électoral, les grands noms de l'aristocratie tiennent fermiers, fournisseurs, clients, comme la grande bourgeoisie, les petits commerçants et les artisans.

Dans les pays de l'Ouest, de 1876 à 1910, les forces politiques de la droite et de la gauche s'équilibrent : 40 à 45 % chacune. A la condition cependant que « l'apaisement prédomine ». Alors, la tendance est au rapprochement avec le gouvernement républicain. La lutte renaît-elle, la gauche perd des points. Dans la Sarthe, la bourgeoisie est démocrate, quand il s'agit de lutter contre des classes sociales plus anciennes. Elle ne l'est plus, en présence des classes plus jeunes. En 1877, elle l'est, quand les forces de droite menacent. Les villes sont bourgeoises et cette bourgeoisie est entraînée vers la droite. Les opinions républicaines ne sont pas incompatibles avec la grande propriété ; les idées conservatrices, avec la petite. Mais ce n'est pas toujours le cas. L'influence tient au grand propriétaire, non à la grande propriété. Sa présence exerce l'action. C'est le cas dans le pays républicain, où la paysannerie cède au contact personnel. Les tendances démocratiques s'épanouissent, dans la mesure où existe un climat humain préexistant favorable.

VI. AMORCE DE DÉMOCRATIE SOCIALE ET VISION DE GUERRE ([333])

Dans l'ensemble du pays, comment se présentent aristocrates et bourgeois ? L'aristocratie est réduite à un millier de familles, religieuses, dont les enfants font leurs études chez les jésuites ou dans les couvents. Sauf dans l'Ouest, leur prépondérance politique est nulle. Dans les communes rurales, l'aristocratie a cédé le pas au médecin de campagne, au fermier, à l'artisan ; même rallié, il est considéré comme un réactionnaire. Il entre dans l'armée, la diplomatie, les finances, au Parlement. Il domine les associations agricoles, de grandes entreprises industrielles, de grands comités. Il s'allie au grand bourgeois.

La bourgeoisie domine le pouvoir, comités électoraux, presse, magistrature, haute administration, enseignement, grandes entreprises ; elle est ouverte au peuple. Ce n'est pas tant une classe qu'un groupe social, ayant une culture identique et une façon d'être commune. Le bourgeois a fait des études secondaires dans un lycée ou dans un établissement libre. Sa femme a une dot. Il y a peu d'hommes oisifs dans la bourgeoisie. Le bourgeois est un homme d'économie. L'épargne bourgeoise alimente les emprunts étrangers ou va aux fonds à revenus fixes. Moyen et petit, il s'intéresse peu aux valeurs industrielles.

En effet, la bourgeoisie compte plusieurs couches. La grande bourgeoisie se recrute dans les milieux des financiers, des gros industriels ou négociants, les universités, le conseil d'État, l'inspection des finances, la magistrature supérieure, les sommités médicales, les hauts fonctionnaires, les notaires de Paris, les officiers, certains hommes de lettres et artistes. Comme le note Barral à propos de l'Isère ([334]), le même milieu social grand bourgeois se perpétue en politique, même après 1870. « Au fond, la révolution du suffrage universel n'était pas pleinement achevée. Le régime des notables prolongeait directement le privilège de la société censitaire. »

Le bourgeois se retrouve aux champs qu'il n'exploite pas. Beaucoup de bourgeois vivent de leur fortune. Un grand nombre exercent des professions juridiques, avocats, avoués, notaires, qui ne constituent souvent qu'un titre, ou médicales, médecins, pharmaciens. La carrière politique, locale ou nationale, les tente. Le bourgeois participe de très près à l'essor industriel. Avec le siècle, il devient plus technicien. Il unit initiative commerciale et esprit d'entreprise technique. C'est un capitaine d'industrie. Homme nouveau, il s'associe aux dynasties anciennes. Son dynamisme, son sens des affaires, son réalisme en font un chef de file. Mais il suit le courant ou est entraîné par lui. Au groupe familial se substitue, par augmentation de capital, fusion ou crise, la société anonyme. Le bourgeois est souvent banquier et il fait des avances à l'industrie, travaillant surtout avec les dépôts de ses clients. Le bourgeois est magistrat, officier, ingénieur. A l'extrémité, le boutiquier, le détaillant, forment la classe moyenne, « de composition, de volonté essentiellement démocratiques ». Ils vont au parti radical. Le bourgeois se fait professeur, de tendances diverses. La plupart des enseignants soutiennent les partis de gauche, dans un esprit doctrinaire, radical ou socialiste.

Pourtant, de 1870 à 1880, les petites gens sont considérés toujours comme de la piétaille qui obéit aux ordres. L'entrée des conseils municipaux est interdite aux ouvriers, même par les républicains bon teint, comme le journaliste Vogelé, à Grenoble. D'ailleurs, en ce qui concerne la droite, les notables, bourgeois de la ville ou grands propriétaires fonciers, conservent leur influence. Les hommes nouveaux qui combattent à gauche sont souvent des bourgeois de fraîche date. Ils sont issus de la promotion sociale qui suit 1870. Ils se sont faits, n'invoquant, comme candidats, aucune attache, aucune tradition. Les nouveaux dirigeants avaient accédé à la bourgeoisie moyenne : professeurs, fonctionnaires administratifs, petits patrons, issus de la petite bourgeoisie, à laquelle appartenaient leurs pères.

La bourgeoisie moyenne a un rôle politique important. Chez elle, se recrutent députés, sénateurs, membres des conseils généraux et d'arrondissements, professeurs, chefs de bureau, médecins, ingénieurs, entrepreneurs, rentiers. Au-dessous, figurent les employés des ministères, de banque, les gros boutiquiers, les petits rentiers, les instituteurs. Ce sont les « couches nouvelles ». Sur les bords, le petit monde interlope des intermédiaires, des dévoyés issus de la bourgeoisie.

En principe, le bourgeois, moyen ou petit, est un conservateur social ; souvent tourné vers l'Église. Politiquement, le bourgeois moyen est dreyfusard. Il adhère à l'Alliance républicaine démocratique et parfois au parti radical. Beaucoup, par conservatisme et par peur du socialisme, regardent vers les cléricaux et adhèrent au groupe progressiste. Le petit bourgeois est divisé : tendu vers le socialisme et vers le nationalisme, ou ardent dreyfusard, de gauche avec une pointe plébiscitaire ou bonapartiste ; en tout cas, avec un penchant spiritualiste. Un dauphinois, Ed. Rey, écrivait en 1881 : « L'histoire de France depuis 1798 n'est que l'histoire des succès et des revers de la démocratie dans la lutte contre l'Église, la plus implacable de ses ennemis [335]. » Ainsi, pour le bourgeois radical anticlérical, la religion et la démocratie s'excluent l'une l'autre. Les républicains — et l'affirmation est vraie pour l'ensemble du pays — veulent laïciser l'État « à la fois par conviction philosophique et par volonté politique ». Mais il y avait une question de mesure et d'opportunité. Les politiques faisaient preuve de prudence. En 1877, certains estiment que, devant les difficultés qu'il a à surmonter encore, le gouvernement se montrerait impolitique à vouloir provoquer ses adversaires. Un membre du Conseil du Grand Orient continuait à voter le budget des cultes, déclarant : « N'allons pas trop vite ; combattons d'abord par d'autres armes avant d'en venir à la séparation. » Il est vrai qu'il démissionna du Conseil.

Les loges sont souvent en état d'alerte. L'opinion démocratique y domine. A Grenoble (³³⁶), sur cent six frères admis entre 1869 et 1886, on pouvait compter 39 % d'artisans et petits commerçants, 20 % d'employés et d'ouvriers, 14 % de fonctionnaires et 27 % de bourgeois. Quant aux cent trois dignitaires, 61 % appartenaient à la bourgeoisie (médecins, notaires, entrepreneurs). Les membres des loges sont des bourgeois, industriels, avocats, pharmaciens, imprimeurs. La cotisation d'un montant élevé (50 F à la loge *les Arts réunis* de Grenoble, par exemple) donnait à la loge un caractère aristocratique. Les loges évoluent dans leurs principes : déistes, les membres les plus anciens pouvaient reconnaître que « l'existence de Dieu apparaît dans l'éblouissante évidence du sens intime interrogé et la certitude d'une vie éternelle pour l'âme humaine ». Les nouveaux membres repoussent tout dogme religieux de la morale maçonnique et s'interrogent sur le « Grand Architecte ». Tous, jeunes et anciens, dénoncent « le groupement dans l'Église et tous les ennemis implacables de la république, de la révolution ». Ils disent encore : « L'adversaire de toute liberté, l'ennemi de l'idée maçonnique étant le cléricalisme, il faut le combattre avec énergie ; notre adversaire ayant engagé la lutte sur le terrain politique, les maçons ne peuvent déserter le combat et doivent suivre leur ennemi sur le terrain qu'il a lui-même choisi. » Les milieux de gauche ne combattent pas seulement l'influence politique de l'Église, mais ses principes philosophiques. Les libres penseurs se groupent. Le plus ancien groupement de l'Isère est fondé à Grenoble, en 1879, en attendant la formation de la Fédération départementale (1901) qui rassemblait seize groupes et neuf cents membres en 1906. Les libres penseurs sont souvent maçons. Mais le recrutement n'est pas bourgeois, comme celui de la maçonnerie ; ce sont des artisans, des cheminots, des ouvriers, des paysans. Radicaux à la fin du XIXe siècle, ils penchent de plus en plus vers le socialisme. Au congrès de 1906, ils étudient « les relations de la libre pensée avec l'organisation capitaliste en ce qui concerne l'émancipation matérielle des travailleurs ».

*
* *

Pourtant, lorsque la campagne anticléricale en arrive à sa conclusion logique, la séparation, les questions sociales reviennent à la surface. A l'impôt général et progressif sur le revenu, les modérés reprochent d'être un système « inquisitorial ». Les radicaux réclament la retraite des vieux travailleurs, l'arbitrage international obligatoire, le rachat des réseaux ferroviaires ; les socialistes, le scrutin de liste, la gratuité de tous les enseignements, l'impôt progressif sur le capital et les successions, la journée de huit heures, les assurances sociales. Ils reprennent le projet, cher aux quarante-huitards, de nationaliser les chemins de fer, la Banque de France, les assurances, l'alcool et réclament le salaire minimum, le droit syndical pour les agents de l'État, la substitution de milices à l'armée permanente. Couronnant le tout, des élections à gauche, une opposition écrasée et pourtant la rupture du bloc des gauches.

La démocratie sociale n'est qu'un mot : la durée du travail va de dix à quatorze-quinze heures, suivant qu'il s'agit d'établissements mixtes ou de travailleurs à domicile. A l'exception des mineurs et des agents des services publics, les assurances sociales font défaut. Les femmes ont un salaire inférieur à celui des hommes et ne peuvent en disposer librement, une fois mariées.

Jusqu'alors, les classes bourgeoises ont peu réagi. Les chefs socialistes qui en sont issus ont bien dressé la liste des revendications. Le politique l'a toujours emporté et si les bourgeois — petits et moyens — qui mènent la république, l'ont toujours défendue âprement, ils n'ont pas été entraînés vers les solutions sociales, mais vers la libération de l'individu à l'égard de la tradition religieuse. Leur engagement ne joue que pour faire triompher l'élément considéré comme primordial dans l'univers « combiste », la laïcisation de l'État et la rupture de tout lien avec l'Église.

Les milieux d'affaires, de leur côté, ont freiné le mouvement social et l'émancipation ouvrière par le rapprochement qu'ils ont amorcé avec la gauche, par le canal du dreyfusisme. La période qui précède 1914, sous l'angle économique et social, est placée sous l'influence du Comité républicain du commerce, de l'industrie et de l'agriculture, bourgeois, maçonnique pour une bonne part, et pénétré d'éléments intellectuels et universitaires radicaux.

Une fois encore, le politique l'emporte, lorsque, sous le coup des événements extérieurs dominés par la turbulence belliqueuse de l'Empereur allemand, le bourgeois, qui avait tourné le dos au nationalisme réactionnaire, coquette avec lui, repris par l'idée de la défense de la patrie et la crainte de l'Allemagne [337]. Certains esprits chagrins — pourquoi pas ? — voudront voir dans ce « tête à droite » de la bourgeoisie possédante, toujours alertée par le spectre rouge — si habituée à le voir évoqué —, un moyen d'éluder provisoirement la question sociale, et par là, de freiner l'avènement de la démocratie sociale à laquelle aspirent les socialistes.

Pour rester cahotante, indécise, hésitante, la marche vers la démocratie se poursuit à pas comptés ou par petits bonds. Marche prudente, pour ne pas trop bousculer la conscience bourgeoise, vite hérissée : dans le projet d'impôt général sur le revenu, dont il est question dans la déclaration du gouvernement Sarrien, il est bien précisé qu'il n'aura « aucun caractère inquisitorial » et, comme pour le mieux faire passer, un projet contre « les privilèges abusifs dont jouit l'enseignement secondaire privé » ; et bientôt, le 13 juillet 1906, une loi rétablissant le repos hebdomadaire qui dégageait un certain relent de cléricalisme. Ces mesures sont prises dans une atmosphère internationale très agitée, marquée par l'adoption de la Charte socialiste d'Amiens et par la diffusion des encycliques fulgurantes de Pie X contre la séparation et ses applications [338], tandis que la tribune de la Chambre retentit de l'apostrophe de Viviani : « Nous avons arraché les consciences humaines à la croyance. Lorsqu'un misérable, fatigué du poids du jour, ployait les genoux, nous l'avons relevé ; nous lui avons dit que derrière les nuages il n'y avait que des chimères. Ensemble, et d'un geste magnifique, nous avons éteint dans le ciel des lumières qu'on ne rallumera plus. » Il faisait écho, à quatre-vingts ans de distance, à l'affirmation du philosophe Jouffroy : « Comment les dogmes finissent. Le moment vient où le dogme ne gouverne plus qu'en apparence, parce que tout sentiment de sa vérité est éteint dans les esprits. »

A parler franc, en politique intérieure, les radicaux ressassent. La petite bourgeoisie de province s'enlise dans un anticléricalisme qui, en fin de compte, n'était plus qu'un abcès que la séparation a crevé. Le scrutin d'arrondissement accentue l'atmosphère dans laquelle végètent des politiciens petits bourgeois sans envergure, rabougris, repliés sur eux-mêmes, et mettant en vedette ce que R. Jouvenel a appelé « la république des camarades » (1914) [339]. Sous le coup d'éperon que leur donne Briand, un vieux projet, qui dormait au fond des cartons, sort et est adopté. Dix ans ont passé depuis le jour où l'avocat général à la cour de cassation, Duboin, demandait, dans le discours de rentrée de la Cour, l'assurance obligatoire. La voix de ce haut magistrat était enfin entendue. La loi sur les retraites ouvrières et paysannes (1910) ouvre à onze millions d'assujettis le droit à une retraite à partir de soixante ans. Un prélèvement de 2 % sur les salaires, assorti d'une cotisation patronale et de l'aide de l'État, permettait aux vieux travailleurs de jouir d'une retraite annuelle minima de 360 francs.

La démocratie s'installe plus solidement. Le mouvement d'osmose est très nettement marqué. Beaucoup de bourgeois, conservateurs sociaux, se font élire républicains de gauche et même radicaux, tandis que la rupture entre les républicains modérés et les réactionnaires se comble, sous l'influence de la politique d'apaisement menée par Aristide Briand. Sous un autre angle, les minorités trouvent leur place, proportionnelle à leurs effectifs, dans les grandes commissions de la Chambre.

Chapitre III

La poussée démocratique et bourgeoise en Grande-Bretagne, en Autriche-Hongrie et en Russie

I. EN GRANDE-BRETAGNE ([340]) :
LA MONTÉE DES CLASSES MOYENNES

Les changements intervenus dans le système électoral au cours du XIXe siècle ont détruit l'un des fondements du régime parlementaire au XVIIIe. Les bourgs cessent d'être des marchandises vendues au plus offrant. Au milieu de l'ère victorienne, le coût des élections augmente avec l'électorat. La présence aux Communes impose plus de sacrifices financiers qu'autrefois, sans apporter de compensations. La classe moyenne s'est accrue en nombre et en importance. La transformation de la Grande-Bretagne, nation agricole et marchande, en pays industriel, a entraîné la naissance de nouvelles professions et l'arrivée d'hommes nouveaux. En 1851, un cinquième de la population appartient à la classe moyenne, dont le gros est formé d'employés, de commis, de fermiers qui envisageaient difficilement d'entreprendre une carrière politique ([341]). Mais elle comptait plus de 11 000 « maîtres » employant plus de dix personnes ; 12 500 individus appartenant aux professions de direction ; 20 000 propriétaires fonciers et 10 856 catalogués « indépendants ». Dans le Yorkshire, en 1859, sur les dix-neuf candidats aux élections, tous, sauf deux, appartenaient à la grande classe moyenne, plusieurs, plus riches sans doute que la classe moyenne, mais ayant surtout suivi une carrière commerciale, industrielle ou libérale. Ils

dirigeaient les bureaux des associations politiques locales.
Le nouveau député a des racines dans la communauté
locale, dans les églises dissidentes et le mouvement politique réformiste.

Après la réforme de 1832, la puissance politique de l'aristocratie avait diminué. L'influence de la classe moyenne
sur la législation avait crû, en dépit du petit nombre de ses
représentants aux Communes, sous la pression de l'opinion
publique avancée et de l'alliance d'hommes de sentiments
radicaux. Une oligarchie subsiste, semblable à celle du
XVIIIᵉ siècle. Les politiciens qui ne sortaient pas du cercle
des propriétaires fonciers eurent beaucoup de peine à saisir
la direction des affaires. Sur les quatorze hommes nouveaux
dans les treize cabinets de la période 1832-1868, trois peuvent être considérés comme des politiciens de la classe
moyenne, représentant les aspirations de leur classe : ce
sont des hommes de loi. « En dépit des tendances
démocratiques des derniers temps, le rang et la condition
retenaient le respect et la confiance du peuple. Quand l'aristocratie jouissait d'une influence trop exclusive sur le gouvernement, elle provoquait hostilité et jalousie ; quand elle
partageait dûment le pouvoir avec d'autres classes et admettait les justes appels au talent, elle l'emportait sur les
intérêts adverses et, quel que soit le parti au pouvoir, restait
maître de l'État (³⁴²). » Avant 1832, le tiers des députés
était composé d'aristocrates, dans le sens le plus étroit du
mot ; cette proportion n'avait pas baissé en 1865. Les
intérêts commerciaux et industriels comptaient pour
un quart au plus dans les deux périodes. Si nous observons
le caractère social du personnel des communes entre 1831
et 1865, nous constatons, en prenant les années 1831,
1841-47, 1865, que les pourcentages des aristocrates sont
respectivement de 33, 28, 31 % ; de la gentry, 34 (1841-47)
et 45 % (1865) ; des manufacturiers, marchands et banquiers
24, 15 et 23 %. L'échec de la classe moyenne, nouvellement
admise au droit de suffrage, à la direction parlementaire et,
avant tout, à la fonction gouvernementale, se prolonge bien
au-delà de l'Acte de 1867.

On a pu comparer les aristocrates aux sénateurs

romains ; les manufacturiers, à l'ordre équestre ([343]). Le chevalier pouvait devenir sénateur en occupant la questure, le manufacturier, passer dans la classe gouvernante en achetant une propriété. L'obstacle le plus grand était le coût des élections : des dizaines de milliers de livres. Avec la réforme, les dépenses s'amplifient du nombre croissant des contestations électorales, d'autant plus que les candidats des classes moyennes préfèrent les gros bourgs, où l'influence personnelle joue moins. Avec l'élargissement du droit de suffrage, on craint l'arrivée au Parlement de révolutionnaires dangereux et démagogues. Les hommes nouveaux parlent le dialecte du Lancashire ou du West Riding ; ils ont des manières rudes, celles du comptoir. Ils n'ont pas d'affinité avec les politiciens de haut rang qui recherchent leurs votes, non leur compagnie. Ils effraient tories et whigs, moins surpris de leurs idées radicales ou hétérodoxes que de la vulgarité de leurs manières. O'Connell perdit leur confiance par la violence de ses discours et de ses actes. Les libéraux, socialement, en furent fort embarrassés. Les fils de filateurs, comme ceux qui étaient eux-mêmes industriels ou marchands, rencontrèrent de grandes difficultés. Roebuck disait à lord Stanley, en 1859, parlant d'un homme nouveau : « le but chez cet homme est chez vous le point de départ ; où les autres hommes finissent, vous commencez. Il vieillit et il n'est pas encore apte à sa fonction ([344]). »

La persistance de la primauté de l'aristocratie est un phénomène dans un pays où l'économique l'emporte. Ni les doctrines révolutionnaires, ni la misère, ni la nouvelle loi des pauvres, ni les réformistes radicaux n'ont pu l'écarter, parce qu'elle avait réussi à légitimer sa puissance. Elle était convaincue, comme la majorité des propriétaires fonciers, que le fait de tenir le pouvoir politique était d'agir dans l'intérêt de la nation. Considéré par ses contemporains comme le fossoyeur de l'ordre ancien, lord Grey pensait que la réforme électorale augmenterait encore le pouvoir de l'aristocratie. Pour Disraeli, l'aristocratie a les qualités de sagacité nécessaire au législateur. Elle donne à l'Angleterre son ordre et sa prospérité. Les législateurs héréditaires de la chambre haute ne voient que le profit

général de la société. La splendeur même de leur vie privée
sert d'exemple ; la confiance va du père au fils. Dès 1832,
certains avaient estimé que l'extension de la volonté populaire mettait en péril l'existence du souverain et celle de la
chambre des lords ; on le vit bien en 1911. Pour d'autres,
l'élargissement du suffrage finirait par créer une représentation de classe, au lieu de soutenir l'intérêt général. La
puissance de l'Angleterre, estimait A. Baring, tenait à la
conciliation de l'existence de la monarchie et de l'aristocratie, avec la plus grande liberté pour le peuple. Les
partisans de la réforme, comme Palmerston, voyaient la
classe moyenne soutenir l'aristocratie, pour laquelle elle
avait respect et estime. Une partie de la force de l'aristocratie tenait à sa puissance économique, à ses revenus, à ses
déplacements spectaculaires, à l'ordre protocolaire dans le
vote des Lords, à un système de gouvernement bien ordonné
et empreint d'une magnificence extérieure. L'Angleterre
était bien partisane de la liberté de pensée et de l'égalité
devant la loi ; mais elle réagissait contre les vues libertaires
et égalitaires de la révolution française. Burke ne soutenait-il
pas que, seule, l'aristocratie était la dépositaire naturelle
de la tradition ? Une société, basée sur l'aristocratie, donnait
une impression de sécurité, renforcée par les liens de famille
et de voisinage et la hiérarchie des rangs qui engendre la
loyauté. Des relations sociales stables étaient le fruit de
l'inégalité. Coleridge, dans ses *Lay Sermons* (1852) n'affir-
mait-il pas que la propriété foncière était, pour les traditionalistes, le fondement social par excellence, qui dégageait
une idée de permanence, car elle combinait l'intérêt particulier et l'intérêt général ? Quand on avait parlé de nouvelles réformes, des personnalités telles que Coleridge ou
Carlyle, craignirent de voir l'ignorance l'emporter sur l'éducation et la connaissance. Le gouvernement, disait Bagehot,
devait résider dans le peuple, mais un peuple choisi. La
majorité des whigs dissidents et des tories s'effrayaient d'un
élargissement du droit de suffrage qui risquait de provoquer
la prostitution de la politique ; ils s'inquiétaient de l'avènement d'une nouvelle représentation, faite de riches et de
démagogues qui laisseraient les classes éduquées sans

pouvoir et les Communes sans politiques de qualité.

La réforme de 1867 avait affecté très fortement le système électoral et politique. Le corps électoral passe de 1 057 000 électeurs en 1865 à 1 995 000 en 1869. L'introduction de la franchise dans les bourgs ne risquait-elle pas de modifier le caractère de la représentation politique ? Précisément, à ce moment même, une génération disparaît : Palmerston vient de mourir (1865). Une nouvelle arrive au pouvoir. 1868 est comme une borne milliaire dans le développement politique anglais. Les cabinets de la période 1832-1868 avaient été aristocratiques, en dépit de la pression radicale. En 1868, le cabinet de Gladstone a une prépondérance « classe moyenne ». Mais les représentants de la nouvelle classe moyenne briguent les postes les moins prestigieux, comme le Board of Trade, le Poor law Board, le Local Government Board, les hommes d'affaires désirant les postes administratifs, les aristocrates accaparant les sinécures. Les onze cabinets qui se succèdent de 1868 à 1914, sur un total de cent soixante et un ministres, comptent quatre-vingt-cinq aristocrates et soixante-quinze représentants des classes moyennes, le cabinet Campbell-Bannerman en 1906 comptant un travailleur. A cette date, le groupe aristocratique est minoritaire (7 contre 11). Si l'on examine la structure sociale des cabinets et qu'on la compare pour les périodes 1868-86 et 1886-1916, on enregistre vingt-sept membres de l'aristocratie et vingt-deux de la classe moyenne pour la première période, quarante-sept aristocrates, quarante-neuf « classe moyenne » et trois travailleurs pour la seconde. Jusqu'à 1886, les cabinets renferment, parmi les aristocrates, quelques-uns des magnats fonciers. Après 1886, la direction libérale perd l'adhésion des vieilles familles whigs ; la direction passe à la nouvelle classe moyenne et même à la classe moyenne inférieure.

La loi sur le scrutin de 1873 et celle sur les pratiques de corruption de 1883 renforcent la réforme de 1867. Les associations locales de parti apportèrent de nouvelles voix et de nouvelles méthodes dans le choix des députés. En 1868, la prépondérance aux Communes revenait aux propriétaires fonciers pour les deux tiers environ. En 1886, elle ne dépasse pas 50 %. En 1884, une nouvelle étape démocratique s'amorce. Un bill électoral étend aux tenanciers des comtés la franchise accordée aux tenanciers des bourgs en 1867. Il ajoute aux collèges plus d'électeurs que les deux réformes précédentes ensemble. Leur nombre passe à 4 500 000, soit un accroissement de l'électorat de 67 %. Les nouveaux électeurs appartiennent surtout à la classe moyenne, sauf dans les grandes villes où les ouvriers ont la majorité. Le fait nouveau, c'est la franchise aux laboureurs. Pour la première fois, depuis les jacqueries au temps des Tudor, le paysan compte. De 1874 à 1885, la proportion des propriétaires et des rentiers tombe de 32 à 16 % ; des officiers, de 18 à 12 ; par contre, celle des professions libérales passe de 24 à 32 % ; des commerçants et des industriels, de 24 à 38 %. Les membres des cabinets se présentent ainsi, à la veille de 1868 : 12 propriétaires, 3 rentiers, 2 fonctionnaires, 2 professions libérales, 1 entrepreneur ; en 1868-1886, respectivement : 9, 3, 2, 10, 5. Ce sont des hommes d'expérience, qui ont une position régionale ou municipale dominante. Les ministres aristocrates pour les trois quarts vont à Hon et à Harrow ; les membres de la classe moyenne y vont aussi, dans la proportion de 20 % seulement.

La noblesse anglaise ne constitue pas, comme en France ou en Prusse, un état. Aucune restriction n'entoure les occupations des descendants des hommes titrés. Il y a les « gentlemen », des hommes comme il faut, et la classe de ceux qui ne le sont pas. Taine définit la classe supérieure : une grande fortune privée, un train considérable de domestiques, des habitudes de luxe. Le désir de pur lignage n'a pas pénétré la noblesse britannique. Le véritable système qui ramène le symbole extérieur du statut aristocratique à un couple à chaque génération, permettrait difficilement la règle des seize quartiers. La règle, à peu près universelle, du bien substitué qui passe à l'héritier du titre, crée de grandes différences de fortunes entre les enfants. Les plus jeunes fils et filles peuvent être pourvus de petites annuités sur les revenus du domaine ; ces bénéfices ne vont qu'aux descendants immédiats du titulaire du titre ou du propriétaire.

Après la crise de 1873, l'aristocratie foncière a perdu une partie de ses domaines, qui ont été vendus ou morcelés. Des historiens, comme Guttsman (³⁴⁵), pensent qu'il serait, socialement, préférable de parler d'une section foncière ou titrée de la classe supérieure anglaise. En effet, l'aristocratie est passée du caractère traditionaliste au caractère capitaliste et à la propriété industrielle ou commerciale. Les pairs de la première génération sont rarement mariés à des filles de l'aristocratie. Ce qui accentue encore le trait.

En face d'une aristocratie minée par la poussée démocratique, la classe moyenne prend une position importante. Elle est hétérogène par les origines, les occupations, la fortune. Elle va du juge local au grand propriétaire non titré, du nouveau riche au membre d'une famille anciennement établie. Les hommes nouveaux forment un groupe social montant. Entre 1868 et 1955, les hommes de loi représentent environ la moitié des hommes nouveaux dans l'élite politique. Leurs pères, pour une part, occupaient un rang plus bas dans la profession ou étaient des hommes d'affaires de petite envergure. Les fils ont suivi l'école — de l'école de grammaire à l'Université — avec des bourses. Souvent, le politicien, issu d'un groupe déshérité, appartient à la direction des mouvements locaux et nationaux de réforme, avant d'entrer au Parlement.

L'activité politique est pour certains un moyen de s'assurer dans la société un statut plus élevé que la profession le leur aurait réservé. La chambre basse du milieu du XIXᵉ siècle, largement aristocratique, offrait aux députés non aristocrates l'occasion d'être assimilés dans une classe sociale plus élevée et de voir ouvrir le chemin des honneurs et des titres. Le type du « grimpeur social » est commun parmi les entrepreneurs et les hommes d'affaires ; très répandu, dans les professions libérales. L'admission dans la « société » est très difficile pour les commerçants et les manufacturiers.

La deuxième moitié du XIXᵉ siècle est l'époque de l'activité parlementaire non conformiste. Pour amener les dissidents dans l'arène politique, il faut invoquer non seulement l'acte du Test de 1828, mais aussi un changement dans l'attitude des communautés non-conformistes. En 1847, Edward Miall, éditeur de *The non-conformist*, avait fondé le Comité parlementaire des dissidents dans le but d'obtenir, par tous les moyens, le choix de non-conformistes comme candidats au Parlement. On en compte 26 aux élections de 1847 ; 38 en 1852 ; 75 en 1868. Presque tous appartenaient au parti libéral. En 1880, sur les 374 députés libéraux, une centaine sont dissidents.

Les nouveaux radicaux sont différents des anciens. Les premiers représentaient les mouvements populaires, soutenus par le loyalisme de partisans locaux, qui les poussaient à la Chambre. Les seconds, au début, n'avaient pas de partisans et commençaient leur carrière politique comme membres de clubs et de coteries, Comité Alfred Grey ou Club des 80. Les impérialistes libéraux tiraient une grande satisfaction de la politique de coulisse. Ces jeunes libéraux sont stimulés par les négociations compliquées, les décisions concernant les problèmes nouveaux, les luttes contre l'inégalité. L'ouverture sur les idées nouvelles ne leur est pas réservée. Des hommes politiques de l'aristocratie, comme Rosebery ou Balfour, lord Curzon ou Salisbury, témoignent d'une grande distinction académique. Mais leur réceptivité aux idées nouvelles est freinée par leur inhabileté à les concilier avec la tradition.

Socialement, la chambre basse, issue de la loi de 1832, n'était pas tellement différente de la chambre précédente. Il n'y a pas de classe sociale nouvelle en nombre appréciable. Cependant elle a changé : le parti tory, déjà affaibli en 1830-31, voit le chiffre de ses membres tomber à 150. Le Parlement est whig. Ses tendances sont libérales. Les élections avaient été autant une lutte entre modérés et radicaux, qu'entre whigs et tories. Les candidats modérés étaient les vainqueurs ; les radicaux purs, en petit nombre, venus d'horizons variés, ne formaient pas un bloc, mais ils conservaient une grande influence : Cobbett, « un homme du peuple » ; Th. Attwood, fils de banquier, économiste non orthodoxe, futur chartiste ; des benthamistes, qui prêchaient la doctrine de l'utilité, croyaient aux droits de l'individu pour la poursuite du bonheur et confondaient la cause du peuple et celle de la vertu ; W. Molesworth, qui s'était battu en duel avec son professeur à Cambridge, assez aristocrate ; Roebuck, avocat ; Grote, banquier et petit-fils d'industriel ; Buller, formé à Cambridge, avocat ; J. Hume, économiste écossais, radical, chirurgien d'origine. De 1830 à 1867, les radicaux avaient représenté une influence plus qu'un élément du parti libéral ; la politique libérale dans le gouvernement, un effort pour la réforme, sous l'impulsion de la pensée critique, limitée par la coutume et l'intérêt, l'apathie naturelle, l'épuisement de l'esprit public. Mais les libéraux étaient toujours pris dans un dilemme. Le mot « libéral » veut dire libre. Dans les circonstances de la fin du XVIIIe siècle et du début du XIXe, il signifie, originellement, libre des restrictions du gouvernement. Dans son acception la plus extrême, il peut signifier aussi libre que possible du contrôle de quelque forme de gouvernement que ce soit. C'est l'idée de Jefferson : le gouvernement qui gouverne le mieux est celui qui gouverne le moins. La pensée utilitaire, centrée sur les besoins de l'individu, était hostile à l'intervention du gouvernement, tout au moins des gouvernements tels qu'ils avaient été jusque-là. Tout exercice du pouvoir par l'État devait être soigneusement examiné avant d'être autorisé.

L'électorat du parti libéral représente la classe moyenne, sans doute. Qui la compose ? Boutiquiers ? Pas, en majorité. Les mots « industriels » et « marchands » sont trompeurs ; ils peuvent marquer une grande richesse ou une grande influence ou ne représenter qu'un tout rudimentaire. L'essence de l'idée d'une classe moyenne est d'avoir une position médiane dans une société stratifiée. Peel et Gladstone passaient pour être de la classe moyenne ; mais ils avaient été à Harrow, à Eton et à Oxford ; leurs pères étaient riches et avaient été faits baronets. Sir Henry Campbell-Bannerman, fils d'un homme riche, étudie à Glasgow, avant Cambridge ; il avait, de ce fait, un parfum plus bourgeois. Partout où le courant pur de la naissance et de la propriété foncière était modifié par quelque élément de « commerce », il entrait une trace de classe moyenne. Même à l'échelon le plus bas, toute personne capable d'employer le travail d'autrui dans sa maison ou dans ses affaires, était de la classe moyenne. Pouvant commander à d'autres, il était supposé avoir quelque richesse supplémentaire par rapport à ceux qui ne pouvaient travailler que pour un salaire et dont les femmes ou les filles tenaient le ménage.

Le reform bill avait donné le droit de vote à la classe moyenne. En principe, l'électorat qui en était issu, devait être un corps de personnes, socialement responsables, calculant leurs votes, ouvertement, en public. Malheureusement, pendant des décades, il n'en fut pas ainsi : il semble bien que l'accusation de corruption d'électeurs soit bien démontrée. La bataille pour un siège signifie souvent, aux yeux de l'agent du candidat, des pratiques contraires à la loi, inquiétant un candidat plus ou moins vertueux. L'électorat, étrangement passif, ne s'indigne que lorsque l'adversaire a gagné, à la suite de tractations déloyales [346].

Les diverses professions, clergé, avocats, procureurs, avoués, médecins, maîtres, architectes, ingénieurs, experts-comptables, employés civils, sont incluses dans une classe moyenne. Dans quelle mesure sont-ils libéraux ? Le clergé établi est conservateur par réaction à l'égard des dissidents. En Pays de Galles, les ministres dissidents sont radicaux. Les hommes de loi disposant des plus gros revenus ou appartenant aux meilleures familles, regardaient vers le parti tory ; les professions les plus nouvelles, comptables, architectes, ingénieurs, davantage vers le parti libéral, sans que ce soit la règle. Le sentiment d'appartenir à une classe ne découle pas simplement d'un état social et économique ; c'est matière d'imagination. La vie politique anglaise fourmille d'exemples d'aristocrates qui choisissent d'être déclassés ; plus nombreux sont ceux qui, sans famille ni situation sociale, choisissent d'être des aristocrates et qui réussissent, en y mettant du leur.

Entre 1830 et 1850, une classe moyenne puissante, ayant conscience de sa force, était née, avec sa morale et son propre esprit, différente de l'aristocratie et, sous plusieurs aspects, hostile à cette classe. Si elle était restée une classe bien définie et consciente d'elle-même, elle aurait pu devenir l'élément dominant du pays, créer ses propres institutions d'éducation et tenir ses enfants séparés des patriciens. Il n'était pas dans la nature de la société anglaise de produire un troisième pouvoir en politique. Les forces de tradition étaient trop puissantes. Les classes moyennes n'étaient pas assez riches. Si leurs richesses augmentaient, celles de l'aristocratie ne restaient pas en arrière. Dans le même temps, par de prudents mariages, elle s'associait largement à la prospérité industrielle et commerciale.

Or, dans les dernières décades du XIXᵉ siècle, l'instruction se laïcise pour échapper à la tutelle de l'Église établie ; une grande institution se développe : la *public school* ([347]). Ce n'était pas une école d'État. Mais elle était placée sous l'autorité d'administrateurs, par opposition à l'école privée tenue par des ministres du culte ou un maître qui y voyait un moyen de gagner sa subsistance. Certaines écoles privées deviennent publiques ; d'autres continuent à reposer sur les fondements des vieilles écoles de grammaire des villes. En dehors de son rôle éducatif, la *public school* a le mérite spécial de créer une sorte de maçonnerie entre ses anciens élèves. Elle devient le meilleur moyen de progresser socialement, d'entrer dans l'armée ou dans l'Université, à Oxford et à Cambridge, de pénétrer dans un milieu conservateur et patricien. La nouvelle école avait le défaut d'être paroissiale. L'Acte Balfour (1902) devait confier le droit de contrôle à des conseils de comtés et à certains conseils de bourgs importants. Ainsi la *public school* et la Versity (Oxford et Cambridge) permettaient aux classes moyennes de regarder plus haut, socialement parlant, mais elles les tournaient vers des vues conservatrices. Le système de l'éducation secondaire anglaise était admirablement imaginé pour tracer une ligne à travers la classe moyenne : du côté supérieur, ceux qui avaient acquis le rang de l'école publique ; de l'autre, ceux qui allaient à l'école de grammaire. Pourtant, comme la société anglaise est ouverte, malgré l'éducation primaire, certains s'élevaient par leurs talents. Les classes « sous-privilégiées » ressentaient lourdement le pouvoir dominant des privilégiés. Du même coup, le développement de l'éducation était défavorable à la survivance du libéralisme, l'école publique restant conservatrice.

La loi de 1867 votée, Gladstone arrive au pouvoir. Aux affaires, la classe moyenne, mercantile et professionnelle, peu intéressée par les questions militaires et peu portée aux dépenses superflues, songe à la nouvelle réforme électorale que les libéraux ont faite en 1884. Dans son esprit, il s'agit de progresser dans l'art de gouverner et de supprimer toute restriction frappant une classe particulière, ou une secte. Les réformes sociales l'inquiètent, du fait de sa position doctrinale en matière d'intervention de l'État. Mais elle veut réduire le privilège et donner les places à la valeur. Les libéraux ont bien réformé l'armée en 1870 ; ils ont été freinés dans sa démocratisation. Ils n'encouragent pas leurs fils à embrasser la carrière des armes, ni n'essaient de la rendre moins coûteuse et moins exclusive.

Pourtant la poussée démocratique se maintient. Déjà en 1882, Chamberlain a fait passer le Merchant Shipping Act en faveur des gens de mer. Six ans plus tard, l'affranchissement démocratique du village est complété par l'établissement de conseils de comtés ; la loi de 1888 remplace les juges de paix par des conseils élus et leur maintient leurs prérogatives judiciaires. Elle modernise l'administration du comté. Elle est une tentative de décentralisation ; un compromis aussi. On se contente de canaliser un mouvement démocratique. Le conseil de comté est composé, pour les deux tiers, de conseillers élus par la population à un suffrage presque universel ; un autre tiers du conseil est composé d'aldermen, nommés par les conseillers pour six ans et renouvelés par moitié tous les trois ans. Ils représentent les intérêts généraux du comté. Il fallut plus d'une génération, avant qu'une réelle démocratisation du gouvernement local soit effective. Les libéraux la réalisèrent, avec l'Acte des conseils de paroisses et de districts, en 1894. Les corps locaux autonomes élus étaient l'école préparatoire au développement de la démocratie et du socialisme municipal.

Pour la classe moyenne, la puissance excessive des grands propriétaires était un objet particulier d'attaque. De 1888 à 1914, la tradition aristocratique a subi une offensive victorieuse. La crise industrielle et agraire ouverte vers 1873, inaugure le collectivisme et le programme de la lutte des classes. Vers 1880, se développe un mouvement de revendication agraire, soutenu par le georgisme. Cette doctrine rend responsable du mal social la classe des possesseurs de la terre qui, depuis un demi-siècle, s'est tenue en dehors de l'évolution. Toutes les classes sociales se sentent solidaires contre les détenteurs du sol. Puisque la terre absorbe toutes les plus-values, soutient Henry George dans *Progress and Poverty* (1879), le seul remède rationnel consiste à établir une taxe unique sur la totalité de la plus-value foncière. Cette taxe sera restituée à la collectivité qui l'emploiera à des fins sociales. Le georgisme a un double propos : entretenir l'animosité démocratique contre la grande propriété oisive et, dans les masses, l'espérance religieuse en une justice meilleure. Aux yeux des libéraux, la doctrine pouvait être combinée avec la liberté individuelle ; les « taxateurs » devinrent une secte dans le parti, un levain, dont les effets furent marqués dans le budget de 1909.

La poussée se fait plus constante dans ce sens, après la réforme électorale de 1884, qui ouvrait la voie à l'établissement de districts électoraux égaux. En 1885, Chamberlain coquetait avec l'électeur rural, lui soumettant des plans pour le développement de petites tenures, surnommées « trois acres et une vache », et entraînant la rupture de plusieurs sections de comté avec l'allégeance tory. Il identifiait le peuple avec la nation et s'opposait à la minorité des classes privilégiées, dénonçant la rente et la mettant au pilori. « J'ai la conviction profonde, déclarait-il, que quand le peuple se gouverne lui-même et que la valeur des intérêts investis et des privilèges de classe est surmontée par la voix puissante de toute la nation, alors les maux sociaux qui déshonorent notre civilisation et les torts qui ont appelé en vain pour être redressés, trouveront enfin audience et remède. » « Il n'est ni de notre devoir, ni de notre désir de chasser et d'abaisser le riche, disait-il encore, quoique je ne pense pas que la réunion excessive de la richesse en quelques mains soit un avantage. Notre objet est d'élever le pauvre et d'accroître la condition générale du peuple. »

Le problème social a un aspect religieux d'un intérêt essentiel. Les sectes non-conformistes représentent les deux tiers de la population environ ; l'Église établie, le dernier tiers. Mais les anglicans comptent la plupart des grands propriétaires fonciers ; leur air aristocratique est odieux aux forces politiques montantes du non-conformisme. L'attitude des Gallois en porte témoignage.

Des mouvements à fondement scientifique se dessinent à la fin du XIXᵉ siècle. Si la Fédération sociale démocratique (1881), d'inspiration marxiste, ne réussit pas à établir un contact permanent avec le monde ouvrier, le Fabianisme, mélange d'opportunisme pratique et de logique, s'harmonise admirablement avec le caractère anglais. Pour lui, l'État démocratique doit être le propriétaire de la richesse nationale et avoir la direction de l'économie. La rente ou plus-value ne doit pas bénéficier à une minorité, mais à toute la société. Il n'y a pas lutte entre le capital et le travail, mais entre une minorité détentrice actuelle de la rente et la masse qui en est frustrée. C'est un problème de distribution. En 1893, l'*Independent labour party* sort des efforts de coopération des représentants de la fédération sociale démocratique, des Fabiens et des trade-unions. Mais la position des trades-unions est contradictoire : elles combattent les capitalistes libéraux ; elles les soutiennent lors des élections. Il faut attendre la fin du siècle pour que l'accord se fasse entre le trade-unionisme et le socialisme. Le *Labour party* va naître.

Le Parlement de 1906 montre le nouveau visage de l'Angleterre. Il est fort de 380 libéraux et de 26 élus travaillistes. Jeune et radical, il avait l'esprit tendu vers toutes les nouveautés. Devant la masse des dissidents protestants, des catholiques et des juifs, la prédominance traditionnelle anglaise en est réduite à une majorité de quarante environ. A cette date, Campbell-Bannerman dirige le gouvernement libéral. Il appartient en quelque sorte à la cuvée gladstonienne : c'est un héros radical. Il soutient le Trades Disputes Act qui accorde aux trade-unions une situation privilégiée. On le reprochera aux libéraux, lors des grèves alarmantes qui marquent la période 1906-1914. On accuse leur démagogie effrénée ; on dénonce le danger qu'ils auraient fait courir à l'ordre et à la prospérité. La conséquence ne tarde pas à se manifester. De nombreux hommes d'affaires et des chefs d'entreprises réduisent leur allégeance au parti libéral, pour se tourner vers les conservateurs.

Vers la même époque, un groupe de femmes, soucieuses d'obtenir le droit de vote parlementaire, intervient avec violence. Elles gagnaient leur vie, en exerçant des métiers longtemps réservés aux hommes. Les établissements d'enseignement supérieur les accueillaient comme les hommes. La réaction du cabinet est vigoureuse. Leur arrestation et leur condamnation font perdre la face au cabinet.

Cette crise se complique d'une autre, constitutionnelle, concernant la chambre haute, à propos du budget présenté par Lloyd George, en 1909. Il s'agissait d'augmenter les dépenses du service social et de la marine. Pour y parvenir, il fallait prendre une mesure socio-démocratique, taxant les riches, augmentant l'income-tax, épargnant les plus pauvres. Les droits successoraux sont fortement accrus, sauf pour les petites propriétés. Une surtaxe est levée sur les revenus de plus de £ 3 000, qui constituaient le groupe des gens riches. C'était une législation favorable aux masses, au détriment des classes privilégiées. Lloyd George, qui veut instaurer une démocratie sociale, va plus loin : il propose une taxe sur la classe des grands propriétaires, le groupe social le plus envié et le plus détesté des radicaux. Il s'agit d'une taxe de 20 % sur la valeur accrue de la terre imposée en cas de vente, c'est-à-dire sur l'augmentation non gagnée de la terre, sur ce qui résulte de la richesse générale de la communauté, par opposition aux efforts des propriétaires pour améliorer leurs terres. C'est rendre vie à la doctrine des disciples de Henry George, les « taxateurs uniques ». Les Lords rejettent le bill. Alors, Lloyd George attaque la haute aristocratie, les ducs qui coûtent autant que des dreadnoughts, les fils aînés et leurs héritiers, « les premiers de la portée » ([348]). De quoi soulever l'enthousiasme radical ! Deux élections générales sont nécessaires pour résoudre la crise. Les Lords avaient-ils, ou non, le droit de détruire les projets libéraux, pour ne retenir que ceux des conser-

vateurs ? Il apparaissait qu'ils ne pouvaient pas rejeter un
bill financier, adopté trois fois par les Communes. L'Acte
de 1911 le décida. Événement capital. La constitution
anglaise n'est plus de droit coutumier, mais de droit écrit.
Les rapports entre les deux chambres sont déterminés
par un statut positif qui établit la prépondérance absolue
des Communes, expression de la volonté nationale et de la
démocratie britannique, en matière financière.

Y a-t-il rupture entre l'aristocratie foncière, qui avait
gouverné le royaume pendant deux siècles, et la bourgeoisie industrielle et marchande ; formation d'un quatrième État, les classes laborieuses, dans la vie politique et
dans le cadre du régime parlementaire, grâce à l'élargissement par étapes du droit de suffrage ? De Salis (349) veut
voir plutôt un mélange et une juxtaposition d'éléments
aristocratiques, bourgeois et aussi ouvriers, qui coopèrent
à la vie publique anglaise. Il serait faux cependant de nier
les luttes de classes qui, sur les îles comme sur le continent,
ont eu lieu entre aristocratie et bourgeoisie, bourgeoisie et
classe ouvrière. Une différence : les circonstances et le
caractère du peuple anglais ont empêché un bouleversement
complet des institutions de la vieille Angleterre. Si chacun
des deux partis a une aile aristocratique défavorable à une
politique réformiste, chez l'un et chez l'autre, se dessine
un courant progressif. Les réformes continues, œuvre des
gouvernements libéral ou conservateur, étaient le résultat
de leur rivalité, pour gagner la faveur de la nation, et de la
poussée de leurs ailes radicales sur la voie de la démocratisation de la vie publique, au moment même où prend racine
le parti travailliste. De ce fait, il était inévitable, politiquement, que le prince perde sa véritable puissance et n'ait
plus qu'une signification symbolique, dans la vie d'une
nation exerçant elle-même les droits souverains. Pourtant,
les courants républicains, qui se produisaient simultanément,
ne réussissaient pas à mordre sur la vie politique anglaise.
A la démocratisation du droit de vote correspond celle des
partis. Traditionnellement, les familles des propriétaires
fonciers, whigs et tories, avaient dominé les partis. Désormais ceux-ci étaient établis sur des bases nationales, donnant

aux députés une plus grande indépendance à l'égard des électeurs. Dans l'esprit d'hommes, tels que Churchill et Balfour (conservateurs) ou Salisbury (libéral), ils ne sont pas l'expression d'une classe, mais le reflet de la nation et la représentation de toutes les couches sociales et de tous les intérêts du peuple britannique ([350]).

II. L'AUTRICHE-HONGRIE
DEVANT LE PROBLÈME DÉMOCRATIQUE ([351])

En Autriche-Hongrie, la lutte se poursuit sur deux fronts : le front des nationalités et celui de la conquête de la démocratie. La marche vers la démocratie est freinée par le fait même du dualisme. En effet, le « compromis » austro-hongrois a établi la domination allemande en Autriche, magyare en Hongrie ([352]). C'est une « union monarchique » ([353]). Or chaque nation, en plein réveil, se propose le développement de son existence nationale et de sa culture. De plus si, en Autriche, la tendance est à la fédéralisation, elle l'est à l'unité et à l'uniformité linguistique, en Hongrie. Si l'Allemand exerce son hégémonie dans plusieurs provinces, des nationalités à la conscience nationale forte et à la notion positive de l'État, comme les Tchèques, les Italiens et les Polonais, font face aux Austro-Allemands, qui ne se décident pas à choisir entre la conception de la plus grande Allemagne et celle de l'Autriche allemande. Le « compromis » soulève des critiques de la part des centralistes autrichiens et des fédéralistes, les premiers y voyant le signe de la dissolution de la monarchie, les seconds se demandant pourquoi il était limité à la Hongrie. Autre fait : les nations dominantes se trouvent parfois insérées dans des majorités nationales non-magyares, Slovaques ou Roumains. Il y a beaucoup d'analogie entre la situation de la Hongrie et celle de l'Autriche : ici, 35,58 % d'Allemands contre 64,42 de non-allemands ; là, 54,5 de magyars contre 45,5 % de non-magyars. Les deux nations dominantes ne représentent ensemble que 43,99 % de la population totale, contre 56,91 aux autres nationalités. Mais, pour les forces culturelles, administratives, financières, militaires, le premier rang revient aux deux pays politiquement dominants.

Le problème social et national n'est pas le même dans les diverses provinces et chaque classe réagit à sa façon. Pour la noblesse historique, le problème national apparaît comme la lutte des couronnes pour le maintien des particularismes et des privilèges du pays sous son hégémonie politique. Pour les classes bourgeoises et en particulier pour la bourgeoisie intellectuelle, la lutte contre la bureaucratie et la bourgeoisie allemandes à la prépondérance agressive, pour la plus large participation aux postes administratifs et économiques, est essentielle. Pour la petite bourgeoisie, il s'agit d'assurer une clientèle nationale à leurs boutiques, à leurs auberges, à leurs entreprises artisanales. Le droit de suffrage s'étendant peu à peu [354], des cercles de petits commerçants et d'artisans, de plus en plus larges, s'ouvrent à la vie politique, donnant aux luttes nationales un accent démagogique. J. de Salis le constate une fois de plus [355]. François-Joseph passe son règne à lutter pour maintenir une monarchie absolue et bureaucratisée contre les revendications d'un régime constitutionnel et démocratique, et établir un équilibre instable entre le capitalisme et une féodalité agrarienne puissante. C'est la lutte entre la tradition et la liberté, la monarchie absolue et la démocratie [356].

L'aristocratie hongroise regarde avec mépris les questions économiques et sociales. Elle reproche aux Habsbourg l'absolutisme germanisateur et le fait d'avoir introduit des éléments pernicieux : le capitalisme, la bureaucratie, la taxation générale, l'égalité devant la loi. Encore faut-il distinguer. La grande noblesse et le haut clergé ont été des instruments soumis au pouvoir de Vienne. La moyenne et la petite noblesse, partisan de l'indépendance, qui s'appelle, à la mode anglaise, la *gentry*, diffère beaucoup par son mode de vie, sa culture, ses aspirations, de l'aristocratie mêlée de Paris, de Vienne, de Londres. Elle a été le levain réel du mouvement antiallemand, anti-Habsbourg, anticlérical. Elle est calviniste. Debreczen, capitale du calvinisme, est le boulevard de l'esprit magyar contre les tendances catho-

licisantes et germanisantes de Vienne. Cette gentry porte
vraiment en elle le désir d'indépendance nationale. La
pénétration de l'esprit démocratique dans le monde et les
changements économiques profonds qui l'accompagnent,
lui donnent la direction du mouvement national. Lisant
Volney et Rousseau, témoignant dans leurs manoirs d'une
grande vigueur intellectuelle, créant de ce fait une atmosphère morale élevée, elle exerce une grande influence sur
les éléments bourgeois. Par son attitude démocratique et
libérale, elle fait un effort désespéré pour transformer le
vieil état féodal pétrifié en un État légal, fondé sur les principes parlementaires de l'Occident ([357]). La bourgeoisie
est très développée, surtout chez les Allemands. La plupart
des impôts provient de revenus industriels et commerciaux.
La classe moyenne — employés civils des services publics
et privés, intellectuels, artisans — forme une base solide. Les
Tchèques atteignent un niveau analogue. Les classes bourgeoises prennent de plus en plus conscience de leur force.
Elles ont les capacités intellectuelles. Elles sont jeunes,
dynamiques.

Au début de 1871, François-Joseph charge le comte
Hohenwart, en collaboration avec l'économiste Albert Schäf-
fle, de faire faire un pas décisif à la monarchie dans le sens
de la fédéralisation. L'hégémonie de l'Autriche sur l'Allemagne était définitivement écartée. Vienne songe à renouveler ses sympathies avec les Slaves. Un projet de réforme
électorale est établi. En usant d'influence sur les grands
propriétaires et en élargissant le droit de suffrage aux
districts où l'accroissement des votes favorables au gouvernement était possible, Hohenwart pensait réaliser le
principal objectif du pouvoir : remplacer les majorités bourgeoises libérales et centralistes par des majorités conservatrices cléricalo-fédéralistes, et achever sa réalisation par
une réorganisation des circonscriptions. Cette réforme
devait profiter aux communautés rurales et aux grands
propriétaires et éliminer la représentation des chambres
de commerce. De plus, le gouvernement prescrivait une
diminution de la qualification de propriété. De cette manière,
les basses classes moyennes urbaines, généralement anti-

libérales, devaient être admises à la franchise. Ce projet,
qui mettait fin à l'hégémonie allemande, fut rejeté par
l'Empereur, comme incompatible avec le compromis de 1867
et contraire à la fédéralisation de l'Autriche [358].

De fait, après 1871, la tendance au fédéralisme entraîne
des concessions en matière de décentralisation et d'autonomie administratives. Le Landtag de Galicie est élargi :
un ministre des affaires polonaises est placé auprès du
gouvernement central. Le Landtag de Bohême est chargé
de réorganiser les rapports entre Prague et Vienne et d'établir
l'égalité des droits, annonçant un trialisme. Elle se heurte
à la résistance du libéralisme autrichien et hongrois. La
Bohême le ressentit amèrement. Après une période de résistance passive, les Tchèques vont au Parlement de Vienne
et y prennent la direction du slavisme. Ils soutiennent le
gouvernement Taaffe avec une majorité antilibérale, conservatrice et slave. Pourtant, le libéralisme se maintient en forte
position dans l'université, la presse et la banque. Dans son
extrémisme, il revendique l'union des Allemands à l'Empire
allemand. Le radicalisme haineux de von Schönerer se sépare
du libéralisme fidèle à l'État austro-hongrois. Les clubs et
les partis se font et se brisent pour se reformer. Les éléments
modérés des clubs allemand et allemand-autrichien créent,
en 1888, une gauche unie qui se divise, en 1896, en parti
allemand du progrès et parti des grands propriétaires fidèles
à la constitution, tandis que le club allemand devenait
l'Union nationale allemande (1881), le parti national allemand (1891), le parti populaire allemand (1896) [359].

Poussons plus avant l'analyse de ce problème politique
et social, pour constater que l'Empereur, dirigé par ses
conseillers, veut combattre les prétentions constitutionnelles magyares. Il introduit au Parlement un projet de loi
requérant l'adoption d'une franchise générale et égale.
Devant la résistance de certains députés, il décide sa dissolution *manu militari* et il légifère par décret. Ces mesures
n'émeuvent pas l'opinion. Pour les indépendants, les libéraux, les dissidents libéraux, le régime magyar ne représentait pas le vœu réel du peuple. Celui-ci ne s'était pas soulevé
pour défendre un Parlement aux mains d'une classe étroite.

Le chemin était ouvert au changement pacifique de l'organisation nationale et sociale de la Hongrie, grâce à un système juste de votation. L'illusion fut de courte durée. Quoi qu'il en soit, l'introduction d'un droit de vote égal et général devait avoir pour première conséquence de donner aux nationalités étouffées, aux paysans et aux ouvriers magyars, une part régulière dans le gouvernement du pays. On pouvait penser que les nationalités libérées combattraient les appels du parti de l'indépendance magyar ; que, sous la loi électorale, la majorité des magyars, petits paysans et ouvriers, aurait probablement rejoint les nationalités dans la lutte contre le gouvernement magyar, spécialement oppresseur ; que le spectre d'un changement social radical persuaderait les groupes combattants du régime dominant de modifier leurs revendications. En retour, la Couronne pourrait vouloir retirer son bill de franchise. De fait, la réforme électorale et la révision du Compromis furent écartées.

La tentative pour introduire le suffrage universel en Hongrie contribue fortement au succès de la réforme électorale en Autriche (1907) ([360]). La crise hongroise accéléra le mouvement. La décision était inévitable. Bien que les motifs décisifs en faveur de la réforme eussent été déjà apparents en 1848, le réveil du parti populaire démocratique, en particulier chez les Autrichiens allemands et les Tchèques depuis les années 80, y poussait. Le comte Leo Thun ne le constatait-il pas en 1849, quand il soutenait qu'il fallait substituer à un système d'intérêts communs socio-économiques dépassant les limites historico-ethniques, un système représentant uniquement des intérêts nationaux ? La crainte d'un soulèvement social radical, dont l'aristocratie et la bureaucratie se méfiaient beaucoup plus que d'une opposition nationale, retarda la transformation. Mais l'éveil du parti populaire, comme la libéralisation progressive de la bureaucratie centrale, au début du xxᵉ siècle, brisent la résistance des bureaux aux conséquences sociales du suffrage universel. L'appel populaire avait rendu probable la victoire de la réforme démocratique ; l'appui donné par la bureaucratie centrale, avec l'approbation de la Couronne, la rendit certaine. L'opposition se trouva concentrée chez les membres de la Chambre haute et dans la bourgeoisie supérieure polonaise, la *Szlachta,* dont le rôle d'ailleurs ne cesse de croître.

Comment se présentait la réforme ? On n'avait pas formé des districts électoraux égaux en population, comme en France. Ce système n'était pas pratique dans un État multinational. Du fait de la démarcation géographique des districts électoraux, les représentants de certains groupes nationaux seraient élus par un nombre de votants plus petit que d'autres. Il fallait en effet, tenir compte, non seulement des votants pris individuellement, mais de la position historique des domaines de la Couronne, de la représentation parlementaire des nationalités, des différences dans leur développement économique, dans leur capacité de payer les impôts et dans leur productivité. Une loi de vote autrichienne devait être fondée sur des droits historiques, culturels, nationaux. Elle assurerait à chaque nationalité une représentation proportionnelle à ses droits. Il s'agissait de rendre justice à la maturité économique et culturelle variable des nationalités par une répartition proportionnée du nombre des sièges au Parlement. L'idée de base de cette politique était qu'aucune réforme électorale ne pouvait avoir de succès, si elle ne préservait, à un certain point, la situation privilégiée des groupes nationaux les plus forts. Jusqu'alors (1907), la situation de la propriété favorisait relativement les groupes économiques ou politiques plus forts, leur assurant la suprématie parlementaire. La supériorité économique et politique de certains groupes nationaux, impliquant un niveau intellectuel plus élevé, était discutable. Cependant, tous les groupes nationaux étaient prêts à profiter d'une répartition des sièges, allant à l'encontre du principe de l'égalité purement arithmétique [361].

L'aspect positif de la réforme consistait dans l'admission au suffrage de tous les adultes mâles, qui étaient bénéficiaires de droits de vote égaux, individuellement, mais non nationalement et collectivement. La grande signification sociale de ce fait, quoiqu'un peu affaibli, n'était pas détruite par la distribution nationale inégale des sièges. Même au regard du problème national, la réforme représentait cer-

tainement un grand pas en avant. La représentation un peu
améliorée des groupes nationaux sous-privilégiés, mais
surtout l'établissement de districts électoraux nationalement
homogènes, autant que possible, avaient considérablement
amélioré les conditions dans les régions nationalement
mélangées.

Sieghart ([362]) dresse le bilan de la réforme : les districts
électoraux étaient délimités, autant que faire se pouvait,
nationalement. Jusqu'alors, dans les terres de la Couronne de
nationalités mixtes, peuplées de 19 millions d'habitants,
près de 4 millions d'entre eux étaient représentés par des
députés d'une nationalité étrangère. Avec le nouveau régime,
le chiffre tombe à 1 173 000 ; les minorités non représentées
passent de 20 à 6 %. Les vrais démocrates lui firent bon
accueil. V. Adler disait : le Parlement des privilèges, les
curies, l'injustice qui opprimaient le peuple, sont morts.
Le droit sacré des peuples démarre.

Les résultats furent décevants. Le réalignement de la vie
politique sur la base des intérêts, autres que les nationaux,
échoua. Aucune alliance parlementaire possible ne se noua
entre les partis catholiques autrichiens. La coopération
économique entre les divers partis bourgeois fut mince.
Pourtant, les démocrates y voyaient un pas important dans
la direction de la pacification nationale. Certes, le problème
de la nationalité autrichienne ne pouvait pas être résolu par
le seul suffrage universel. Cependant, un Parlement central,
élu suivant un principe vraiment démocratique, constituerait le fondement solide sur lequel l'organisation nationale
de l'Empire serait établie. Les premières élections autrichiennes, qui suivirent la mise en place du nouveau mode de
votation, entraînèrent une poussée radicale vers les forces
socialement progressives des socio-démocrates et des chrétiens sociaux. L'évolution sociale fut graduelle, car elle
partait d'un régime relativement beaucoup plus éclairé, au
point de vue social et national, que le régime hongrois. Le
système existant en 1907 pouvait, après tout, s'accommoder
de l'évolution sociale qui se précise les années suivantes.
Dans la Hongrie féodale, un tel changement pouvait facilement prendre un tour révolutionnaire.

Dans ce mouvement politique et social qui ébranle la monarchie dualiste, les doctrines s'entrecroisent, sans se rejoindre dans la réalisation politique. Von Bruck, comme J. Froebel, comptent bien s'appuyer sur les classes moyennes et les intellectuels pour la défense des intérêts communs de l'Allemagne et de l'Autriche ([363]). Mais le projet de Bruck ne repose pas sur une application démocratique, car il avait appartenu à l'extrême-droite au Parlement de Francfort. Froebel était de la gauche radicale. Tous deux pensaient à une fédération germanique, dont l'Autriche serait le centre. Bruck souhaitait une grande Autriche et une grande Allemagne, dans un but grand allemand, tandis que Froebel, bien que non indifférent à la question nationale, souhaitait l'union, avant tout comme un moyen de favoriser la démocratie libérale. Il disait : « La création d'une confédération comprenant toute l'Allemagne, la Pologne, la Hongrie, et les terres slaves du sud et de Valachie, réunies dans une constitution semblable à celle des États-Unis, avec Vienne comme capitale fédérale, est dans les conditions de l'époque. C'est la combinaison politique la plus sage ; mais cette tâche de gouvernement ne pourra être remplie que par une politique démocratique. » Car Froebel ne tolérait une démocratie monarchique, que dans la mesure où le souverain serait strictement confiné dans l'exercice du pouvoir exécutif. La direction de la confédération reviendrait au peuple le plus démocratique, qu'il soit slave ou allemand. Ainsi, pour Froebel, l'issue du nationalisme était tout à fait subordonnée à des convictions libérales radicales. En 1862, il évolue. On retrouve bien une chambre élue, suivant des principes démocratiques, mais au suffrage indirect ; la chambre haute comprenait des princes allemands. Son enthousiasme radical et démocratique s'était beaucoup émoussé.

Parmi les libéraux allemands, des dissidents ne considéraient pas le germanisme et le centralisme comme des concepts inséparablement liés au libéralisme, ni le libéralisme comme un monopole intellectuel des Allemands. Parmi eux, Justus Freymund déclarait nettement que le réformisme politique en Autriche était sans espoir. Il dénonçait les demandes injustes des Allemands pour une position privilégiée, en face des Slaves, plus spécialement des Tchèques. Il rejetait le dualisme qui conduisait à la désintégration de l'Empire. Pour lui, le vrai fédéralisme était incompatible avec la forme monarchique semi-absolutiste du gouvernement. D'autre part, la vraie démocratie républicaine était incompatible avec l'existence continue de l'Empire. L'organisation fédérale, dit Freymund, n'est possible que dans une république, telle que la Suisse ou les États-Unis. Une Autriche centraliste et puissante ne tolère pas la liberté. Une Autriche libre est un pont vers la désintégration et la dissolution. La démocratie devra racheter les nationalités. Car toutes ont besoin de leur indépendance et s'attendent à la chute de la monarchie dualiste. Freymund n'envisageait pas une combinaison du système monarchique et du régime d'une vraie monarchie parlementaire. On peut dire qu'il vit juste, en considérant que le fédéralisme ethnique était lié à une philosophie démocratique et que le fédéralisme historico-traditionnel l'était à la conception d'un État absolutiste conservateur. Cette opinion ressort nettement de l'*Oesterreichs Zukunft*, publié à Bruxelles en 1867 [364]. Fischof, un libéral allemand, [365] pense que le Parlement central doit consister en une chambre des représentants, élus directement par le peuple, et une chambre des seigneurs, composée des représentants de la noblesse foncière héréditaire et de représentants des diètes, suivant les effectifs des nationalités. Fischof a pour modèle Franklin, Washington, Hamilton, Madison. Il ne voit pas que la situation n'est pas la même en Autriche et aux États-Unis et que la conception de ces hommes politiques ne correspond pas à la primauté donnée par Fischof à la portion allemande de l'Autriche [366].

III. EN RUSSIE : UNE BOURGEOISIE RESTREINTE ET POLITIQUEMENT FAIBLE [367]

La Russie des années 70 n'a pas de classe bourgeoise dans le sens occidental, car elle ne connaît pas les développements industriels et capitalistes réalisés dans les pays occidentaux. L'opposition entre l'Est et l'Ouest satisfait à l'idée de certains penseurs d'une rupture historico-culturelle entre les Slaves et les Romains, aboutissant à la conviction des slavophiles que la Russie n'appartient pas à l'Europe. En même temps se dégage la conception messianique de la mission unificatrice de la Russie à l'égard de ses frères slaves, qui inquiétait, en particulier, les libéraux français, désireux de voir « l'immense Slavie » divisée, tandis que se formerait une fédération des slaves occidentaux ([368]).

Qu'il s'agisse de Danilevsky ou de Skobelev, tout ce qui est constitutionalisme ou libéralisme n'a rien à voir avec l'esprit russe. Les institutions anglaises ne sont pas faites pour la Russie. Aksakov ne voit pas la bourgeoisie citadine comme centre du gouvernement, mais les masses populaires. A quoi s'oppose la doctrine de Pypin, qui juge antihistorique la conception unitaire slave. Tiraillé entre les deux pôles, Dostoievsky condamne la vie bourgeoise occidentale, « les poisons » de l'occident, le libéralisme et le rationalisme ([369]). Au fond, la pensée russe est tout entière animée par le côté antibourgeois. Leontiev n'a que dédain pour la civilisation bourgeoise. Son idéal est byzantin et turc. Il ne s'intéresse pas aux slaves du midi, pénétrés des idées démocratiques et égalitaires de l'Occident. Il les méprise : « Tous les slaves méridionaux et occidentaux représentent pour nous, Russes,... un mal politique inévitable. Jusqu'à présent, en effet, ces peuples n'ont rien donné au monde, si ce n'est la bourgeoisie la plus ordinaire et vulgaire ([370]). » Il rejette plus spécialement les Tchèques, « les plus bourgeois des bourgeois, d'esprit libéral et prétentieux ». Il s'agit d'une intoxication chimique, interne. Que les « petits slaves », égalitaires et amoureux de la liberté, continuent à dépendre de l'Autriche et de la Turquie pour ne pas contaminer la Russie. Leontiev ([371]) combat à la fois l'Europe bourgeoise et les mouvements populistes et socialistes révolutionnaires russes, l'esprit petit bourgeois, point de départ de la décadence européenne. Seule, Constantinople répond aux aspirations russes ; alors, la Russie pourra « enlever le masque européen qui lui fut imposé par la main de fer de Pierre le Grand ».

La Russie révolutionnaire n'est pas plus favorable à l'esprit bourgeois. Sans doute, ses adeptes sont en contact constant avec l'Occident, où ils trouvent des instruments de travail et de réflexion et un précieux milieu de pensée. L'Europe occidentale les favorise dans la préparation de leur mouvement révolutionnaire. Contact profitable! La révolution russe devrait-elle être bourgeoise? D'abord connaître un développement libéral ou bien, passant outre à la formation d'un prolétariat industriel, tenter une évolution purement socialiste? Bref, doit-elle suivre le processus des mouvements révolutionnaires européens? Les populistes révolutionnaires, comme P. N. Tkatchev, s'opposent à la méthode de Marx et de Engels qui souhaitaient voir le mouvement russe fusionner avec le mouvement occidental. « Si nous n'avons pas de prolétariat citadin, disent-ils, nous n'avons pas non plus de bourgeois. Entre le peuple opprimé et l'État qui l'écrase de son despotisme, il n'y a pas chez nous de classe moyenne. Devant nos ouvriers, se trouve uniquement la lutte contre le pouvoir politique. » C'est, avant la lettre, le point de rupture entre bolcheviks et mencheviks. La doctrine de Tkatchev est une préfiguration du bolchevisme. L'État ne doit pas être détruit mais exploité par les forces révolutionnaires pour une double tâche : détruire toute force de réaction et de conservatisme ; construire le nouvel ordre, suivant la philosophie socialiste, en mettant en action, au besoin, une terreur impitoyable. Mais les masses peuvent ne pas comprendre le nouvel ordre social. Aussi, une minorité pensante, représentant en puissance la 'volonté du peuple, devra établir le nouvel ordre social. Tkatchev écarte tout ce qui pourrait contribuer à retarder la révolution, en passant par la formation d'une bourgeoisie. Étant donné la structure sociale russe, un socialisme rural doit l'emporter sur un socialisme urbain. La conquête du pouvoir sera l'œuvre du prolétariat intellectuel et rural. Cette forme particulière de conquête de la société russe par le socialisme, inspire à Pierre Leroy-Beaulieu ([372]) le commentaire suivant : « Ils (les révolutionnaires du nord) se flattent qu'une révolution russe laisserait singulièrement en arrière nos révolutions, moins plébéiennes que bourgeoises et toutes jusqu'ici franchement individualistes ; qu'elle apporterait à l'Europe un évangile vraiment populaire, plutôt social que politique,

approprié au monde slave oriental, tout en offrant un principe de rénovation à l'Occident. De fait, une révolution
russe, devant presque fatalement aboutir à une espèce de
socialisme agraire, ne saurait manquer de différer de tout
ce que nous avons vu ailleurs. C'est assurément dans la
révolution que la Russie aurait le moins de peine à se montrer originale, à faire du neuf et du slave, mais cela à quel
prix, avec quels sacrifices pour la science et la civilisation. »

Comme le dit de Reynold, il y a bien une société russe. Il n'y
a pas une structure sociale. Il n'y a pas de classes intermédiaires importantes, de classes moyennes faisant la liaison
entre l'aristocratie et le peuple. Peut-on discerner un groupe
bourgeois, dans un pays où le paysan domine et où le prolétariat n'a pas — de loin — l'ampleur de la classe laborieuse
occidentale ? Le problème paysan est essentiel : l'accroissement de la population n'a pas pour corollaire une expansion
proportionnelle de la terre. De 1861 à 1917, le nombre des
tenures passe de 8 450 780 à 15 712 000. Mais la population
a augmenté à un point tel que le lot moyen de terre a décru de
10 %. Un million deux cent cinquante mille propriétaires
nobles occupent le quart du sol. Pour pallier ce désordre,
plusieurs solutions s'offrent : le départ d'un grand nombre
de paysans sans terre pour les centres industriels ; l'émigration vers la Sibérie ; une culture plus scientifique [373]. Un
décret de Stolypine, du 22 novembre 1906 [374], décide que
les tenures paysannes qui seront détachées du mir pourront
être individualisées et appartenir en propre au paysan. Le
paysan pouvait rester au village ou — s'il le préférait — liquider son bien pour aller habiter à la ville. Khomiakov disait
que le mir était « pour le peuple une école supérieure à toute
éducation livresque et que nulle sagesse livresque ne peut
remplacer. Les assemblées du mir ont sauvé l'esprit et la
raison des paysans russes ». Il portait encore ce jugement que
nous transmet Samarine : « Le mir soutient en lui le sentiment de la liberté, la conscience de la dignité morale. » Or,
depuis 1861, le mir est devenu un obstacle, avec son système
d'exploitation communale et la rotation ancienne des « trois
champs ». Depuis le début du siècle, les troubles paysans
avaient montré que la stabilité sociale grâce au mir était un

leurre. Pourquoi ne pas ouvrir la voie, en créant une classe de propriétaires petits paysans ? D'esprit plus conservateur au point de vue politique, tout en donnant à la terre une orientation plus scientifique, elle ferait équilibre à la classe laborieuse des villes, d'esprit socialiste. Le paysan propriétaire, plus entreprenant, plus fort, contribuerait à remembrer la terre. Cette petite bourgeoisie rurale constituerait la force du régime. En même temps, la réforme de Stolypine permettrait aux paysans de rompre avec le village et de s'installer à la ville comme prolétaires, artisans, entrepreneurs, donnant naissance à une petite bourgeoisie urbaine que condamnent conservateurs et révolutionnaires. Le but ne pouvait être atteint que si le mouvement était logiquement choisi. On pouvait espérer que le mir disparaîtrait complètement et rapidement. Certes, un petit nombre de paysans riches agrandirent leurs domaines et les équipèrent de façon moderne. Des millions d'autres ne bougèrent pas, bien que cette structuration nouvelle de la propriété fût exploitée par les bolcheviks pour surexciter la jalousie de la masse, moins fortunée à l'égard de la petite bourgeoisie riche des « Koulaks ». De plus, les résultats de la mesure varient, suivant la région envisagée : positifs à l'ouest, ils le furent de moins en moins vers le centre. Le paysan lui préférait le système patriarcal, établi en 1861. En 1910, le cinquième de la terre à peine est possédé individuellement : 62 millions d'acres sur 312, le mouvement s'amplifiant à la veille de 1914. Les commentaires inspirés par la réforme de Stolypine sont contradictoires et varient suivant l'état d'esprit du commentateur. Stabilité sociale de la terre ? Accaparement de la terre par les riches ? Accroissement du nombres des paysans misérables et exacerbation de la lutte des classes, du fait de la migration paysanne vers les villes ? Elles provoquent, dans la masse paysanne, un vif mécontentement, dont l'aspect est double : interne, il traduit l'envie de posséder la terre, qui se combine avec la tendance communautaire et socialisante du mir, traditionnelle en Russie, la crainte de voir les riches s'en emparer et le désir pressant d'obtenir le partage des grands domaines de la noblesse ; externe, car la Douma n'avait pas été consultée.

La bourgeoisie russe n'a pas de racines ([375]). Elle est récente. Elle grandit à partir des années 1880-90, avec le développement industriel. Les capitaux étrangers affluent, avec l'équipement le plus moderne. Le travail à domicile recule devant le rassemblement ouvrier en manufacture. La concentration entraîne des migrations humaines, encore favorisée par le développement des chemins de fer entre Moscou, centre de l'industrie du coton, les pays baltes, la mer Noire, puis l'Oural. L'Ukraine devient le foyer d'un énorme complexe économique, qui produit la moitié de la fonte russe, presque autant de fer, de la houille. La concentration ouvrière donne naissance à un prolétariat, les ouvriers temporaires étant de moins en moins nombreux.

Le processus industriel évolue : aux commandes de l'État succède la consommation accrue du marché intérieur, en particulier l'équipement des villes. Les capitaux russes se développent, de façon insuffisante ; les établissements de crédit multiplient leurs opérations, sans que la production progresse suivant le rythme des besoins. L'entente fait défaut entre les intérêts nationaux et ceux des industries étrangères implantées en Russie. Des cartels métallurgiques se dressent les uns contre les autres, avec menace de monopole.

L'emprise étrangère inquiète les milieux de droite, peu favorables à la poussée industrielle, craignant la pression étrangère et le péril prolétarien, tandis que les industriels de l'Oural, de leur côté, se sentent pris à la gorge et évincés du marché de la Russie d'Europe. Les phénomènes de concentration et d'entente, où les capitaux étrangers manifestent leur force, se retrouvent dans l'industrie du pétrole. La Russie avait, sous divers aspects, l'allure d'une colonie économique, la plus grande partie de ses ressources échappant au contrôle national.

Dans cette évolution, la noblesse voit ses rangs se différencier plus que jamais, par la fortune ou par la pauvreté, vendant ses terres aux riches paysans et aux bourgeois des villes. La petite et la moyenne noblesse perd de son importance. La grande noblesse connaît un puissant enrichissement, grâce aux revenus industriels. Elle prend part au mouvement économique, développant les entreprises industrielles et participant à la construction des voies ferrées. Par son activité économique, elle prend les allures de la grande bourgeoisie. Elle s'enrichit aussi de la vente, à des taux très élevés, de domaines qui prennent de la valeur, du fait du développement urbain et de l'implantation des chemins de fer.

Si la bourgeoisie s'étoffe, son volume est loin d'être proportionnel à une population aussi importante. La grande bourgeoisie est limitée et exerce presque un monopole. Elle compte de gros industriels, cultivés, formés à l'université et dans l'industrie des pays étrangers. Sa puissance politique est incapable de résister à l'autocratie. Elle est faible. Elle se heurte à une forte opposition capitaliste à l'intérieur du pays. Les emprunts faits à l'étranger ne lui profitent pas. Ce sont les capitalistes étrangers qui en bénéficient. S'affirme-t-elle politiquement? En fait, la grosse bourgeoisie se rapproche de l'aristocratie par peur du spectre rouge. En général, ses revendications politiques sont rétrécies aux dimensions professionnelles. Elle ne représente pas un bloc de soutien pour le régime.

Certes, elle réclame plus de liberté et d'égalité; elle marque un caractère progressiste. Malgré un manque de netteté, elle apparaît comme un troisième état social, en passe de substituer son influence à celle de la noblesse, sans y être encore parvenue en 1914. Quant à la petite et à la moyenne bourgeoisie, elle est importante. Elle fait partie des guildes inférieures ou des fonctionnaires non nobles. Elle est urbaine. Avec la baisse du cens électoral en 1910, elle tient les municipalités des petites villes.

Des mouvements révolutionnaires éclatent dans le dernier tiers du XIXᵉ siècle : le populisme, les sociétés secrètes à vocation terroriste, le marxisme légal ([376]). Avec la fin du siècle, les éléments économiques se font plus pressants. Le marxisme-léniniste prend position. Le régime tsariste, durcissant sa position, restreint ce qu'a de démocratique la représentation populaire dans les zemstvo et dans les municipalités (1890,1892), alors que les classes moyennes prennent de plus en plus conscience d'elles-mêmes. Les difficultés économiques de la fin du XIXe siècle aboutissent à une opposition politique. S'inspirant des principes de liberté et d'égalité, la bourgeoisie forme le parti constitutionnel démocrate (K. D.) qui se propose des réformes de caractère occidental. Elle ne veut pas s'appuyer sur le peuple ; elle ne recherche pas l'aventure. Réformiste, elle empêche de voir le travail de sape poursuivi par le socialisme révolutionnaire et le marxisme ; le premier, formé de petits bourgeois, instituteurs, employés, s'attache avant tout à la paysannerie et rêve de fédéralisme ; le second, dans sa majorité, veut un parti de cadres s'appuyant sur une classe ouvrière qui, à son tour, entraînera le paysan ; sa minorité est plus largement ouverte. Majorité et minorité, bolcheviks et mencheviks se combattent, les premiers se méfiant des intellectuels.

Dans la première moitié du XIXe siècle, les intellectuels étaient surtout issus de la noblesse. Dans la deuxième, s'y sont joints des enfants de popes, de bureaucrates, de petits commerçants, qui vont suivre les cours de l'université et des grandes écoles. En effet, les rangs de l'intelligentsia s'ouvrent après 1861, comme l'explique L. Martov, dans le *Drapeau rouge en Russie* : « L'affranchissement des paysans et le développement du commerce et de l'industrie eurent pour résultat une large demande d'employés instruits... La vie commerciale et urbaine en développement avait besoin de médecins, d'avocats, de littérateurs, d'instituteurs, de professeurs... Dans toutes les classes inférieures, on désirait s'instruire, dans l'espoir que l'instruction ouvrirait la voie à des situations supérieures. Ainsi, les fils de diacres, de petits fonctionnaires, de petits bourgeois des villes et de marchands se mirent à acquérir de l'instruction et à grimper à la surface de la société. » Ce sont les *raznotchintsy* qui, cherchant à vivre comme médecins, instituteurs ou avocats, constataient que le misère des masses populaires s'opposait à leur propre prospérité.

Originellement, les bolcheviks pensaient, le tsarisme renversé, à une république démocratique bourgeoise. En 1905, Lénine écrivait : « Le marxisme n'enseigne pas au prolétariat à s'écarter de la révolution bourgeoise, ni à en laisser la conduite à la bourgeoisie ; mais, au contraire, à mener la lutte la plus énergique pour la démocratie la plus parfaite. Nous ne pouvons pas sortir brusquement et d'un seul coup des limites bourgeoises de la révolution russe, mais nous pouvons élargir ces limites dans des proportions énormes ; nous pouvons et devons, dans ces limites, lutter pour les intérêts du prolétariat, pour ses revendications immédiates et pour la création de conditions propices à la préparation de ses forces en vue d'une victoire complète dans l'avenir ([377]). » Sur le plan idéologique et stratégique, des difficultés éclatèrent entre bolcheviks et mencheviks au sujet de l'entente avec les partis bourgeois de gauche : les mencheviks soutenaient que la bourgeoisie libérale et radicale avait un intérêt direct à la révolution et que le parti social-démocrate devait s'entendre avec les partis bourgeois antitsaristes, tout au moins éviter de leur faire peur. Les bolcheviks se refusaient à confondre la bourgeoisie du XXe siècle et celle de 1789 ou de 1848 ; si le prolétariat ne pouvait triompher que dans une république, elle pouvait déboucher dans n'importe quelle forme politique. Car elle était capable de tout digérer. Du reste, elle était politiquement faible, du fait de l'envahissement de la Russie par le capitalisme étranger. De plus, dans un pays où l'État exerçait un pouvoir hypertrophié, la bourgeoisie et l'initiative individuelle étaient pratiquement atrophiées. C'est la raison qui poussa Lénine à se tourner du côté de la paysannerie, faisant triompher un socialisme différent de l'Occident, à la fois totalitaire, messianique et byzantin. En tout cas, le conflit entre bolcheviks et mencheviks se situe sur le plan de l'utilisation possible de la bourgeoisie dans la lutte révolutionnaire. Dans les débuts du parti social-démocrate, les membres de l'*Émancipation du travail*, avec Plekhanov, estimait que la paysannerie ne pouvait jouer qu'un rôle subalterne dans la lutte que devait mener une force organisée, venue du prolétariat. De formation marxiste et occidentale, ils songeaient à une révolution bourgeoise, qui serait suivie du développement d'une classe prolétarienne dont la lutte préparerait la révolution socialiste. Pour les bolcheviks, les mencheviks trahissent la révolution au profit

de la bourgeoisie. Les mencheviks ne peuvent admettre
une alliance avec une paysannerie arriérée au détriment
des bourgeois éclairés. L'attitude de Lénine se justifiait
par le fait que la paysannerie représentait la très grande
majorité de la nation, que les *narodniki* ou socialistes révolutionnaires des années 70 la considéraient comme la force
révolutionnaire par excellence et le mir comme l'élément
principal de la communauté. Lénine n'était pas exactement
de cet avis ; mais il voulait profiter de l'exploitation de la
masse paysanne pour la faire conduire par les ouvriers
contre le régime tsariste.

Au lendemain de l'avènement de Nicolas II (1894) et
devant son attitude rétrograde, les assemblées locales, les
zemstvo, décident de se réunir, périodiquement, pour
s'occuper des affaires de l'État. Elles s'intéressent aux
questions, légalement de son ressort : hospices, orphelinats,
assurances contre l'incendie, hygiène, instruction. Parmi
leurs membres, les uns forment le groupe *Droit de la nation*,
de tendances libérales et constitutionnelles en politique,
conservatrices au point de vue social : ce sont des propriétaires fonciers. Les autres ont un programme radical : ils
réclament une constituante, le suffrage universel, le rachat
des terres privées au profit des paysans et la journée de
huit heures. Ces deux groupes de vocation constitutionnelle et démocrate se rejoignent en 1905, pour former le
parti K. D. Lénine s'en rapproche pour en tirer profit, bien
décidé à s'en débarrasser, le moment venu.

Les représentants des assemblées locales tiennent congrès
à Moscou, sans autorisation, en mars, mai, juin et juillet 1905.
En mai, ils votent le suffrage universel direct, égal, secret.
En juin, ils demandent au tsar de réunir, au plus tôt, les
représentants du peuple, « élus par le suffrage égal de tous
vos sujets sans distinction ». En juillet, les représentants
des zemstvo et des villes appellent le peuple à la lutte pour
un gouvernement national, basé sur le suffrage universel.
La petite et la moyenne bourgeoisies, réunies dans des
associations professionnelles à tendances politiques, professeurs, étudiants, instituteurs, journalistes, littérateurs,
avocats, ingénieurs, médecins, pharmaciens, agronomes,

comptables, commis, employés des chemins de fer, réclament une constituante et le suffrage universel. Elles finissent par former une *Union des unions*, dont les congrès, à Moscou, réunissent des bourgeois et des révolutionnaires, de tendances radicales. Les partis politiques, composés de bourgeois et de socialistes, se rapprochent du peuple et revendiquent à leur tour une constituante, le suffrage universel, la journée de huit heures, la terre aux paysans.

Devant ces requêtes lancinantes, Witte conseille au tsar de fonder un régime constitutionnel ([378]). Les événements confirment son opinion. L'Union des unions soutient le conseil des députés ouvriers de Pétersbourg. Les municipalités bourgeoises équipent des milices pour soutenir les prolétaires. Sous cette poussée convergente, le tsar se décide à accorder le statut politique du 30 octobre 1905 ([379]). Il octroie des institutions libérales, créant une chambre ou douma d'empire, élue en pleine liberté, où seront discutés les actes du gouvernement. Dans son manifeste, Nicolas II s'engage à donner à ses sujets une solide liberté civique, fondée sur la liberté individuelle, de conscience, de parole, de réunion, d'association, à permettre aux élus de collaborer au contrôle de l'administration, à faire participer aux élections les classes sociales, qui en ont été écartées jusque-là.

Cette charte octroyée divise l'adversaire. Les libéraux bourgeois se séparent des démocrates populaires. Les modérés de l'opposition libérale, groupés en une *Union du 30 octobre*, soutiennent Witte, devenu président du conseil des ministres, le 7 novembre. Le parti constitutionnel-démocrate, de tendance radicale, ne prend pas une part active à la lutte. Il voit dans la mesure qui vient d'être prise une ouverture heureuse sur l'avenir. En novembre, le congrès des zemstvo décide de soutenir le gouvernement.

Les libéraux n'entrent pas dans le ministère de Witte, qui doit se contenter de fonctionnaires. Il organise son gouvernement avec des départements séparés, des chefs responsables, un budget de l'Empire, des assemblées provinciales et municipales, des universités, des tribunaux réguliers, le service militaire obligatoire pour tous. Il voulait instituer une organisation libérale et la liberté, en utilisant le système

existant. Les résultats sont contradictoires : les mesures
ne manquent pas de libéralisme (liberté de la presse, attributions de la Douma, liberté d'association et de réunion,
préparation d'un code des lois fondamentales), tout en subissant de regrettables restrictions.

Le 24 décembre 1905, une loi électorale répartit les électeurs en trois curies : propriétaires fonciers, électeurs des
villes, paysans. Les élections avaient lieu à deux degrés
(à quatre pour les paysans). Pour être électeur, il suffisait
de posséder une propriété, de payer un impôt, de louer un
logement. Les ouvriers votaient dans une curie à part. Il
y avait 412 députés. Le 10 mai 1906, sont promulguées les
lois fondamentales. La Douma est un corps législatif. Le
tsar conserve de larges prérogatives : l'armée, la marine, la
diplomatie, les apanages de la couronne dépendent de lui
seul. Il convoque la Douma, clôt ses sessions, peut la dissoudre. Il légifère dans l'intervalle des sessions. La Douma
ne peut modifier, de sa propre initiative, « les lois fondamentales », ni la loi électorale. Elle a des attributions financières
réduites. Les ministres sont responsables devant elle.

La première Douma se réunit, le 10 mai 1906. Les K. D.,
qui avaient obtenu les voix de membres de la noblesse et
de la haute bourgeoisie, des intellectuels et des classes
moyennes, de paysans aussi, forment un groupe de 184 députés sur 524. Ce sont les représentants les plus instruits,
possédant les meilleures connaissances en matière juridique,
politique, économique. Théoriciens et doctrinaires, ils
animent la première Douma. Élus de la bourgeoisie urbaine
et des propriétaires fonciers, ils mènent le jeu. Dans leur
adresse, ils expriment les exigences de la démocratie, ne
voulant pas d'une constitution octroyée. Ils ne réclament
pas une constituante, comme le font les socialistes, parce
qu'ils pensent que la Douma en tiendra lieu. Ils ne
reconnaissent que la souveraineté nationale. Ils demandent
la suppression du conseil de l'Empire, composé, pour une
moitié, de fonctionnaires et, pour l'autre, de membres élus
par l'Église, la noblesse, les zemstvo, les universités, les
chambres de commerce, dont la plupart représentaient,
directement ou indirectement, la noblesse ; la responsabilité

du ministère devant la chambre ; le suffrage universel ; la disparition du système policier. Rien ne passe. Pris entre le gouvernement et la paysannerie, les K. D. sont impuissants. Leurs demandes excessives leur aliènent le pouvoir. En cherchant à l'effrayer, en brandissant le spectre de la révolution, ils se séparent des masses révolutionnaires. Ils sont coincés entre le gros capital, qui n'est pas aux mains de la bourgeoisie, et le paysan qui n'a pas une vocation bourgeoise.

Lénine lui-même usa d'une tactique de boycottage à l'égard de la Douma. Il ne voyait en elle qu'une mesure transitoire, destinée à calmer les mécontentements et à organiser un pseudo-parlementarisme. Il accusait également les mencheviks d'utiliser la Douma pour réaliser de dangereuses illusions constitutionnelles. En face de la comédie parlementaire, il offre l'espoir de réalisations révolutionnaires. Il dénonce la collusion des K. D. et des mencheviks, ajoutant qu'il ne peut y avoir d'intérêts communs entre bourgeois libéraux et prolétaires.

La deuxième Douma réunit quelques députés favorables au gouvernement. L'effectif des K. D. a diminué de moitié ; mais, avec 180 socialistes, l'extrême-gauche se maintient. Bref, l'opposition compte 395 députés. D'ailleurs, les K. D. changent de tactique ; ils proclament leur indépendance à l'égard de la gauche et rompent leur alliance avec les mencheviks, pour former une majorité du centre. Ils se déclarent partisans de l'entente avec le gouvernement et ne parlent plus d'un ministère responsable. Ils mécontentent leurs électeurs par leurs concessions au pouvoir. Stolypine s'abouche avec eux, comme Witte l'avait fait. Le conflit de la Douma avec le pouvoir éclate, à propos de la menace d'arrestations de trente-cinq députés social-démocrates. La Douma est dissoute, le 16 juin 1907. La phase parlementaire de la révolution est terminée. Effrayé par les tendances démocratiques et socialistes des députés, le gouvernement tend de plus en plus vers la réaction. Le 16 juin 1907, il modifie la législation électorale en faveur de la noblesse, noyant l'électorat urbain dans l'électorat rural. Il le divise en deux classes, aux proportions inégales : le groupe le plus riche

— le plus petit aussi — a autant de représentants que le reste de l'électorat.

Aux élections de la troisième Douma, les éléments de gauche sont réduits à un nombre insignifiant de membres : 13 pour le parti du travail, 20 pour les sociaux démocrates, 56 pour les K. D. Les socialistes révolutionnaires avaient boycotté l'élection. Les minorités nationales obtiennent peu de sièges : 5 peuples d'Asie sont représentés, au lieu de 15 en 1907. Les légalistes protestent en vain contre la violation de la constitution de 1905. La représentation de la gentry était passée de 25 % dans la première Douma, à 28 dans la deuxième, à 44 dans la troisième, à 51 dans la quatrième. La troisième, dite Douma des seigneurs, assure l'accomplissement des réformes de Stolypine et le succès de l'autocratie. A la quatrième, les députés bolcheviks sont d'authentiques ouvriers. Le groupe parlementaire est en liaison étroite avec le comité central et Lénine. Leurs thèmes sont : la république démocratique, la journée de huit heures, la confiscation des grands domaines.

Dans le mouvement qui entraîne la société et le pouvoir à la catastrophe, quel est le groupe social déterminant ? La Russie évolue vers un régime constitutionnel et parlementaire. Le libéralisme bourgeois à l'occidentale trouve un lieu d'élection dans les zemstvo. Là, se dessinent les partis politiques, notamment les constitutionnels démocrates, les K. D., et les libéraux, qui rassemblent les forces bourgeoises en voie de formation. Les bolcheviks y voient essentiellement le jeu du prolétariat. Pour eux, le problème apparaît en pleine lumière. La terre manque, la structure sociale du village se transforme, les lois protectrices du travail en usine font défaut, les moyens de communication sont trop faibles pour faciliter la prise de possession des terres vacantes de l'Est. Ces éléments économiques et sociaux, comme à la veille de 1789 en France, vont prendre un tour politique.

Le climat est politique, sous l'influence de l'opposition des nationalités opprimées, slaves ou non ; sous la pression des partis et celle du populisme nationaliste. Inspiré par les slavophiles, il est devenu, dans les dernières années du xixᵉ siècle, un mouvement petit bourgeois rural, avant d'aboutir à un socialisme petit-bourgeois se recrutant chez les fonctionnaires et s'appuyant sur les institutions communautaires paysannes, convaincu que, par instinct, la Russie est plus socialiste que l'Occident, car « elle est communiste d'instinct », a dit Tkatchev.

Sans aucun doute, la social-démocratie est le véritable danger couru par le pouvoir. Elle adapte le marxisme aux conditions de la Russie et met au point le marxisme-léninisme qui se propose de créer un parti ouvrier prêt à la lutte politique. Le pouvoir, aveugle, ne discerne qu'une forme d'opposition, qui se retrouve dans les zemstvo, les municipalités ou les organisations économiques. Car les zemstvo réclament la création d'une assemblée issue de leur réunion, qui témoignerait de l'établissement d'un régime représentatif. L'opposition de cet ordre est libérale ; elle s'alimente dans la nouvelle bourgeoisie moyenne, qui prend son point d'appui chez les chefs d'entreprises et les fonctionnaires hostiles à la prééminence de la noblesse dans les zemstvo et de la grande bourgeoisie dans les municipalités. D'ailleurs, depuis 1895, un mouvement libéral d'opposition, analogue à celui qui se produisit en 1789, réunissait bourgeois et nobles libéraux, répugnant à la réaction comme à la révolution. La réunion générale des délégués des zemstvo de gouvernement à Moscou et la formation de l'*Union pour la libération*, se prononçaient pour une démocratie politique, fondée sur une constitution et le suffrage universel, buts du parti constitutionnel démocrate. Le réformisme libéral et bourgeois semblait apporter l'heureuse solution. Le pouvoir se refusait à toute concession qui mordrait sur l'ordre social existant. A la vérité, qui se rendait compte du bouleversement social et politique qui allait emporter le tsarisme en 1917 ? Les sociaux-démocrates les plus déterminés ne voulaient point voir que l'aristocratie était dégénérée, que le peuple ne vénérait dans le tsar que la personne, que le clergé était éloigné de sa mission religieuse et que le régime, décrépit, ne pouvait même plus répondre aux aspirations les plus modérées.

La bourgeoisie était-elle assez nombreuse pour imposer

ses vues ? A quoi a abouti son opposition légaliste ? Sur le premier point, la classe moyenne s'est accrue, dans la mesure où s'est développée l'économie russe. L'évolution est positive, de 1905 à 1914. La diffusion de l'instruction contribue encore à la formation d'une classe moyenne instruite et susceptible d'envisager des réformes. Inscrite au parti des K. D., elle n'a pas réussi à s'imposer dans les Doumas. Avec un programme modéré, libéral, sans violence, elle était inefficace dans une conjoncture aussi tendue. Elle était dépassée par les révolutionnaires et les sociaux-démocrates, partisans d'un bouleversement social et politique total, dont l'action se fonde sur la lutte des classes, ouvriers contre patrons, pauvres paysans contre riches koulaks. La classe moyenne libérale, sans contacts populaires profonds, tendait vers une démocratie parlementaire, sur le modèle occidental dont les structures constitutionnelles resteront vides ; les partis révolutionnaires, vers une démocratie populaire que sanctionne, en 1917, la victoire du prolétariat, associé à la masse paysanne pauvre ([380]). Encore faut-il tenir compte de l'influence du droit naturel et du rationalisme universaliste du XVIIIe siècle, qui, écartant une idéologie fondée sur l'évolution et un libéralisme pragmatique, n'a mené qu'à des réalisations radicales ([381]).

Conclusion

Conclure ? Conclure, c'est rassembler quelques traits essentiels d'un long commentaire. C'est projeter une lumière plus crue sur ce que les développements de l'analyse ont fourni. Nous avons présenté les classes bourgeoises dans leurs nuances, qui sont celles d'un éventail aux mille couleurs. Ces couleurs ressortent-elles suffisamment ? Au terme de l'exposé, la démocratie est là, formée, vivante. Est-elle majeure ? Les classes bourgeoises ne pouvaient aboutir à la démocratie que par des détours. Car ce n'est pas la démocratie, en tout cas comme elle est entendue dans les pays occidentaux, qui sert de point de départ au mouvement démocratique. Et ce point de départ est mauvais. Les classes bourgeoises elles-mêmes sont très disparates. Celles qui dirigent et qui forment les notables — mais les notables ont changé — sont seules à participer au pouvoir. Chose curieuse ! Le parlementarisme, qui prend ses origines sous la Restauration et s'affirme sous la Monarchie de juillet, est très loin de coïncider avec un régime vraiment démocratique. Voilà le faux départ.

Il est difficile de parler d'institutions démocratiques, quand une oligarchie domine et n'a pas du tout l'intention d'abandonner le pouvoir. Le régime censitaire est l'apanage d'un tout petit nombre de bourgeois, auquel se joint une aristocratie foncière qui se mêle aux industriels, aux maîtres de forges, aux banquiers. Il n'a rien à voir avec la démocratie. Ce sont des notables qui, seuls, peuvent parler, avoir une

opinion, diriger le gouvernement. Tout de suite, il nous
faut distinguer : sous la Restauration, les couches anciennes
et les couches nouvelles, l'aristocratie et la bourgeoisie,
se heurtent. Le conflit qui marque la période de 1815-1830,
se concentre dans la lutte entre deux groupes sociaux, l'un
tourné vers le passé ; l'autre, vers l'avenir. De fait, où est
le gouvernement du peuple, dans un pays où les collèges
électoraux se réduisent à quelques centaines d'électeurs,
bien connus du candidat ? On ne saisit pas cette masse électorale, anonyme, qui ne connaît que les opinions de ceux
qui cherchent à la représenter et n'est forcément pas du
même milieu. Les électeurs sont très près du député et
peuvent lui en imposer plus fortement. Le peuple parle par
personne interposée. Ne lisant pas ou très peu, même instruit n'ayant pas les moyens d'acheter des journaux, ne
sachant d'ailleurs pas lire, sa position est peut-être moins
déprimante que celle du bourgeois, petit ou moyen, qui
sait lire, qui pense et que la loi écarte de toute activité
politique, parce qu'il ne dispose pas de moyens financiers
suffisants. De quelque côté que l'on se tourne, l'on aboutit
à l'inverse de l'idéal démocratique. Le notable ou, si l'on
préfère, le grand bourgeois exerce, dans son milieu, des
pressions nées de relations interpersonnelles, comme le
note Stoetzel. Le bourgeois moyen dispose, de son côté,
de moyens analogues, le café, le club, le cercle, où il retrouve
des citoyens qui lui sont semblables, avec lesquels il a la
possibilité de discuter, d'échanger des vues sur les problèmes
politiques, économiques et sociaux, de manifester leur
opposition à un régime trop étroit. Le grand bourgeois
et son groupe exercent une forte influence sur les autres
groupes bourgeois qu'il cherche à gagner à ses idées. Sans
doute, le bourgeois moyen se laisse séduire, parce que ces
rapports privés sont seuls capables de lui permettre d'exposer
ses griefs et peut-être de réaliser ses vœux. En période de
paix politique, les groupes se font face sans s'unir, car,
à la base, un fossé les sépare. Les petits et moyens
bourgeois acceptent difficilement la solution qui les fait
représenter par les grands. Leurs aspirations ne sont pas
identiques. Leurs conceptions de la vie ne correspondent

pas. De même que, sous la Restauration, les bourgeois étaient entrés en conflit politique avec les aristocrates, après 1830, les bourgeois qui avaient fait le coup de feu sur les barricades avec les ouvriers acceptaient mal les privilèges dont, seuls, les grands bourgeois jouissaient. L'isolement hautain dans lequel vivaient ces derniers, était l'objet de l'animosité des autres.

Il faut dire que les grands bourgeois ne vivaient pas dans le même temps que les aristocrates. Aussi, par certains côtés, avaient-ils tendance à se rapprocher des autres bourgeois. Là encore, il y avait un décalage. Pour les premiers, le présent comptait avant tout ; pour les seconds, il était trop mesquin. L'avenir leur apparaissait comme prometteur, parce qu'ils espéraient que, la démocratie triomphante, ils pourraient enfin occuper la place pour laquelle ils se sentaient tout désignés.

Les romans de Balzac nous ont bien montré que, sur le tronc très solide des notables, croissaient, parasites, des individus que l'ambition poussait vers le sommet social déjà atteint par les autres, qui se défendaient contre toute intrusion avec vigueur. Ces ambitieux, jouant des coudes, parvenaient au premier rang pour finir par se confondre avec les notables de tradition.

Ainsi se dégageait un gouvernement politique, aussi peu démocratique que possible, relevant de quelques-uns, tandis que la masse restait en dehors de toute vie politique. Le bourgeois avait tiré à soi la couverture, au point de n'en laisser que des lambeaux aux autres. Il a péché par égoïsme et, de ce fait, par imprévoyance, ne se rendant pas compte que la générosité seule était payante.

L'éducation politique était, en général, médiocre. Si, suivant les doctrinaires, seuls les propriétaires étaient capables de penser juste, il serait abusif de soutenir que leur conception politique et sociale réponde à l'idée que l'on doit se faire de la démocratie. Voulant tout ramener à eux, les chances étaient minces de voir le gouvernement par le peuple s'instaurer dans le pays. Le même individu a fini par réunir dans ses mains tous les pouvoirs, politique, économique et social.

Se demander si la bourgeoisie a vraiment joué son rôle dans le développement des institutions, n'est-ce pas engager, pour une large part, une réponse négative ? Par son égoïsme, elle a dévié le libéralisme, sur lequel elle reposait, vers une sorte de paternalisme qui a heurté de plein fouet les travailleurs, quelle que soit leur place dans la hiérarchie, et qui était le masque charitable de son désir profond de rester seule dans une position exceptionnelle. Elle n'a pas une conscience très nette de la nature des problèmes qui se posaient à elle, à moins qu'elle n'ait point voulu les envisager. Par un libéralisme dévié à son avantage, elle a contribué à étouffer toute défense des travailleurs. Laisser faire, enrichissez-vous par le travail, ces formules ont jeté sur elle un voile fait d'indignation et de colère qu'elle n'a jamais pu déchirer, en dépit de ses efforts de compréhension. Son attitude de réserve n'a plus été que refus de la réalité misérable et de revendications justifiées.

La responsabilité exige des obligations. Tenir un rang, ce n'est pas seulement être à l'honneur et participer aux honneurs ; mais remplir un mandat. La bourgeoisie l'a-t-elle rempli ? Inconsciente du danger que son attitude et son comportement accumulaient sur sa tête, elle n'a pas vu qu'il ne s'agissait plus de charité, mais de justice. Elle n'a pas compris que le travailleur n'était pas une chose que l'on achète. Elle n'a pas eu conscience de la dignité de l'homme, quelle que soit la tâche à laquelle il est asservi. Le parlementarisme s'instituait. Ses bases restaient fragiles ; le piédestal sur lequel il reposait, trop étroit. Victor Duruy avait accoutumé de dire : suivons le monde dans le sens qu'il nous montre. Eh ! bien, le bourgeois, ardent, hardi à la besogne, véritable capitaine d'industrie, a bien vu la voie qui lui était offerte pour mener à bien son entreprise. Il n'a pas toujours vu celle que le monde de l'avenir lui offrait, pour permettre à toutes les classes sociales de devenir majeures.

La société française a accompli une révolution au cours du XIXe siècle. Elle était fondée sur une structure aristocratique et foncière, au début du siècle dernier. Avec le triomphe du bourgeois, elle a tendu vers des rapports économiques de plus en plus marqués. Le statut juridique avait un fondement héréditaire : il est devenu viager. L'entreprise, tout d'abord familiale et basée sur des rapports personnels, a pris, en croissant, un caractère de plus en plus anonyme. La société par actions a une vie propre, en dehors des membres de la société.

Société libérale, peut-être ; société démocratique ? que non. Une élite domine. Nous sommes loin des citoyens de la Grèce antique! Les notables exercent une prépondérance plus large dans la mesure où le pouvoir est plus affaibli. C'est la conception même de l'État dans la période 1815-1848. Le pouvoir central est faible. L'État libéral ne doit pas intervenir. Il respecte la liberté, aux risques et périls de celui qui en jouit. Tudesq le constate très justement : la domination des notables correspond à la confusion des trois pouvoirs.

1848 marque un temps d'arrêt. La grande bourgeoisie entre en elle-même. Elle craint pour ses privilèges politiques et économiques. La chute est brutale. L'immobilisme politique lui convenait si bien. Car il est un trait qu'on ne met jamais suffisamment en lumière chez le bourgeois, si grand soit-il. On voit en lui parfois un aventurier qui, ne subissant aucune gêne de la part de l'État, va de l'avant, téméraire. Relisez certaines pages de Marx et de Georges Sorel. Il y a un autre aspect moins brillant, moins passionné aussi, et qui fait douter de ses mérites. Consultez les enquêtes sur le commerce de 1828 et de 1834. Vous trouverez l'envers de l'esprit d'aventure chez ces gros fabricants qui refusent d'ouvrir la porte aux échanges et implorent le pouvoir de les protéger. Chez ceux-là aucune vue de l'avenir. Le Zollverein, une entreprise qui ne les regarde pas. Le libre-échange ? A quoi bon ? La vie est si quiète derrière le mur de Chine de la prohibition. On peut donner des explications, tenter de faire comprendre. Nous y voyons un fond de paresse native, un refus du combat dans la lutte économique, qui justifie qu'à côté des magnifiques découvertes industrielles françaises, les réalisations sont souvent faites par d'autres. La petite et la moyenne bourgeoisies attendaient depuis vingt ans la révolution qui leur permettrait de parti-

ciper au pouvoir ; elles triomphent un instant. Mais, devant
la menace du spectre rouge et la crainte du déchaînement
des travailleurs, elles se rapprochent de la grande.

Certes, le suffrage universel a été introduit. Il faut compter avec la réalité. La classe des travailleurs, pour une très
large part analphabète, est peu ou mal informée. Sans doute,
la presse se multiplie avec la révolution. Mal préparés à
profiter de l'information, les ouvriers n'en saisissent pas
toute la portée. Aussi les bourgeois prennent-ils rapidement
la direction du mouvement, naturellement dans leur sens,
qui est celui de la réaction. En effet, la révolution n'a rien
balayé du tout, parce qu'elle n'a pas été franche, mais bâtie
sur un compromis. A la Chambre, les représentants sont,
pour une bonne part, d'anciens députés de la monarchie
de juillet. Pour la plupart de grands bourgeois. Ils ne souhaitent que de reprendre le pouvoir. Pour parler franc,
ils ont une connaissance et une expérience uniques des
choses de la politique. Si bien qu'ils accaparent, à leur profit,
les résultats de la concession du suffrage universel. Par là,
ils mettent en veilleuse une démocratie, encore chancelante.
L'impression première est que la masse électorale avait
pris des proportions considérables. Elle n'était, en fin de
compte, qu'un troupeau, comme par le passé aux mains
du notable. Et comme le petit et le moyen bourgeois craignent toujours un débordement sur leur gauche, faisant
chorus avec les autres, ils prennent les allures d'un client
à l'égard d'un candidat instruit et expérimenté. A y réfléchir, même en 1849, le pays réel, ce n'est pas la masse plus
ou moins illettrée, mais le petit groupe des anciens électeurs censitaires. Ils ont le savoir, la fortune, l'instruction,
l'expérience. Ils représentent vraiment le peuple. Évidemment, sur les marges, la petite et la moyenne bourgeoisie ont
pris un certain ascendant. Elles restent timides encore, car
la puissance des grands l'impressionnent. Elles retrouvent
leur courage sous leur protection.

Que pouvait le peuple ? Il eût été nécessaire qu'il pût prendre connaissance d'une presse qui proliférait, mais qui lui
échappait, non pas parce qu'elle était trop chère, mais
parce qu'il était peu préparé à en saisir l'information.

Seule, une information de tous les instants aurait pu la faire sortir de son ignorance. Il n'en avait ni le temps, ni les loisirs. Les « journées », l'instabilité matérielle, le désir de disposer de salaires plus substantiels, l'absorbaient. A deux reprises, travailleurs, petits et moyens bourgeois s'étaient fait tuer sur les barricades pour plus de bien-être, pour un État qui réponde mieux à leurs besoins et à leurs aspirations. Ils s'étaient fait tuer pour rien ou plutôt pour les grands bourgeois dont ils avaient défendu la cause en 1830, dont ils se rapprochent en 1848 et qui n'avaient cessé de les tenir sous le boisseau.

Au fond, qu'est-ce que la démocratie ? Pour les grands bourgeois, le parlementarisme, tel qu'il a été réalisé sous Louis-Philippe, représente la vraie démocratie. La démocratie, ce sont les institutions qui consacrent sa puissance et son privilège ; la réalisation d'un but toujours poursuivi ; le développement de la fortune dans un cadre politique fait pour eux. Il y a tous les autres ! Là, il faut sérier. Il n'est pas possible de confondre les autres groupes bourgeois entre eux et la classe ouvrière. Les premiers ont un fond commun d'expérience et d'instruction qui ne demande qu'à être mis en pratique. Ces couches nouvelles ont conscience de ce qu'elles sont. Elles ne demandent qu'à s'affirmer. Elles ne sauraient être confondues avec le travailleur qui n'a pas encore le sentiment de la force qu'il représente, parce qu'il lui manque l'instruction qui lui permettrait de mettre en formule ses réflexions et de traduire en langage clair ce à quoi il aspire confusément. Pour elles, il n'y a d'ambition qui ne se traduise en notable, c'est-à-dire en possesseur de la fortune, de terres, de revenus mobiliers.

Ainsi, le pays se trouve, socialement parlant, pris entre un conservatisme qui s'exprime dans les institutions en place et qui s'inquiète du suffrage universel qui le menace, à moins de réussir à l'escamoter à son profit, et une sorte d'appétit d'avenir variable, suivant qu'il s'agit du moyen ou du petit bourgeois et du travailleur. Pour ces derniers, en tout cas, il s'agit de conquérir. Pour eux, les institutions doivent être repensées, transformées et même reprises à partir de leur fondement, pour que la vie politique et économique prenne le visage d'une masse satisfaite, mais jamais rassasiée.

Or, précisément, 1848 a une suite, 1849 ; et, contrairement à ce que certains esprits à courte vue envisageaient, la démocratie tant souhaitée ne fut que la réaction. Depuis les journées de juin 1848, c'en est fait de la démocratie à peine entrevue. La révolution était fondée sur un compromis. L'évolution se poursuit, sous l'influence des chefs expérimentés, talonnés par le regret des privilèges perdus, qui se promettent de revenir au passé. Contre les menaces d'anarchie, l'ordre s'impose. Il faut une tête pensante, qui soit la personnification d'un ensemble d'événements dont le rôle a été majeur dans la vie de la nation. Bien plus — même en négligeant la possibilité d'un événement imprévisible et exceptionnel — les bourgeois avaient l'impression très nette que leur influence risquait de s'amenuiser, si le pays suivait la voie sur laquelle il s'était engagé. Il leur apparaissait que le moment n'était pas très éloigné où ils seraient éliminés, faute d'être utiles ou nécessaires. Tout l'annonçait : les associations qui se formaient ; les déclamations des intellectuels qui montraient que tout n'était pas pour le mieux dans le pays et qu'il y avait place pour un régime plus ouvert en faveur de ceux qui étaient restés jusque-là en tutelle. Beaucoup pensent encore que le peuple n'est pas mûr pour exercer ses droits politiques, mais comptent sur la crainte de la plupart des bourgeois en face du prolétariat, pour que soit sauvée une position en train de se désagréger. Mais l'événement se produit, que certains avaient dénoncé à l'avance : le coup d'État.

Les libertés s'évanouissent. Un seul homme prend en main les destinées du pays. La démocratie se voile la face. Les classes bourgeoises, pour une part, se rallient au régime nouveau pour l'ordre qu'il représente et qu'il a promis. Il a des arguments de poids pour étouffer la liberté. La prospérité matérielle est considérable. La France connaît un magnifique développement, qui fait oublier à beaucoup la contrainte qui règle le jeu politique. Devant le rayonnement de la France, ils estiment que tout va bien. Peut-être faut-il voir dans le succès du système présidentiel, puis impérial, le soutien des grands bourgeois. Ils avaient joué un rôle de direction sous Louis-Philippe ; ils considéraient que le suffrage universel avait de grandes chances de le leur faire perdre ; ils pensaient ainsi maintenir leur situation dirigeante et écarter la pression des masses électorales. Sans doute, c'est par réaction envers ce système que, la république bien établie, les hommes politiques, issus des couches nouvelles de la société, désireux de conserver des privilèges chèrement acquis, ont renforcé le rôle des assemblées, s'appuyant sur les partis dont ils étaient les dirigeants et qui, à vrai dire, n'avaient aucun pouvoir officiel.

D'aucuns que l'on qualifie de chagrins, mais qui ressentent intensément la perte de droits et de libertés auxquels ils avaient à peine goûté, expriment le regret des espoirs étouffés. Chose curieuse, c'est un des adeptes les plus marquants du régime de Louis-Philippe, Thiers, qui revendique avec le plus de force les « libertés nécessaires », libertés de la presse, de réunion, de penser. L'image du parlementarisme, auquel Louis-Philippe avait fait des entorses par son gouvernement personnel, apparaît comme le but à atteindre, parce que le gouvernement représentatif est, aux yeux des anciens représentants, comme le terme de l'évolution de la démocratie politique. Car il ne s'agit pas de social.

Le pays est en pleine euphorie économique. Les grands bourgeois tirent des profits remarquables d'une situation, qui marque le triomphe du saint-simonisme dans son réalisme profond. Les classes moyennes jouent leur rôle dans le développement matériel de la France. Par une sorte de paradoxe, le crédit se démocratise sérieusement, au moment même où la démocratie politique se terre. Les maisons de crédit se multiplient. Jusqu'alors, l'appel aux gros capitaux et aux parts considérables avait permis le développement industriel. On a compris que de petits apports multipliés finissaient par faire des sommes considérables et que de grandes entreprises pouvaient être lancées, grâce à des capitaux très minces, fournis par des masses de souscripteurs, petits ou moyens bourgeois. Pour satisfaire à leurs vues, l'obligation se répand et se place au premier rang du marché des valeurs, car, pour eux, il s'agit moins de faire de la spéculation, que de tirer un loyer honnête et sûr de l'argent économisé. Ainsi la démocratie, rendue inopérante sous l'angle politique, connaît un renouveau en matière financière. Il ne faudrait pas en déduire que les satisfactions matérielles arrêtent la poursuite d'une démocratie effective. Elle n'a pas les mêmes aspects pour les divers groupes bourgeois : pour les uns, atteindre la démocratie politique, c'est-à-dire avoir un régime parlementaire, constitue le but suprême; pour les autres, le problème social est primordial. La démocratie doit être sociale. Avec le temps, le monde du travail prend une conscience de plus en plus claire de sa mission, de sa dignité et de ses droits. Certes, il trouve dans son sein des défenseurs éclairés et expérimentés. Il ne peut négliger les bourgeois, d'esprit très avancé, qui se proposent de lutter avec lui pour la réalisation de ses revendications sociales, tout en soutenant l'idée républicaine et le régime parlementaire. C'est ainsi que la démocratie qui semblait s'amenuiser au souffle de la dictature, remonte la pente, suivant une marche que les hésitations de l'empereur rendent d'ailleurs cahotante, et rejoint le parlementarisme, si longtemps honni. Bref, au moment où la nation semble revenir au système politique que la révolution de 1848 avait détruit, le régime impérial s'effondre. La démocratie prend une nouvelle force qui va s'exprimer avec violence, dans une conjoncture exceptionnelle, en 1871 : la Commune.

Deux forces sont en présence : celle du conservatisme qui se retire à Versailles pour mieux imposer sa volonté ; celle de la démocratie communaliste qui, à Paris, cherche à réaliser sa doctrine. Si, dans le passé, la France avait connu une démocratie formelle, la Commune offre une tentative de constitution de démocratie réelle. Mais elle échoue : non point tant par le fait qu'elle était limitée territorialement. Car certains de ses défenseurs pensaient travailler pour la France entière. Une fois de plus, parce que les bourgeois, petits et moyens, qui la forment, pour une bonne part, ne poursuivent pas les mêmes buts, leur philosophie politique se brise en idéaux parfois contradictoires. Pour les uns, il s'agit de donner une forme plus libérale à l'organisation municipale de la capitale; pour d'autres, d'instaurer une sorte de régime de terreur renouvelé de 1793 ; pour d'autres encore, d'établir une sorte de fédération des communes, allant à l'opposé des précédents, centralisateurs à l'instar des « montagnards ». Il est évident que, pour la majorité, il y avait là l'établissement d'une démocratie plus réelle que celle dont on avait fait l'essai précédemment.

La Commune est écrasée. La grande bourgeoisie triomphante cherche à l'emporter sur la république et la démocratie. Certes, il y a le suffrage universel. Représente-t-il, à lui seul, la démocratie ? Le moment n'est-il pas venu de faire triompher le conservatisme social et peut-être de rétablir la monarchie. Laquelle ? Dans le désordre général des consciences au point de vue politique, où s'entremêlent république, légitimisme, orléanisme, par un coup de dé que rien ne semblait annoncer, la république l'emporte. Une république qui sent l'orléanisme et dont le chef a toutes les allures, en tout cas les attributions, d'un monarque constitutionnel. Le moment est grave. Le grand bourgeois sur lequel s'appuie le pays s'essouffle et donne des signes de faiblesse. Peu à peu, le petit et le moyen bourgeois reprennent de la force. Ils vont s'imposer — politiquement parlant — tout au moins ils le croiront ; ce qui est l'essentiel. Ils s'aveugleront de leur propre lumière. Les fluctuations de la politique, les scandales, l'affaire Dreyfus leur donnent plus de poids. Ils trouvent dans le parti radical l'expression même des idées qu'ils ont longtemps ruminées, tandis que la puissance économique se rallie à l'Alliance démocratique.

Le pays a acquis une sorte de majorité politique, grâce à l'instruction et à la presse. Politiquement, la grande bourgeoisie prend du recul, car son heure est passée, sans que son rôle dans l'économie nationale s'estompe, bien au contraire. Les classes moyennes se poussent au premier rang. Il y a un déplacement des forces de la nation vers la démocratie. Le radicalisme l'emporte par une revanche — si longtemps bercée — des moyens et des petits bourgeois à l'égard des grands en général. Une rupture se produit avec les aristocrates et les prêtres, qui s'étaient unis tout au long du XIXᵉ siècle. Alors que les premiers pas de la démocratie s'étaient faits sous l'égide de la monarchie censitaire, l'union du trône

et de l'autel avait contribué à créer une mentalité opposi-
tionnelle chez les républicains. Elle se retrouve, irrésistible,
dans les dernières années du siècle.

A vrai dire, la démocratie trouve devant elle un terrain
tout à fait différent de celui qui s'offrait à elle, un demi-
siècle plus tôt. Le développement de l'industrie, les migrations des campagnards vers la ville ont entraîné l'émancipation des ruraux à l'égard des forces traditionnelles qu'ils
avaient respectées jusque-là. Si la classe des travailleurs a
le plus souvent des représentants bourgeois, les vrais chefs
de la classe ouvrière sont, avant tout, dans les syndicats, qui
représentent la grande conquête de la démocratie sociale.

Est-on parvenu, en 1914, à la démocratie sociale que
rêvaient les quarante-huitards ? Il s'en faut. Le rêve s'est
heurté à un double obstacle : les bourgeois qui, trop souvent,
se sont unis en partie contre le danger rouge ; l'obsession
des radicaux à l'égard de la question religieuse. L'anticléricalisme a retardé la progression de la démocratie sociale.
Les grandes questions sociales ont été freinées. Tandis que
l'ouvrier battait la semelle, le petit bourgeois et même le
moyen se gargarisaient de mots creux pour écraser l'infâme.
Si bien qu'on peut dire que la petite bourgeoisie, l'esprit
obnubilé par le problème confessionnel, s'est laissé distancer
et a retardé l'avènement de la démocratie sociale, se retrou-
vant, là, sur le même terrain que la grande bourgeoisie, pour
d'autres raisons, et sans doute partageant avec elle la crainte
d'un grand soir qui la faisait trembler déjà, en 1848.

Si l'on doit se montrer sévère pour la bourgeoisie, c'est
que pendant quarante ans, elle a revendiqué un rôle de
direction politique de la France. Certes, il ne faut pas oublier
que ces « chapeaux » et ces « redingotes », comme dit Hanotaux, ont fait voter les lois sur l'enseignement primaire et,
par ce biais, ont contribué à rendre possible la démocratie.
Mais il faut se montrer très circonspect sur ce point. Car,
que représente essentiellement la démocratie à laquelle l'on
songe en 1914 ? Rendre force à la dignité humaine. Bonaparte disait en l'an VIII à son sujet : il faut être jacobin avec
son siècle. Au début du XIXe siècle, il fallait installer la démocratie solidement. C'est la forme essentielle de l'ordre social.

Mais qu'est-elle en vérité ? La souveraineté des citoyens, la loi des majorités, la représentation dans des assemblées ? Sans doute. C'est celle à laquelle faisait allusion Royer-Collard et qu'évoquait magistralement Tocqueville. C'est l'accession de tous à la confection de la loi et à la direction des affaires ; c'est le peuple tout entier. Par le fait qu'elle s'adresse à tous, elle suscite l'énergie de tous et mobilise la puissance de volonté chez tous les citoyens. Elle est celle qui crée « une énergie d'action publique et privée », s'appuie sur le mérite et l'autorité personnelle. Elle est aussi le système où la majorité risque d'écraser la minorité et d'aboutir à la violence, si le nombre prend des allures d'infaillibilité sans rapport avec la réalité. Aussi doit-elle être juste, équilibrée. C'est l'idéal. Mais dans la réalité ?

La démocratie, telle qu'elle a été instituée en France, a des traits qu'elle a empruntés au cours de sa longue gestation : autoritaire et napoléonienne en matière administrative ; bourgeoise par le fait qu'elle a pris corps sous Louis-Philippe ; formellement démocratique par le suffrage universel. Le petit comme le moyen bourgeois ont la terreur du pouvoir personnel. Ils souhaitent qu'il soit limité, contrôlé, impuissant. Pour échapper à ce pouvoir détesté, les partis, qui rassemblent les divers groupes bourgeois, ont pris de l'importance. Le parti des opportunistes est devenu celui des progressistes ; c'est peu. Le parti radical ou du petit bourgeois a réalisé l'impôt sur le revenu et la loi sur les retraites ouvrières et paysannes. Le Parlement doit exercer sa prérogative sur l'exécutif (³⁸²), sans doute en souvenir du temps où la bourgeoisie — le Tiers — avait su acquérir dans le pays « la place d'élite active ». La prédominance parlementaire est la conséquence de l'influence dirigeante de la bourgeoisie au cours du xixe siècle, du respect des grands fondements du libéralisme politique, comme la souveraineté nationale, la limitation du pouvoir, la liberté, l'égalité, la légalité. Les bourgeois ont lutté pour acquérir ce pouvoir ; seuls, ceux qui en acceptent les principes et les idées sont admis à le partager dans les assemblées. Le Parlement représente le peuple qui n'a le droit de s'exprimer directement qu'au moment des élections, représentation avant tout bourgeoise, trouvant sa justification populaire dans le fait qu'elle est élue. Ce qui renforce le pouvoir des assemblées, surtout depuis la réforme de 1884, c'est que le président de la république n'a pas de pouvoir politique effectif. L'esprit bourgeois domine, fait d'intérêts, de conciliation, de transaction. Le caractère même des parlementaires répond très exactement à l'esprit individualiste et bourgeois : des groupes nombreux et peu fournis. Morcellement, qui justifie qu'on ait pu parler de république des camarades, des professeurs, des députés, des comités. La démocratie en 1914, c'est la menace du régime des assemblées qui n'est autre chose, a-t-on dit avec un certain cynisme, que « le règne de quelques harangueurs. »

Reste la force des syndicats : en face de la démocratie bourgeoise, représentative et formelle, se déploie un socialisme qui réclame une autre forme de démocratie, cette fois-ci réelle, ne reposant pas simplement sur l'individu, mais sur l'ensemble des citoyens, pris collectivement, et exerçant la puissance publique, par l'intermédiaire de chefs choisis pour leur dynamisme et leur valeur.

*
* *

Ce que l'on constate en France se vérifie dans les autres pays de l'Europe occidentale et centrale. Mais si la répartition géographique du bourgeois est très variable, les divers groupes qu'il constitue se retrouvent pour freiner les revendications sociales. Le petit et le moyen bourgeois luttent, en Angleterre, pour obtenir le droit de suffrage et le conquérir au cours du XIXᵉ siècle. Ils se mêlent aux travailleurs, pour soutenir le mouvement chartiste et trade-unioniste, dans sa force morale plus que dans sa force physique. Il y a conflit entre les grands propriétaires fonciers et les classes moyennes, bien que les communications soient très ouvertes entre les uns et les autres. La chambre haute l'atteste dans son recrutement et dans ses réactions. La marche à la démocratie est précipitée par l'action des non-conformistes. Aux riches propriétaires fonciers anglicans s'opposent les forces politiques montantes du non-conformisme. La bourgeoisie industrielle et commerçante se heurte à l'aristocratie.

Dans les pays germaniques, les bourgeois ont joué un rôle double, à la fois unitaire et démocratique. La politique des États allemands et de l'Autriche est extrêmement complexe, comme d'ailleurs celle de l'Italie. L'indépendance passe avant la liberté. Dans le grand mouvement unitaire, il s'agit avant tout d'instituer un État qui englobe tous les autres, le régime parlementaire ne parvenant pas à s'établir comme en Angleterre et en France. Dans la lutte engagée pour la Grande Allemagne ou pour la petite, les bourgeois, dominés par l'Allemand, se séparent : les uns, les Allemands proprement dits, souhaitant une petite Allemagne sous la direction de la Prusse ; les autres, les Autrichiens, désirant faire partie d'une Grande Allemagne, aux destinées de laquelle présiderait l'Autriche. S'ils sont ambitieux, leur nombre est relativement réduit. Il n'est pas moins vrai qu'un mouvement très net se déclenche pour la formation progressive d'une démocratie et pour une participation plus large aux affaires, se combinant avec le problème de l'égalité des droits entre les diverses nationalités. L'empereur d'Autriche a été isolé des classes moyennes, qui représentaient le courant moderne des idées, mais manquaient de force et ne se faisaient pas une idée exacte de leur dignité. Se tourne-t-on du côté de la petite bourgeoisie allemande, le mouvement se complique encore, car elle est tendue contre une bourgeoisie juive, riche, maîtresse de la banque, qui opprime les classes laborieuses et les petits bourgeois des villes. Le système capitaliste est dénoncé comme le crime du libéralisme juif, déterminant des conflits de caractère national et racial. C'est dire que le bourgeois regarde plutôt vers la conquête du pouvoir politique que vers la réalisation des revendications sociales.

La Russie présentait un visage tout à fait différent. Dans un pays aussi vaste et peuplé, la bourgeoisie ne représente qu'une infime partie de la population et encore, pour une bonne part, sort-elle de la paysannerie serve qui émigre vers les villes. Une petite bourgeoisie rurale, celle des *kulaks*, se forme, en même temps que s'installe, vers la fin du siècle dernier, une bourgeoisie industrielle, qui va dominer les assemblées locales et imposer des mesures constitutionnelles et démocratiques, en 1906. Elle amorce un mouvement constitutionnel, débordé à droite par la réaction, à gauche par la poussée révolutionnaire, qui avorte. Trop légaliste dans un pays en pleine effervescence, elle ne se rend pas assez compte qu'il s'agit moins d'un simple aménagement politique de type parlementaire que d'un profond bouleversement qu'un siècle entier de revendications, sourdes ou explosives, a préparé et qui doit saper, jusqu'aux racines, les fondements politiques, économiques et sociaux de la Russie traditionnelle.

De 1815 à 1914, la bourgeoisie française a poursuivi obstinément la mise en place d'une démocratie formelle, plus politique que sociale. A l'étranger, avec des avatars divers, que compliquent le problème des nationalités, la réalisation de l'unité nationale ou encore un autocratisme reposant sur la noblesse, alors que la paysannerie constitue la presque totalité de la population, se dégage la même poussée bourgeoise et, en fin de période, l'accession à un pouvoir, plus ou moins large, du petit et du moyen bourgeois.

Notes

(¹) GOBLOT, *La barrière et le niveau*, Paris, 1925, in-8° ; ID., Les classes de la société, dans la *Revue d'économie politique*, 1899 ; G. HUARD, Les classes sociales, dans la *Revue internationale de sociologie*, 1921 ; SOMBART, *Le bourgeois*, trad. S. Jankelevitch, Paris, 1926, in-8° ; J. LHOMME, *Le problème des classes*, Paris, 1938, in-8°.

(²) SCHMOLLER, *Principes d'économie politique*, 5 vol., Paris, 1905-1908, In-8° ; F. SIMIAND, *Cours d'économie politique*, Paris, 2 vol., 1928-1929, in-8° ; ID., *Le salaire*, Paris, 1922, in-8° ; A. BAUER, *Les classes sociales*, Paris, 1902, in-8° ; R. GONNARD, Quelques considérations sur les classes, dans la *Revue économique internationale* du 10 avril 1925, pp. 65-92 ; M. HALBWACHS, *Les classes sociales*, Paris, 1936, in-8°.

(³) Lutte de classes et domination de classes, dans la *Revue internationale de sociologie*, 1905.

(⁴) *Entstehung der Volkswirtschaft*, Berlin, 1893, trad., franç., Paris, 1901, in-8°.

(⁵) P. de PRESSAC, *Les forces historiques de la France*, Paris, 1928, in-8° ; M. BOURGUIN, *Les systèmes socialistes et l'évolution économique*, Paris 1904, in-8°.

(⁶) P. COUDERT, *La bourgeoisie et la question sociale*, Paris, 1914, in-8° ; G. DEHERME, *Les classes moyennes*, Paris, 1912, in-8°.

(⁷) J. AYNARD, *La bourgeoisie française*, Paris, 1934, in-8°. Voir également : A. BARDOUX, *La bourgeoisie française*, Paris, 1893, in-8°. Encore l'excellent roman bourgeois de Ph. HÉRIAT, *Famille Boussardel*, Paris, s. d., in-8°.

(⁸) Cité par HALBWACHS, *Les classes sociales*, Paris, 1936 in-8°.

(⁹) M. WEBER, *L'éthique protestante et l'esprit du capitalisme*,trad. franç., Chavy, Paris, 1964, in-8°.

(¹⁰) J. LHOMME, *La grande bourgeoisie au pouvoir* (1830-1880), Paris, 1960, in-8°.

(¹¹) F. SIMIAND, *Cours d'économie politique*, déjà cité.

(¹²) A. KOTNHAUSER, Public opinion and social class, dans *American Journal of Sociology*, n° 4, t. LV, janvier 1950, pp. 333-345.

(¹³) F. BOURIEZ-GREGG, *Les classes sociales aux États-Unis*, Paris, 1954, in-8°.

(¹⁴) *Esprit des lois*, livre II, chap. II. Cf. E. CARCASSONNE, *Montesquieu et le problème de la Constitution française au XVIIIᵉ siècle*, Paris, 1927, in-8° ; P. HAZARD, *La pensée européenne au XVIIIᵉ siècle. De Montesquieu à Lessing*, Paris, 1946, in-8° ; P. DUCLOS, *L'évolution des rapports politiques depuis 1750*, Paris, 1950, in-8° ; La pensée politique et constitutionnelle de Montesquieu. *Bicentenaire de l'Esprit des lois*. Public. Institut de droit comparé, Fac. droit Paris, Paris, 1952, in-8; F. PONTEIL, *La pensée politique depuis Montesquieu*, Paris, 1960, in-8°.

(15) M. DESLANDRES, Les doctrines à la veille de la Révolution, dans la *Revue bourguignonne de l'enseignement supérieur*, t. VI, 1896. Voir également : P. SAGNAC, *La formation de la société française moderne*, t. II, Paris, 1946, in-8°.

(16) P. BASTID, *Sieyès et sa pensée*, Paris, 1936, in-8°.

(17) E. WALCH, *La déclaration des droits de l'homme et du citoyen et l'Assemblée constituante; travaux préparatoires*, Paris, 1903, in-8°; V. MARCAGGI, *Les origines de la déclaration des droits de l'homme de 1789*, Paris, 1904, in-8°; M. DESLANDRES, *Histoire constitutionnelle de la France, 1789-1870*, 2 vol., Paris, 1932, in-8°. Voir encore P. DUCLOS, *Notions de constitution*, Paris, 1932, in-8°; G. LEFEBVRE, *Quatre-vingt-neuf*, Paris, 1939.

(18) B. MIRKINE-GUETZEVITCH, *Les constitutions européennes*, t. I, Paris, 1951, in-8°, chap. VI.

(19) JANET, *Histoire de la science politique*, Paris, 1877, in-8°; H. MICHEL, *L'idée de l'État*, Paris, 1896, in-8°; E. RENAN, *La réforme intellectuelle et morale*, Paris, 1871, in-8°; Du même, *L'avenir de la science*, Paris, 1890, in-8°; H. SEE, *Évolution et révolutions*, Paris, 1929, in-8°; Voir aussi J. BARTHÉLEMY, La crise de la démocratie représentative, dans la *Revue du droit public*, 1928, pp. 585; D. PARODI, *Traditionalisme et démocratie*, 2e éd., Paris, 1924, in-8°.

(20) H. GOERING, *Tocqueville und die Demokratie*, Munich, 1928, in-8°; J. H. LASKI, A. de Tocqueville and democracy, dans *Social and political ideas of some representative thinkers of the victorian age*, Londres, 1933, in-8°; J. P. MAYER, *Prophet of the mass age. A study of Alex. de Tocque-*

ville, Londres, 1939, in-8°, trad., franç. Sorin, Paris, 1948, in-8°; J. LIVELY, *The social and political thought of Alex. de Tocqueville*, Oxford, 1962, in-8°.

(21) P. GUIRAL, *Prévost-Paradol (1829-1870). Pensée et action d'un libéral sous le Second Empire*, Paris, 1955, in-8°.

(22) E. MONTEGUT, *Libres opinions, morales et historiques*, Paris, 1858, in-8°, nouvelle édit. 1888, avec des commentaires consacrés à la période suivant la Commune.

(23) E. RENAN, *La Réforme intellectuelle et morale*, Paris, 1871, in-8°.

(24) E. RENAN, *L'avenir de la science, pensées de 1848*, Paris, 1890, in-8°.

(25) ID., *ibid*.

(26) ID., *Mélanges d'histoire et de voyages*, Paris, 1878, in-8°.

(27) ID., *La Réforme intellectuelle et morale*, déjà cité.

(28) ID., *Souvenirs d'enfance et de jeunesse*, Paris, 1883, in-8°.

(29) E. MEYER, *La philosophie politique de Renan*, Paris, s. d. in-8° ; I. VIÉ, *Renan. La guerre de 1870 et la « réforme » de la France*, Paris, 1949, in-8°.

(30) DUGUIT, *Traité de droit constitutionnel*, t. II, p. 47.

(31) En dehors de BOURRICAUD, *Esquisse d'une théorie de l'autorité*, Paris, 1961, in-8°, p. 211 et suiv., voir D. McRAE, Une analyse factorielle des préférences politiques, dans la *Revue française de science politique*, t. VIII, 1958, pp. 95-110, et R. A. DAHL, *A preface to democratic theory*, Chicago, 1956, in-8°.

(32) HALBECK (M.), *L'État, son autorité, son pouvoir (1888-1962)*, thèse droit, Paris, 1962, publiée en 1964, in-8°.

(33) ALAIN, *Propos de politique*, Paris, 1934, in-8°.

(34) A. ESMEIN, *Éléments de droit constitutionnel français et comparé*, Paris, 1898, in-8°.

(35) BOURRICAUD, *op. cit.*, p.163. Voir aussi : R. HUBERT, *Le principe d'autorité dans l'organisation démocratique*, Paris, 1926, in-8°.

(36) SPINOZA, *Traité des autorités théologiquement politiques*, trad., Madel-Francès, Paris, 1954, in-8°, pp. 886 et 889.

(37) C. SCHMITT, *Verfassungslehre*, Munich-Leipzig, 1928, in-8°.

(38) H. CHARDON, *L'organisation d'une démocratie. Les deux forces : le nombre et l'élite*, Paris, 1921, in-8°.

(39) ID., *L'organisation de la république pour la paix*, Paris, 1926, in-8°.

(40) HAURIOU, Le pouvoir, l'ordre et la liberté, dans la *Revue de métaphysique et de morale*, 1928, pp. 196-216; du même, L'ordre social, la justice et le droit, dans la *Revue trimestrielle du droit civil*, 1927. Cf. G. DAVY, Les théories contemporaines de la souveraineté, dans la *Revue philosophique*, t. XCVI, 1925, pp. 422-449.

(41) P. DELOUVRIER, *L'État envahi*, Semaines sociales, Rennes, 1954.

(42) BURDEAU, *Traité de science politique*, Paris, in-8°. t. V.

(43) Paris, 1951, t. I.

(44) H. KELSEN, *La démocratie, sa nature, sa valeur*, trad., Ch. Eisenmann, Paris, 1932, in-8°.

(45) J. BARTHÉLEMY, La crise de la démocratie représentative, dans la *Revue du droit public*, 1928, p. 585. Également : E. GIRAUD *La crise de la démocratie et les réformes nécessaires du pouvoir législatif*, Paris, 1925, in-8°. ID., *La crise de la démocratie et le renforcement du pouvoir exécutif*, Paris, 1938, in-8°. On lira encore : GUYGRAND, *Le procès de la démocratie*, Paris, 1911, in-8°; A. FOUILLÉE, *La démocratie politique et sociale en France*, 3e édit., Paris, 1923, in-8°; plus près de nous : L. BLUM, *La réforme gouvernementale*, Paris, 1936, in-8°.

(46) VEDEL, Existe-t-il deux conceptions de la démocratie? dans *Études*, janvier 1946; A. BRIMO, Deux conceptions de la démocratie, dans les *Mélanges Magnol*, Paris, 1948, in-8°; E. LACOMBE, *La crise de la démocratie*, Paris, 1948, in-8°; J. ROVAN, *Une idée neuve : la démocratie*, Paris, 1961, in-8°.

(47) L. BLANC, *Histoire de dix ans (1830-1840)*, Paris, 1846, t. I.

(48) E. FAILLETAZ, *Balzac et le monde des affaires*, thèse, Lausanne, 1932.

(49) A. DAUMARD, *La bourgeoisie parisienne de 1815 à 1848*, Paris, 1963, in-8°.

(50) *Annales de philosophie politique*, t. III : *Le droit naturel* Paris, 1959, in-8°, notamment le mémoire de H. KELSEN, *Justice et droit naturel*, pp. 1-123.

(51) R. PERNOUD, *Histoire de la bourgeoisie en France*, t. II : *Les temps modernes*, Paris, 1962, in-8°; J. LHOMME, *La grande bourgeoisie au pouvoir (1830-1880). Essai sur l'histoire sociale de la France*, Paris, 1960, in 8°. P. VIGIER, *La seconde république dans la région alpine. Étude politique et sociale*, t. I : *Les notables (vers 1845 juin 1848)*, Paris, 1963, in 8°. A. J. TUDESQ, *Les grands notables en France (1840-1849), Étude historique d'une psychologie sociale*, t. I, 2e partie : *Les grands notables et l'exercice du pouvoir*, Paris, 1964, in-8°.

(52) J. H. HALLOWELL, *The decline of liberalism as an ideology*, Berkeley, 1943, in-8°.

(53) F. BASTID, *Les institutions de la monarchie parlementaire française*, Paris, 1954, in-8°; F. PONTEIL, *Les institutions de la France de 1814 à 1870*, Paris, 1966, in-8°; Pour certains points de détail : A. J. TUDESQ, La bourgeoisie de Béziers sous la Monarchie de juillet d'après les listes électorales censitaires, dans les *Actes du LXXXIIIe Congrès national des Sociétés savantes*, Aix-Marseille, 1958, in-8°. Du même, La bourgeoisie du Nord au milieu de la

Monarchie de juillet, dans la *Revue du Nord*, 1959, pp. 277-285.

(54) T. V, p. 354, note 1.

(55) Ch. de RÉMUSAT, *Mémoires de ma vie*, t. II, Paris, 1959, in-8°.

(56) G. D. WEIL, *Les élections législatives en France depuis 1789*, Paris, 1895, in-8°; L. MIGINIAC, *Le régime censitaire en France, spécialement sous la monarchie de juillet*, Paris, 1900, in-8°. Voir également BIENVENUE, *De l'inaliénabilité et de l'incompatibilité en matière parlementaire depuis 1789*, Paris, 1904, in-8°.

(57) Nous avons fait des sondages dans la série M des Archives départementales des Bouches-du-Rhône et du Puy-de-Dôme.

(58) L. GIRARD, *La garde nationale, 1814-1871*, Paris, 1964, in-8°.

(59) L. CHEVALIER, *Classes laborieuses et classes dangereuses*, Paris, 1958, in-8°.

(60) Cité par L. GIRARD, *op. cit.*, p. 168, note 1.

(61) F. PONTEIL, Une page ardente de l'histoire économique de Strasbourg. L'émeute des bœufs, dans la *Revue d'Alsace*, 1929. Du même, La garde nationale du Haut-Rhin, dans *Annuaire de Colmar*, 1936.

(62) L. GIRARD, *op. cit.*, p. 268.

(63) « Le National » du 13 janvier 1840. Voir également : P. MEURIOT, *La population et les lois électorales en France de 1789 à nos jours*, Nancy, 1916, in-8°; L. MIGINIAC, *La régime censitaire en France, spécialement sous la monarchie de juillet*, Paris, 1900, in-8°; J. TCHERNOFF, *Le parti républicain sous la monarchie de juillet*, Paris, 1901, in-8°; G. D. WEILL, *Les élections législatives depuis 1789*, Paris, 1895, in-8°. déjà cités.

(64) GOURVITCH, Le mouvement pour la réforme électorale (1838-1841) dans la *Révolution de 1848*, t. XI, 1914-1916, pp. 92-131, 185-211, 265-288, 345-359, 397-417; t. XII, 1916-1917, pp. 37-44, 95-115,

173-192, 256-271; t. XIII et XIV, 1917-1919, pp. 62-81.

(65) G. PERREUX, *Au temps des sociétés secrètes. La propagande républicaine au début de la monarchie de juillet (1830-1835)*, Paris, 1931, in-8°.

(66) D. JOHNSON, Guizot et Lord Aberdeen en 1852; échange de vues sur la réforme électorale et la corruption, dans la *Revue d'histoire moderne et contemporaine*, t. V, 1958, pp. 57-70.

(67) ROUSSELET, *La magistrature sous la monarchie de juillet*, Paris, 1937, in-8°. Du même, *Histoire de la magistrature française des origines à nos jours*, Paris, 1957, in-8°.

(68) de CORMENIN, *Livre des orateurs*, pp. 164-165.

(69) Reproduit par de CORMENIN, *op. cit.*, pp. 161 et suiv.

(70) de CORMENIN, *op. cit.*, pp. 180-181.

(71) E. HALÉVY, *Histoire du peuple anglais*, t. I à IV, Paris, 1923-1948, in-8°; E. L. WOODWARD, *The age of reform, 1815-1870*, Oxford, 1938, in-8°, nouv. édit. 1946, qui forme le t. XIII de *The Oxford history of England*, publiée sous la direction de G. N. CLARK. Voir également H. PAUL, *History of modern England*, Londres, 1904-1905, 2 vol., in-8°; J. A. R. MARRIOTT, *England since Waterloo*, Londres, 1913, in-8°, 12e éd., 1938; P. VAUCHER, *Le monde anglo-saxon au XIXe siècle*, Paris, 1926, in-8°, qui forme le t. XII² de l'*Histoire du monde*, publiée sous la direction de E. CAVAIGNAC.

(72) G. S. VEICH, *The genesis of parliamentary reform*, Londres. 1913, in-8°.

(73) J. R. M. BUTLER, *The passing of the great reform bill*, Londres, 1914, in-8°; C. SEYMOUR, *Electoral reform in England and Wales*, Londres, 1915, in-8°; G. M. TREVELYAN, *Lord Grey and the bill reform*, Londres, 1920, in-8°; J. CADART, *Régime électo-*

ral et régime parlementaire en Grande-Bretagne, Paris, 1948, in-8°.

(74) A. S. TUBERVILLE, Aristocracy and revolution. The british peerage, 1789-1832, dans *History*, t. XXVI, 1942, pp. 240-263; A. F. WOOLEY, The personal of the Parliament of 1833, dans *English historical review*, t. LIII, 1938, pp. 240-262; J. A. THOMAS, *The House of Commons, 1832-1901. A study of its economic and functional character*, Cardiff, 1939, in-8°; N. NASH, *Politics in the age of Peel. A study in the technic of parliamentary government (1830-1850)*, Londres, 1953, in-8°.

(75) S. et B. WEBB, *English poor law history. The last hundred years*, 2 vol., Londres, 1929, in-8°; E. M. HAMPSON, *The treatment of poverty in Cambridgeshire, 1597-1834*, Cambridge, 1934, in-8°.

(76) Comme histoires générales : H. von SRBIK, *Deutsche Einheit*, 2 vol., Munich, 1935, in-8°; F. SCHNABEL, *Deutsche Geschichte im neunzehnten Jahrhundert*, Fribourg en Br., 3 vol., 1929-1934, in-8°; MEINECKE, *Weltbürgertum und Nationalstaat*, Munich, 7e édit., 1928, in-8°; E. VERMEIL, *L'Allemagne. Essai d'explication*, Paris, 1945, in-8; R. MINDER, *Allemagnes et Allemands*, t. I, Paris, 1948, in-8°.

(77) J. DROZ, *Les révolutions allemandes de 1848*, Paris, 1957, in-8°.

(78) E. LEWALTER, *Friedrich Wilhelm IV. Das Schicksal eines Geistes*, Berlin, 1938, in-8°.

(79) J. DROZ, *op. cit.*

(80) P. BENAERTS, *Les origines de la grande industrie allemande. Essai sur l'histoire économique de la période du Zollverein*, Paris, 1933.

(81) J. DROZ, *Le libéralisme rhénan, 1815-1848*, Paris, 1940, in-8°.

(82) A. BERGENGRÜN, *David Hansemann*, Berlin, 1901, in-8°.

(82 bis) M. SCHWANN, *L. Camphausen als Wirtschaftspolitiker*, 4 vol., Essen, 1914-1915, in-8°;

K. LOOSE, *Ludolf Camphausen*, Coll. Rheinisch-Westfälische Wirtschaftsbiographien, t. II, Münster, 1937, in-8°.

(83) H. CHRISTERN, *Friedrich-Christoph Dahlmanns politische Entwicklung bis 1848*; *ein Beitrag zur Geschichte des deutschen Liberalismus*, Leipzig, 1921, in-8°; E. R. HUBER, *F. C. Dahlmann und die deutsche Verfassungbewegung*, Berlin, 1937, in-8°.

(84) P. BENAERTS, *op. cit.*

(85) W. NEHER, *Arnold Ruge als Politiker und politischer Schriftsteller*, Heidelberg, 1933, in-8°.

(86) V. BASCH, *L'individualisme anarchiste, Max Stirner*, Paris, 1904, in-8°; Voir également : A. SERGENT et C. HARMEL, *Histoire de l'anarchie*, Paris, 1949, in-8°, chap. III : L'individualisme anarchiste : Stirner.

(87) H. ROSENBERG, *Theologischer Rationalismus und vormärzlicher Vulgärliberalismus*, dans *Historische Zeitschrift*, t. CXLI, 1930. Voir ce qu'en dit F. ENGELS dans *Revolution und Contre-revolution in Deutschland*, 1896, trad. franç. sous le titre *La révolution démocratique bourgeoise en Allemagne*, Paris, 1951, in-8.

(88) P. DEVINAT, *Le mouvement constitutionnel en Prusse de 1840 à 1847*, dans la *Revue historique*, t. CVIII, 1911, et t. CIX, 1912.

(89) *Deutsche Zustände*, Berlin, 1952, in-8°.

(90) R. KOSER, *Zur Charakteristik des Vereinigten Landtags von 1847, Beiträge zur Brandenburgischen-Preussischen Geschichte*, t. XX, 1908, in-8°.

(91) L. BERGSTRASSER, *Studien zur Vorgeschichte der Zentrumspartei*, Tübingen, 1910, in-8°; K. BACHEM, *Vorgeschichte, Geschichte und Politik der deutschen Zentrumspartei*, Cologne, 1927, in-8°.

(92) F. MEINECKE, *Preussen und Deutschland im 19. und 20. Jahrhundert*, Berlin, 1918, in-8°; K. BARTH, *Die protestantische*

Theologie im 19. Jahrhundert Zurich, 1947, in-8°; O. Volz,, *Christentum und Positivismus. Die Grundlagen der Rechts-und Staatsauffassung F. G. Stahls*, Tübingen, 1951, in-8°.

(93) A. Ferrari, *La restaurazione italiana (1815-1849)*, Rome, 1931, in-8°; C. Spellanzon, *Storia del Risorgimento e dell'unità d'Italia*, Milan, 1933, in-8°; G. F. H. Berkeley, *Italy in the making 1815 to 1846*, Cambridge, 1936, in-8°; A. Monti, *Storia politica d'Italia, Il Risorgimento*, t. I : *1814-1860*, Milan, 1943, in-8°; E. Rota, *Questioni di storia del risorgimento e dell' unità d'Italia*, Milan, 1951, in-8°. En collaboration avec plusieurs historiens.

(94) J. Chaix-Ruy, *La formation de la pensée philosophique de J. B. Vico*, Paris, 1943, in-8° ; B. Brunello, *Pensiero politico italiano dal Romagnosi al Croce*, Bologne, 1950, in-8°.

(95) E. Rota, Spiritualità ed economismo nel risorgimento italiano, dans *Questioni*, déjà cité, pp. 217-251.

(96) Balbino Giuliano, Rosmini, Gioberti ed il compito della filosofia, dans *Archivio di filosofia*, Rome, 1940, p. 252; Sur Rosmini : B. Brunello, *Antonio Rosmini*, Milan, 1941, in-8°; L. Bulferetti, *Antonio Rosmini nella restaurazione*, Florence, 1942, in-8°. P. Piovani, *La teodicea sociale di Rosmini*, Padoue, 1957, in-8° ; D. Zolo, *Il personalismo Rosminiano. Studio sul pensiero politico di Rosmini*, Morcelliana, 1963, in-8°.

(97) A. Monti, *G. Ferrari e la politica interna della destra*, Milan, 1926, in-8°.

(98) N. Cortese, *Il governo napoletano e la rivoluzione siciliana del 1820-21*, Naples, 1950, in-8°.

(99) Ruggiero Moscati, *Il regno delle Due Sicilie e l'Austria : documenti dal marzo 1821 al novembre 1830*, Naples, 1937, in-8°.

(100) C. Torta, *La rivoluzione*

piemontese nel *1820-21*, Milan, 1908, in-8°; A. Borsano, Adelfi, federati e carbonari, dans *Atti della Accademia delle scienze di Torino, 1909-1910*, pp. 409 sqq.

(101) G. Zadei, *L'abate Lamennais e gli Italiani del suo tempo*, Turin, 1925, in-8°; P. Pirri, Il movimento lamennesiano in Italia, dans *Civiltà cattolica*, 1932, pp. 315-327 et 567-583.

(102) M. Menghini, *La Giovine Italia*, 5 vol., Milan-Rome-Naples, 1902-1914, in-8°; Sur Mazzini : G. Salvemini, *Mazzini*, 4e éd., Florence, 1925, in-8°; G. O. Griffith, *Mazzini, profeta di una nuova Europa*, Bari, 1935, in-8°; C. E. Torralta, *Mazzini e il problema sociale*, Palerme, 1941, in-8°; A. Codignola, *Mazzini*, Turin, 1946, in-8°; M. Dell' isola et G. Bourgin, *Mazzini*, Paris, 1956, in-8°; S. Mastellone, *Mazzini e la Giovine Italia (1831-1834)*, Pise 1960, 2 vol., in-8° Voir également : G. Villa, Mazzini e il moderno pensiero politico, dans *Rassegna moderna*, 1re année, fasc. 2.

(103) A. Solmi, *Ciro Menotti e l'idea unitaria dell' insurrezione del 1831*, Modène, 1931, in-8°; A. Monti, Guerra regia e guerra di popolo nel Risorgimento, dans *Questioni di storia del Risorgimento*, édité par E. Rota, pp. 183-216.

(104) W. Matura, *Il principe di Canosa*, Florence, 1944, in-8°.

(105) A. Saitta, *F. Buonarroti*, Rome, 1950, in-8°.

(106) L. Salvatorelli, *Pensiero e azione del risorgimento*, Turin, 1950, in-8°.

(107) C. Vidal, *Charles-Albert et le risorgimento (1831-1848)*, Paris, 1927, in-8°.

(108) E. Levasseur, *Histoire des classes ouvrières et de l'industrie en France de 1789 à 1870*, 2 vol., Paris, 1911, in-8°; P. Leroy-Beaulieu, *La question ouvrière au XIXe siècle*, Paris, s. d., in-8°; H. et G. Bourgin, *Le régime de l'industrie en France (1814-1830)*, 3 vol., Paris, 1913-1921-

1941, in-8°; H. Sée, *Histoire éco-nomique de la France*, t. II : *1789-1914*, remise à jour par R. Schnerb, Paris, 1942 et 1951, in-8°; A. Copin, *Les doctrines éco-nomiques et les débuts de la légis-lation ouvrière en France*, thèse droit Lille, 1943, in-8°; L. H. Pa-rias, *Histoire générale du travail* (sous la direction de), t. III : *L'ère des révolutions, 1765-1914*, Paris, 1961, in-8°.

(109) Ch. de Rémusat, *Mémoires de ma vie*, t. III, Paris, 1959, in-8°.

(110) *Correspondance*.

(111) Mme Dosne, *Mémoires*, 2 vol., Paris, 1928, in-8°.

(112) J. Lambert, *Essai sur les origines et l'évolution d'une bour-geoisie. Quelques familles du pa-tronat textile de Lille-Armentières*, Paris, 1954, in-8°; C. Fohlen, Bourgeoisie française, liberté économique, *Revue économique*, 1956, pp. 414-428.

(113) G. Bourgin, Législation et organisation du travail sous la Restauration, dans la *Revue poli-tique et parlementaire*, 1910, pp. 116-152; P. Paillat, Les sa-laires et la condition ouvrière en France à l'aube du machinisme (1815-1830), dans la *Revue écono-mique*, 1951, pp. 767-777; L. Che-valier, *Classes laborieuses et classes dangereuses pendant la première moitié du XIXe siècle*, Paris, 1958, in-8°.

(114) R. Levy-Guenot, Ledru-Rollin et la campagne des ban-quets, dans *La Révolution de 1848*, t. XIII, 1920-1921, pp. 17-28 et 58-75.

(115) O. Festy, La Société phi-lanthropique de Paris et les socié-tés de secours mutuels (1800-1847), dans la *Revue d'histoire moderne et contemporaine*, t. XVI, 1911, pp. 170-196.

(116) R. Baffos, *La prud'homie*, Paris, 1908, in-8°; E. Cleiftie, *Les conseils de prud'hommes, leur organisation, leur fonctionnement*, Paris, 1898, in-8; E. Regnault, *Les conseils de prud'hommes, leur com-pétence et leur extension*, Paris,

1903, in-8; L. Tabourier, *De la ju-ridiction prud'homale*, Paris, 1907, in-8°; C. Thorp, *Les conseils de prud'hommes*, Paris, 1904, in-8°.

(117) J. J. Coulmann, *Réminis-cences*, 3 vol., Paris, 1862-1869. in-8°.

(118) A. de Tocqueville, *Œu-vres complètes*, t. VI : *Correspon-dance anglaise. Correspondance d'A. de Tocqueville avec Henry Reeve et J. St. Mill*, Paris, 1954, in-8°.

(119) L. Trénard, Aux origines de la déchristianisation. Le diocèse de Cambrai de 1830 à 1848, dans la *Revue du Nord*, t. XLVIII, 1965, p. 399-459.

(120) G. Sorel, *Matériaux d'une théorie du prolétariat*, Première partie : *L'avenir socialiste des syndicats*, p. 98. Paris, 1929, in-8°.

(121) Id., *ibid.*, p. 117.

(122) Sur la place de la femme : C. Gide, *Étude sur la condition privée de la femme mariée*, 2e édit., Paris, 1885, in-8°; Morizot-Thibault, *L'autorité maritale*, Paris, 1899, in-8; Masse, *Carac-tère juridique de la communauté entre époux*, Paris, 1902, in-8°; Voir encore : *Le livre du centenaire du Code Civil*, Paris, 1904, in-8°; A. Toledano, *La vie de famille de 1815 à 1848*, Paris, 1943, in-8; J. E. Havel, *La condition de la femme*, Paris, 1961, in-8°. Sur la puissance paternelle : Taudière, *Traité de la puissance paternelle*, Paris, 1898, in-8°; Beraud, *La puissance paternelle dans le code et depuis le code*. Montpellier, 1912, in-8°; Thomas, *La condition de l'enfant dans le droit naturel*, Paris, 1923, in-8°; F. Sanglier, *De la condition de l'enfant dans le code civil et depuis le code*. Essai critique, Montpellier, 1926, in-8°.

(123) H. Rigaudias-Weiss, *Les enquêtes ouvrières en France entre 1838 et 1848*, Paris, 1936, in-8°.

(124) L. Gueneau, La législation restrictive du travail des enfants. La loi française du 22 mars 1841, dans la *Revue d'histoire économique et sociale*, janvier 1928.

(¹²⁵) BURET, *Misère des classes laborieuses en Angleterre et en France*, 2 vol., Paris, 1839, in-8°; Voir également : E. FOURNIÈRE, Le règne de Louis-Philippe, dans l'*Histoire socialiste*, publiée sous la direction de J. JAURÈS, t. VIII, Paris, s. d., in-8°.

(¹²⁶) Sur la réforme électorale de 1832 : R. L. POOL et W. HUNT, *Political history of England*, t. XI (1906) et t. XII (1907), Londres, in-8°; J. R. M. BUTLER, *The passing of the great reform bill*, Londres, 1914, in-8°; C. SEYMOUR, *Electoral reform in England and Wales*, Londres, 1915, in-8°; A. BRADY, *William Huskisson and liberal reform*, Londres, 1928, in-8°; G. SLATER, *The growth of modern England*, Londres, 1932, in-8°; G. M. TREVELYAN, *British history in the 19th century and after*, Londres, 1938, in-8°; G. M. TREVELYAN, *English social history*, Londres, 1942, in-8°, trad. franç. sous le titre de *Histoire sociale de l'Angleterre du moyen âge à nos jours*, Paris, 1949, in-8°; E. L. WOODWARD, *The age of reform, 1815-1870*, dans *Oxford history of England*, éditée par G. N. CLARK, t. XIII, Oxford, 1938, in-8°; sur le radicalisme, l'ouvrage le plus important est celui de E. HALÉVY, *La formation du radicalisme philosophique*, 3 vol., Paris, 1901-1904, in-8°; Voir également : E. HALÉVY, *Thomas Hodgskin (1787-1869)*, Paris, 1903, in-8°; F. PODMORE, *Robert Owen. A biography.* 2 vol., Londres 1906, in-8°; E. DOLLÉANS, *Robert Owen, 1771-1858*, Paris, 1907, in-8°; G. D. H. COLE, *The life of Robert Owen*, Londres 1930, in-8°; R. H. HARVEY, *Robert Owen, social idealist*, Berkeley-Los Angeles 1949, in-8°; G. D. H. COLE, *Life of William Cobbett*, Londres, 1924, in-8°; R. L. HILL, *Torysm and the people, 1832-1846*, Londres, 1929, in-8°; S. MACCOBY, *English radicalism, 1832-1852*, Londres, 1935, in-8°; sur le chartisme : E. DOLLÉANS, *Le chartisme*, 2 vol., Paris, 1912-1913, in-8°; M. HO-

VELL, *The chartist movement*, Londres, 1918, in-8°; S. et B. WEBB, *History of modern unionism*, Londres, 1894, nouvelle édition, 1920, Londres, in-8°; G. D. H. COLE, *British working class politics, 1832-1914*, Londres, 1941, in-8°; R. WEARMOUTH, *Some working class movement of the 19th century*, Londres, 1949, in-8°.

(¹²⁷) C. WITTKE, *The utopian communist. A biography of Weitling, nineteenth century reformer*, Baton Rouge, 1950, in-8°; on se reportera encore à : K. MIELKE, *Deutscher Frühsozialismus. Gesellschaft und Geschichte in den Schriften von Weitling und Hess*, Stuttgart et Berlin, 1931, in-8°; T. ZLOCISTI, *Moses Hess. Der Vorkämpfer des Sozialismus*, Berlin, 1921, in-8°; A. CORNU, *Moses Hess et la gauche hégélienne*, Paris, 1934, in-8°; K. LOWITZ, *Von Hegel zu Nietzsche. Der revolutionäre Bruch im Denken des 19. Jahrhunderts*, Zurich. 1941, in-8°.

(¹²⁸) E. TODT et H. RADANDT, *Zur Frühgeschichte der deutschen Gewerkschaftsbewegung, 1800-1849*, Berlin, 1950, in-8°.

(¹²⁹) Franco della PIRUTA, Il pensiero sociale di Mazzini, dans la *Nuova rivista storica*, 48e année, 1964, pp. 50-75.

(¹³⁰) A. COURTOIS, Notices sur les canaux entrepris en vertu des lois de 1821-1822, dans le *Journal des économistes*, t. XXIX, 1851, p. 213; BEUGNOT, *Vie de Becquey*, Paris, 1852, in-8°; CAPEFIGUE, *Histoire des grandes opérations financières*, t. IV, Paris, 1860, in-8°; plus près de nous : F. PONTEIL, G. Humann et l'achèvement du Canal du Rhône au Rhin, dans la *Navigation du Rhin*, 1934, pp. 302-308. ID., Le financement de la construction du Canal du Rhône au Rhin sous la Restauration, dans *ibid.*, 1953, pp. 172-177; P. LEUILLIOT, *L'Alsace au début du XIXe siècle*, t. II : *Les transformations économiques*, Paris, 1959, in-8°, p. 228 sqq; A. PICARD, *Les chemins de fer. Étude historique sur la constitution et le régime du réseau*, t. I, Paris, 1884, in-8°; E. CHARLES, *Les chemins de fer en France sous le règne de Louis-Philippe*, thèse droit, Paris, 1896, in-8°; A. DAUZET, *Le Siècle des chemins de fer en France*, Paris, 1948, in-8°; H. PEYRET, *Histoire des chemins de fer en France et dans le monde*, Paris, 1949, in-8°; G. LEFRANC, La construction des chemins de fer et l'opinion publique vers 1830, dans la *Revue d'histoire moderne*, t. V, 1930, pp. 270-279; ID., Les chemins de fer devant le Parlement français (1835-1842), dans *ibid.*, pp. 337-364; ID., The french railways, 1823-1843, dans le *Journal of economic and business history*, 1930, pp. 299-332; F. PONTEIL, La liaison directe du port de Strasbourg à Paris et au Havre, dans la *Navigation du Rhin*, 15 juin et 15 juillet 1928, pp. 230-238, et 272-276; L. M. JOUFFROY, *Une étape de la construction des grandes lignes de chemins de fer en France. La ligne de Paris à la frontière d'Allemagne (1825-1852)*, 3 vol., Paris, 1932, in-8°; L. H. JENKS, *The migration of british capital to 1875*, New York et Londres, 1927, in-8°.

(¹³¹) P. GUILLAUME, *La Compagnie des mines de la Loire (1846-1854). Essai sur l'apparition de la grande industrie capitaliste en France*, Paris, 1966, in-8°.

(¹³²) Voir le *Moniteur universel* et les *Archives parlementaires*, 2ᵉ série. Consulter également : E. LEVASSEUR, *Histoire du commerce de la France*, Paris, 1912, in 8°; L. AMÉ, *Étude économique sur les tarifs de douanes*, 2ᵉ édit., 2 vol., Paris, 1860, in-8°; G. PALLAIN, *Les douanes françaises*, t. III, Paris, 1896, in-8°; H. O. MEREDITH, *Protection in France*, Londres, 1904, in-8°; Voir également H. SÉE, *Histoire économique de la France*, t. II : *Les temps modernes* (1789-1914), Paris, 1942, in-8°; P. LEUILLIOT, *op. cit.*

(¹³³) H. T. DESCHAMPS, *La Belgique devant la France de Juillet. L'opinion et l'attitude françaises de 1839 à 1848*, Paris, 1956, in-8°; Voir aussi : S. MASTELLONE, La politica estera del Guizot (1840-1847) : L'unione doganale e la lega borbonica (*Storici antichi e moderni*, nuova seria 12), Florence, 1957, in-8°.

(¹³⁴) L. BOSC, *Unions douanières et projets d'unions douanières. Essai historique et critique*, thèse droit, Paris, 1904, in-8°; Th. SOMMERLAD, *Handwörterbuch der Staatswissenschaften*, Iéna, 3ᵉ édit., 1911, t. VIII, art. *Zollverein* ; P. BENAERTS, *Les origines de la grande industrie allemande*, Paris, 1933, in-8°.

(¹³⁵) Cité par DESCHAMPS, *op. cit.*, p. 148, note 1.

(¹³⁶) ID., *ibid.*, p. 263.

(¹³⁷) Il y a les histoires générales consacrées aux questions économiques : E. LEVASSEUR, *Histoire du commerce*, 2 vol., Paris, 1912, in-8°; A. CLAPHAM, *The economic development of France and Germany, 1815-1914*, Cambridge, 1921, in-8°; G. MARTIN, *Histoire économique et financière*, t. X de l'*Histoire de la nation française* publiée sous la direction de G. HANOTAUX, Paris, 1927, in-4°; A. VIALLATE, *L'activité économique en France, de la fin du XVIIIᵉ siècle à nos jours*, Paris, 1937, in-8°; S. B. CLOUGH, *France. A history of national economics, 1789-1939*, New York, 1939, in-8°; H. SÉE, *Histoire économique de la France*, t. II : *1789-1914*, Paris, 1942, in-8°, remise à jour par R. SCHNERB, 1951; sur le capitalisme et les problèmes bancaires : P. PALMADE, *Capitalisme et capitalistes français au XIXᵉ siècle*, Paris, 1961, in-8°; R. BIGO, *Les banques françaises au cours du XIXᵉ siècle*, Paris, 1947, in-8°; D. LANDES, Vieille banque, banque nouvelle. La révolution française du XIXᵉ siècle, dans la *Revue d'histoire moderne et contemporaine*, t. III, 1956, pp. 204-222; B. GILLE,

La banque et le crédit en France de 1815 à 1848, Paris, 1959, in-8°; ID., *Recherches sur la formation de la grande entreprise capitaliste (1815-1848)*, Paris, 1959, in 8°; sur la Banque de France : G. RAMON, *Histoire de la Banque de France*, Paris, 1929, in-8°; A. DAUPHIN-MEUNIER, *La Banque de France*, Paris, 1936, in-8°; sur la haute banque : J. BOUVIER, *Les Rothschild*, Paris, 1960, in-8°; *Deux siècles de banque : Mallet frères et Cie (1723-1923)*, Paris, 1923, in-4°; sur quelques hommes d'affaires et banquiers : F. PONTEIL, J. G. Humann, le brasseur d'affaires, l'homme politique, dans la *Revue d'histoire moderne et contemporaine*, 1937, pp. 227-245; J. LAFFITTE, *Mémoires*, Paris, 1930, in-8°; Fr. REDLICH, Jacques Laffitte and the beginning of investment banking, dans le *Bulletin of the business historical society*, décembre 1948, pp. 137-161.

([188]) J. LALOUX, *Le rôle des banques locales et régionales du nord de la France dans le développement industriel et commercial*, Paris, 1924, in-8°; G. THUILLIER, Histoire bancaire régionale : en Nivernais, dans *Les Annales*, t. X, 1955, pp. 494-512.

([139]) Cl. FOHLEN, Industrie et crédit dans la région lilloise (1815-1870), dans la *Revue du Nord*, t. XXXVI, 1954, pp. 361-368; B. GILLE, La Banque de Lille et les premières grandes banques du Nord, dans *Ibid.*, t. XXVI, 1954, pp. 369-376; Voir également : O. CHABASSEUR, *Les banques régionales et locales en France*, Grenoble, 1942, in-8°.

([140]) Cité par B. GILLE, *op. cit.*, p. 352.

([141]) Comme ouvrages généraux : P. de la GORCE, *Histoire de la seconde république*, 2 vol., Paris, 1887, in-8°; G. RENARD, *La république de 1848*, Paris, 1905, in-8°; C. SEIGNOBOS, *1848 et la seconde république*, Paris, 1921, in-8°; F. PONTEIL, *1848*, 4e édit., Paris, 1966, in-8°; J. CAS-

SOU, *1848*, Paris, 1939, in-8°; G. BOURGIN, *1848. Naissance et mort d'une révolution*, Paris, 1948, in-8°; H. GUILLEMIN, *La tragédie de quarante-huit*, Genève, 1948, in-8°.

([142]) Paris, 1850, in-8°.

([143]) Tome VIII, p. 579.

([144]) Le procès des ministres et l'enquête judiciaire sur les journées de février, dans la *Revue d'histoire moderne et contemporaine*, t. IX, 1907-1908, pp. 5-23.

([145]) Cité note précédente.

([146]) P. LAVIGNE, *Le travail dans les constitutions françaises. 1789-1945*, Paris, 1948, in-8°.

([147]) TOCQUEVILLE, *Souvenirs*, Paris, 1893, réédit., 1942, in-8°.

([148]) P. BASTID, *Doctrines et institutions politiques de la seconde république*, 2 vol., Paris, 1945, in-8°; ID., *L'avènement du suffrage universel*, Paris, 1948, in-8°; M. PRÉLOT, L'avènement du suffrage universel, dans *1848. Révolution créatrice*, Paris, 1948, in-8°; F. PONTEIL, *Les institutions de la France*, déjà cité.

([149]) D. C. McKAY, *The national Workshops. A study in the French revolution of 1848. Harvard historical Studies*, t. XXXV, Cambridge (USA) 1933, in-8°.

([150]) L. GIRARD, *La Garde nationale*, Paris, 1954, in-8°.

([151]) L. BLANC, *Histoire de la révolution de 1848*, 2 vol., Paris, 1870, in-8°; G. CAHEN, Louis Blanc et la Commission du Luxembourg (1848), dans les *Annales de l'École libre des sciences politiques*, 1897, pp. 187-225, 362-380, 459-481. K. BLOCH, *Geschichte der Kommission des Luxemburg*, Francfort, 1925, in-8°.

([152]) Dans la *République de 1848*, déjà cité.

([153]) P. CARNOT, *Hippolyte Carnot et le ministère de l'Instruction publique sous la seconde république*, Paris, 1948, in-8°.

([154]) M. SAURIN, L'École d'administration de 1848, dans *Politique*, 1964-65, Nos 25-32, pp. 105-195.

(155) G. WEILL, *Histoire du parti républicain en France (1814-1870)*, nouv. édit., Paris, 1938, in-8°; sur les clubs : I. TCHERNOFF, *Associations et sociétés secrètes sous la IIe république*, Paris, 1905, in-8°; S. WASSERMANN, *Les clubs de Barbès et de Blanqui en 1848*, Paris, 1913, in-8°; sans oublier A. LUCAS, *Les clubs et les clubistes en 1848*, Paris, 1848, in-8°; sur la presse : G. WEILL, *Le journal*, Paris, 1934, in-8°; C. LEDRÉ, *Histoire de la presse*, Paris, 1958, in-8°; C. LÉVY, La presse et l'entrée en scène de Louis-Napoléon en 1848, dans *Études de presse*, 1956.

(156) *Les Murailles révolutionnaires de 1848*, t. I, Paris, s. d., in-8°.

(157) P. HAURY, Les commissaires de Ledru-Rollin en 1848, dans *Révolution française*, 1909, pp. 438-474. Voir aussi les thèses et travaux publiés sur la seconde république : GOSSEZ, *Le département du Nord sous la deuxième république*, Paris, 1904, in-8°; F. DUTACQ, *Histoire politique de Lyon pendant la révolution de 1848*, Paris, 1910, in-8°; A. CHARLES, *La révolution de 1848 et la seconde république à Bordeaux et dans le département de la Gironde*, Bordeaux, 1945, in-8°; GODECHOT et LESPARRE, *La révolution de 1848 à Toulouse et dans la Haute-Garonne*, Toulouse, 1949, in-8°; PH. VIGIER, *La Seconde République dans la région alpine. Étude politique et sociale*, t. I : *Les notables (vers 1845-fin 1848)*, Paris, 1959, in-8°; ARMENGAUD, *Les populations de l'Est aquitain au début de l'époque contemporaine. Recherches sur une région moins développée (vers 1845-vers 1871)*, Paris, 1961, in-8°.

(158) PH. VIGIER, *La Seconde République dans la région alpine*, déjà cité.

(159) *Les Murailles révolutionnaires*, déjà cité.

(160) J. MAURAIN, *Un bourgeois français au XIXe siècle, Baroche*,

ministre de Napoléon III, Paris, 1936, in-8°.

(161) Voir la bibliographie de la note (151).

(162) Se reporter à : RIGAUDIAS-WEISS, *Les enquêtes ouvrières en France entre 1830 et 1848*, Paris, 1936, in-8°; F. PONTEIL, *La crise alimentaire dans le Bas-Rhin en 1847*, Paris, 1926, in-8°; M. M. KAHAN-RABECQ, *L'Alsace économique et sociale sous le règne de Louis-Philippe*, t. II : *Réponses du département du Haut-Rhin à l'enquête faite en 1848 par l'Assemblée nationale sur les conditions du travail industriel et agricole*, Paris, 1939, in-8°; PH. VIGIER, *La Seconde République dans la région alpine*, déjà cité; P. GUILLAUME, La situation économique et sociale du département de la Loire d'après l'Enquête sur le travail agricole et industriel du 25 mai 1848, dans la *Revue d'histoire moderne et contemporaine*, t. X, 1963, pp. 5-34.

(163) H. GUILLEMIN, *La tragédie de quarante-huit*, déjà cité.

(164) ROBERT-PIMIENTA, *La propagande bonapartiste en 1848*, Paris, 1913, in-8°; A. TUDESQ, La légende napoléonienne en France en 1848, dans la *Revue historique*, 1957, pp. 64-85.

(165) Ch. de RÉMUSAT, *Mémoires de ma vie*, t. IV : *Les dernières années de la monarchie, la révolution de 1848, la seconde république (1841-1851)*, Paris, 1962, in-8°.

(166) QUENTIN-BAUCHART, *Études et souvenirs sur la deuxième république et le second empire*, Paris, 1902, in-8°.

(167) J. BOURGEAT, *Proudhon, père du socialisme français*, Paris, 1943, in-8°, qui donne le texte de la proposition de Proudhon; E. DOLLÉANS, *Proudhon*, Paris, 1948, in-8°; E. DOLLÉANS et J. L. PUECH, *Proudhon et la révolution de 1848*, Paris, 1948, in-8°.

(168) E. TERSEN, juin 1848, dans *La Pensée*, 1948.

(169) *Mémoires de ma vie*, t. IV, déjà cité.

([170]) L. CHEVALIER, *Fondements économiques et sociaux de l'histoire politique de la région parisienne (1848-1870)*, Paris, 1951, in-8°. Voir également PH. VIGIER, *op. cit.*, t. I.

([171]) BERTON, La constitution de 1848, dans les *Annales de l'École libre des sciences politiques*, 1898; H. MICHEL, Notes sur la constitution de 1848, dans *Révolution de 1848*, t. I, pp. 41-56; COHEN, *La préparation de la constitution de 1848*, Paris, 1935, in-8°; MIRKINE-GUETZEVITCH, *Les idées constitutionnelles de 1848*, Paris, 1948, in-8°; P. BASTID, *Doctrines et institutions politiques de la seconde république*, déjà cité; F. PONTEIL, *Les institutions de la France*, déjà cité.

([172]) P. LAVIGNE, *Le travail dans les constitutions françaises, 1789-1945*, Paris, 1948, in-8°. Voir également P. BASTID et F. PONTEIL, déjà cités.

([173]) P. BASTID, *Doctrines et institutions politiques*, et F. PONTEIL, *Les institutions de la France*, déjà cités.

([174]) A. LEBEY, *Louis Napoléon Bonaparte et le ministère Odilon Barrot*, Paris, 1911, in-8°; C. ALMÉRAS, *Odilon Barrot, avocat et homme politique*, Paris, 1948, in-8°.

([175]) A. TRANNOY, Responsabilités de Montalembert en 1848, dans *Revue d'histoire de l'Église de France*, t. XXXV, 1949, pp. 177-206.

([176]) Sur la loi Falloux, lire BASTID, *Doctrines et institutions politiques de la seconde république*, Paris, 1945, in-8°; J. LEIF et G. RUSTIN, *Histoire des institutions scolaires*, Paris, 1954, in-8°; G. CHENESSEAU, *La commission extra-parlementaire de 1849*, Paris, 1937, in-8°; P. COGNIOT, *La question scolaire 1848 et la loi Falloux*, Paris, 1948, in-8°; H. GUILLEMIN, *Histoire des catholiques français au XIXe siècle*, Paris, s. d., in-8°; M. HEBERT et A. CARNEC, *La loi Falloux et la liberté de l'enseignement*, La Rochelle, 1953, in-8°; H. MICHEL, *La loi Falloux*, Paris, 1906, in-8°; F. PONTEIL, *Histoire de l'enseignement en France, 1789-1964*, Paris, 1966, in-8°. Sur les recteurs départementaux : P. RAPHAEL, Les recteurs de 1850, dans la *Revue d'histoire moderne et contemporaine*, t. X, 1935, pp. 448-487. Sur l'ensemble de la période étudiée : L. DECAUNES et M. L. CAVALIER, *Réformes et projets de réforme de l'enseignement français, de la Révolution à nos jours*, Paris, 1962, in-8°.

([177]) J. MAURAIN, *Baroche*, déjà cité.

([178]) Voir notamment : G. WEILL, *Le journal*; C. LEDRÉ, *Histoire de la presse*; J. A. FAUCHER, *Le quatrième pouvoir, 1830-1930*, déjà cités; ajouter : C. LEVY, La presse et l'entrée en scène de Louis-Napoléon en 1848, dans *Études de presse*, 1956.

([179]) L. GIRARD, *La garde nationale*, déjà cité.

([180]) TH. S. HAMEROW, *Restoration, Revolution, Reaction. Economics and politics in Germany, (1815-1871)*, Princeton, 1958, in-8°

([181]) E. KOEBER, *Berlin 1848*, Berlin, 1948, in-8°; A. HERRMANN, *Berliner Demokraten*, Berlin, 1948, in-8°; K. GRIEWANK, Vulgärer Radikalismus und demokratische Bewegung in Berlin, 1842-1848, dans *Forschungen zur Brandenburgischen und Preussischen Geschichte*, t. XXXVI, 1923.

([182]) J. DROZ, *Les révolutions allemandes de 1848*, Paris, 1957, in-8°, p. 301.

([183]) E. KOEBER, *Berlin 1848*, déjà cité.

([184]) Sur ce mouvement démocratique, antibureaucratique, antilibéral et antiparlementaire : K. GRIEWANK, Vulgärer Radikalismus und demokratische Bewegung in Berlin, 1842-1848, dans *Forschungen zur brandenburgischen une preussischen Geschichte*, t. XXXVI, déjà cité.

([185]) W. FRIEDENSBURG, *Stephan Born und die Organisations-*

bestrebungen der Berliner Arbeiterschaft, Leipzig, 1923, in-8°.
    [186] H. HEFFTER, *Die deutsche
Selbstverwaltung im 19. Jahrhundert. Geschichte der Ideen und
Institutionen*, Stuttgart, 1950, in-8°.
    [187] H. KRAUSE, *Die demokra-
tische Partei von 1848 und die
soziale Frage*, Francfort, 1923,
in-8°.
    [188] M. BRAUBACH, *Die Uni-
versität Bonn und die deutsche
Revolution von 1848-49*, Bonn,
1948, in-8°.
    [189] FR. ENGELS, *Revolution und
Contre-revolution in Deutschland*,
1896, trad. franc. sous le titre *La
révolution démocratique bourgeoise
en Allemagne*, déjà cité; J. KUS-
ZINSKI, *Die Geschichte der Lage
der Arbeiter in Deutschland von
1789 bis in die Gegenwart*, t. I,
6ᵉ édit., Berlin, 1954, in-8°;
J. DROZ, *Les révolutions allemandes de 1848*, déjà cité; ID.,
*L'influence de Marx en Allemagne
pendant la révolution de 1848*,
dans la *Revue d'histoire de la
révolution de 1848*, 1954, ID.,
*Préoccupations religieuses et pré-
occupations sociales aux origines
du parti conservateur prussien*,
dans la *Revue d'histoire moderne
et contemporaine*, t. II, 1955, pp.
280-300.
    [190] Ouvrages généraux :
I. RAULICH, *Storia del risorgimento politico d'Italia*, t. I-III, Bologne, 1920-1927, in-8°; G. VOLPE,
Italia moderna, t. I : *1815-
1898*, Florence, 1946, in-8°;
A. OMODEO, *L'età del risorgimento*,
Naples, 1948, in-8°; A. MONTI,
*Storia politica d'Italia. Il Risorgi-
mento*, t. I : *1814-1860*, Milan,
1943, in-8°; E. ROTA, édit., *Questioni di storia del Risorgimento e
dell' unità d'Italia*, Milan, 1951,
in-8°; ID., *Le origine del Risorgimento*, Milan, 1938, in-8°. Sans
oublier l'excellent ouvrage de
C. SPELLANZON, *Storia del Risorgimento e dell' unità d'Italia*,
Milan, 1933, in-8°.
    [191] G. PERTICONE, *Movimenti
sociali e partiti politici nell' Italia

contemporanea*, dans *Questioni di
storia del Risorgimento...*, déjà
cité, pp. 545 sqq. Voir également :
G. FERRARI, *I partiti politici italiani dal 1789 al 1848*, Città di
Castello, 1921, in-8°; M. di PIERO
(A. VOLPICELLI), *Storia critica dei
partiti politici italiani*, Turin,
1946, in-8°.
    [192] W. MATURI, *Partiti poli-
tici e correnti di pensiero nel
Risorgimento*, dans *Questioni di
storia del Risorgimento...*, 349 sqq.
    [193] Pour plus de détails :
F. PONTEIL, *L'ère industrielle et le
gouvernement du technique d'après
Saint-Simon*, dans *Politique et
technique*, publié sous la direction
de L. TROTABAS, Publications du
Centre de sciences politiques de
l'Institut d'études juridiques de
Nice, Paris, 1958, in-8°, pp. 251-
274.
    [194] Cité par A. THOMAS, *Le
Second Empire*, t. X de l'*Histoire
socialiste* publiée par J. JAURÈS,
Paris, s. d., in-8°.
    [195] P. COUSTEIX, *Les financiers
sous le Second Empire*, dans *1848,
Revue des révolutions contemporaines*, t. XLIII, 1950, pp. 105-135.
    [196] J. B. DUROSELLE, *Michel
Chevalier, saint-simonien*, dans la
Revue historique, t. CCV, 1956,
p. 357 sqq; ID., *Michel Chevalier
et le libre-échange avant 1860*,
dans le *Bulletin de la Société
d'histoire moderne*, 1956; E. AP-
POLIS, *Les idées politiques de
Michel Chevalier (1842-1846)*,
dans la *Revue d'histoire moderne
et contemporaine*, t. XII, 1965,
pp. 135-140; Rapprocher de G.
PALMADE, Le « Journal des Économistes » et la pensée libérale
sous le Second Empire, dans le
*Bulletin de la Société d'histoire
moderne*, 1962, n° 22.
    [197] AYCARD, *Histoire du Cré-
dit Mobilier*, 1852-1867, Paris,
1869, in-8°; PLENGE, *Gründung
und Geschichte des Crédit Mobilier*, Tübingen, 1903, in-8°.
    [198] Sur les frères Pereire :
GROSSETETE, *Les idées des frères
Pereire*, thèse droit Paris, 1950,

n-8°; P. COUSTEIX, *Les financiers sous le Second Empire*, dans *1848, Revue des révolutions contemporaines*, t. XLIII, 1950, pp. 105-135.

([199]) J. BOUVIER, *Le Crédit Lyonnais*, t. I : *De 1863 à 1882*, 2 vol., Paris, 1959, in-8°; *Société Générale, pour favoriser le développement du commerce et de l'industrie en France (1864-1964)*, Paris, 1964, in-8°.

([200]) P. DULAC, *La liberté de l'argent*, Lyon, 1865, in-8°.

([201]) H. DARCY, *Enfances*, Paris, 1925, in-8°.

([202]) CL. JANNET, *Le capital, la spéculation et la finance au XIXe siècle*, Paris, 1892, in-8°; PERCEROU, *Des fondateurs de sociétés anonymes*, thèse droit Dijon, 1896, in-8°; surtout : G. RIPERT, *Aspects juridiques du capitalisme moderne*, Paris, 1946, in-8°.

([203]) L. GIRARD, *La politique des travaux publics du Second Empire*, Paris, 1951, in-8°, p. 181.

([204]) P. BONNET, *La commercialisation de la vie française*, Paris, 1929, in-8°.

([205]) A. L. DUNHAM, *The anglofrench treaty of commerce, 1860*, Detroit, 1930, in-8°. ID., *Le traité de commerce franco-anglais de 1860*, dans la *Revue historique*, t. CLXXI, 1933, pp. 44-74; M. RIST, Une expérience de libération des échanges au XIXe siècle : le traité de 1860, dans la *Revue d'économie politique*, nov-déc. 1956.

([206]) H. HEATON, *Histoire économique de l'Europe*, t. II : *de 1750 à nos jours*, Paris, 1952, in-8°.

([207]) H. LAUFENBURGER et P. PFLIMLIN, *Cours d'économie alsacienne*, 2 vol., Paris, 1930-32, in-8°. Voir également : E. BOISSIÈRE, *Vingt ans à Mulhouse, 1855-1875*, Mulhouse, 1876, in-8°; G. DUVEAU, Patrons et ouvriers au temps de l'industrialisation, *Christianisme social*, 1949, p. 479.

([208]) J. LAMBERT, *Essai sur les origines et l'évolution d'une bourgeoisie. Quelques familles du patronat textile de Lille-Armen-*

tières, Paris, 1954, in-8°; C. FOHLEN, *L'industrie textile au temps du Second Empire*, Paris, 1956, in-8°.

([209]) C. FOHLEN, Industrie et crédit dans la région lilloise (1815-1870) dans *Mélanges Louis Jacob*, Lille, 1954, in-8°; pp. 269-276. ID., *L'industrie textile au temps du Second Empire*, déjà cité, pp. 116 et 123. Voir également : FAVRE, *Histoire du Comptoir d'Escompte de Mulhouse*, Mulhouse, 1898, in-8°; J. LALOUX, *Le rôle des banques régionales et locales du nord de la France dans le développement industriel et commercial*, thèse droit, Paris, 1924, in-8°.

([210]) P. R. SCHWARTZ, La Bourse de Mulhouse et ses courtiers privilégiés, dans le *Bulletin de la Société industrielle de Mulhouse*, t. CI, 1935, pp. 251-274.

([211]) P. SEMENT, *Les anciennes halles aux toiles et aux cotons de Rouen*, Rouen, 1931, in-8°.

([212]) G. BOURGIN, Les préfets de Napoléon III historiens du coup d'État, dans la *Revue historique*, t. CLXVI, pp. 274-289.

([213]) P. de LA GORCE, *Histoire du Second Empire*, 7 vol., Paris, 1894-1905, in-8°; M. BLANCHARD, *Le Second Empire*, Paris, 1950, in-8°; J. LHOMME, *La grande bourgeoisie au pouvoir (1830-1880)*, Paris, 1960, in-8°. Voir également : I. TCHERNOFF, *Le parti républicain au coup d'État et sous le Second Empire*, Paris, 1906, in-8°; M. BRUCHET, Le coup d'État de 1851 dans le Nord, dans la *Revue du Nord*, t. XI, 1925, pp. 81-113. Naturellement : G. WEILL, *Histoire du parti républicain*, déjà cité, sans oublier H. GUILLEMIN, *Le coup d'État du 2 décembre*, Paris, 1951, in-8°, suggestif.

([214]) J. P. COURTEAUX, Naissance d'une conscience de classe dans le prolétariat textile du Nord (1830-1870), dans la *Revue économique*, 1957, pp. 114-139; P. LEUILLIOT, Il y a cent ans. Mulhouse en 1865, dans le *Bulletin du Musée historique*, t. LXXIII, 1965, pp. 85-102; P. PIERRARD, *La vie ouvrière à Lille sous le Second Empire*, Paris, 1965, in-8°. Voir aussi A. PERRIER, Esquisse d'une sociologie du mouvement socialiste de la Haute-Vienne, dans les *Actes du 87ᵉ Congrès national des Sociétés savantes*. Poitiers, 1962, *Section d'histoire moderne et contemporaine*, Paris, 1963, pp. 378-398.

(²¹⁵) P. LEUILLIOT, Bourgeois et bourgeoisie, dans les *Annales*, 1956.

(²¹⁶) G. LARONZE, *Le baron Haussmann*, Paris, 1932, in-8° ; J. B. et BR. CHAPMAN, *The life and times of baron Haussmann. Paris in the Second Empire*, Londres, 1957, in-8°.

(²¹⁷) M. DESLANDRES, *Histoire constitutionnelle*, déjà cité; BERTON, *L'évolution constitutionnelle du Second Empire*, Paris, 1902, in-8°; F. PONTEIL, *Les Institutions de la France*, déjà cité.

(²¹⁸) P. CHRETIEN, *Le duc de Persigny (1808-1872)*, Toulouse, 1943, in-8°.

(²¹⁹) Voir E. OLLIVIER, *L'Empire libéral*, 17 vol., Paris, 1895-1915, in-8°; DARIMON, *Les cinq sous l'Empire (1857-1860)*, Paris, 1885, in-8°; lire S. MASTELLONE, Emilio Ollivier e il suo Journal, dans *Rassegna storica del Risorgimento*, avril 1962.

(²²⁰) M. RECLUS, *Jules Favre*, Paris, 1912, in-8°.

(²²¹) J. MAURAIN, *La politique ecclésiastique du Second Empire, de 1852 à 1869*, Paris, 1930, in-8°.

(²²²) F. PONTEIL, *Histoire de l'enseignement*, déjà cité.

(²²³) Sur cet état d'esprit, MAURAIN, *Baroche*, déjà cité, chap. VIII.

(²²⁴) R. MARTIN, *La vie d'un grand journaliste. Auguste Nefftzer*, Besançon, 1953, t. II, chap. VII.

(²²⁵) ID., *ibid.*, p. 207.

(²²⁶) ID., *ibid.*, p. 200.

(²²⁷) E. DOLLÉANS, *Histoire du mouvement ouvrier*, t. I : *1830-1871*, Paris, 1936, in-8°.

(²²⁸) Sur ce point, lire : R. MARTIN, *op. cit.*, t. II, p. 232; P. CHRÉ-

TIEN, *Le duc de Persigny*, déjà cité, pp. 47, 148 et 152.

(²²⁹) A ce sujet, voir : S. COMMISSAIRE, *Mémoires et souvenirs*, Lyon, 1888, in-8°, t. II; S. MARITCH, *Histoire du mouvement social sous le Second Empire à Lyon*, Paris, 1930, in-8°.

(²³⁰) S. MARITCH, *op. cit.*; ID. Lyon, cité républicaine, dans la *Revue des révolutions contemporaines*, déc. 1951, Nº 189, pp. 122-127.

(²³¹) J. CHASTENET, Émile Ollivier et les conséquences d'une situation fausse, dans la *Revue des travaux de l'Académie des Sciences morales et politiques*, 1945.

(²³²) G. DUPEUX, *Aspects de l'histoire sociale et politique du Loir-et-Cher, (1848-1914)*, École pratique des Hautes Études, VIᵉ section, Paris, 1962, in-8°.

(²³³) F. L'HUILLIER, *La lutte ouvrière à la fin du Second Empire*, Cahiers des Annales Nº 12, Paris, 1957, in-8°.

(²³⁴) P. GUEDALLA, *Gladstone and Palmerston*, Londres, 1928, in-8°.

(²³⁵) W. F. MONYPENNY et G. BUCKLE, *The life of Benjamin Disraeli*, 6 vol., Londres, 1910-1920, in-8°; Se reporter aussi à A. MAUROIS, *La vie de Disraeli*, Paris, 1928, in-8°; A. et D. TOLEDANO, Disraeli, dans *Hommes d'État*, t. III, Paris, 1936, in-8°.

(²³⁶) J. MORLEY, *Life of Gladstone*, 3 vol., Londres, 1905, in-8°; W. E. WILLIAMS, *The rise of Gladstone to the leadership of the liberal party*, Cambridge, 1934, in-8°; avant tout : J. L. HAMMOND, *Gladstone and the irish question*, Londres, 1938, in-8°.

(²³⁷) G. M. TREVELYAN, *Life of John Bright*, Londres, 1913, in-8°; Les *Diaries* de J. BRIGHT, édité par P. BRIGHT, Londres, 1930, in-8°, sont intéressants à consulter sur le radicalisme des classes moyennes à l'époque victorienne.

(²³⁸) S. WALPOLE, *Life of lord John Russell*, 2 vol., Londres, 1889, in-8°.

(239) J. W. ADAMSON, *English education, 1789-1902*, Londres, 1930, in-8°; W. K. RICHMOND, *Education in England*, Londres 1945, in-8°; P. HUNKIN, *Enseignement et politique en France et en Angleterre. Étude historique et comparée des législations relatives à l'enseignement en France et en Angleterre depuis 1789*, Paris, 1962, in-8°.

(240) F. J. SALTER, *Robert Lowe and Education*, Liverpool, 1933, in-8°.

(241) W. F. CONNELL, *The educational thought and influence of Matthew Arnold*, Londres, 1950, in-8°. Voir aussi J. E. HOLLINGS, *Matthew Arnold : a study of his influence on secondary school curricula*, Birmingham, 1931, in-8°.

(242) G. J. HOLYOAKE, *History of Co-operation in England*, édit. revue, 2 vol., Londres, 1906, in-8°.

(243) E. BERNATZIK, *Die œsterreichischen Verfassungsgezetze*, Vienne, 1911, in-8°.

(244) *Der œsterreichische Adel und sein constitutionneller Beruf. Mahnruf an die aristokratische Jugend, von einem Œsterreicher*, Munich, 1878, in-8°.

(245) J. RACZ, *La Hongrie contemporaine et le suffrage universel*, Paris, 1909, in-8°.

(246) H. HANTSCH, L'Autriche-Hongrie, dans l'*Europe du XIXᵉ et du XXᵉ siècle*, édité par MARZORATI, Milan, 1962, t. I, pp. 291-327; ID., *Die Geschichte Œsterreichs*, 2 vol., Graz, 1953, in-8°; ID., *Das Nationalitäten-Problem im alten Œsterreich*, dans les *Wiener hist. Studien*, Heft I, 1953. Voir encore : A. J. P. TAYLOR, *The Habsburg Monarchy*, Londres, 1947, in-8°.

(247) Z. SOLLE a écrit plusieurs ouvrages sur les problèmes sociaux en Bohême : *Delnické hnuti v ceskych zemich koncem minulého stoleti*, Prague, 1951, in-8°; ID., *K Pocatkum prvni delnické strany y nasi remi*, Prague, 1951, in-8°; également les chapitres consacrés à l'histoire sociale dans son Histoire de la Tchécoslovaquie : *Prehled ceskoslovenskych dejin*, t. II : *1848-1918*, Prague, 1960, in-8°.

(248) M. REIMAN, *Z prvnich dob ceského delnickeho hnuti*, Prague, 1958, in-8°. A ce propos, lire le compte rendu de H. MICHEL, Sur le mouvement ouvrier en Bohême à propos d'ouvrages récents, dans la Revue d'histoire moderne et contemporaine, t. XI, 1964, pp. 57-64.

(249) G. VERNADSKY, *La charte constitutionnelle de l'empire russe en l'an 1820*, Paris, 1932, in-8°.

(250) CUSTINE, (Marquis de), *La Russie en 1839*, 2ᵉ édit., Paris, 1843, in-8°.

(251) M. OURSINE, *Otcherki iz psikhologii Slavianskago plemeni. Slavianophily*, Saint-Pétersbourg, 1887, in-8°.

(252) A. GRATIEUX, *Khomiakov et le mouvement slavophile*, 2 vol. Paris, 1939, in-8°.

(253) H. LANZ, The philosophy of Kireïevski, dans la *Slavic and east european Review*, 1925-1926.

(254) D. STREMOOUKHOFF, *La poésie et l'idéologie de Tioutcheff*, Paris-Strasbourg, 1937, in-8°.

(255) *Revue des deux mondes* du 15 juin 1849.

(256) GAGARINE, *La Russie sera-t-elle catholique?* Paris, 1856, in-8°.

(257) A. GRATIEUX, *op. cit.*, t. II, p. 172.

(258) P. LABRY, *Herzen et Proudhon*, Paris, 1928, in-8°; G. SOURINE, *Le fouriérisme en Russie*, Paris, 1936, in-8°.

(259) ID., *A. I. Herzen, 1812-1870. Essai sur la formation et le développement de ses idées*, Paris, 1928, in-8°.

(260) Sur Bielinski, se reporter notamment à G. STRUVE, A Bielinski centenary bibliography, dans la *Slavic and east european Review*, 1948.

(261) C. RIHS, *La Commune de Paris, sa structure et ses doctrines*, thèse droit Genève, 1955, in-8°.

(262) J. DAUTRY et L. SCHELER, *Le Comité central républicain des vingt arrondissements de Paris*

(*septembre 1870-mai 1871*), Paris, 1960, in-8°.

(²⁶³) M. DOMMANGET, *Blanqui. La guerre de 1870-1871. La Commune*, Paris, 1956, in-8°.

(²⁶⁴) M. DESSAL, *Un révolutionnaire jacobin, Charles Delescluze (1809-1871)*, Paris, 1952, in-8°.

(²⁶⁵) E. TERSEN, La carrière militante de Léo Frankel. 1847-1896, dans les *Cahiers internationaux*, mai 1950.

(²⁶⁶) G. GILLE, *Jules Vallès. 1832-1885*, Paris, 1941, in-8°.

(²⁶⁷) K. MARX, *La guerre civile en France. 1871*, Paris, 1946, in-8°; à ce sujet lire E. JELOUBOUSKAIA, *La chute du Second Empire et la naissance de la IIIᵉ République en France*, Moscou, 1959, in-8°.

(²⁶⁸) A. ARNOULD, *Histoire populaire et parlementaire de la Commune de Paris*, t. I, Bruxelles, 1878, in-8°.

(²⁶⁹) C. PETIT-DUTAILLIS, *La monarchie féodale en France et en Angleterre*, Paris, s. d., in-8°.

(²⁷⁰) A. DUNOIS, *La Commune de Paris*, Paris, 1925, in-8°.

(²⁷¹) M. DOMMANGET, *L'enseignement, l'enfance et la culture sous la Commune*, Paris, 1964, in-8°.

(²⁷²) C. SEIGNOBOS, *Évolution de la IIIᵉ République*, t. VIII de l'*Histoire de France contemporaine*, publiée sous la direction de LAVISSE, Paris, 1921, in-8°; plus spécialement sur la période : G. HANOTAUX, *Histoire de la France contemporaine*, 4 vol., Paris 1903-1908, in-8°; D. HALÉVY, *La fin des notables*, Paris, 1930, in-8°; ID., *La république des ducs*, Paris, 1937, in-8°; M. de ROUX, *Origines et fondation de la IIIᵉ République*, Paris, 1933, in-8°; J. CHASTENET, *Histoire de la Troisième République*, t. I : *L'Enfance de la Troisième*, Paris, 1952, in-8°; On ne manquera pas de lire A. LAJUSAN, A. Thiers et la fondation de la IIIᵉ République, 1871-1877, dans la *Revue d'histoire moderne et contemporaine*, t. VII, 1932, pp. 451-483 et t. VIII, 1933, pp. 36-52.

(²⁷³) C. POMARET, *M. Thiers et son siècle*, Paris, 1948, in-8°.

(²⁷⁴) J. GOUAULT, *Les élections générales et partielles à l'Assemblée nationale, 1870-1875*, Cahiers de la Fondation nationale des sciences politiques, N° 62, Paris, 1949, in-8°.

(²⁷⁵) D. HALÉVY, *op. cit.*

(²⁷⁶) M. DESLANDRES, *Histoire constitutionnelle de la France*, t. III, Paris, in-8°; CAMBON, au t. I de sa *Correspondance* (p. 58), Paris, 1940, in-8°, raconte que deux membres de l'Assemblée, Lambert Sainte-Croix et Audiffret-Pasquier, avaient annoncé qu'ils voteraient l'amendement Wallon et feraient voter leurs amis en sa faveur. Et ils votent contre. « Voilà le comble. »

(²⁷⁷) Cité par R. MARLIN, La presse du Doubs et l'établissement définitif du régime républicain, dans la *Presse de province sous la IIIᵉ République*, Cahiers de la Fondation nationale des sciences politiques, N° 92, Paris, in-8°.

(²⁷⁸) P. B. GHEUSI, *La vie et la mort singulière de Gambetta*, Paris, 1933, in-8°; sur sa philosophie politique : DELUNS-MONTAUD, La philosophie de Gambetta, dans la *Revue politique et parlementaire*, t. XI, 1897, pp. 241-265; Sur le côté affectif : F. LAUR, *Le cœur de Gambetta*, Paris, 1907, in-8°; E. PILLIAS, *Léonie Léon, amie de Gambetta*, Paris, 1935, in-8°.

(²⁷⁹) D'après R. MARLIN, déjà cité.

(²⁸⁰) En dehors de D. HALÉVY, *La république des ducs*, déjà cité, voir encore : M. RECLUS, *Le Seize Mai*, Paris, 1931, in-8°; M. CORMIER, *Madame Juliette Adam ou l'aurore de la IIIᵉ République*, Paris, 1934, in-8°; L. CAPÉRAN, *Histoire contemporaine de la laïcité française*, t. I. *La crise du Seize Mai et la revanche républicaine*, Paris, 1957, in-8°; Fr. PISANI-FERRY, *Le coup d'état manqué du 16 Mai 1877*, Paris, 1965, in-8°.

(²⁸¹) C. POMARET, *M. Thiers et son siècle*, déjà cité. Lire la lettre de CAMBON en date du 4 septembre 1877, analysant les résultats politiques de cette mort, *Correspondance*, t. I, p. 85.

(282) R. DAVID, *La Troisième République, Soixante ans de politique et d'histoire. De 1871 à nos jours*, Paris, 1934, in-8°; C. de RO-CHEMONTEIX, *Les congrégations non reconnues en France*, 2 vol., Le Caire, 1901, in-8°; P. NOURRISSON, *Histoire de la liberté d'association depuis 1789*, 2 vol., Paris, 1920, in-8°; ID., *Histoire légale des congrégations religieuses en France depuis 1789*, 2 vol., Paris, 1928, in-8°; P. RIMBAULT, *Histoire politique des congrégations religieuses françaises (1790-1914)*, Paris, 1926, in-8°.

(283) *Le Gaulois* du 1er mai 1873.

(284) *Le Figaro* du 30 avril 1873.

(285) F. CHALLAYE, *Le syndicalisme révolutionnaire*, dans la *Revue de métaphysique et de morale*, 1907, pp. 107-12 256-7 et 272. Lire également G. SOREL, *Matériaux d'une théorie du prolétariat*, Paris, 1929, 3e édit., in-8°, 1re partie : *Avenir socialiste des syndicats*, pp. 55-167.

(286) G. SOREL, *Matériaux d'une théorie du prolétariat*, Paris, 1929, in-8°, p. 96.

(287) ID., *ibid.*, p. 160.

(288) F. PELLOUTIER, *Histoire des Bourses du travail*, Paris, 1902, in-8°; F. et M. PELLOUTIER, *La vie ouvrière en France*, Paris, 1900, in-8°.

(289) M. PELLOUTIER, *Fernand Pelloutier, sa vie, son œuvre (1867-1901)*, Paris, 1911, in-8°; P. DELESALLE, *La vie militante d'Émile Pouget*, Paris, s. d., in-8° ; sur l'ensemble du mouvement : M. LEROY, *La coutume ouvrière*, 2 vol., Paris, 1913, in-8°; E. DOLLÉANS, *Histoire du mouvement ouvrier*, t. II : 1871-1936, Paris 2e édit., 1946, in-8°. ID., *Brochures sur F. PELLOUTIER et E. POUGET*, publiées par le Centre confédéral d'éducation ouvrière.

(290) J. CHASTENET, *Histoire de la Troisième République*, t. I, pp. 288 sqq.

(291) ID., *ibid.*, t. II, p. 52.

(292) J. FERRY, *Discours et opinions*, publiés par ROBIQUET, 7 vol. Paris, 1893-1898, in-8°. ID. *Lettres, 1846-1893*, Paris, 1914, in-8°. Voir aussi les travaux d'ensemble : A. RAMBAUD, *Jules Ferry*, Paris, 1903, in-8°; M. RECLUS, *Jules Ferry, 1832-1893*, Paris, 1947, in-8° ; sur les sources d'inspiration de sa pensée : L. LEGRAND, *L'influence positiviste dans l'œuvre scolaire de J. Ferry*, Paris, 1961, in-8°; M. OZOUF, *L'École, l'Église et la république, 1871-1914*, Paris, 1963, in-8°.

(293) J. BOUVIER, *Le krach de l'Union générale, 1878-1885*, Paris, 1960, in-8°.

(294) J. CHASTENET, *Histoire de la Troisième République*, déjà cité, t. II, p. 109.

(295) G. PEISER, *La notion de république dans la tradition politique française* dans *Politique*, nouvelle série, 1959, pp. 206-217.

(296) A. DANSETTE, *Explication du boulangisme*, dans la *Revue hebdomadaire* du 22 janvier 1938, pp. 389-418; J. CHASTENET, *op. cit.*

(297) H. LEYRET, *Waldeck-Rousseau et la IIIe République (1869-1889)*, Paris, 1908, in-8°.

(298) WALDECK-ROUSSEAU, *Discours prononcés de la Loire*, Paris, 1896, in-8°; Consulter également : R. BOMPARD, *Le veto du président et la sanction royale*, Paris, 1906, in-8°; L. BOURGEOIS, *La démocratie*, dans la *Revue politique et parlementaire*, t. XLII ; A. DANSETTE, *Histoire des présidents de la république*, Paris, 1965, in-8°.

(299) M. LEROY, *La loi. Essai sur la théorie de l'autorité dans la démocratie*, Paris, 1908, in-8°; H. KELSEN, *Aperçu d'une théorie générale de l'État*, dans la *Revue du droit public*, 1926; LA BIGNE de VILLENEUVE, *Traité général de l'État. Essai d'une théorie réaliste de droit politique*, 2 vol., Paris, 1929-1931, in-8°;

Mirkine-Guetzevitch, *La revision constitutionnelle*, dans la *Revue politique et parlementaire*, t. CLV, 1933; A. Tardieu, *La révolution à refaire*, 2 vol., Paris, s. d., in-8°; E. Weil, *Hegel et l'État*, Paris, 1950, in-8°; E. Maspietol, *La société politique et le droit*, Paris, 1957, in-8°.

[300] D. Halévy, *La république des comités. Essai d'histoire contemporaine, 1895-1934*, Paris, 1934, in-8°.

[301] A. Liesse, *Léon Say. Les finances de la IIIe République*, 4 vol., Paris, 1898-1901, in-8°.

[302] Voir *Le Musée Clemenceau*, publié par E. Buré, Paris, 1936, in-8°.

[303] L. Say, *Les finances de la France sous la IIIe République*, Paris, 1901, in-8°, t. IV, p. 681.

[304] Id., *ibid.*, t. IV, Le socialisme d'État, pp. 556-557.

[305] Id., *ibid.*, t. IV, p. 598.

[306] D. Halévy, *La république des comités*, Paris, 1934, in-8°; D. Bardonnet, *Évolution de la structure du parti radical*, Paris, 1938, in-8°.

[307] A. Dansette, *Histoire religieuse de la France contemporaine*, t. II, p. 71; D. Bardonnet, *op. cit.*, p. 229 sqq.

[308] M. Duverger, *Les partis politiques*, Paris, 1954, in-8°; Ch. Ledré, *La franc-maçonnerie*, Paris, 1956, in-8°.

[309] Cité par L. Derfler, Le « cas Millerand », dans la *Revue d'histoire moderne et contemporaine*, t. X, 1963, p. 89.

[310] F. Corcos, *Catéchisme des partis politiques*, Paris, 1932, in-8°.

[311] A. Thibaudet, *Les idées politiques de la France*, Paris, 1932, in-8°.

[312] M. Duverger, *Droit constitutionnel et institutions politiques*, 2e édit., Paris, 1956, p. 595.

[313] E. Beau de Lomenie, *Les Dynasties bourgeoises*, t. II, Paris, 1947, in-8°, en fait remonter la création au moment du boulangisme (p. 297). Voir également :

[314] *Mémoires*, p. 32 sqq.

[315] *La république des comités*, déjà cité, p. 54 sqq.; lire le récit de la désignation de Combes comme Président du Conseil, et ses réticences, dans ses *Mémoires*, p. 6 sqq.

[316] *Mémoires*, p. 25.

[317] Cité par R. Wallier, *Le XXe siècle politique, année 1903*, Paris, 1904, in-8°.

[318] Page 145.

[319] D. Halévy, *La république des comités*, déjà cité, p. 71 sqq.

[320] H. Taine, *Les origines de la France contemporaine*, t. II : *Le régime moderne*.

[321] F. Vial, *Les principes de l'enseignement libéral dans leur application à la question de l'enseignement secondaire*, thèse lettres Paris, 1902, in-8°. Id., Les crimes de l'Université, dans la *Revue Bleue* du 18 juin 1898.

[322] M. Berthelot, La crise de l'enseignement secondaire, dans la *Revue des deux mondes* du 15 mars 1891, pp. 337-374.

[323] Duprat, L'École et la démocratie au XXe siècle, *Bulletin du Comité des travaux historiques, Section des sciences économiques et sociales*. Congrès des sociétés savantes, 1902, Paris, in-8°.

[324] L. H. Parias (sous la direction de), *Histoire du peuple français*, t. V : *Cent ans d'esprit républicain*, Paris, 1964, in-8°; J. M. Mayeur, *La France bourgeoise devient républicaine et laïque (1875-1914)*, pp. 45-244; l'auteur prépare une thèse sur l'abbé Lemire, qui comblera une lacune.

[325] de Fabrègues, *Histoire du Sillon*, Paris, 1965, in-8°; J. Caron *Le Sillon et la démocratie chrétienne*, 1894-1910, Paris 1966, in-8°.

([326]) M. BLONDEL, *L'action*, Paris, 1893, in-8°.

([327]) AGATHON, *Les jeunes gens d'aujourd'hui*, Paris, 1913, in-8°.

([328]) A. BELLESSORT, *Les intellectuels et l'avènement de la république*, Paris, s. d., in-8°; D. HALÉVY, *Décadence de la liberté*, Paris, 1931, in-8°; R. de JOUVENEL, *La république des camarades*, Paris, 1914, in-8°; L. MARCELLIN, *Le règne des harangueurs*, Paris, s. d., in-8°; G. MICHON, *Clemenceau*, Paris, 1931, in-8°; JAMMY SCHMIDT, *Les grandes thèses radicales*, Paris, 1932, in-8°; A. SIEGFRIED, *Tableau des partis en France*, Paris, 1930, in-8°; A. THIBAUDET, *La république des professeurs*, Paris, 1927, in-8°.

([329]) E. HALÉVY, Franco-german relations since 1870, dans *History*, t. X, 1924. Voir également M. BARRÈS, *Mes cahiers*, t. XI.

([330]) L. GÉRARD-VARET, Au Palais-Bourbon : les couloirs, dans la *Revue de Paris*, 1er janvier 1911, p. 151.

([331]) A. SIEGFRIED, *Géographie électorale de l'Ardèche sous la IIIe République*, Cahiers de la Fondation nationale des sciences politiques, N° 9, Paris, 1949, in-8°.

([332]) G. DUPEUX, *Aspect de l'histoire sociale et politique du Loir-et-Cher, 1848-1914*, Paris, 1962, in-8°, 4e partie, chap. III.

([333]) Voir J. AYNARD, *La bourgeoisie française*, Paris, 1934, in-8°; M. PRÉLOT, *Évolution politique et sociale de la IIIe République*, Paris, 1939, in-8°; PH. ARIÈS, *Histoire des populations françaises*, Paris, 1948, in-8°; J. CHASTENET, *Histoire de la IIIe République*, t. III : *La France de M. Fallières*, Paris, 1949, in-8°.

([334]) P. BARRAL, *Histoire du département de l'Isère sous la IIIe République (1870-1940). Histoire politique et sociale*, Paris, 1962, in-8°.

([335]) ID., *ibid.*, p. 326.

([336]) ID., *ibid.*, p. 408.

([337]) Voir E. WEBER, Le renouveau nationaliste en France et le glissement vers la droite, 1905-1914, dans la *Revue d'histoire moderne et contemporaine*, t. VII, 1958, pp. 114-128. Intéressant pour la position de l'opinion française entre les problèmes internes et les événements extérieurs.

([338]) G. BONNEFOUS, *Histoire politique de la IIIe République*, t. I : 1906-1914, Paris, 1956, in-8°.

([339]) En attendant A. THIBAUDET, *La république des professeurs*, Paris, 1927, in-8°, celle des *Comités* déjà citée, et celle de *la province* due à J. FOURCADE, Paris, 1936, in-8°.

([340]) R. C. K. ENSOR, *England 1870-1914*, Oxford, 1936, in-8°.

([341]) W. L. GUTTSMAN, *The british political elite*, Londres, 1963, in-8°, pp. 18-19.

([342]) TH. ERSKINE MAY, *Constitutional history of England, 1760-1860*, Londres, 1912, t. I, p. 165, cité par GUTTSMAN, *op. cit.*, p. 40.

([343]) J.-L. et B. HAMMOND, *The village labourer, 1760-1832*, Londres, 1911, in-8°.

([344]) GUTTSMAN, *op. cit.*, p. 55.

([345]) ID., *ibid.*, p. 133.

([346]) Cornelius O'LEARY, *The elimination of corrupt practics in british elections, 1868-1911*, cité par McCALLUM, *The liberal party from earl Grey to Asquith*, Londres, 1963, in-8°, pp. 65-66.

([347]) P. HUNKIN, *Enseignement et politique en France et en Angleterre. Étude historique et comparée des législations relatives à l'enseignement en France et en Angleterre depuis 1789*, Paris, 1962, in-8°.

([348]) R. B. McCALLUM, *The liberal party from earl Grey to Asquith*, déjà cité, p. 167.

([349]) J. de SALIS, *Weltgeschichte der neuesten Zeit*, Zurich, 1951, in-8°, 3e édit., 1961, p. 291.

([350]) ID., *ibid.*, p. 322.

([351]) R. CHARMATZ, *Œsterreichische innere Geschichte von 1848 bis 1907*, t. II, Leipzig, 1909, in 8°; V. BIBL, *Der Zerfall Œsterreichs*, t. II, Vienne, 1924, in-8°;

R. Sieghart, *Die letzten Jahrzehnte einer Grossmacht*, Berlin, 1932, in-8°; H. Hantsch, *Die Geschichte Œsterreichs*, 2 vol., Graz, 1953, in-8°; H. Mommsen, *Die soziale Demokratie und die Nationalitätenfrage im Habsburgischen Vielvölkerstaat (1867-1907)*, Berlin, 1964, in-8°.

(³⁵²) L. Eisenmann, *Le compromis austro-hongrois de 1867*, Paris, 1904, in-8°.

(³⁵³) J. Zolger, *Der staatsrechtliche Ausgleich zwischen Ungarn und Œsterreich*, Leipzig, 1911, in-8°.

(³⁵⁴) A. Fischel, *Die nationalen Kurien*, Vienne, 1898, in-8°.

(³⁵⁵) J. de Salis, *op. cit.* Voir également J. Redlich, *Zustand*

und Reform der œsterreichischen Verwaltung, Vienne, 1911, in 8°.

(³⁵⁶) J. de Salis, *op. cit.*

(³⁵⁷) C. J. Street, *Hungary and democracy*, Londres, 1923, in-8°.

(³⁵⁸) O. Jaszi, *The dissolution of the Habsburg Monarchy*, Chicago, 1929, in-8°, pp. 112-113.

(³⁵⁹) H. Hantsch, L'Autriche-Hongrie, dans le t. I de l'*Europe du XIXe et du XXe siècle (1870-1914)*, Milan, 1962, in 8°, pp. 291-327.

(³⁶⁰) W. A. Jenks, *The Austrian electoral reform of 1907*, New York, 1950, in-8°.

(³⁶¹) D'après la réforme, les nationalités avaient un siège basé sur le nombre d'habitants qui variaient avec la nationalité :

Nationalité	Nombre d'habitants	Pourcentage de la population	% des sièges
Italiens	38 000	2,83	3,69
Allemands	40 000	35,78	45,11
Roumains	46 000	0,90	0,98
Slovènes	50 000	4,65	7,18
Polonais	52 000	16,59	15,70
Croates	55 000	2,77	—
Tchèques	55 000	23,24	20,94
Ruthènes	102 000	13,21	6,40

(³⁶²) R. Sieghart, *Die letzten Jahrzehnten einer Grossmacht*, Munich, 1932, in-8°.

(³⁶³) R. A. Kann, *The multinational Empire. Nationalism and national reform in the Habsburg Monarchy, 1848-1918*, 2 vol., New York, 1950, in-8°, t. II, pp. 77-80.

(³⁶⁴) Id., *ibid.*, t. II, pp. 138-143.

(³⁶⁵) Fischof, *Œsterreich und die Bürgschaften seines Bestandes*, Vienne, 1869, in-8°.

(³⁶⁶) R. A. Kann, *op. cit.*, t. II, pp. 143-146.

(³⁶⁷) K. Staehlin, *Geschichte Russlands von den Anfängen bis zur Gegenwart*, 4 vol., Berlin, 1923, in-8°; G. Vernadsky, *A history of Russia*, New York, 1929, in-8°; P. Milioukov, C. Seigno-

bos et L. Eisenmann, *Histoire de Russie*, t. III : *Réformes, réactions, révolutions (1855-1932)*, Paris, 1933, in-8°, nouv. édit., 1935; G. de Reynold, *La formation de l'Europe*, t. VI : *Le monde russe*, Paris, 1950, in-8°; V. Gitermann, *Geschichte Russlands*, 3 vol., Zurich, 1944-1949, in-8°; R. Portal, *Les Slaves. Peuples et nations*, Paris, 1965, in-8°.

(³⁶⁸) de Laveleye, en particulier.

(³⁶⁹) On se reportera à A. Gratieux, *A. S. Khomiakov (1804-1860)*, t. II : *La pensée*, Paris. 1939, in-8°, chap. viii, p. 239 sqq, Sur Dostoievsky : N. Berdiaev, *L'esprit de Dostoievsky*, Paris, 1932, in-8°. Voir encore : W. Giusti, *Dostoievskij e il mondo russo dell' 800*, Naples, 1952, in-8°.

(³⁷⁰) Cité par A. Tamborra,

La Russie et l'Europe, dans l'*Europe du XIXe et du XXe siècle (1870-1914)*, Milan, 1962, in-8°, t. II, p. 639.

(³⁷¹) Leontiev, *L'Orient, la Russie et le monde slave*, Paris, 1885, in-8°; Cf. N. Berdiaef, *Constantin Leontiev*, Paris, 1937, in-8°.

(³⁷²) P. Leroy-Beaulieu, *L'Empire des tsars et les Russes*, 3 vol., Paris, 1883, in-8°.

(³⁷³) Sur les migrations du paysan russe : Fr. X. Coquin, Faim et migrations paysannes en Russie, au xixe siècle, dans la *Revue d'histoire moderne et contemporaine*, t. XI, 1964, pp. 126-144.

(³⁷⁴) N. A. Savicki, P. A. Stolypine, dans *le Monde slave*, t. X, 1933, pp. 227-247, 360-381; t. XI, 1934, pp. 378-397; t. XII, 1935, pp. 41-61.

(³⁷⁵) R. Portal, *Les Slaves*, déjà cité, p. 279 sqq. Sur les questions industrielles : J. Mavor, *An economic history of Russia*, New York, 2 vol., 1925, in-8°; P. Lyashchenko, *History of national economy of Russia to 1917 revolution*, New York, 1949, in-8°.

(³⁷⁶) G. Alexinsky, *La Russie révolutionnaire*, Paris, 1947, in-8°, p. 21 sqq. Voir également F. Grenard, *La révolution russe*, Paris, 1933, in-8°.

(³⁷⁷) Cité par G. Alexinsky, *op. cit.*, p. 69, d'après N. Lénine, *Deux tactiques*, Genève, 1905, in-8°, p. 69. Sur Lénine en général on se reportera à G. Walter, *Lénine*, Paris, 1950, in-8°; J. Bruhat, *Lénine*, Paris, 1960, in-8°. Lire également : N. Kroupskaia, *Ma vie avec Lénine, 1893-1917*, Paris, 1933, in-8°.

(³⁷⁸) Th. von Laue, The high cost and the gamble of the Witte system : a chapter in the industrialization of Russia, dans le *Journal of economic history*, 1953.

(³⁷⁹) B. Nolde, *L'ancien régime et la révolution russe*, Paris, 1928, in-8°.

(³⁸⁰) R. Portal, Russie, dans l'*Europe du XIXe et du XXe siècle, 1870-1914*, déjà cité, t. I, pp. 253-290.

(³⁸¹) M. Raeff, L'État, le gouvernement et la tradition politique en Russie impériale avant 1861, dans la *Revue d'histoire moderne et contemporaine*, t. IX, 1962, pp. 295-307. Voir également sur cette tendance universelle : V. Leontovitsch, *Geschichte des Liberalismus in Russland*, Francfort, 1957, in-8°.

(³⁸²) P. Duclos, *L'évolution des rapports politiques depuis 1750*, Paris, 1950, in-8°.

Bibliographie

Cette bibliographie doit conserver un caractère d'orientation. Car, sur un tel sujet, la littérature est considérable. Il suffit de se reporter aux catalogues de la Bibliothèque Nationale de Paris et de la Bibliothèque Nationale et Universitaire de Strasbourg pour s'en rendre compte. Nous nous sommes borné à l'essentiel. Nous avons jugé inutile de surcharger le volume outre mesure pour justifier l'étendue des dépouillements auxquels nous nous sommes astreint pour étayer nos développements.

PRINCIPAUX TRAVAUX UTILISÉS

I. OUVRAGES

A

ADAMSON (J. W.), *English education, 1789-1902*, Londres, 1930, in-8°.
AGATHON, *Les jeunes gens d'aujourd'hui*, Paris, 1913, in-8°.
ALAIN, *Éléments d'une doctrine radicale*, Paris, 1925, in-8°.
ALAIN, *Propos de politique*, Paris, 1934, in-8°.
ALEXINSKY (G.), *La Russie révolutionnaire*, Paris, 1947, in-8°.
ALMÉRAS (C.), *Odilon Barrot, avocat et homme politique*, Paris, 1948, in-8°.
AMÉ (L.), *Étude économique sur les tarifs de douanes*, 2ᵉ édit., 2 vol., Paris, 1860, in-8°.
ANNALES DE PHILOSOPHIE POLITIQUE, tome III : *Le droit naturel*, Paris, 1959, in-8°.
ARIÈS (Ph.), *Histoire des populations françaises*, Paris, 1948, in-8°.
ARMENGAUD (A.), *Les populations de l'Est aquitain au début de l'époque contemporaine. Recherches sur une région moins développée (vers 1845- vers 1871)*, Paris, 1961, in-8°.
ARNOULD (A.), *Histoire populaire et parlementaire de la commune de Paris*, tome I, Bruxelles, 1878, in-8°.
AYCARD, *Histoire du Crédit mobilier, 1852-1867*, Paris, 1869, in-8°.
AYNARD (J.), *La bourgeoisie française*, Paris, 1934, in-8°.

B

BACHEM (K.), *Vorgeschichte, Geschichte und Politik der deutschen Zentrumpartei*, Cologne, 1927, in-8°.

BAFFOS (R.), *La prudhomie*, Paris, 1908, in-8°.

BARDONNET (D), *Évolution de la structure du parti radical*, Paris, 1958, in-8.

BARDOUX (A.), *La bourgeoisie française*, Paris, 1893, in-8°.

BARRAL (P.), *Le département de l'Isère sous la IIIᵉ République, 1870-1940. Histoire politique et sociale*, Cahiers de la Fondation nat. des sciences politiques, nᵒ 115, Paris, 1962, in-8°.

BARRÈS (M.), *Mes cahiers*, tome IX, Paris, s. d. in-8°.

BARTH (K.), *Die protestantische Theologie im 19. Jahrhundert*, Zurich, 1947, in-8°

BARTHÉLEMY (J.), *Le rôle du pouvoir exécutif dans les républiques modernes*, Paris, 1907, in-8°.

BARTHÉLEMY (J.), *Le problème de la compétence dans la démocratie*, Paris, 1918, in-8°.

BASCH (V.), *L'individualisme anarchiste : Max Stirner*, Paris, 1904, in-8°.

BASTID (P.), *Sieyès et sa pensée*, Paris, 1936, in-8°.

BASTID (P.), *Doctrines et institutions politiques de la Seconde République*, 2 vol., Paris, 1945, in-8°.

BASTID (P.), *Les institutions de la monarchie parlementaire française*, Paris, 1954, in-8°.

BASTID (P.), *Benjamin Constant*, 2 vol., Paris, 1966, in-8°.

BAUER (A.), *Les classes sociales*, Paris, 1902, in-8°.

BEAU DE LOMÉNIE (E.), *Les dynasties bourgeoises*, 3 vol., Paris, 1943-1954, in-8°.

BELLESSORT (A.), *Les intellectuels et l'avènement de la république*, Paris, s. d., in-8°.

BENAERTS (P.), *Les origines de la grande industrie allemande, Essai sur l'histoire économique de la période du Zollverein*, Paris, 1933, in-8°.

BENOIST (C.), *La crise de l'État moderne*, Paris, 1897, in-8°.

BERDIAEV (N.), *L'esprit de Dostoievsky*, Paris, 1932, in-8°.

BERDIAEV (N.), *Constantin Leontiev*, Paris, 1937, in-8°.

BERDIAEV (N.), *De l'esprit bourgeois*, Paris, 1949, in-8°.

BÉRAUD, *La puissance paternelle dans le code et depuis le code*, Montpellier, 1912, in-8°.

BERGENBRUN (A.), *David Hansemann*, Berlin, 1901, in-8°.

BERGSTRASSER (L.), *Studien zur Geschichte der Zentrumspartei*, Tubingen, 1910, in-8°.

BERKELEY (G. F. H.), *Italy in the making 1815 to 1846*, Cambridge, 1936, in-8°.

BERL (E.), *La politique et les partis*, Paris, 1932, in-8°.

BERNATZIK (E.), *Die oesterreichischen Verfassungsgesetze*, Vienne, 1911, in-8°.

BERTON, *L'évolution constitutionnelle du Second Empire*, Paris, 1902, in-8°.

BEUGNOT, *Vie de Becquey*, Paris, 1852, in-8°.

BIBL (V.), *Der Zerfall Oesterreichs*, tome II, Vienne, 1924, in-8°.

BIENVENUE, *De l'inaliénabilité et de l'incompatibilité en matière parlementaire depuis 1789*, Paris, 1904, in-8°.

BIGO (R.), *Les banques françaises au cours du XIXᵉ siècle*, Paris, 1947, in-8°.

BLANC (L.), *Histoire de dix ans. 1830-1840*, Paris, 1846, in-8°.

BLANC (L.), *Histoire de la révolution de 1848*, 2 vol., Paris, 1870, in-8°.

BLANCHARD (M.), *Le Second Empire*, Paris, 1950, in-8°.

BLOCH (K.), *Geschichte der Kommission des Luxemburg*, Francfort, 1925, in-8°.

BLONDEL (M.), *L'action*, Paris, 1893, in-8°.

BLUM (L.), *La réforme gouvernementale*, Paris, 1936, in-8°.

BOMPARD (R.), *Le veto du président de la République et la sanction roylae*, Paris, 1906, in-8°.

BONNEFOUS (G.), *Histoire politique de la IIIᵉ République*, tome I : *1906-1914*, Paris, 1956, in-8°.

BONNET (P.), *La commercialisation de la vie française*, Paris, 1929, in-8°.

BONVIN (L.), *La représentation des intérêts professionnels dans les assemblées politiques*, thèse droit Paris, 1914, in-8°.

BOSC (L.), *Unions douanières et projets d'unions douanières. Essai historique et critique*, thèse droit Paris, 1904, in-8°.

BOUDET (J.), *Le monde des affaires en France de 1830 à nos jours*, Paris, 1952, in-8°.

BOUISSOU (M.), *La chambre des lords au XXᵉ siècle (1911-1949)*, Cahiers de la Fondation nat. des sciences politiques, n° 90, Paris, 1957, in-8°.

BOURGEAT (J.), *Proudhon, père du socialisme français*, Paris, 1943, in-8°.

BOURGIN (G.), *1848. Naissance et mort d'une révolution*, Paris, 1948, in-8°.

BOURGIN (G.), CARRÈRE (J.), GUÉRIN (A.), *Manuel des partis politiques en France*, 2ᵉ édit., Paris, 1928, in-8°.

BOURGIN (H. et G.), *Le régime de l'industrie (1814-1830)*, 3 vol., Paris, 1913-1921-1941, in-8°.

BOURGUIN (M.), *Les systèmes socialistes et l'évolution économique*, Paris, 1904, in-8°.

BOURIEZ-GREGG (F.), *Les classes sociales aux États-Unis*, Paris, 1954, in-8°.

BOURRICAUD (A.), *Esquisse d'une théorie de l'autorité*, Paris, 1961, in-8°.

BOUVIER (J.), *Le Crédit Lyonnais*, tome I : *de 1863 à 1882*, 2 vol., Paris, 1959, in-8°.

BOUVIER (J.), *Le krach de l'Union générale, 1878-1885*, Paris, in-8°.

BOUVIER (J.), *Les Rothschild*, Paris, 1960, in-8°.

BOUVIER-AJAM (M.), et MURY (G.), *Les classes sociales en France*, 2 vol., Paris, in-8°.

BRADY (A.), *William Huskisson and liberal reform*, Londres, 1928, in-8°·

BRAUBACH (M.), *Die Universität Bonn und die de utsche Revolution von 1848-49*, Bonn, 1948, in-8°.

BRIGHT (J.), *Diaries*, édités par P. BRIGHT, Londres, 1930, in-8°.

BRIMO (A.), Deux conceptions de la démocratie, dans les *Mélanges Magnol*, Paris, 1948, in-8°.

BROGAN (D. W.), *The development of modern France*, Cambridge, 1940, in-8°.

BRUGERETTE (J.), *Le prêtre français et la société contemporaine*, tome II, Paris, 1935, in-8°.

BRUHAT (J.), *Lénine*, Paris, 1960, in-8°.

BRUNELLO (B.), *Pensiero politico italiano dal Romagnosi al Croce*, Bologne, 1950, in-8°.

BÜCHER (K.), *Die Entstehung der Volkswirtschaft*, Berlin, 1893, trad. franç. Paris, 1901, in-8°.

BULFERETTI (L.), *Antonio Rosmini nella Restaurazione*, Florence, 1942, in-8°.

BURDEAU (G.), *Traité de science politique*, 7 vol., Paris, 1957, in-8°.

BURET, *Misère des classes laborieuses en Angleterre et en France*, 2 vol., Paris, 1839, in-8°.

BURY (J. P. T.), *The zenith of european power (1830-1870)*, t. X de la *New Cambridge modern history*, Cambridge, 1960, in-8°.

BUTLER (J. R. M.), *The passing of the great reform bill*, Londres, 1914, in-8°.

C

CADART (J.), *Régime électoral et régime parlementaire en Grande-Bretagne*, Paris, 1948, in-8°.

CAMBON (P.), *Correspondance, 1870-1924*, 2 vol., Paris, 1940, in-8°.

CAPÉRAN (L.), *Histoire contemporaine de la laïcité française.* I. *La crise du Seize Mai et la revanche républicaine*, Paris 1957, in-8°.

CARCASSONNE (E.), *Montesquieu et le problème de la constitution française au XVIIIe siècle*, Paris, 1927, in-8°.

CARNOT (P.), *Hippolyte Carnot et le ministère de l'instruction publique sous la Seconde République*, Paris, 1948, in-8°.

CARON (J.), *Le Sillon et la démocratie chrétienne, 1894-1910*, Paris, 1966, in-8°.

CASSOU (J.), *1848*, Paris, 1949, in-8°.

CHABASSEUR (O.), *Les banques régionales et locales en France*, Grenoble, 1942, in-8°.

CHAIX·RUY (J.), *La formation de la pensée philosophique de J. B. Vico*, Paris, 1943, in-8°.

CHARDON (H.), *L'organisation d'une démocratie. Les deux forces : le nombre et l'élite*, Paris, 1921, in-8°.

CHARDON (H.), *L'organisation de la république pour la paix*, Paris, 1926, in-8°.

CHARLES (A.), *La révolution de 1848 et la Seconde République à Bordeaux et dans le département de la Gironde*, Bordeaux, 1945, in-8°.

CHARLES (E.), *Les chemins de fer en France sous le règne de Louis-Philippe*, thèse droit Paris, 1896, in-8°.

CHARMATZ (R.), *Oesterreichische innere Geschichte von 1848 bis 1907*, tome II, Leipzig, 1909, in-8°.

CHASTENET (J.), *Histoire de la Troisième République*, 6 vol., Paris, 1952-1962, in-8°.

CHEVALIER (L.), *Fondements économiques et sociaux de l'histoire politique de la région parisienne (1848-1870)*, Paris, 1951, in-8°.

CHEVALIER (L.), *Classes laborieuses et classes dangereuses pendant la première partie du XIXe siècle*, Paris, 1958, in-8°.

CHRÉTIEN (P.), *Le duc de Persigny (1808-1872)*, thèse droit Strasbourg, 1943, in-8°.

CHRISTERN (H.), *Friedrich-Christoph Dahlmanns politische Entwicklung bis 1848. Ein Beitrag zur Geschichte des deutschen Liberalismus*, Leipzig, 1921, in-8°.

CLAPHAM (A.), *The economic development of France and Germany, 1815-1914*, Cambridge, 1921, in-8°.

CLEIFTIE (E.), *Les conseils de prud'hommes, leur organisation, leur fonctionnement*, Paris, 1898, in-8°.

CLOUGH (S. B.), *France. A history of national economics, 1789-1939*, New York, 1939, in-8°.

CODIGNOLA (A.), *Mazzini*, Turin, 1946, in-8°.

COGNIOT (P.), *La question scolaire en 1848 et la loi Falloux*, Paris, 1948, in-8°.

COHEN, *La préparation de la constitution de 1848*, Paris, 1935, in-8°.

COLE (G. D. G.), *Life of William Cobbett*, Londres, 1925, in-8°.

COLE (G. D. H.), *The life of Robert Owen*, Londres, 1930, in-8°.

COLE (G. D. H.), *British working class politics. 1852-1914*, Londres, 1941, in-8°.

COLMET-DAAGE (F.), *La classe bourgeoise. Ses origines. Ses lois d'existence et son rôle social*, Paris, 1959, in-8°.

COMBES (E.), *Mémoires*, Paris, s. d., in-8°.

COMMISSAIRE (S.), *Mémoires et souvenirs*, 2 vol., Lyon, 1888, in-8°
CONNELL (W. F.), *The educational thought and influence of Matthew Arnold*, Londres, 1950, in-8°.
COPIN (A.), *Les doctrines économiques et les débuts de la législation ouvrière en France*, thèse droit Lille, 1943, in-8°
CORCOS (F.), *Catéchisme des partis politiques*, Paris, 1932, in-8°.
CORMENIN (de), *Le livre des orateurs*, Paris, 1838, nouv. éd. 1843-1844.
CORMIER (M.), *Madame Juliette Adam ou l'aurore de la IIIe République*, Paris, 1934, in-8°.
CORNU (A.), *Moses Hess et la gauche hégélienne*, Paris, 1934, in-8°.
COUDERT (P.), *La bourgeoisie et la question sociale*, Paris, 1914, in-8°.
CORTESE (N.), *Il governo napoletano e la rivoluzione siciliana del 1820-21*, Naples, 1950, in-8°.
COULMANN (J. J.), *Réminiscences*, 3 vol.. Paris, 1862-1869, in-8°.
CRAWLEY (C. W.), édit., *War and peace in an age of upheaval, 1793-1830*, t, IX de la *New Cambridge modern history*, Cambridge, 1965, in-8°.
CRUICKSHANK (M.), *Church and state in english education*, Londres, 1963, in-8°.
CUSTINE (Marquis de), *La Russie en 1839*. Paris, 1843, in-8°, 2e édit.

D

DAHL (R. A.), *A preface to democratic theory*, Chicago, 1956, in-8°.
DANSETTE (A.), *Histoire religieuse de la France contemporaine*, tome II, Paris, 1948, in-8°.
DANSETTE (A.), *Histoire des présidents de la république*, Paris, 1965, in-8°.
DARCY (H.), *Enfances*, Paris, 1925, in-8°.
DARIMON, *Les Cinq sous le Second Empire (1857-1860)*, Paris, 1883, in-8°.
DAUMARD (A.), *La bourgeoisie parisienne de 1815 à 1848*, Paris, 1963, in-8°.
DAUPHIN-MEUNIER (A.), *La Banque de France*, Paris, 1936, in-8°.
DAUTRY (J.) et SCHELER (L.), *Le Comité central républicain des vingt arrondissements de Paris (septembre 1870-mai 1871)*, Paris, 1960, in-8°.
DAUZET (A.), *Le siècle des chemins de fer en France*, Paris, 1948, in-8°.
DAVID (R.), La *IIIe République. Soixante ans de politique et d'histoire. De 1871 à nos jours*, Paris, 1934, in-8°.
DEBIDOUR (A.), *L'Église catholique et l'État sous la IIIe République*, tome I, Paris, 1906, in-8°.
DECAUNES (L.), et CAVALIER (M. L.), *Réformes et projets de réformes de l'enseignement français de la Révolution à nos jours*, Paris, 1962, in-8°.
DEHERME (G.), *Les classes moyennes*, Paris, 1912, in-8°.
DELESALLE (P.), *La vie militante d'Émile Pouget*, Paris, s. d., in-8°.
DELL'ISOLA (M.) et BOURGIN (G.), *Mazzini*, Paris, 1956, in-8°.
DELOUVRIER (P.), *L'État envahi*. Semaines sociales, Rennes, 1954, in-8°.
DESCHAMPS (H. T.), *La Belgique devant la France de Juillet. L'opinion et l'attitude française de 1839 à 1848*, Paris, 1956, in-8°.
DESLANDRES (M.), *Histoire constitutionnelle de la France. 1789-1870*, 2 vol., Paris, 1932, in-8°.
DESSAL (M.), *Un révolutionnaire jacobin Charles Delescluze (1809-1871)*, Paris, 1962, in-8°.
Deutsche Zustände, Berlin, 1952, in-8°.
Deux siècles de banque : Mallet frères et Cie (1723-1923), Paris, 1923, in-8°.
DJORDJEVITCH (J.), *Les rapports entre la notion d'État et la notion de classe*, thèse droit Paris, 1933, in-8°.

DOLLÉANS (E), *Robert Owen, 1771-1858*, Paris, 1907, in-8°.

DOLLÉANS (E.), *Le chartisme*, 2 vol., Paris, 1912-1913, in-8°.

DOLLÉANS (E.), *Histoire du mouvement ouvrier*, 2 vol., Paris, 1936 et 1946, in-8°.

DOLLÉANS (E.), *Proudhon*, Paris, 1948, in-8°.

DOLLÉANS (E.) et PUECH (J. L.), *Proudhon et la révolution de 1848*, Paris, 1948, in-8°.

DOMMANGET (M.), *Blanqui. La guerre de 1870-1871. La Commune*, Paris, 1956, in-8°.

DOMMANGET (M.), *L'enseignement, l'enfance et la culture sous la Commune*, Paris, 1964, in-8°.

DROZ (J.), *Le libéralisme rhénan. 1815-1848*, Paris, 1940, in-8°.

DROZ (J.), *Les révolutions allemandes de 1848*, Paris 1957, in-8°.

DUCLOS (P.), *Notions de constitution*, Paris, 1932, in-8°.

DUCLOS (P.), *L'évolution des rapports politiques depuis 1750*, Paris, 1950, in-8°.

DUGUIT (L.), *Le droit social*, Paris, 1908, in-8°.

DUGUIT (L.), *Traité de droit constitutionnel*, Paris, 1923, in-8, tome II.

DULAC (P.), *La liberté de l'argent*, Lyon, 1865, in-8°.

DUNHAM (A. L.), *The anglo-french treaty of commerce of 1860*, Ann Arbor, 1930, in-8°.

DUNOIS (A.), *La Commune de Paris*, Paris, 1925, in-8°.

DUPEUX (G.), *Aspects de l'histoire sociale et politique du Loir et Cher (1848-1914)*, Paris, 1962, in-8°.

DUROSELLE (J. B.), *Les débuts du catholicisme social en France jusqu'en 1870*, Paris, 1951, in-8°.

DUTACQ (F.), *Histoire politique de Lyon pendant la révolution de 1848*, Paris, 1910, in-8°.

DUVERGER (M.), édit., *Partis politiques et classes sociales en France*, Cahiers de la Fondation nat. des sciences politiques, n° 74, Paris, 1955, in-8°.

DUVERGER (M.), *Droit constitutionnel et institutions politiques*, 2e édit., Paris, 1956, in-8°.

E

EISENMANN (L.), *Le compromis austro-hongrois de 1867*, Paris, 1904, in-8°.

ENGELS (Fr.), *Revolution und contre-revolution in Deutschland*, 1896, trad. franç. sous le titre : *La révolution démocratique bourgeoise en Allemagne*, Paris, 1951, in-8°.

ENSOR (R. C. K.), *England. 1870-1914*, Oxford, 1936, in-8°.

ERSKINE MAY (T.), *Constitutional history of England, 1760-1860*, Londres, 1912, in-8°.

ESMEIN (A.), *Éléments de droit constitutionnel français et comparé*, Paris, 1898, in-8°.

F

FAILLETAZ (E.), *Balzac et le monde des affaires*, thèse Lausanne, 1932, in-8°.

FAUCHER (J. A.), *Le quatrième pouvoir (1830-1930)*, Paris, 1957, in-8°.

FAVRE, *Histoire du comptoir d'escompte de Mulhouse*, Mulhouse, 1898, in-8°.

FERRARI (A.), *La restaurazione italiana. 1815-1849*, Rome, 1931, in-8°.

FERRARI (G.), *I partiti politici italiani dal 1789 al 1848*, Città di Castello, 1921, in-8°.

FERRÉ (L. M.), *Les classes sociales de la France contemporaine*, Paris, 1934, in-8°.

FERRY (J.), *Discours et opinions*, publiés par ROBIQUET, 7 vol., Paris, 1893-1898, in-8°.

FERRY (J.), *Lettres, 1846-1893*, Paris, 1914, in-8°.

FISCHEL (A.), *Die nationalen Kurien*, Vienne, 1898, in-8°.

FISCHER (G.), *Russian liberalism : from gentry to intelligentzia*, Cambridge, Mass., 1958, in-8°.

FISCHOF, *Oesterreich und die Bürsgschaften seines Bestandes*, Vienne, 1869, in-8°.

FOHLEN (Cl.), *L'industrie textile au temps du Second Empire*, Paris, 1956, in-8°.

FOUILLÉE (A.), *La démocratie politique et sociale en France*, 3e édit., Paris, 1923, in-8°.

FOURCADE (J.), *La république de la province*, Paris, 1936, in-8°.

FOURNIÈRE (E.), *La règne de Louis-Philippe*, dans l'*Histoire socialiste* publiée sous la direction de J. Jaurès, tome VIII, Paris, s. d., in-8°.

FRANZ (G.), *Liberalismus. Die deutsche liberale Bewegung in der habsburgische Monarchie*, Munich, 1955, in-8°.

FRIEDENSBURG (W.), *Stephan Born und die Organisationsbestrebungen der Berliner Arbeiterschaft*, Leipzig, 1923, in-8°.

G

GAGARINE, *La Russie sera-t-elle catholique?* Paris, 1856, in-8°.

GAUDEMET (P. M.), *Le civil service britannique. Essai sur le régime de la fonction publique en Grande Bretagne*, Cahiers de la Fondation nat. des sciences politiques, n° 33, Paris, 1952, in-8°.

GEORGE (J.), *Le pays légal à Marseille sous la Monarchie de Juillet. Contribution à l'étude de la bourgeoisie marseillaise*, Aix, 1956, D. E. S. dact.

GERBOD (G.), *La condition universitaire en France au XIXe siècle*, Paris, 1966.

GHEUSI (P. B.), *La vie et la mort singulière de Gambetta*, Paris, 1933, in-8°.

GIDE (C.), *Étude sur la condition privée de la femme mariée*, 2e édit., Paris, 1885, in-8°.

GILLE (B.), *La banque et le crédit en France de 1815 à 1848*, Paris, 1959, in-8°.

GILLE (B.), *Recherches sur la formation de la grande entreprise capitaliste (1815-1848)*, Paris, 1959, in-8°.

GILLE (G.), *Jules Vallès, 1832-1885*, Paris 1941, in-8°.

GIRARD (L.), *La politique des travaux publics du Second Empire*, Paris, 1951, in-8°.

GIRARD (L.), *Les élections de 1869*, Paris, 1961, in-8°.

GIRARD (L.), *La garde nationale, 1814-1871*, Paris, 1964, in-8°.

GITERMANN (V.), *Geschichte Russlands*, 3 vol., Zurich, 1944-1949, in-8°.

GIUSTI (W.), *Dostievskij e il mondo russo dell' 800*, Naples, 1952, in-8°.

GIRAUD (E.), *La crise de la démocratie et les réformes nécessaires du pouvoir législatif*, Paris, 1925, in-8°.

GIRAUD (E.), *La crise de la démocratie et le renforcement du pouvoir exécutif*, Paris, 1938, in-8°.

GOBLOT, *La barrière et le niveau*, Paris, 1925, in-8°.

GODECHOT (J.), et LESPARRE, *La révolution de 1848 à Toulouse et dans la Haute-Garonne*, Toulouse, 1949, in-8°.

GOGUEL (F.), *La politique des partis sous la IIIe République*, Paris 1948, in-8°.

GOGUEL (F.), *Géographie des élections françaises de 1870 à 1951*, Cahiers de la Fondation nat. des sciences politiques, n° 27, Paris, 1951, in-8°.

GORCE (P. de la), *Histoire de la II° République*, 2 vol., Paris, 1887, in-8°.

GORCE (P. de la), *Histoire du Second Empire*, 7 vol., Paris, 1894-1905, in-8°.

GOSSEZ, (R.), *Le département du Nord sous la II° République*, Paris, 1904, in-8°.

GOUAULT (J.), *Comment la France est devenue républicaine. Les élections générales et partielles à l'Assemblée Nationale. 1870-1875*, Cahiers de la Fondation nat. des sciences politiques, n° 62, Paris, 1954, in-8°.

GRANT (A.), *Socialism and the middle class*, Londres, 1958, in-8°.

GRATIEUX (A.), *Khomiakov et le mouvement slavophile*, 2 vol., Paris 1939, in-8°.,

GREENFIELD (K. R.), *Economia e liberalismo nel risorgimento. Il movimento nazionale in Lombardia del 1814 al 1848*, Bari, 1940. In-8°

GRENARD (F.), *La révolution russe*, Paris, 1933, in-8°.

GRIFFITH (G. O.), *Mazzini, profeta di una nuova Europa*, Bari, 1935, in-8°.

GROSSETETE, *Les idées des frères Pereire*, thèse droit Paris, 1950, in-8°.

GUEDALLA (P.), *Gladstone and Palmerston*, Londres, 1928, in-8°.

GUILLEMIN (H.), *Lamartine et la question sociale*, Paris, 1946, in-8°.

GUILLEMIN (H.), *Histoire des catholiques français au XIX° siècle*, Genève, 1947, in-8°.

GUILLEMIN (H.), *La tragédie de quarante-huit*, Genève, 1948, in-8°.

GUILLEMIN (H.), *Le coup d'état du 2 décembre*, Paris, 1951, in-8°.

GURVITCH (G.), *Le droit social*, Paris, s. d., in-8°.

GUTTSMAN (W. L.), *The british political elite*, Londres, 1963, in-8°.

GUIRAL (P.), *Prévost-Paradol (1829-1870). Pensée et action d'un libéral sous le Second Empire*, Paris, 1955, in-8°.

GUY-GRAND, *Le procès de la démocratie*, Paris, 1911, in-8°.

H

HALBECK (M.), *L'État, son autorité, son pouvoir (1888-1962)*, thèse droit Paris, 1962, publiée en 1964, in-8°.

HALBWACHS (M.), *Les classes sociales*, Cours de la Sorbonne, Paris, 1936, in-8°.

HALÉVY (D.), *La fin des notables*, Paris, 1930, in-8°.

HALÉVY (D.), *Décadence de la liberté*, Paris, 1931, in-8°.

HALÉVY (D.), *La république des comités*, Paris, 1934, in-8°.

HALÉVY (D.), *La république des ducs*, Paris, 1937, in-8°.

HALÉVY (E.), *La formation du radicalisme philosophique*, 3 vol., Paris, 1901-1904, in-8°.

HALÉVY (E.), *Thomas Hodgskin (1787-1869)*, Paris, 1903, in-8°.

HALÉVY (E.), *Histoire du peuple anglais au XIX° siècle*, 6 vol., Paris, 1913-1948, in-8°.

HALLOWELL (J. H.), *The decline of liberalism as an ideology*, Berkeley, 1943, in-8°.

HAMMOND (J. L.), *Gladstone and the irish question*, Londres, 1938, in-8°.

HAMMOND (J. L. et B.), *The village labourer, 1760-1832*, Londres, 1911, in-8°.

HAMPSON (E. M.), *The treatment of poverty in Cambridgeshire, 1597-1834*, Cambridge. 1934, in-8°.

HANOTAUX (G.), *Histoire de la France contemporaine*, 4 vol., Paris, 1903-1908, in-8°.

HANOTAUX (G.), *La démocratie et le travail*, Paris, 1920, in-8°.

HANTSCH (K.), *Die Geschichte Oesterreichs*, 2 vol., Graz, 1953, in-8°.

HANTSCH (H.), *L'Autriche-Hongrie, dans l'Europe du XIXᵉ et du XXᵉ siècle*, édité par Marzorati, Milan, 1963, in-8°, tome I, p. 291-327.

HANTSCH (H.), *Das Nationalitäten-Problem im alten Oesterreich, dans les Wiener hist. Studien*, Heft 1,1953.

HARVEY (R. H.), *Robert Owen, social idealist*, Berkeley-Los Angeles, 1949, in-8°.

HATZFELD (H.), *Melanges, Zur Geschichte und Problematik der Demokratie. Festgade für H. H...*, Berlin, 1958, in-8°.

HAUSSMANN (baron), *Mémoires*, publiés par Havard, 3 vol., Paris, 1890-1893, in-8°.

HAVEL (J. E.), *La condition de la femme*, Paris, 1961, in-8°.

HAZARD (P.), *La pensée européenne au XVIIIᵉ siècle. De Montesquieu à Lessing*, Paris, 1946, in-8°.

HEATON (H.), *Histoire économique de l'Europe*, tome II : *De 1750 à nos jours*, Paris, 1952, in-8°.

HEBERT (M.), et CARNEC (A.), *La loi Falloux et la liberté de l'enseignement*, La Rochelle, 1953, in-8°.

HEFFTER (H.), *Die deutsche Selbsverwaltung im 19. Jahrhundert. Geschichte der Ideen und Institutionen*, Stuttgart, 1950, in-8°.

HERRMANN (A.), *Berliner Demokraten*, Berlin, 1948, in-8°.

HILL (R. L.), *Torys and the people. 1832-1846*, Londres, 1929, in-8°.

HOLLINGS (J. E.), *Matthew Arnold : a study of his influence on secondary school curricula*, Birmingham, 1931, in-8°.

HOLYOAKE (G. J.), *History of co-operation in England*, édit. revue, 2 vol., Londres, 1906, in-8°.

HOVELL (M.), *The chartist movement*, Londres, 1918, in-8°.

HUBER (E. R.), *F. C. Dahlmann und die deutsche Verfassungsbewegung*, Berlin, 1937 in-8°.

HUBERT (R.), *Le principe d'autorité dans l'organisation démocratique*, Paris, 1926, in-8°.

HUNKIN (P.), *Enseignement et politique en France et en Angleterre. Étude historique et comparée des législations relatives à l'enseignement en France et en Angleterre depuis 1789*, Paris, 1962, in-8°.

I

INVENTAIRES. III. *Classes moyennes* (R. Aron, Halbwachs, Vermeil, Vaucher, etc.), Paris, 1939, in-8°.

J

JACQUES (L.), *Les partis politiques sous la IIIᵉ République*, thèse droit Paris, 1912, in-8°.

JANET, *Histoire de la science politique*, Paris, 1877, in-8°.

JANNET (Cl.), *Le capital, la spéculation et la finance au XIXᵉ siècle*, Paris, 1892, in-8°.

JASZI (O.), *The dissolution of the Habsburg Monarchy*, Chicago, 1929, in-8°.

JAURÈS (J.), *Histoire socialiste*, tome XI, *La Commune*, Paris, s. d., in-8°.

JELOUBOVSKAIA (E.), *La chute du Second Empire et la naissance de la IIIᵉ République*, Moscou, 1959, in-8°.

JENKS (L. H.), *The migration of british capital to 1875*, New York et Londres, 1927, in-8°.

JOHANNET (R.), *Éloge du bourgeois français*, Paris, 1924, in-8°.

JOHNSON (D. W.), *Guizot*, Londres, 1963, in-8°.

JOUFFROY (L. M.), *Une étape de la construction des grandes lignes de che-*

mins de fer en France. La ligne de Paris à la frontière d'Allemagne (1825-1852), 3 vol., Paris, 1932, in-8°.
JOUVENEL (R. de), *La république des camarades*, Paris, 1914, in-8°.

K

KAHAN-RABECQ (M. M.), *L'Alsace économique et sociale sous le règne de Louis-Philippe*. Tome II : *Réponses du département du Haut-Rhin à l'enquête faite en 1848 par l'Assemblée Nationale sur les conditions du travail industriel et agricole*, Paris, 1939, in-8°.
KANN (R. A.), *The multinational Empire. Nationalism and national reform in the Habsburg Monarchy. 1848-1915*, 2 vol., New York, 1950, in-8°.
KEBER (E.), *Berlin 1848*, Berlin, 1948, in-8°.
KELSEN (H.), *La démocratie, sa nature, sa valeur*, trad. franç. de C. Eisenmann, Paris, 1932, in-8°.
KRAUSE (H.), *Die demokratische Partei von 1848 und die soziale Frage*, Francfort, 1923, in-8°.
KROUPSKAIA (N.), *Ma vie avec Lénine. 1893-1917*, Paris, 1933, in-8°.
KUSZINSKI (J.), *Die Geschichte der Lage der Arbeiter in Deutschland von 1789 bis in die Gegenwart*, tome I, 6e édit., Berlin, 1954, in-8°.

L

LA BIGNE DE VILLENEUVE, *Traité général de l'État. Essai d'une théorie réaliste du droit politique*, 2 vol., Paris, 1929-1931, in-8°.
LABROUSSE (E.), *Aspects de la crise et de la dépression de l'économie française au milieu du XIXe siècle. 1846-1851*. Bibliothèque de la Révolution de 1848, tome XIX, 1956, in-8°.
LABRY (P.), A. I. *Herzen, 1812-1870. Essai sur la formation et le développement de ses idées*, Paris, 1928, in-8°.
LABRY (P.), *Herzen et Proudhon*, Paris, 1928, in-8°.
LACOMBE (R.), *La crise de la démocratie*, Paris, 1948, in-8°.
LAFFITTE (J.), *Mémoires*, Paris, 1930, in-8°.
LALOUX (J.), *Le rôle des banques locales et régionales du nord de la France dans le développement industriel et commercial*, Paris, 1924, in-8°.
LAMBERT (J.), *Essai sur les origines et l'évolution d'une bourgeoisie. Quelques familles du patronat textile de Lille-Armentières*, Paris, 1954, in-8°.
LATREILLE (A.) et RÉMOND (R.), *Histoire du catholicisme en France*, tome III, Paris, 1962, in-8°.
LAUE (T. von), *Sergei Witte and the industrialization of Russia*, New York, 1963, in-8°.
LAUFENBURGER (H.) et PFLIMLIN (P.), *Cours d'économie alsacienne*, 2 vol., Paris, 1930-1932, in-8°.
LAUR (F.), *Le cœur de Gambetta*, Paris, 1907, in-8°.
LAVIGNE (P.), *Le travail dans les constitutions françaises. 1789-1945*, Paris, 1948, in-8°.
LASKI (J. H.), A. de Tocqueville and democracy, dans *Social and political ideas of some representative thinkers of the victorian age*, Londres, 1933, in-8°.
LEBEY (A.), *Louis-Napoléon Bonaparte et le ministère Odilon Barrot*, Paris, 1911, in-8°
LECANUET (E.), *L'Église de France sous la IIIe République*, tome I, Paris, 1907, in-8°.
LEDRÉ (C.), *La franc maçonnerie*, Paris, 1956, in-8°.
LEDRÉ (C.), *Histoire de la presse*, Paris, 1958, in-8°.
LEFEBVRE (G.), *Quatre vingt neuf*, Paris, 1939, in-8°.

LEFLON (J.), *L'Église de France et la révolution de 1848*, Paris, 1948, in-8°.

LEGRAND (E.), *L'influence positiviste dans l'œuvre scolaire de Jules Ferry*, Paris, 1961, in-8°.

LEIF (J.) et RUSTIN (G.), *Histoire des institutions scolaires*, Paris, 1954, in-8.

LEONTIEV, *L'Orient, la Russie et le monde slave*, Paris, 1885, in-8°.

LEONTOVITSCH (V.), *Geschichte des Liberalismus in Russland*, Francfort, 1957, in-8°.

LEROY (M.), *La loi. Essai sur la théorie de l'autorité dans la démocratie*, Paris, 1908, in-8°.

LEROY (M.), *La coutume ouvrière*, 2 vol., Paris, 1913, in-8°.

LEROY (M.), *Les tendances du pouvoir et de la liberté en France au XXᵉ siècle*, Paris, 1937, in-8°.

LEROY (M.), *Histoire des idées sociales en France*, tomes II et III, Paris, 1950-1954, in-8°.

LEROY-BEAULIEU (P.), *L'Empire des tsars et les Russes*, 3 vol., Paris, 1883, in-8°.

LEROY-BEAULIEU (P.), *La question ouvrière au XIXᵉ siècle*, Paris, s.d., in-8°.

LEUILLIOT (P.), *L'Alsace au début du XIXᵉ siècle. Tome II : Les transformations économiques*, Paris, 1959, in-8°.

LEVASSEUR (E.), *Histoire des classes ouvrières et de l'industrie en France de 1789 à 1870*, 2 vol., Paris, 1911, in-8°.

LEVASSEUR (E.), *Histoire du commerce en France*, Paris, 1912, in-8°.

LÉVY (C.), La presse et l'entrée en scène de Louis-Napoléon en 1848, dans *Études de presse*, Paris, 1956, in-8°.

LEWALTER (E.), *Friedrich Wilhelm IV. Das Schicksal eines Geistes*, Berlin 1938, in-8°.

LEYRET (H.), *Waldeck-Rousseau et la IIIᵉ République (1869-1889)*, Paris, 1908, in-8°.

LHOMME (J.), *Le problème des classes*, Paris, 1938, in-8°.

LHOMME (J.), *La grande bourgeoisie au pouvoir (1830-1880)*, Paris, 1960, in-8°.

LIVELY (J.), *The social and political thought of Alex. de Tocqueville*, Oxford, 1962, in-8°.

LOOSE (K.), *Ludolf Camphausen*. Rheinische-Westfälische Wirtschaftsbiographien, tome II, Münster, 1937, in-8°.

LOWITZ (K.), *Von Hegel zu Nietzsche. Der revolutionäre Bruch des 19. Jahrhunderts*, Zurich, 1941, in-8°.

LUCAS (A.), *Les clubs et les clubistes en 1848*, Paris, 1848, in-8°.

M

MACCOBY (S.), *English radicalism. 1832-1852*, Londres, 1935, in-8°.

MACCALLUM (R. B.), *The liberal party from Earl Grey to Asquith*, Londres, 1963, in-8°.

MACKAY (D. C.), *The national workshops. A study in the french revolution of 1848*. Harvard historical studies, tome XXXV, Cambridge, 1933, in-8°.

MARCAGGI (V.), *Les origines de la Déclaration des droits de l'homme de 1789*, Paris, 1904, in-8°.

MARCELLIN (L.), *Le règne des harangueurs*, Paris, s. d., in-8°.

MARCILHACY (Chr.), *Le diocèse d'Orléans sous l'épiscopat de Mgr Dupanloup (1849-1878)*, Paris, 1962, in-8°.

MARITCH (S.), *Histoire du mouvement social sous le Second Empire à Lyon*, Paris, 1930, in-8°.

MARRIOTT (J. A. R.), *England since Waterloo*, Londres, 1913; 12ᵉ édit., Londres, 1938, in-8°.

MARTIN (G.), *Histoire économique et financière*, tome X de l'*Histoire de la nation française*, publiée sous la direction de G. HANOTAUX, Paris, 1927, in-8°.

MARX (K.), *La guerre civile en France. 1871*, Paris, 1946, in-8°.

MASSE, *Caractère juridique de la communauté entre époux*, Paris, 1902, in-8°.

MASTELLONE (S.), *La politica estera del Guizot (1840-1847). L'unione doganale. La lega borbonica*. Storici antichi e moderni, nuova serie, 12, Florence, 1957, in-8°.

MASPIETOL (R.), *La société politique et le droit*, Paris, 1957, in-8°.

MATURA (W.), *Il principe di Canosa*, Florence, 1944, in-8°.

MATURA (W.), *Partiti politici e correnti di pensiero nel risorgimento*, dans *Questioni di storia del risorgimento e dell'unità d'Italia*, publié sous la direction d'E. ROTA, Milan, 1951, in-8°.

MAURAIN (J.), *La politique ecclésiastique du Second Empire, de 1852 à 1869*, Paris, 1930, in-8°.

MAURAIN (J.), *Un bourgeois français au XIX⁰ siècle. Baroche, ministre de Napoléon III*, Paris, 1936, in-8°.

MAUROIS (A.), *La vie de Disraeli*, Paris, 1928, in-8°.

MAVOR (J.), *An economic history of Russia*, 2 vol., New York, 1925, in-8°.

MAYER (J. P.), *Prophet of the mass age. A study of Alex. de Tocqueville*, Londres, 1939, in-8°, trad. franç. de SORIN, Paris, 1948, in-8°.

MAYEUR (J. M.), *La France bourgeoise devient républicaine et laïque (1875-1914)*, dans le tome V : *Cent ans d'esprit républicain*, de l'*Histoire du peuple français*, publiée sous la direction de H. PARIAS, Paris, 1964, in-8°.

MEINECKE (F.), *Weltbürgertum und Nationalstaat*, Munich, 7e édit., 1928, in-8°.

MEINECKE (F.), *Preussen und Deutschland im 19. und 20. Jahrhundert*, Berlin, 1918, in-8°.

MENGHINI (M.), *La Giovine Italia*, 5 vol., Milan-Rome-Naples, 1902-1914, in-8°.

MEREDITH (H. O.), *Protection in France*, Londres, 1904, in-8°.

MEURIOT (P.), *La population et les lois électorales en France de 1789 à nos jours*, Nancy, 1916, in-8°.

MEYER (E.), *La philosophie politique de Renan*, Paris, s. d., in-8°.

MICHEL (H.), *L'idée de l'État*, Paris, 1896, in-8°.

MICHEL (H.), *La doctrine politique de la démocratie*, Paris, 1901, in-8°.

MICHEL (H.), *La loi Falloux*, Paris, 1906, in-8°.

MICHON (G.), *Clemenceau*, Paris, 1931, in-8°.

MIELKE (K.), *Deutscher Frühsozialismus, Gesellschaft und Geschichte in den Schriften von Weitling und Hess*, Stuttgart et Berlin, 1931, in-8°.

MIGINIAC (L.), *Le régime censitaire en France, spécialement sous la monarchie de Juillet*, Paris, 1900, in-8°.

MILIOUKOV (P.), SEIGNOBOS (C.), EISENMANN (L.), *Histoire de Russie*, tome III : *Réformes, réactions, révolutions (1855-1932)*, Paris, 1933, in-8°.

MINDER (R.), *Allemagnes et Allemands*, tome I, Paris, 1948, in-8°.

MIRKINE-GUETZEVITCH (B.), *Les idées constitutionnelles de 1848*, Paris, 1948, in-8°.

MIRKINE-GUETZEVITCH (B.), *Les constitutions européennes*, tome I, Paris, 1951, in-8°.

MITARD (S.), *Les origines du radicalisme démocratique. L'affaire Ledru-Rollin*, Paris, 1952, in-8°.

MOMMSEN (H.), *Die soziale Demokratie und die Nationalitätenfrage im Habsburgischen Vielvölkerstaat (1867-1907)*, Berlin, 1964, in-8°.

MONTÉGUT (E.), *Libres opinions, morales et politiques*, Paris, 1858, in-8°.
MONTI (A.), *G. Ferrari e la politica interna della destra*, Milan, 1926, in-8°.
MONTI (A.), *Storia politica d'Italia. Il risorgimento*, 2 vol., Milan, 1943, in-8°.
MONYPENNY (W. F.) et BUCKLE (G.), *The life of Disraeli*, 6 vol., Londres, 1910-1920, in-8°.
MOORE (S. W.), *The critique of capitalist democracy*, New York, 1957, in-8°.
MORAZÉ (C.), *La France bourgeoise. XVIIIe-XXe siècles*, Paris, 1946, in-8°.
MORAZÉ (C.), *Les bourgeois conquérants*, Paris, 1957, in-8°.
MORIZOT-THIBAULT, *L'autorité maritale*, Paris, 1899, in-8°.
MORLEY (J.), *Life of Gladstone*, 3 vol., Londres, 1903, in-8°.
MOSCATI (R.), *Il regno delle Due Sicilie e l'Austria : documenti del marzo 1821 al novembre 1830*, Naples, 1937, in-8°.

N

NASH (N.), *Politics in the age of Peel. A study in the technique of parliamentary government (1830-1850)*, Londres, 1953, in-8°.
NEHER (W.), *Arnold Ruge als Politiker und politischer Schriftsteller*, Heidelberg, 1933, in-8°.
NOELL (H.), *Au temps de la république bourgeoise*, Paris, 1957, in-8°.
NOLDE (B.), *L'ancien régime et la révolution russe*, Paris, 1928, in-8°.
NOURRISSON (P.), *Histoire de la liberté d'association depuis 1789*, 2 vol., Paris, 1920, in-8°.
NOURRISSON (P.), *Histoire légale des congrégations religieuses en France depuis 1789*, 2 vol., Paris, 1928, in-8°.

O

OLLIVIER (A.), *Anatomie des révolutions. La Commune*, Paris, 1938, in-8°.
OLLIVIER (E.), *L'Empire libéral*, 17 vol., Paris, 1895-1915, in-8°.
OMODEO (A.), *L'età del risorgimento*, Naples, 1948, in-8°.
OSTROGORSKI (X.), *La démocratie et l'organisation des partis politiques*, 2 vol., Paris, 1912, in-8°.
OZOUF (M.), *L'École, l'Église et la République (1871-1914)*, Paris, 1963, in-8°.

P

PALÉOLOGUE (M.), *Journal, 1913-1914*, Paris, 1947, in-8°.
PALLAIN (G.), *Les douanes françaises*, tome III, Paris, 1896, in-8°.
PALM (F. C.), *The middle classes, then and now*, New York, 1936, in-8°.
PALMADE (P.), *Capitalisme et capitalistes français au XIXe siècle*, Paris, 1961, in-8°.
PALMER (R. R.), *The age of the democratic revolution. A political history of Europe and America*, 2 vol., Princeton, 1959-1964, in-8°.
PARIAS (L. H.), édit., *Histoire générale du travail*, tome III : *L'ère des révolutions. 1765-1914*, Paris, 1961, in-8°.
PARIAS (L. H.), édit., *Histoire du peuple français*, tome V, Paris, 1964, in-8°.
PARODI (D.), *Traditionalisme et démocratie*, 2e édit., Paris, 1924, in-8°.
PAUL (H.), *Histoire of modern England*, 2 vol., Londres, 1904-1905, in-8°.
PELLOUTIER (F.), *La vie ouvrière en France*, Paris, 1900, in-8°.
PELLOUTIER (F.), *Histoire des bourses du travail*, Paris, 1902, in-8°.
PELLOUTIER (M.), *Fernand Pelloutier, sa vie, son œuvre (1867-1901)*, Paris, 1911, in-8°.

PELLOUX (R.), édit., *Libéralisme, traditionalisme, décentralisation. Contribution à l'histoire des idées politiques*, Cahiers de la Fondation nat. des sciences politiques, n° 31, Paris, 1952, in-8°.

PENSÉE POLITIQUE ET CONSTITUTIONNELLE DE MONTESQUIEU (La), *Bicentenaire de l'Esprit des lois*. Publ. institut droit comparé Faculté droit Paris, 1952, in-8°.

PERCEROU, *Des fondateurs de sociétés anonymes*, thèse droit Dijon, 1896, in-8°.

PERNOUD (R.), *Histoire de la bourgeoisie en France*. Tome II : *Les temps modernes*, Paris, 1962, in-8°.

PERREUX (G.), *Au temps des sociétés secrètes. La propagande républicaine au début de la monarchie de Juillet (1830-1835)*, Paris, 1931, in-8°.

PERTICONE (G.), *Movimenti sociali e partiti politici nell'Italia contemporanea*, dans *Questioni di storia del risorgimento*, Milan, 1951, in-8°.

PERRIER (A.), *Esquisse d'une sociologie du mouvement socialiste de la Haute-Vienne*, dans les *Actes du 87e Congrès national des Sociétés savantes, Poitiers, 1962*, Section d'histoire moderne et cont., Paris, 1963, in-8°.

PETIT-DUTAILLIS (C.), *La monarchie féodale en France et en Angleterre*, Paris, s. d., in-8°.

PEYRET (H.), *Histoire des chemins de fer en France et dans le monde*, Paris, 1949, in-8°.

PICARD (A.), *Les chemins de fer. Étude historique sur la constitution et le régime du réseau*, tome I, Paris, 1884, in-8°.

PIERO (M. di) (VOLPICELLI, A.), *Storia critica dei partiti politici italiani*, Turin, 1946, in-8°.

PIERRARD (P.), *La vie ouvrière à Lille sous le Second Empire*, Paris, 1965, in-8°.

PILENKO (A.), *Les mœurs électorales en France sous le régime censitaire*, Paris, 1928, in-8°.

PILLIAS (E.), *Léonie Léon, amie de Gambetta*, Paris, 1935, in-8°.

PINOT (R.), *Le comité des forges*, Paris, 1919, in-8°.

PIOVANI (P.), *La teodicea sociale di Rosmini*, Padoue, 1957, in-8°.

PISANI-FERRY (Fr.), *Le coup d'état manqué du 16 Mai 1877*, Paris, 1965, in-8°.

PLENGE, *Gründung und Geschichte des Credit mobilir*, Tübingen, 1903, in-8°.

PODMORE (F.), *Robert Owen. A biography*, 2 vol., Londres, 1906, in-8°.

POMARET (C.), *M. Thiers et son siècle*, Paris, 1948, in-8°.

PONTEIL (F.), *La crise alimentaire dans le Bas-Rhin en 1847*, Paris, 1926, in-8°.

PONTEIL (F.), *L'opposition politique à Strasbourg sous la monarchie de Juillet (1830-1848)*, Paris, 1932, in-8°.

PONTEIL (F.), *1848*, Paris, 1937, 4e édit., 1966, in-8°.

PONTEIL (F.), *L'ère industrielle et le gouvernement du technique d'après Saint-Simon*, dans *Politique et Technique*, publié sous la direction de L. TROTABAS, Publ. Centre de sciences politiques de l'Institut études juridiques de Nice, Paris, 1958, in-8°.

PONTEIL (F.), *La pensée politique depuis Montesquieu*, Paris, 1960, in-8°.

PONTEIL (F.), *Les institutions de la France de 1814 à 1870*, Paris, 1966, in-8°.

PONTEIL (F.), *Histoire de l'enseignement en France. 1789-1964*, Paris, 1966, in-8°.

POOL (R. L.) et HUNT (W.), *Political history of England*, tomes XI (1906) et XII (1907), Londres, in-8°.

PORTAL (R.), Russie, dans l'*Europe du XIXe et du XXe siècle, 1870-1914*, tome I, Milan, 1962, in-8°.

PORTAL (R.), *Les Slaves. Peuples et nations*, Paris, 1965, in-8°.

POSE (A.), *La philosophie du pouvoir*, Paris, 1948, in-8°.

POUTHAS (Ch. H.), *Guizot pendant la Restauration*, Paris, 1923, in-8°.

POUTHAS (Ch. H.), *L'Église et les questions religieuses en France de 1848 à 1878*. Cours de la Sorbonne, Paris, 1945.

POUTHAS (Ch. H.), *La population française pendant la première moitié du XIXᵉ siècle*, Paris, 1956, in-8°.

PRADALIÉ (C.), *Balzac historien*, Paris, 1955, in-8°.

PRÉLOT (M.), L'avènement du suffrage universel, dans *1848. Révolution créatrice*, Paris, 1948, in-8°.

PRÉLOT (M.), *Évolution politique et sociale de la IIIᵉ République*, Paris, 1939, in-8°.

PRÉVOST-PARADOL, *La France nouvelle*, Paris, 1868, in-8°.

PRIOURET (R.), *La république des partis*, Paris, 1947, in-8°.

PROUDHON, *Contradictions économiques*, Paris, 1846, in-8°.

Q

QUENTIN-BAUCHART, *Études et souvenirs sur la IIᵉ République et le Second Empire*, Paris, 1902, in-8°.

R

RACZ (J.), *La Hongrie contemporaine et le suffrage universel*, Paris, 1909, in-8°.

RAMBAUD (A.), *Jules Ferry*, Paris, 1903, in-8°.

RAMON (G.), *Histoire de la Banque de France*, Paris, 1929, in-8°.

RAULICH (I.), *Storia del risorgimento politico d'Italia*, 5 vol., Bologne, 1920-1927, in-8°.

RECLUS (M.), *Jules Favre*, Paris, 1912, in-8°.

RECLUS (M.), *Le Seize Mai*, Paris, 1931, in-8°.

RECLUS (M.), *Jules Ferry, 1832-1893*, Paris, 1947, in-8°.

REDLICH (J.), *Zustand und Reform der oesterreichischen Verwaltung*, Vienne, 1911, in-8°.

REGNAULT (E.), *Les conseils de prud'hommes, leur compétence et leur extension*, Paris, 1903, in-8°.

REIMAN (M.), *Z prvnich dob ceského delnického hnuti*, Prague, 1950, in-8°.

REMOND (G.), *Royer-Collard. Son essai d'un système politique*, Paris, 1933, in-8°.

RÉMOND (R.), *La droite en France de 1815 à nos jours*, Paris, 1954, in-8°.

RÉMUSAT (Ch. de), *Mémoires de ma vie*, 4 vol., Paris, 1959-1962, in-8°.

RENAN (E.), *L'avenir de la science, pensées de 1848*, Paris, 1890, in-8°.

RENAN (E.), *La réforme intellectuelle et morale*, Paris, 1871, in-8°.

RENAN (E.), *Mélanges d'histoire et de voyages*, Paris, 1878, in-8°.

RENAN (E.), *Souvenirs d'enfance et de jeunesse*, Paris, 1883, in-8°.

RENARD (G.), *La république de 1848*, dans l'*Histoire socialiste* publiée sous la direction de J. JAURÈS, Paris, 1905, in-8°.

REYNOLD (G. de), *Le monde russe. La formation de l'Europe*. Tome VI, Paris, 1950, in-8°.

RICHMOND (W. K.), *Education in England*, Londres, 1945, in-8°.

RIGAUDIAS-WEISS, *Les enquêtes ouvrières en France entre 1838 et 1848*, Paris, 1936, in-8°.

RIHS (C.), *La Commune de Paris, sa structure et ses doctrines*, thèse droit Genève, 1955, in-8°.

RIMBAULT (P.), *Histoire politique des congrégations religieuses françaises (1790-1914)*, Paris, 1926, in-8°.

RIPERT (G.), *Aspects juridiques du capitalisme moderne*, Paris, 1946, in-8°.

ROBERT-PIMIENTA, *La propagande bonapartiste* en *1848*, Paris, 1913, in-8°.
ROCHEMONTEIX (C. de), *Les congrégations non reconnues en France*, 2 vol., Le Caire, 1901, in-8°.
ROTA (E.), édit., *Questioni di storia del risorgimento e dell'unità d'Italia*, Milan, 1951, in-8°.
ROTA (E.), *Le origine del risorgimento*, Milan, 1938, in-8°.
ROUSSELET (M.), *La magistrature sous la monarchie de Juillet*, Paris, 1937, in-8°.
ROUSSELET (M.), *Histoire de la magistrature française des origines à nos jours*, Paris, 1957, in-8°.
ROUX (Marquis de), *Origines et fondation de la IIIᵉ République*, Paris, 1933.
ROVAN (J.), *Une idée neuve; la démocratie*, Paris, 1961, in-8°.
RUBEL (M.), *Karl Marx devant le bonapartisme*, Paris, 1960, in-8°.
RUGGIERO (G. de), *The history of european liberalism*, trad. angl. de R. G. COLLINGWOOD, Oxford, 1927, in-8°.

S

SAGNAC (Ph.), *La formation de la société française moderne*, tome II, Paris, 1946, in-8°.
SAITTA (A.), *Buonarroti*, Rome, 1950, in-8°.
SALIS (J. von), *Weltgeschichte der neuensten Zeit*, 3ᵉ édit., Zurich, 1951, in-8°.
SALTER (F. J.), *Robert Lowe and education*, Liverpool, 1933, in-8°.
SALVATORELLI (L.), *Pensiero e azione del risorgimento*, Turin, 1950, in-8°.
SALVEMINI (G.), *Mazzini*, 4ᵉ édit., Florence, 1925, in-8°.
SANGLIER (F.), *De la condition de l'enfant dans le code civil et depuis le code. Essai critique*, Montpellier, 1926, in-8°.
SAURIN (M.), *Un projet de loi. L'école d'administration de 1848*, thèse droit Paris, 1944, dactyl., reprise dans *Politique*, 1964-65, n°ˢ 25-32, p. 105-195.
SAY (L.), *Les finances de la France sous la IIIᵉ République*, Paris, 1898-1901, in-8°.
SCHMITT (C.), *Verfassungslehre*, Munich-Leipzig, 1928, in-8°.
SCHMOLLER, *Principes d'économie politique*, 5 vol., Paris, 1905-1908, in-8°.
SCHUMPETER (J. A.), *Capitalism, socialism and democracy*, New York et Londres, s. d., in-8°.
SCHWANN (M. L.), *Camphausen als Wirtschaftspolitiker*, 4 vol., Essen, 1914-1915, in-8°.
SCHNABEL (F.), *Deutsche Geschichte in neuenzehnten Jahrhundert*, 3 vol., Fribourg-in-Br., 1929-1934, in-8°.
SÉE (H.), *Évolution et révolutions*, Paris, 1929, in-8°.
SÉE (H.), *Histoire économique de la France*, tome II : *1789-1914*, remise à jour par R. SCHNERB, Paris, 1942, in-8°, nouv. édit., 1951.
SEIGNOBOS (C.), *1848 et la Seconde République*, tome VI; *Le déclin de l'Empire et l'établissement de la IIIᵉ République*, tome VII; *L'évolution de la IIIᵉ République*, tome VIII, de l'*Histoire de France contemporaine*, publiée par LAVISSE, Paris, 1921, in-8°.
SEILLIÈRE (baron), *L'impérialisme démocratique*, Paris, 1907, in-8°.
SELL (F. C.), *Die Tragödie des deutschen Liberalismus*, Stuttgart, 1953, in-8°.
SEMENT (P.), *Les anciennes halles aux toiles et aux cotons de Rouen*, Rouen, 1931, in-8°.
SEYMOUR (C.), *Electoral reform in England and Wales*, Londres, 1915, in-8°.
SERGENT (A.) et HARMEL (C.), *Histoire de l'anarchie*, Paris, 1949, in-8°.

SIEGFRIED (A.), *Tableau des partis en France*, Paris, 1930, in-8°.

SIEGFRIED (A.), *Tableau politique de la France de l'Ouest*, Paris, 1913, in-8°.

SIEGFRIED (A.), *Géographie électorale de l'Ardèche sous la IIIe République*, Cahiers de la Fondation nat. des sciences politiques, n° 9, Paris, 1949, in-8°.

SIEGHART (R.), *Die letzten Jahrzehnten einer Grossmacht*, Berlin, 1932, in-8°.

SIMIAND (F.), *Le salaire*, Paris, 1922, in-4°.

SIMIAND (F.), *Cours d'économie politique*, 2 vol., Paris, 1928-1929, in-8°.

SLATER (G.), *The growth of modern England*, Londres, 1932, in-8°.

SOCIÉTÉ GÉNÉRALE *pour favoriser le développement du commerce et de l'industrie en France (1864-1964)*, Paris, 1964, in-8°.

SOLLE (Z.), *Delnické hnuti v ceskych zemich koncem minulého stoleti*, Prague, 1951, in-8°.

SOLLE (Z.), *K Pocatkum prvni delnické strany y nasi remi*, Prague, 1951, in-8°.

SOLLE (Z.), *Prehled ceskoslovenskych dejin*, tome II : *1848-1918*, Prague, 1960, in-8°.

SOLMI (A.), *Ciro Menotti e l'idea unitaria dell'insurrezione del 1831*, Modène, 1931, in-8°.

SOMBART (W.), *Le bourgeois*, trad. franç. de S. JANKELEVITCH, Paris, 1926, in-8°.

SOMMERLAD (T.), *Haödwnrterbuch der Staatswissenschaften*, tome VIII, Jena, 1911, in-8°.

SOREL (G.), *Matériaux d'une théorie du prolétariat*, Paris, 1929, in-8°.

SPELLANZON (C.), *Storia del risorgimento e dell'unità d'Italia*, Milan, 1933, in-8°.

SPINOZA, *Traité des autorités théologiquement politiques*, trad. franç. de MADEL-FRANCES, Paris, 1954, in-8°.

STAEHLIN (K.), *Geschichte Russlands von den Anfängen bis zur Gegenwart*, 4 vol., Berlin, 1923, in-8°.

STREET (C. J.), *Hungary and democracy*, Londres, 1923, in-8°.

STREMOOUKHOFF (D.), *La poésie et l'idéologie de Tioutcheff*, Paris-Strasbourg, 1937, in-8°.

T

TABOURIER (L.), *De la juridiction prudhomale*, Paris, 1907, in-8°.

TAINE (H.), *Les origines de la France contemporaine. Le régime moderne*, Paris, 1894, in-8°.

TAMBORRA (A.), *La Russie et l'Europe*, dans l'*Europe du XIXe et du XXe siècle (1870-1914)*, Milan, 1962, in-8°.

TARDIEU (A.), *La révolution à refaire*, 2 vol., Paris, s. d., in-8°.

TAUDIÈRE, *Traité de la puissance paternelle*, Paris, 1898, in-8°.

TAYLOR (A. J. P.), *The Habsburg Monarchy*, Londres, 1947, in-8°.

TCHERNOFF (I.), *Le parti républicain sous la monarchie de Juillet*, Paris, 1901, in-8°.

TCHERNOFF (I.), *Associations et sociétés secrètes sous la IIe République*, Paris, 1905, in-8°.

TCHERNOFF (I.), *Le parti républicain au coup d'état et sous le Second Empire*, Paris, 1906, in-8°.

THIBAUDET (A.), *La république des professeurs*, Paris, 1927, in-8°.

THIBAUDET (A.), *Les idées politiques de la France*, Paris, 1932, in-8°.

THOMAS (A.), *Le Second Empire*, tome X de l'*Histoire socialiste* publiée sous la direction de J. JAURÈS, Paris, s. d., in-8°.

THOMAS, *La condition de l'enfant dans le droit naturel*, Paris, 1923, in-8°.

THOMAS (J. A.), *The house of Commons. 1832-1901. A study of its economic and functional character*, Cardiff, 1939, in-8°.

THOMPSON (F. M. L.), *English landed society in the 19th century*, Londres, 1963, in-8°.

THOMSON (D.), *La démocratie en France*, trad. franç. de BEERBLOCK, Bruxelles, 1956, in-8°.

THORP (C.), *Les conseils de prud'hommes*, Paris, 1904, in-8°.

TOCQUEVILLE (A. de), *De la démocratie en Amérique*, notes par A. GAIN, 2 vol., Paris, 1951, in-8°.

TOCQUEVILLE (A. de), *Œuvres complètes*, tome VI : *Correspondance anglaise*, Paris, 1954, in-8°.

TODT (E.) et RADANDT (H.), *Zur Frühgeschichte der deutschen Gewerkschaftsbewegung, 1800-1849*, Berlin, 1950, in-8°.

TOLEDANO (A.), *La vie de famille de 1815 à 1848*, Paris, 1943, in-8°.

TOLEDANO (A. et D.), *Disraeli*, dans *Hommes d'État*, tome III, Paris, 1936, in-8°.

TORRALTA (C. E.), *Mazzini e il problema soziale*, Palerme, 1941, in-8°.

TORTA (C.), *La rivoluzione piemontese nel 1820-21*, Milan, 1908, in-8°.

TREADGOLD (D.W.), *Lenin and his rivals : the struggle for Russia's future. 1898-1906*, Londres, 1955, in-8°.

TREVELYAN (G. M.), *Lord Grey and the bill reform*, Londres, 1920, in-8°.

TREVELYAN (G. M.), *Life of John Bright*, Londres, 1913, in-8°.

TREVELYAN (G. M.), *British history in the 19th century and after*, Londres, 1938, in-8°.

TREVELYAN (G. M.), English social history, Londres, 1942, in-8°. trad. franç. sous le titre : *Histoire sociale de l'Angleterre du moyen âge à nos jours*, Paris, 1949, in-8°.

TROTABAS, *La notion de laïcité de l'État républicain*, thèse droit Aix, 1959, in-8°.

TUDESQ (A. J.), *Les grands notables en France (1840-1849)*, *Étude historique d'une psychologie sociale*, 2 vol., Paris, 1964, in-8°.

V

VALERI (N.), *Storia d'Italia*, 2° édit., Turin, 1965, in-8°.

VAUCHER (P.), *Le monde anglo-saxon au XIXe siècle*, tome XII de l'*Histoire du monde*, publiée sous la direction d'E. CAVAIGNAC, Paris, 1926, in-8°.

VEICH (G. S.), *The genesis of parliamentary reform*, Londres, 1913, in-8°.

VERMEIL (E.), *L'Allemagne. Essai d'explication*, Paris, 1945, in-8°.

VERNADSKY (G.), *A history of Russia*, New York, 1929, in-8°.

VERNADSKY (G.), *La charte constitutionnelle de l'Empire russe en l'an 1820*, Paris, 1932, in-8°.

VIAL (F.), *Les principes de l'enseignement libéral dans leur application à la question de l'enseignement secondaire*, Paris, 1902, in-8°.

VIALLATE (A.), *L'activité économique en France de la fin du XVIIIe siècle à nos jours*, Paris, 1937, in-8°.

VIDAL (C.), *Charles-Albert et le risorgimento (1831-1848)*, Paris, 1927, in-8°.

VIDALENC (J.), *Les demi-soldes. Étude d'une catégorie sociale*, Paris, 1955, in-8°.

VIGIER (Ph.), *La Seconde République dans la région alpine. Étude politique et sociale*, 2 vol., Paris, 1963, in-8°.

VOLPE (G.), *Italia moderna*, tome I : *1815-1898*, Florence, 1946, in-8°.

VOLZ (O.), *Christentum und Positivismus. Die Gründlagen der Rechts und Staatsaufassung F. G. Stahls*, Tubingen, 1951, in-8°.

W

WALCH (E.), *La déclaration des droits de l'homme et du citoyen et l'assemblée constituante* : *documents préparatoires*, Paris, 1903, in-8°.

WALDECK-ROUSSEAU, *Discours prononcés de la Loire*, Paris, 1896, in-8°.

WALLIER (R.), *Le XXᵉ siècle politique, année 1903*, Paris, 1904, in-8°.

WALPOLE (S.), *Life of lord John Russell*, 2 vol., Londres, 1889, in-8°.

WALTER (G.), *Lénine*, Paris, 1950, in-8°.

WASSERMANN (S.), *Les clubs de Barbès et de Blanqui en 1848*, Paris, 1913, in-8°.

WEARMOUTH (R.), *Some working class movements of the 19th century*, Londres, 1949, in-8°.

WEBB (S. et B.), *History of modern unionism*, Londres, 1894, in-8°, nouv. édit., Londres, 1920, in-8°.

WEBB (S. et B.), *English poor law history. The last hundred years*, 2 vol., Londres, 1929, in-8°.

WEBER (M.), *L'éthique protestante et l'esprit du capitalisme*, trad. franç., Paris, 1964, in-8°.

WEBER (R.), *Kleinbürgerliche Demokraten in der deutschen Einheitsbewegung. 1863-1866*, Berlin, 1962, in-8°.

WEIL (E.), *Hegel et l'État*, Paris, 1950, in-8°.

WEIL (G. D.), *Les élections législatives en France depuis 1789*, Paris, 1895, in-8°.

WEILL (G.), *Histoire du mouvement social en France (1852-1924)*, 3ᵉ édit., Paris, 1924, in-8°.

WEILL (G.), *Histoire du parti républicain en France. 1814-1870*, nouv. édit., Paris, 1928, in-8°.

WEILL (G.), *Histoire de l'idée laïque en France au XIXᵉ siècle*, Paris, 1925, in-8°.

WEILL (G.), *Le journal*, Paris, 1934, in-8°.

WILLIAMS (W. E.), *The rise of Gladstone to the leadership of the liberal party*, Cambridge, 1934, in-8°.

WITTKE (C.), *The utopian communist. A biography of W. Weitling, nineteenth century reformer*, Baton rouge, 1950, in-8°.

WOODWARD (L.), *The age of reform. 1815-1870*, Oxford, 1938, in-8°, nouv. édit., 1946, in-8°, qui forme le tome XIII de *The Oxford history of England*, publiée sous la direction de G. N. CLARK.

Z

ZADEI (G.), *L'abate Lamennais e gli Italiani del suo tempo*, Turin, 1925, in-8°.

ZLOCISTI (T.), *Moses Hess. Der Vorkämpfer des Sozialismus*, Berlin, 1921, in-8°.

ZOLGER (J.), *Der staatsrechtliche Ausgleich zwischen Ungarn und Oesterreich*, Leipzig, 1911, in-8°.

ZOLO (D.), *Il personalismo Rosminiano. Studio sul pensiero politico di Rosmini*, Morcelliana, 1963, in-8°.

II. ARTICLES

Abréviations utilisées :

American historical review .... AHR

American journal of sociology .... AJS

Annales de l'École libre des sciences politiques .... AELSP

A

APPOLIS (E.), Les idées politiques de Michel Chevalier (1842-1846), dans la *RHMC*, tome XII, 1965, p. 135-140.

B

BALBIBO (G.), Gioberti ed il compito della filosofia, dans *Ar. F*, Rome, 1940, p. 252 et suiv.

BARRAL (P.), Les Périer, dans les *Cahiers d'histoire des chambres de com.
de Lyon et de Grenoble*, n° 7, 1964.

BARTHÉLEMY (J.), La crise de la démocratie représentative, dans la *RDP*,
1928, p. 585 et suiv.

BERTHELOT (M.), La crise de l'enseignement secondaire, dans la *RDM*,
15 mars 1891, p. 337-374.

BERTON, La constitution de 1848, dans les *AELSP*, 1898.

BORSANO (A.), Adelfi, federati e carbonari, dans les *AAST*, 1909-1911,
p. 409 et suiv.

BOURGEOIS (L.), La démocratie, dans la *RPP*, tome XLII.

BOURGIN (G.), Les préfets de Napoléon III historiens du coup d'état,
dans la *RH*, tome CLXVI, 1931, p. 274-289.

BOURGIN (G.), Législation et organisation du travail sous la Restauration, dans la *RPP*, 1910, p. 116-152.

BRUCHET (M.), Le coup d'état de 1851 dans le Nord, dans la *RN*, tome XI,
1925, p. 81-113.

BUSSMANN (W.), Zur Geschichte des deutschen Liberalismus im 19.
Jahrhundert, dans *HZ*, tome CLXXXVI, 1958, cahier 3.

C

CAHEN (G.), Louis Blanc et la Commission du Luxembourg (1848),
dans les *AELSP*, 1897, p. 187-225, 362-380, 459-481.

CAHEN (L.), L'enrichissement de la France sous la Restauration, dans
la *RHM* de mai-juin 1930.

CHABOSSEAU (A.), Les constituants de 1848, dans *R 1848*, tomes VII,
1910-1911, p. 287-305 et 415-425 et VIII, 1911-1912, p. 67-80.

CHALLAYE (F.), Le syndicalisme révolutionnaire dans la *RMEM*, 1907,
p. 103-127 et 256-272.

CHASTENET (J.), Émile Ollivier et les conséquences d'une situation fausse,
dans la *RTASMP*, 1945.

COQUIN (F. X.), Faim et migrations paysannes en Russie au xixe siècle,
dans la *RHMC*, tome XI, 1964, p. 126-144.

COURTEAUX (J. P.), Naissance d'une conscience de classe dans le prolétariat textile du Nord (1830-1870), dans la *RE*, 1957, p. 114-139.

COURTOIS (A.), Notices sur les canaux entrepris en vertu des lois de
1821-1822, dans le *JE*, tome XXIX, 1851, p. 213 et suiv.

COUSTEIX (P.), Les financiers sous le Second Empire, dans *1848 RRC*,
tome XLIII, 1950, p. 105-135.

CRÉMIEUX (A.), Le procès des ministres et l'enquête judiciaire sur les
journées de février, dans la *RHMC*, tome IX, 1907-1908, p. 5-23.

D

DANSETTE (A.), Explication du boulangisme, dans la *R heb.*, 22 janvier 1938, p. 389-418.

DAUMARD (A.), Structures sociales et classement sociologique, dans la
RHMC, tome X, 1963, p. 185 et suiv.

DAVY (G.), Les théories contemporaines de la souveraineté, dans la *RP*,
tome LXXXXIV, 1925, p. 422-449.

DERFLER (L.), Le cas « Millerand », dans la *RHMC*, tome X, 1963,
p. 82-104.

DESLANDRES (M.), Les doctrines à la veille de la révolution, dans la
RBES, tome VI, 1896.

DEVINAT (P.), Le mouvement constitutionnel en Prusse de 1840 à 1847,
dans la *RH*, tome CVIII, 1911 et CIX, 1912.

DROZ (J.), L'influence de Marx en Allemagne pendant la révolution de 1848, dans la *RHR 1848*, 1954.

DROZ (J.), Préoccupations religieuses et préoccupations sociales aux origines du parti conservateur prussien, dans la *RHMC*, tome II, 1955, p. 280-300.

DUCHON (P.), Les élections de 1848, dans la *R de P*, 1936, p. 30-60 et 381-410.

DUNHAM (A. L.), Le traité de commerce franco-anglais de 1860, dans la *RH*, tome CLXXI, 1933, p. 44-74.

DUPRAT, L'école et la démocratie au XXe siècle, dans le *Bul. CTH*, Congrès soc. sav. Paris, 1902, in-8°.

DUROSELLE (J. B.), L'attitude politique et sociale des catholiques français en 1848, dans la *RHEF*, tome XXXV, p. 44-62.

DUROSELLE (J. B.), Michel Chevalier, saint-simonien, dans la *RH*, tome CCXL, 1956, p. 257 et suiv.

DUROSELLE (J. B.), Michel Chevalier et le libre échange avant 1860, dans le *Bul. SHM*, 1956.

F

FESTY (O.), La société philanthropique de Paris et les sociétés de secours mutuels (1800-1847), dans la *RHMC*, tome XVI, 1911, p. 170 et suiv.

FOHLEN (Cl.), Bourgeoisie française, liberté économique, dans la *RE*, 1954, p. 414-428.

FOHLEN (Cl.), Industrie et crédit dans la région lilloise (1815-1870), dans la *RN*, tome XXXVI, 1954, p. 361-368.

FRANCO della PIRUTA, Il pensiero soziale di Mazzini, dans la *NRS*, 48e année, 1964, p. 50-75.

G

GAILLARD (J.), La presse de province et la question du régime au début de la IIIe République, dans la *RHMC*, tome VI, 1959, p. 295-310.

GÉRARD-VARET (L.), Au Palais-Bourbon : les couloirs, dans la *R. de P.*, 1er janvier 1911, p. 151 et suiv.

GILLE (B.), La Banque de Lille et les premières banques du Nord, dans la *RN*, tome XXVI, 1954, p. 369-376.

GOBLOT, Les classes de la société, dans la *REP*, 1899.

GONNARD (R.), Quelques considérations sur les classes, dans la *REI*, 10 avril 1925, p. 65-92.

GOURVITCH, Le mouvement pour la réforme électorale (1838-1841), dans la *RHR 1848*, tomes XI, 1914-1916; XII, 1916-1917; XIII-XIV, 1917-1919.

GRIEWANK (K.), Vulgärer Radikalismus und demokratische Bewegung in Berlin, 1842-1848, dans *Forschungen zur Brandenbürgischen und Preussischen Geschichte*, tome XXXVI, 1923.

GUENEAU (L.), La législation restrictive du travail des enfants. La loi française du 22 mars 1841, dans la *RHES*, janvier 1928.

GUILLAUME (P.), La situation économique et sociale du département de la Loire d'après l'enquête sur le travail agricole et industriel du 25 mai 1848, dans la *RHMC*, tome X, 1963, p. 5-34.

H

HAURIOU (M.), L'ordre social, la justice et le droit, dans la *RTDC*, 1927.

HAURIOU (M.), Le pouvoir, l'ordre et la liberté, dans la *RMEM*, 1928, p. 196-216.
HAURY (P.), Les commissaires de Ledru-Rollin en 1848, dans la *RF*, 1909, p. 438-474.
HUART (G.), Les classes sociales, dans la *RIS*, 1921.

J

JOHNSON (D.), Guizot et lord Aberdeen en 1852. Échange de vues sur la réforme électorale et la corruption, dans la *RHMC*, tome V, 1958, p. 57-70.

K

KELSEN (H.), Aperçu d'une théorie générale de l'État dans la *RDP*, 1926.
KOSER (R.), Charakteristik der Vereinigten Landtags von 1847, *Beitrage zur Brandenbürgischen-Preussischen Geschichte*, tome XX, 1908, in-8°.
KOTNHAUSER (A.), Public opinion and social class, dans *AJS*, tome LV, n° 4, janvier 1950, p. 333-345.

L

LABROUSSE (E.), Voies nouvelles vers une histoire de la bourgeoisie occidentale aux XVIIIe et XIXe siècles (1750-1850), dans les *Actes X° Congrès intern. de sciences historiques*, Rome 1955, tome IV, p. 365-396.
LANDES (D.), Vieille banque, banque nouvelle. La révolution française au XIXe siècle, dans la *RHMC*, tome III, 1956, p. 204-222.
LANZ (H.), The philosophy of Kireïevski, dans la *SEER*, 1925-1926.
LARAN (M.), Sur les origines idéologiques de la révolution russe : les tendances de l'opposition en Russie de la fin du XIXe siècle à 1905, dans la *RH*, tome CCXX, 1958, p. 95-110.
LAUE (T. von), The high cost and the gamble of the Witte system : a chapter in the industrialization of Russia, dans le *JEH*, 1953.
LAJUSAN (A.), A. Thiers et la fondation de la IIIe République, 1871-1877, dans la *RHM*, tomes VII, 1932, p. 451-483 et VIII, 1933, p. 36-52.
LEFRANC (G.), La construction des chemins de fer et l'opinion publique vers 1830, dans la *RHM*, tome V, 1930, p. 270-279.
LEFRANC (G.), Les chemins de fer devant le Parlement français. 1835-1842, dans *ibid.* tome V, 1930, p. 337-364.
LEFRANC (G.), The French railways. 1823-1843, dans le *JEBH*, 1930, p. 299-332.
LEUILLIOT (P.), Bourgeois et bourgeoisie, dans les *Annales*, 1956.
LEUILLIOT (P.), Politique et religion : les élections alsaciennes de 1869, dans la *RA*, 1961.
LEUILLIOT (P.), Il y a cent ans. Mulhouse en 1865, dans le *Bul. MHM*, tome LXXIII, 1965, p. 85-102.
LEVY-GUENOT (R.), Ledru-Rollin et la campagne des banquets, dans la *RHR 1848*, tome XVII, 1920-1921, p. 17-28 et 58-75.
LOUBÈRE (L. A.), Les radicaux d'extrême-gauche en France et les rapports entre patrons et ouvriers (1871-1900), dans la *RHES*, tome LXII, 1964, p. 89-103.
LYON, Cité républicaine, dans la *RRC*, décembre 1951, n° 169, p. 122-127.

M

MC RAE (D.), Une analyse factorielle des préférences politiques, dans la *RFSP*, tome VIII, 1958, p. 95-110.

MAYEUR (J. M.), Droites et ralliés à la Chambre des députés au début de 1894, dans la *RHMC*, tome XIII, 1966, p. 117-135.

MICHEL (H.), Note sur la constitution de 1848, dans la *RHE 1848*, tome I, p. 41-56.

MIRKINE-GUETZEVITCH (B.), La révision constitutionnelle, dans la *RPP*, tome CLV, 1933.

MOULINAS (E.), La composition et l'évolution du pays légal dans le Vaucluse sous la Monarchie de Juillet, dans les *Mémoires de l'Académie du Vaucluse*, 1956, p. 55-83.

O

O' BOYLE (L.), The middle class in western Europe, dans la *AHR*, tome LXXI, 1966, p. 826-845.

P

PAILLAT (P.), Les salaires et la condition ouvrière en France à l'aube du machinisme (1815-1830), dans la *RE*, 1951, p. 767-777.

PEISER (G.), La notion de république dans la tradition politique française, dans *Politique*, nouv. série, 1959, p. 206-217.

PIRRI (P.), Il movimento lamennesiano in Italia, dans *CC*, 1932, p. 313-327 et 567-583.

PONTEIL (F.), La liaison directe du port de Strasbourg à Paris et au Havre, dans la *N Rh.*, des 15 juin 1928, p. 230-238 et 15 juillet 1928, p. 272-276.

PONTEIL (F.), Georges Humann et l'achèvement du canal du Rhône au Rhin, dans la *N Rh.*, 1934, p. 302-308.

PONTEIL (F.), La garde nationale du Haut-Rhin, dans l'*Annuaire de Colmar*, 1936, p. 110-119.

PONTEIL (F.), J. G. Humann, le brasseur d'affaires, l'homme politique, dans la *RHM*, 1937, p. 227-245.

PORTAL (R.), La naissance d'une bourgeoisie industrielle en Russie dans la première moitié du XIXe siècle, dans le *Bul. SHM*, no 11, 1959.

POUTHAS (Ch. H.), Une enquête sur la réforme administrative sous la Seconde République, dans la *RH*, tome CXCIII, 1942-1943, p. 1-12.

R

RAEF (M.), L'État, le gouvernement et la tradition politique en Russie impériale avant 1861, dans la *RHMC*, tome IX, 1962, p. 295-307.

RAPHAEL (P.), Les recteurs de 1850, dans la *RHM*, tome X, 1935, p. 448-487.

REDLICH (F.), Jacques Laffitte and the beginning of investment banking, dans le *Bul. BHS*, décembre 1948, p. 137-161.

RIST (M.), Une expérience de libération des échanges au XIXe siècle : le traité de 1860, dans la *REP*, novembre et décembre 1956.

ROSEMBERG (H.), Theologischer Rationalismus und vormärzlicher Vulgarliberalismus, dans *HZ*, tome CXLI, 1930.

S

SAVICKI (N. A.), P. A. Stolypine, dans le *MS*, tomes X, 1933, p. 227-247; 360-381; XI, 1934, p. 378-397; XII, 1935, p. 41-61.

SCHIEDER (Th.), Das Problem der Revolution im 19. Jahrhundert, dans *HZ*, tome CLXX, 1950, p. 233 et suiv.

SCHIEDER (Th.), Das Verhältnis von politischer und gesellschaftlicher

Verfassung und die Krise der bürgerlichen Liberalismus, dans *ibid.*, tome CLXXVII, 1954, p. 49-74.

SCHMOLLER, Lutte de classes et domination de classes, dans la *RIS*, 1905.

SCHWARTZ (P. R.), La Bourse de Mulhouse et ses courtiers privilégiés, dans le *Bul. SIM*, tome CI, 1935, p. 251-274.

SORRE (M.), Les pères du radicalisme, dans la *RFSP*, 1951.

SOUTADE-ROUGER (Mme), Les notables en France sous la Restauration (1815-1830), dans la *RHES*, tome XXXVIII, 1960, p. 98-110.

STRUVE (G.), Bieninski centenary bibliography, dans la *SEER*, 1948.

T

TAYLOR (G. V.), Types of capitalism in 18th century France, dans *AHR*, tome LXXIX, 1964, p. 478-497.

TERSEN (E.), Juin 1848, dans *la Pensée*, 1948.

THUILLIER (G.), Histoire bancaire régionale : en Nivernais, dans les *Annales*, tome X, 1955, p. 494-512.

TRANNOY (A.), Responsabilités de Montalembert en 1848, dans la *RHEF*, tome XXXV, 1949, p. 177-206.

TRENARD (L.), Aux origines de la déchristianisation. Le diocèse de Cambrai de 1830 à 1848, dans la *RN*, t. XLVII, 1965, p. 399-459.

TUBERVILLE (A. S.), Aristocracy and revolution. The british peerage, 1789-1832, dans *History*, tome XXVI, 1942, p. 240-263.

TUDESQ (A. J.), La légende napoléonienne en France en 1848, dans la *RH*, 1957, p. 64-85.

TUDESQ (A. J.), La bourgeoisie de Béziers sous la monarchie de Juillet d'après les listes électorales censitaires. *Actes 83e Congrès nat. Sociétés sav.*, *Aix-Marseille*, 1958, in-8°.

TUDESQ (A. J.), La bourgeoisie du Nord au milieu de la monarchie de Juillet, dans la *RN*, 1959, p. 227-285.

V

VANDENBUSSCHE (R.), Aspects de l'histoire politique du radicalisme dans le département du Nord (1870-1905), dans la *RN*, tome XLVII, 1965, p. 223-268.

VARLOT (J.), Georges Sorel et la révolution nationale, dans la *RU*, 1941.

VEDEL (G.), Existe-t-il deux conceptions de la démocratie? dans *Études*, 1946.

VIAL (F.), Les crimes de l'Université, dans la *RB*, 18 juin 1898.

VILLA (G.), Mazzini e il moderno pensiero politico, dans la *RM*, 1e année, fas. 2.

W

WEBER (E.), Le renouveau nationaliste en France et le glissement vers la droite. 1905-1914, dans la *RHMC*, tome V, 1958, p. 114-128.

WOOLEY (S. F.), The personal of the Parliament of 1833, dans *AHR*, tome LIII, 1938, p. 240-262.

Index

Table des matières

LIVRE IV

LE TRIOMPHE DU RADICALISME 1871-1914

COUVERTURE : *Documents Jean Vigne.*

ACHEVÉ   D'IMPRIMER   LE
13 AVRIL 1968 SUR LES
PRESSES   DE   L'IMPRIMERIE
BUSSIÈRE, SAINT-AMAND (CHER)

— N° d'édit. 4092. — N° d'imp. 1528. —
Dépôt légal : 2e trimestre 1968.